O livro dos Espíritos

EDIÇÃO HISTÓRICA BILÍNGUE

O livro dos Espíritos

Contém
Os princípios da Doutrina Espírita

Sobre a natureza dos Espíritos, suas manifestações e suas relações com os homens, as leis morais, a vida presente, a vida futura e o porvir da Humanidade

Escrito e publicado conforme o ditado e a ordem de Espíritos superiores

Por
ALLAN KARDEC
[1857]

Tradução de Evandro Noleto Bezerra

Copyright © 2013 *by*
FEDERAÇÃO ESPÍRITA BRASILEIRA – FEB

1ª edição – Impressão pequenas tiragens – 7/2025

ISBN 978-85-7328-799-8

Título do original francês:
Le Livre des Esprits
(Paris, 18 de abril de 1857)

Todos os direitos reservados. Nenhuma parte desta publicação pode ser reproduzida, armazenada ou transmitida, total ou parcialmente, por quaisquer métodos ou processos, sem autorização do detentor do *copyright*.

FEDERAÇÃO ESPÍRITA BRASILEIRA – FEB
SGAN 603 – Conjunto F – Avenida L2 Norte
70830-106 – Brasília (DF) – Brasil
www.febeditora.com.br
editorial@febnet.org.br
+55 61 2101 6161

Pedidos de livros à FEB
Comercial
Tel.: (61) 2101 6161 – comercial@febnet.org.br

Adquirindo esta obra, você está colaborando com as ações de assistência e promoção social da FEB e com o Movimento Espírita na divulgação do Evangelho de Jesus à luz do Espiritismo.

Dados Internacionais de Catalogação na Publicação (CIP)
(Federação Espírita Brasileira – Biblioteca de Obras Raras)

K18l   Kardec, Allan, 1804–1869

O livro dos espíritos: contém os princípios da doutrina espírita sobre a imortalidade da alma, a natureza dos Espíritos e suas relações com os homens, as leis morais, a vida presente, a vida futura e o porvir da humanidade, escrito e publicado conforme o ditado e a ordem de Espíritos superiores: Edição Histórica Bilíngue / recebidos e coordenados por Allan Kardec, 1857; tradução de Evandro Noleto Bezerra [da 1ª edição francesa]. – 1. ed. – Impressão pequenas tiragens – Brasília: FEB, 2025.

560 p.; 23 cm

Tradução de: *Le Livre des Esprits*

ISBN 978-85-7328-799-8

Inclui referências

1. Espiritismo. I. Kardec, Allan, 1804–1869. II. Federação Espírita Brasileira. III. Título

CDD 133.9
CDU 133. 7
CDE 00.06.01

Sumário

Aviso sobre esta edição 7
O papel de Allan Kardec na codificação espírita 9
Introdução ao estudo da doutrina espírita 33
Prolegômenos 67

LIVRO PRIMEIRO
Doutrina Espírita

Capítulo I – Deus 73
Capítulo II – Criação 79
Capítulo III – Mundo corpóreo 87
Capítulo IV – Mundo espiritual ou dos espíritos 95
Capítulo V – Encarnação dos espíritos 115
Capítulo VI – Retorno da vida corpórea à vida espiritual 127
Capítulo VII – Diferentes encarnações dos espíritos 139
Capítulo VIII – Emancipação da alma durante a vida corpórea 157
Capítulo IX – Intervenção dos espíritos no mundo corpóreo 171
Capítulo X – Manifestação dos espíritos 187

LIVRO SEGUNDO
Leis morais

Capítulo I – Lei divina ou natural 239
Capítulo II – Lei de adoração 251
Capítulo III – Lei do trabalho 257
Capítulo IV – Lei de reprodução 261

Capítulo V – Lei de conservação.. 265
Capítulo VI – Lei de destruição 271
Capítulo VII – Lei de sociedade 279
Capítulo VIII – Lei do progresso 285
Capítulo IX – Lei de igualdade 291
Capítulo X – Lei de liberdade 299
Capítulo XI – Lei de justiça, amor e caridade............................. 309

LIVRO TERCEIRO
Esperanças e consolações

Capítulo I – Perfeição moral do homem 317
Capítulo II – Felicidade e infelicidade na Terra......................... 323
Capítulo III – Penas e recompensas futuras............................... 331

Epílogo..*345*
Notas...*347*

REPRODUCTION NUMÉRISÉE DE LA 1RE ÉDITION FRANÇAISE (18 AVRIL 1857)

Le livre des esprits..367

Nota explicativa..*551*
Referências *557*

Aviso sobre esta edição

A presente edição da FEB contém a reprodução eletrônica (digitalizada) da 1ª edição francesa de *O livro dos espíritos,* tal como surgiu em Paris a 18 de abril de 1857,[1] bem como sua tradução integral em nossa língua, enriquecida com anotações e comentários sobre o papel de Allan Kardec na Codificação do Espiritismo, que de modo algum se limitou, como pensam alguns, em elaborar as perguntas, classificar as respostas e ordenar os capítulos que compõem o livro.

Como se poderá facilmente observar, a 1ª edição do livro não tem a mesma abrangência da segunda, publicada em 1860, muito mais completa e desenvolvida, compreendendo mais de mil perguntas e respectivas respostas, além de capítulos inteiros e explanações adicionais da lavra do Codificador, edição que se tornou definitiva e que se acha traduzida nas principais línguas faladas no planeta.

Não obstante substituído pela edição que ora divulgamos, *O livro dos espíritos,* tal como o mundo o conheceu em 1857, já faz parte da História, de modo que as novas gerações de estudiosos e pesquisadores da Doutrina não podem nem devem ficar alheias à grande epopeia que preparou os caminhos do Espiritismo. Impossível desconhecer a atuação providencial do Espírito Iluminado que o codificou, as lutas e os desafios que teve de enfrentar para levar avante sua missão, cujo papel principal

---

[1] N.T.: a Biblioteca de Obras Raras da FEB, em Brasília(DF), dispõe de quatro exemplares *originais* da 1ª edição francesa de *O livro dos espíritos,* de 1857, um dos quais serviu de base para esta tradução.

foi o de materializar, na Terra, o Consolador prometido há dois mil anos pela misericórdia de Jesus Cristo, lançando

> as bases do novo edifício que se eleva e que um dia há de reunir todos os homens num mesmo sentimento de amor e caridade, abrindo assim uma Nova Era para a regeneração da Humanidade.[2]

A Editora

---

[2] KARDEC, Allan. *O livro dos espíritos*, p. 70.

O papel de Allan Kardec na codificação espírita

I

"Só se confia o comando de um Exército a um hábil general, capaz de o dirigir. Julgais que Deus seja menos prudente que os homens?" [3]

Nos últimos dias de sua passagem entre nós, quando já se vislumbravam no horizonte as nuvens tempestuosas do calvário, o Cristo de Deus reuniu os apóstolos a fim de transmitir-lhes suas derradeiras instruções. Profundo conhecedor da psicologia humana, e deixando extravasar todo o amor que lhe vinha da alma, o Mestre tranquilizou os discípulos e prometeu que não os deixaria órfãos.

> Se me amais – dizia Jesus naquela ocasião – guardai meus mandamentos; e eu rogarei a meu Pai e Ele vos enviará outro Consolador, a fim de que fique eternamente convosco: o *Espírito de Verdade*, que o mundo não pode receber, porque não o vê nem o conhece. Vós, porém, o conhecereis, porque ficará convosco e estará em vós. Mas o Consolador, que é o Santo Espírito, que meu Pai enviará em meu nome, vos ensinará todas as coisas e vos fará lembrar de tudo quanto vos tenho dito.[4]

---

[3] KARDEC, Allan. *O evangelho segundo o espiritismo*, cap. XXI, It. 9.
[4] João, 14:15 a 17 e 26.

Fácil é de ver-se, como mais tarde reconheceria Allan Kardec,[5] que Jesus não revelou tudo o que sabia, admitindo, além disso, que suas palavras seriam mal interpretadas ou mesmo falseadas pelos interesses subalternos mundanos, visto que sobre muitos assuntos Ele se viu obrigado, em razão da nossa indigência espiritual, a lançar os germens de verdades que só mais tarde desabrochariam no coração dos homens. Dotado da presciência que caracteriza os Espíritos superiores, o Mestre rasgava naquele momento os horizontes do futuro e divisava o vale de lágrimas em que se transformaria a Terra, cujas religiões, não obstante nascidas da fonte sem mácula do Cristianismo primitivo, seriam impotentes para consolar a Humanidade sofredora, razão pela qual se tornava necessária a presença de um Consolador que ficasse eternamente conosco.

Quando, porém, se daria o seu advento? Um século, dois séculos, três séculos mais tarde? Não, evidentemente. A Humanidade é lenta demais em suas conquistas. O Consolador, que viria consubstanciar-se na Doutrina Espírita, não podia chegar tão cedo ainda. Era preciso o concurso da lenta sucessão dos séculos para operar as transformações indispensáveis à sua eclosão e preparar o espírito humano para o receber. Como imaginá-lo nas trevas da Idade Média, quando as fogueiras inquisitoriais consumiam milhares de criaturas, tão só por se insurgirem contra a ortodoxia oficial então reinante? Como antecipar sua vinda, antes que os progressos da Ciência, sobretudo nos campos da Física, da Química, da Psicologia, da Biologia, da Sociologia e da Antropologia viessem trazer sua contribuição valiosa, sem a qual Allan Kardec não poderia lançar as bases do edifício que os Espíritos superiores vinham edificar? Era preciso "dar tempo ao tempo", aguardar que o povo conquistasse a liberdade de pensar e pudesse expressar as próprias ideias sem qualquer temor, especialmente sobre suas crenças religiosas. Por isso,

> se viesse mais cedo, ter-se-ia chocado contra o materialismo todo-poderoso; em tempo mais recuado, teria sido sufocado pelo fanatismo cego. Apresenta-se no momento [certo] [...] em que a reação espiritualista,

---

[5] KARDEC, Allan. *O evangelho segundo o espiritismo*, cap. VI, it. 4, p. 150-152.

provocada pelos próprios excessos do materialismo, já se apoderava de todos os espíritos [...] preocupados com o futuro da Humanidade.[6]

Chegados os tempos preditos, a quem confiar na Terra a missão de coordenar os ensinamentos que seriam revelados pela Espiritualidade Superior? Em outras palavras, quem seria encarregado de materializar neste mundo a promessa feita por Jesus, dezoito séculos antes, de ficar eternamente conosco? Como bem sabemos, nada se faz de improviso nos planos divinos. Tudo é programado com antecedência, tudo é planejado minuciosamente, de modo a garantir à obra o sucesso de sua execução. O instrumento a ser escolhido deveria, portanto, estar à altura da missão que vinha desempenhar. Para isso, a misericórdia de Jesus Cristo convocou um de seus "mais lúcidos discípulos",[7] que, na França imperial de Napoleão III, se imortalizou sob o pseudônimo de Allan Kardec. Sua missão? – "Reorganizar o edifício desmoronado da fé, reconduzindo a civilização às suas profundas bases religiosas".[8]

Missão complexa, missão difícil. Quanto maior a tarefa, maiores as dificuldades, os percalços daqueles que estão incumbidos de sua execução. O escolhido tanto podia triunfar, como falir. Neste último caso, outro o substituiria, porquanto os desígnios de Deus não se assentam na cabeça de um homem.[9] A chance, porém, que tinha Allan Kardec de vencer era imensa, considerando-se os predicados morais e intelectuais que o distinguiam entre os homens. Por isso mesmo ele foi escolhido. Já não se tratava de levantar uma ponta do véu que encobre as verdades eternas, como faziam periodicamente os profetas do Velho Testamento e, em maior escala, como fez Jesus no seu tempo; tratava-se, isto sim, de *rasgar* esse véu de ponta a ponta, de *escancarar* a verdade, a fim de que a luz pudesse jorrar a mancheias, em todos os quadrantes da Terra, tanto na choupana como no palácio, de modo a beneficiar a Humanidade inteira exilada neste mundo.

---

[6] KARDEC, Allan. *Revista espírita*, v. 6, 1863, p. 400.
[7] XAVIER, Francisco Cândido. *A caminho da luz*, cap. XXII, p. 233.
[8] Id. Ibid., cap. XXIII, p. 240.
[9] KARDEC, Allan. *Obras póstumas*, p. 367.

Temperado pelas experiências de múltiplas existências, numa das quais foi condenado à fogueira pela intolerância clerical,[10] Allan Kardec já divisava a complexidade da tarefa que o Alto lhe confiara. Já sabia que trabalhar na seara de Jesus não o isentava das dores nem das agruras a que está sujeita a Humanidade em sua lenta evolução para esferas mais elevadas. Não disse o Mestre: "Quem quiser vir após mim, negue-se a si mesmo, tome sua cruz e siga-me"?[11] Além disso, fora advertido pelo próprio Espírito de Verdade de que a missão dos reformadores é cheia de escolhos e rude seria a dele, Kardec, pois se tratava de abalar e transformar o mundo. Não lhe bastava publicar um livro, dois livros, dez livros, para em seguida ficar tranquilamente em casa. Tinha que *expor* sua pessoa; suscitaria contra si ódios terríveis; inimigos encarniçados se conjurariam para sua perda. Ver-se-ia a braços com a malevolência, a calúnia e mesmo com a traição dos que lhe pareciam mais dedicados. Suas melhores instruções seriam desprezadas e falseadas; por mais de uma vez sucumbiria ao peso da fadiga, e teria que sustentar uma luta quase contínua, com sacrifício do repouso, da tranquilidade, da saúde e mesmo da própria vida, pois sem isso viveria muito mais tempo.[12]

Quando surgiram as primeiras manifestações espíritas, pouquíssima atenção foi dada aos fenômenos, imaginando seus contraditores que se tratasse de um modismo sem maiores consequências. Quando, porém, tomaram consciência de que a Doutrina não era um fogo de palha, se assentava na razão, tinha consequências morais e respondia aos grandes questionamentos da Humanidade, os que a combatiam passaram a servir-se de todos os expedientes para desmoralizá-la. Uma das primeiras medidas visava ridicularizar o Espiritismo perante os adeptos e simpatizantes; depois vieram outras, tentando indispor os espíritas contra as autoridades constituídas, por supostamente representarem aqueles um perigo para a sociedade e para a ordem política reinante, não

---

[10] N.T.: consta que Allan Kardec fora a reencarnação de Jan Huss, queimado vivo em Constança (Alemanha) no século XV.
[11] Mateus, 16:24.
[12] KARDEC, Allan. *Obras póstumas*, p. 368.

sendo pequeno, para não dizer grande, o papel da Igreja nessa cruzada, excomungando os fiéis e lhes interditando a leitura de obras espíritas. Entretanto, quando se deram conta de que nem a zombaria, nem a oposição clerical, nem as perseguições individuais surtiam os efeitos desejados, passaram a lançar mão da calúnia. Sim, da calúnia, da hipocrisia, da mentira! E, como não podia deixar de ser, Allan Kardec atraiu a si a maior parte dos ataques dirigidos contra o Espiritismo. É que, tentando desmerecer o homem, pretendiam desacreditar a Doutrina; buscando destruir o chefe, imaginavam aniquilar a ideia, e por isso se lançaram sem dó nem piedade contra ele. Mas aquele espírito de escol era inquebrantável. Seu modelo era Jesus, e nele hauria as forças de que precisava para não desanimar nem sucumbir. Mesmo sabendo que o Mestre, a bondade por excelência, o "lenho verde" de que nos fala o Evangelho,[13] foi alvo de tudo que a maldade pôde imaginar, Allan Kardec, na sua aparente fragilidade de "lenho seco" e sem se deixar intimidar, arrostou todas as dificuldades para que o Consolador fincasse, definitivamente, suas imensas raízes por sobre a Terra inteira.

Triste, no entanto, foi haver ele constatado que os opositores se infiltravam até mesmo nas fileiras do Espiritismo. O que caracterizava esses pretensos adeptos era a tendência a fazer o Espiritismo sair dos caminhos da prudência e da moderação por seu ardente desejo do triunfo da verdade; era o estímulo às publicações excêntricas, o êxtase ante as comunicações apócrifas mais ridículas, a provocação de reuniões comprometedoras sobre política e religião, o elogio e a bajulação a pessoas e instituições. Os mais hipócritas, com olhar e palavras melífluas, sopravam a discórdia enquanto pregavam a união. Sustentavam com habilidade a discussão de questões irritantes ou ferinas, capazes de provocar dissidências; excitavam a inveja de predominância sobre os diversos grupos e ficariam contentíssimos se os vissem a se apedrejarem. Alguns, visando ao lucro, acrescentavam a cartomancia e a quiromancia, prediziam o futuro, liam a sorte, descobriam tesouros ocultos, indicavam a cotação na bolsa e os números premiados da loteria. Faziam, pois,

---
[13] Lucas, 23:31.

o oposto do que o Espiritismo preconiza, e tudo isso com o intuito de comprometer a Doutrina, expô-la ao ridículo e excitar contra ela a ira dos opositores e das autoridades. Ora, reconhecia Allan Kardec, se todas as doutrinas têm tido os seus Judas, se até Jesus Cristo teve o seu, por que o Espiritismo se veria livre deles?[14]

Outras categorias nunca estavam contentes, qualquer que fosse o ritmo e a direção que o Codificador imprimisse aos seus trabalhos. Uns achavam que ele andava depressa demais, outros com excessiva lentidão. Os primeiros o reprovavam por haver formulado princípios imaturos e de se impor como chefe filosófico. Os segundos, os que pretendiam que Kardec não andava com bastante rapidez, esses gostariam de empurrá-lo num caminho que ele não queria se arriscar. Assim, sem se deixar influenciar pelas ideias de uns nem de outros, prosseguia sua jornada; e como era sério o objetivo que perseguia e o visse claramente, não se inquietava com os clamores dos que passavam. Afora esses, havia espíritas cuja suscetibilidade era levada ao excesso; que se melindravam com as mínimas coisas, até com o lugar que lhes era destinado nas sessões se não os punham em evidência; médiuns obsidiados, ou melhor, fascinados, que se afastavam dos grupos quando não se dava crédito às mais ridículas mensagens que recebiam, sem falar de outros que não o perdoavam por ter sido bem sucedido na condução de seus trabalhos. Tudo isso levou Kardec a reconhecer que os maiores inimigos do Espiritismo são os falsos espíritas, os amigos inábeis, que fazem o contrário do que a Doutrina recomenda e não praticam a lei que proclamam.[15] Por aí já se vê o terreno minado em que pisava o Codificador.

Pedras, pois, não faltaram no seu caminho, pedras de todos os tamanhos, por cima das quais ele passava, mesmo sobre as maiores.[16] É que jamais uma doutrina filosófica causou tanta comoção quanto o Espiritismo e nenhuma foi atacada com tamanha obstinação, fato perfeitamente natural, por se tratar de uma ideia nova que vinha contrariar

---

[14] KARDEC, Allan. *Obras póstumas*, p. 324.
[15] Id. *Revista Espírita*, v. 4, 1861, p. 495.
[16] Id. *Viagem espírita em 1862*, p. 63.

interesses e abalar as crenças. Entretanto, por levar a peito sua determinação de *discutir* sem *disputar*[17], poucas vezes Allan Kardec se permitiu defender-se das aleivosias de que era alvo, e mesmo assim dentro das normas da mais estrita conveniência.

> Nossa vida – dizia ele certa ocasião – é toda de labor e estudo, e até os momentos de repouso nós os consagramos ao trabalho [...]. Como tantos outros, trazemos nossa pedra ao edifício que se levanta, embora não fazendo disso um degrau para alcançar o que quer que seja. Que outros tragam mais pedras que nós; que outros trabalhem tanto e melhor que nós e os veremos com sincera alegria. O que queremos, antes de tudo, é o triunfo da verdade, venha de onde vier, pois não temos a pretensão de ver sozinho a luz [...].[18]

Ninguém, portanto, mais bem talhado que o futuro Codificador para secundar os Espíritos do Senhor, "que são as virtudes dos céus", no sagrado labor de implantar na Terra os fundamentos de uma Nova Era para a regeneração da Humanidade. A razão disto? Porque Deus

> só confia missões importantes aos que Ele sabe capazes de as cumprir, já que as grandes missões são fardos pesados que esmagariam o homem demasiado fraco para carregá-los. Como em todas as coisas, o mestre tem de saber mais que o discípulo; para fazer que a Humanidade avance moral e intelectualmente, são precisos homens superiores em inteligência e moralidade, razão por que são sempre escolhidos, para essas missões, Espíritos já adiantados, que fizeram suas provas em outras existências, visto que, se não fossem superiores ao meio em que têm de atuar, nula seria sua ação.[19]

E Allan Kardec encarnava perfeitamente esse "homem superior em inteligência e moralidade". Educado na escola de Pestalozzi, foi em Yverdon que se lhe desenvolveram as ideias que mais tarde deviam fazer dele um observador atento e meticuloso, um pensador prudente e profundo. De cultura vasta e multifária, dominava todas as chamadas ciências fundamentais de Auguste Comte, assim como a Lógica, a Retórica, a

---

[17] **KARDEC**, Allan. *Revista Espírita*, v. 1, 1858, p. 24.
[18] Id. *Revista Espírita*, v. 2, 1859, p. 103.
[19] Id. *O evangelho segundo o espiritismo*, p. 399.

Anatomia comparada e a Fisiologia. Além do francês, sua língua materna, conhecia bem o alemão e o holandês, e tinha noções de latim e grego. Educador emérito, durante trinta anos empenhou-se de corpo e alma em instruir a juventude parisiense, aí se preparando para ser o homem universal, aquele "bom senso encarnado" de que nos falou Camille Flammarion. Assim, muito antes que o Espiritismo lhe popularizasse e imortalizasse o pseudônimo Allan Kardec, já ele havia firmado bem alto, no conceito do povo francês e no respeito de autoridades e professores, sua reputação de distinguido mestre da pedagogia moderna.[20]

Isto quanto ao preparo intelectual, ao "instruí-vos" de que nos fala o Espírito de Verdade.[21] Quanto ao "amai-vos", quem melhor do que Allan Kardec para vivenciar o real sentido da palavra caridade, tal como o entendia e praticava Jesus?[22] Como ele mesmo afirmava, aqueles princípios não existiam apenas em teoria, visto que os punha em prática; fazia tanto bem quanto o permitia sua condição; prestava serviços quando podia; os pobres nunca foram repelidos de sua porta, ou tratados com dureza, sendo recebidos sempre e a qualquer hora com a mesma benevolência; nunca se queixou dos passos que deu para fazer um benefício; pais de família saíram da prisão graças aos seus esforços; sua consciência lhe dizia que nunca fez mal a ninguém e que praticou todo o bem que estava ao seu alcance, sem, contudo, se preocupar com a opinião alheia; desculpava os outros, para que o desculpassem também, a fim de poder dizer, como Jesus Cristo: *Atire a primeira pedra aquele que estiver sem pecado;* fazia todo o bem que lhe era possível, mesmo aos inimigos, porquanto o ódio não o cegava, estendendo-lhes sempre as mãos para tirá-los do precipício, caso se lhe oferecesse ocasião para isso.[23]

Diante, pois, de tamanhas credenciais, como negar ao Codificador do Espiritismo os requisitos indispensáveis para secundar e mesmo ombrear os Mensageiros do Senhor, tendo à frente o próprio Cristo, na implantação definitiva do Reino de Deus na Terra? Como verdadeiro missionário

---
[20] WANTUIL, Zêus (Org.). *Allan Kardec, o educador e o codificador*, p. 183, 223-224.
[21] KARDEC, Allan. *O evangelho segundo o espiritismo*, p. 153.
[22] Id. *O livro dos espíritos*, p. 532.
[23] Id. *Obras póstumas*, p. 435-436.

de Deus e como intérprete fiel do Espírito de Verdade, Allan Kardec, talvez melhor que qualquer outro em seu lugar, justificou a missão que o Alto lhe confiou pela superioridade com que se conduziu na Terra, pela grandeza de que deu provas, pelas virtudes que lhe exornavam o caráter e, acima de tudo, pelo resultado e pela influência moralizadora de suas obras.[24]

II

"Este livro é o repositório de seus ensinos. Foi escrito por ordem e sob o ditado de Espíritos superiores, para estabelecer os fundamentos de uma filosofia racional, isenta dos preconceitos do espírito de sistema..."[25]

  O contato inicial de Allan Kardec com os fenômenos espíritas se deu em maio de 1855, na casa da Sra. Plainemaison. Foi aí que ele presenciou, pela primeira vez, o fenômeno das mesas que giravam, saltavam e corriam em condições tais que não davam margem a qualquer dúvida. Ali assistiu também a alguns ensaios, muito imperfeitos, é verdade, de escrita mediúnica numa ardósia, com o auxílio de uma cesta. Como ele mesmo admite, suas ideias estavam longe de precisar-se, mas havia ali um fato que necessariamente decorria de uma causa, de modo que naquelas aparentes futilidades, no passatempo que faziam daqueles fenômenos, ele entrevia qualquer coisa de sério, como que a revelação de uma nova lei, que tomou a si estudar a fundo. Outras oportunidades se lhe apresentaram para observar os fatos com mais atenção, como até então ainda não fizera.

  Havendo travado conhecimento com a família Baudin, foi convidado pelo chefe da casa para assistir às sessões semanais que se realizavam em sua residência e às quais se tornou, desde logo, muito assíduo. Bastante numerosas, essas reuniões tinham como médiuns as senhoritas Baudin, que escreviam numa ardósia com o auxílio de uma cesta chamada carrapeta, processo esse que, por exigir o concurso de duas pessoas, exclui toda possibilidade de intromissão das ideias do médium. Nelas, Allan Kardec teve o ensejo de ver comunicações contínuas e respostas a perguntas for-

---

[24] KARDEC, Allan. *O evangelho segundo o espiritismo*, p. 399.
[25] Id. *O livro dos espíritos,* Prolegômenos, p. 70.

muladas, até mesmo a perguntas mentais, que acusavam, de modo evidente, a intervenção de uma inteligência estranha.

Foi em tais reuniões que o futuro Codificador começou seus estudos sérios de Espiritismo, não tanto por meio de revelações, mas de observações. Assim, aplicou a essa nova ciência o método experimental. Em vez de elaborar teorias preconcebidas, observava cuidadosamente, comparava, deduzia consequências e dos efeitos procurava remontar às causas, por dedução e pelo encadeamento lógico dos fatos, não admitindo por válida uma explicação senão quando podia resolver todas as dificuldades da questão. Logo de saída percebeu a gravidade da exploração que ia empreender e a chave do problema tão obscuro e tão controvertido do futuro da Humanidade, a solução que procurara em toda sua vida, verdadeira revolução nas ideias e nas crenças, o que o obrigava a andar com a maior circunspeção e não levianamente, ser positivista e não idealista, para não se deixar iludir.

Um dos primeiros resultados que colheu de suas observações foi que os Espíritos, nada mais sendo que as almas dos homens, não possuíam nem a plena sabedoria, nem a ciência integral; que o saber de que dispunham se limitava ao grau de adiantamento que haviam alcançado, e que a opinião deles só tinha o valor de uma opinião pessoal. Reconhecida desde o princípio, essa verdade o preservou do grave escolho de crer na infalibilidade dos Espíritos e o impediu de formular teorias imaturas, tendo como base o que fora dito por um ou alguns deles. Do menor ao maior, os Espíritos foram meios de o informar, e não *reveladores predestinados*. Observar, comparar e julgar, tal a regra que constantemente seguiu.

Até então, as sessões na casa do Sr. Baudin não tinham tido nenhum fim determinado. Ali o professor Rivail tentou obter a resolução dos problemas que lhe interessavam, do ponto de vista da Filosofia, da Psicologia e da natureza do mundo invisível. Para tanto, levava a cada sessão uma série de perguntas preparadas e metodicamente dispostas, perguntas sempre respondidas com precisão, profundeza e lógica. A princípio, ele cuidara apenas de instruir-se, mas quando viu que aquilo constituía um todo e ganhava as proporções de uma doutrina, teve a ideia de publicar os ensinos recebidos, para a instrução de toda gente. Foram aquelas mesmas questões que, sucessivamente desenvolvidas e completadas, constituíram a base de *O livro dos espíritos*.[26]

***

Esse maravilhoso esforço de síntese bem demonstra a habilidade de Allan Kardec em descrever, de modo sumário, sua iniciação no Espiritismo, mais ou menos como se encontra em *Obras póstumas*, publicada em 1890 por seus continuadores. Entretanto, e sobre o mesmo assunto, já ele adiantava em 1858:

> Muitas vezes já nos dirigiram perguntas sobre a maneira por que foram obtidas as comunicações que são objeto de *O livro dos espíritos*. Resumimos aqui, com muito prazer, as respostas que temos dado a esse respeito, pois que isso nos ensejará ocasião de cumprir um dever de gratidão para com as pessoas que, de boa vontade, nos prestaram seu concurso.
>
> Como explicamos, as comunicações por pancadas, ou tiptologia, são muito lentas e bastante incompletas para um trabalho alentado; por isso jamais utilizamos esse recurso: tudo foi obtido através da escrita e por intermédio de vários médiuns psicógrafos. Nós mesmos preparamos as perguntas e coordenamos o conjunto da obra; as respostas são, textualmente as que foram dadas pelos Espíritos; a maior parte delas foi escrita sob nossas vistas, algumas foram tomadas das comunicações que nos foram enviadas por correspondentes ou que recolhemos para estudo em toda parte onde estivemos: a esse efeito, os Espíritos parecem multiplicar aos nossos olhos os motivos de observação.
>
> Os primeiros médiuns que concorreram para o nosso trabalho foram as senhoritas B***, cuja boa vontade jamais nos faltou; este livro foi escrito quase por inteiro por seu intermédio e na presença de numeroso auditório, que assistia às sessões com o mais vivo interesse. Mais tarde os Espíritos recomendaram sua completa revisão em conversas particulares para fazerem todas as adições e correções

---

[26] KARDEC, Allan. *Obras póstumas*, p. 345-353.

que julgaram necessárias. Essa parte essencial do trabalho foi feita com o concurso da senhorita Japhet, que se prestou com a maior boa vontade e o mais completo desinteresse a todas as exigências dos Espíritos, pois eram eles que marcavam os dias e as horas para suas lições... [27]

No entanto, Allan Kardec não se contentou com essa verificação. Os Espíritos assim o haviam recomendado. Tendo-lhe as circunstâncias posto em relação com outros médiuns, sempre que se apresentava ocasião ele a aproveitava para propor algumas das questões que lhe pareciam mais espinhosas, de sorte que mais de dez médiuns prestaram concurso a esse trabalho. Da comparação e da fusão de todas as respostas, coordenadas, classificadas e muitas vezes retocadas no silêncio da meditação, foi que ele elaborou a primeira edição de *O livro dos espíritos*.[28]

A edição *princeps* do livro foi entregue à publicidade no dia 18 de abril de 1857. Dividido em três partes, suas quinhentas e uma perguntas e respectivas respostas estão distribuídas em duas colunas, o que torna singular sua apresentação gráfica, se comparada à dos demais livros publicados por Allan Kardec. Seus mil e duzentos exemplares[29, 30] se esgotaram em 1859,[31] um ano antes, portanto, da publicação da 2ª edição, que, com 1019 perguntas e respostas, distribuídas em coluna única e contendo quatro partes, se tornou a edição definitiva de *O livro dos espíritos*, tal como o conhecemos hoje.

---

[27] KARDEC, Allan. *Revista Espírita*, v. 1, 1858, p. 68-69.
[28] Id. *Obras póstumas*, p. 352-353.
[29] ABREU, Silvino Canuto. *O livro dos espíritos e sua tradição histórica e lendária*. cap. 1, p. 42.
[30] N.T.: há quem pense que a tiragem da 1ª edição de *O livro dos espíritos* foi bem menor, algo em torno de trezentos exemplares, ou menos, visto que Allan Kardec o editou por sua conta e risco, e não era, ao que se saiba, homem de grandes recursos financeiros. Embora sem nos apoiarmos em dados objetivos, que não existem, não descartamos a possibilidade de uma tiragem bem maior, já que o livro, mesmo abordando um assunto que era a *coqueluche* do momento, demorou mais de dois anos para esgotar-se. Além disso, vale lembrar que a obra só continha 176 páginas e foi impressa em papel de qualidade inferior, o que diminuiu bastante o seu custo final.
[31] KARDEC, Allan. *Revista Espírita*, v. 3, 1860, p. 19.

III

"Não existe ciência alguma que haja saído prontinha do cérebro humano; todas, sem exceção de nenhuma, são fruto de observações sucessivas, apoiadas em observações precedentes..." [32]

Por sua natureza, a revelação espírita tem duplo caráter; participa ao mesmo tempo da revelação divina e da revelação científica. Participa da primeira, porque foi providencial seu aparecimento e não resultado da iniciativa, nem de um desejo premeditado do homem; porque os pontos fundamentais da Doutrina provêm do ensino que deram os Espíritos encarregados por Deus de esclarecer os homens sobre coisas que estes ignoravam, que não podiam aprender por si mesmos e que lhes importa conhecer, já que hoje estão aptos a compreendê-las. Participa da segunda, por não ser esse ensino privilégio de indivíduo algum, mas ministrado a todos do mesmo modo; por não serem os que o transmitem e o recebem, *seres passivos*, dispensados do trabalho da observação e da pesquisa; por não renunciarem ao raciocínio e ao livre-arbítrio; porque não lhes é interdito o exame, mas, ao contrário, recomendado; enfim, porque a Doutrina não foi *ditada completa, nem imposta à crença cega;* porque é deduzida, pelo trabalho do homem, da observação dos fatos que os Espíritos lhe põem sob os olhos e das instruções que lhe dão, instruções que ele estuda, comenta, compara, a fim de tirar ele próprio as consequências e aplicações. Em suma, *o que caracteriza a revelação espírita é o fato de ser divina sua origem e da iniciativa dos Espíritos, sendo sua elaboração fruto do trabalho do homem.*[33]

Como meio de elaboração, o Espiritismo procede exatamente da mesma maneira que as ciências positivas, isto é, aplicando o método experimental. Quando fatos novos se apresentam, que não podem ser explicados pelas leis conhecidas, ele os observa, compara, analisa e, remontando dos efeitos às causas, chega à lei que os preside;

---

[32] KARDEC, Allan. *A gênese*, it. 54, p. 56.
[33] Id. *A gênese*, p. 28-29.

depois, lhe deduz as consequências e busca as aplicações úteis. *Não estabeleceu nenhuma teoria preconcebida;* assim, não estabeleceu como hipótese a existência dos Espíritos, nem do perispírito, nem a reencarnação, nem qualquer dos princípios da Doutrina. Concluiu pela existência dos Espíritos quando essa existência resultou evidente da observação dos fatos, procedendo de igual maneira quanto aos outros princípios. Não foram os fatos que vieram depois confirmar a teoria: a teoria é que veio subsequentemente explicar e resumir os fatos. É, pois, rigorosamente exato dizer-se que o Espiritismo é uma ciência de observação e não produto da imaginação.[34, 35]

O Espiritismo e a Ciência se completam reciprocamente; a Ciência, sem o Espiritismo, se acha na impossibilidade de explicar certos fenômenos só pelas leis da matéria; ao Espiritismo, sem a Ciência, faltariam apoio e comprovação. O estudo das leis da matéria tinha que preceder o da espiritualidade, porque a matéria é que primeiro fere os sentidos. Se o Espiritismo tivesse vindo antes das descobertas científicas, teria malogrado, como tudo que surge antes do tempo.[36]

O Espiritismo não estabelece como princípio absoluto senão o que se acha evidentemente demonstrado, ou que ressalta logicamente da observação. Interessando a todos os ramos da economia social, aos quais dá o apoio de suas próprias descobertas, assimilará sempre todas as doutrinas progressivas, de qualquer ordem que sejam, desde que hajam assumido o estado de *verdades práticas* e abandonado o domínio da utopia, sem o que se suicidaria. Deixando de ser o que é, mentiria à sua origem e ao seu fim providencial. *Caminhando de*

---

[34] KARDEC, Allan. *A gênese,* p. 29-30.
[35] N.T.: Allan Kardec serviu-se do pensamento ou método *indutivo* na sistematização da Doutrina Espírita. Partia da observação dos fatos elementares, da experimentação e da comparação entre fenômenos para chegar a conclusões e concepções mais gerais, a hipóteses explicativas e classificações mais amplas. Além disso, e em que pese toda a racionalidade que o caracterizava, não se manteve prisioneiro do método experimental, por reconhecer os seus limites. Recorria sempre à prodigiosa intuição de que era dotado, assim como à meditação, para obter esclarecimentos complementares, o que lhe permitiu tratar cada assunto com sabedoria, bom senso, equilíbrio emocional e maturidade intelectual. Finalmente, impôs o controle universal do ensino dos Espíritos às revelações que lhe eram feitas, como única garantia para a unidade do Espiritismo no porvir, sabendo deduzir, com inegável propriedade, as consequências éticas e morais que decorriam dos ensinos e fenômenos espíritas.
[36] KARDEC, Allan. *A gênese,* p. 31.

par com o progresso, o Espiritismo jamais será ultrapassado, porque, se novas descobertas lhe demonstrassem estar em erro acerca de um ponto qualquer, ele se modificaria nesse ponto. Se uma verdade nova se revelar, ele a aceitará.[37]

Com relação ao que ensinam os Espíritos,

o primeiro controle a ser exercido é, incontestavelmente, o da razão, ao qual é preciso submeter, sem exceção, tudo que venha deles. Toda teoria em notória contradição com o bom senso, com a lógica rigorosa e com os dados positivos que se possui, deve ser rejeitada, por mais respeitável seja o nome que traga como assinatura. Mas, em muitos casos, esse controle ficará incompleto em razão da insuficiência de conhecimentos de certas pessoas e da tendência de muitas a tomar a própria opinião como juízes únicos da verdade. Em semelhante caso, que fazem os homens que não depositam absoluta confiança em si mesmos? Vão buscar o parecer da maioria e tomar por guia a opinião desta. Assim se deve proceder com relação ao ensino dos Espíritos.

A concordância no que ensinam os Espíritos é, pois, o melhor controle; mas, é preciso ainda que ocorra em determinadas condições. A menos segura de todas é quando o próprio médium interroga vários Espíritos acerca de um ponto duvidoso. Evidentemente, se ele estiver sob o império de uma obsessão, ou lidando com um Espírito mistificador, este lhe pode dizer a mesma coisa sob diferentes nomes. Também não há garantia suficiente na conformidade que apresente o que se possa obter por diversos médiuns, num mesmo centro, pois eles podem estar todos sob a mesma influência. *A única garantia séria do ensino dos Espíritos está na concordância que exista entre as revelações que eles façam espontaneamente, por meio de grande número de médiuns estranhos uns aos outros, e em diversos lugares*[...]. Esse controle universal é uma garantia para a unidade futura do Espiritismo e anulará todas as teorias contraditórias. É aí que, no futuro, se encontrará o critério da verdade.[38]

---
[37] KARDEC, Allan. *A gênese*, p. 59.
[38] Id. *O evangelho segundo o espiritismo*, p. 28.

Generalidade e concordância do ensino, tal o caráter essencial da Doutrina, a condição mesma de sua existência, de onde resulta que todo princípio que ainda não haja recebido a consagração do controle da generalidade não pode ser considerado parte integrante dessa mesma Doutrina, mas simples opinião isolada, cuja responsabilidade o Espiritismo não pode assumir. É essa coletividade concordante da opinião dos Espíritos, submetida, além disso, ao critério da lógica, que constitui a força da Doutrina Espírita e lhe assegura a perpetuidade.[39]

IV

"Qual foi o meu papel? Nem o de inventor, nem o de criador. Vi, observei, estudei os fatos com cuidado e perseverança; coordenei-os e lhes deduzi as consequências: eis toda a parte que me cabe."[40]

Se *O livro dos espíritos* não tivesse como resultado senão mostrar o lado sério da questão e provocar estudos nesse sentido, isso já seria bastante e nos sentiríamos felizes por haver sido escolhido para realizar uma obra sobre a qual, aliás, não pretendemos ter nenhum mérito pessoal, já que os princípios que encerra não são criação nossa. Seu mérito é, pois, inteiramente dos Espíritos que o ditaram. Esperamos que ele tenha outro resultado, o de guiar os homens que desejam esclarecer-se, mostrando-lhes [...] um fim grande e sublime: o do progresso individual e social e o de lhes indicar o caminho a seguir para o alcançar.[41]

Este livro é o repositório de seus ensinos. Foi escrito por ordem e sob o ditado de Espíritos superiores, para estabelecer os fundamentos de uma filosofia racional, isenta dos preconceitos do espírito de sistema. Nada contém que não seja a expressão do pensamento deles e que não tenha sido por eles examinado. Só a ordem e a distribuição metódica das matérias, assim como as notas e a forma de algumas partes da redação constituem obra daquele que recebeu a missão de o publicar.[42]

---

[39] KARDEC, Allan. *A gênese*, p. 15.
[40] Id. *Revista Espírita*, v. 7, 1864, p. 437.
[41] Id. *O livro dos espíritos*, p. 67.
[42] Id. *O livro dos espíritos*, p. 70.

O livro dos espíritos teve como resultado fazer ver o alcance filosófico do Espiritismo. Se tem algum mérito, seria presunção de minha parte orgulhar-me disso, porquanto a doutrina que encerra não é criação minha. Toda a honra do bem que ele faz pertence aos sábios Espíritos que o ditaram e quiseram servir-se de mim. Posso, pois, ouvir elogios, sem que seja ferida minha modéstia, e sem que meu amor-próprio por isso fique exaltado. Se quisesse prevalecer-me disto, por certo teria reivindicado sua concepção, em vez de atribuí-la aos Espíritos.[43]

O nosso papel pessoal no grande movimento de ideias que se prepara pelo Espiritismo e que começa a operar-se, é o de um observador atento, que estuda os fatos para lhes descobrir as causas e tirar-lhes as consequências. Confrontamos todos os que nos têm sido possível reunir, comparamos e comentamos as instruções dadas pelos Espíritos em todos os pontos do globo e depois coordenamos metodicamente o conjunto; em suma, estudamos e demos ao público o fruto de nossas pesquisas, sem atribuirmos ao nosso trabalho valor maior que o de uma obra filosófica deduzida da observação e da experiência, sem nunca nos considerarmos chefe da Doutrina, nem procurar impor nossas ideias a quem quer que seja [...]. O nosso maior mérito a perseverança e a dedicação à causa que abraçamos. Em tudo isso, fizemos o que outro qualquer poderia ter feito em nosso lugar, razão por que nunca tivemos a pretensão de nos julgarmos profeta ou messias, nem, ainda menos, de nos apresentarmos como tal.[44]

Nossas publicações podem ser consideradas o resultado de um trabalho de apuro. Nelas, todas as opiniões são discutidas, mas as questões somente são apresentadas em forma de princípios, depois de haverem recebido a consagração de todas as comprovações, as quais, só elas, lhes podem imprimir força de lei e permitir afirmações categóricas. Eis por que não preconizamos levianamente nenhuma teoria e é nisso exatamente que a Doutrina, decorrendo do ensino geral,

---

[43] Id. *Revista Espírita*, v. 3, 1860, p. 442.
[44] Id. *A gênese*, p. 49.

não representa produto de um sistema preconcebido. É também de onde tira sua força e o que lhe garante o futuro.[45]

O grande critério do ensino dado pelos Espíritos é a lógica. Deus nos deu a capacidade de julgar e a razão para delas nos servirmos; os Espíritos bons no-las recomendam, nisto nos dando uma prova de superioridade. Os outros se guardam: querem ser acreditados sob palavra, pois sabem muito bem que no exame têm tudo a perder. Temos, pois, muitos motivos para não aceitar levianamente todas as teorias dadas pelos Espíritos. Quando surge uma, limitamo-nos ao papel de observador; fazemos abstração de sua origem espírita, sem nos deixar fascinar pelo brilho de nomes pomposos; examinamo-la como se emanasse de um simples mortal e vemos se é racional, se dá conta de tudo, se resolve todas as dificuldades. Foi assim que procedemos com a doutrina da reencarnação, que não tínhamos adotado, embora vinda dos Espíritos, senão após haver reconhecido que ela só, *e só ela*, podia resolver aquilo que nenhuma filosofia jamais havia resolvido, e isso com exclusão das provas materiais que diariamente são dadas, a nós e a muitos outros. Pouco nos importam, pois, os contraditores, ainda que sejam Espíritos. Desde que seja lógica, conforme à justiça de Deus; que não possam substituí-la por nada de mais satisfatório, não nos inquietamos com eles mais do que com os que afirmam que a Terra não gira em torno do Sol – pois há Espíritos que se julgam sábios – ou que pretendem que o homem veio completamente formado de um outro mundo, montado no dorso de um elefante alado.[46]

Logo vi que cada Espírito, em virtude de sua posição pessoal e de seus conhecimentos, me desvendava uma face do mundo espiritual, do mesmo modo que se chega a conhecer o estado de um país, interrogando habitantes seus de todas as classes e de todas as condições, visto que cada um nos pode ensinar alguma coisa, não podendo um só, individualmente, informar-nos de tudo. Cabe ao observador formar o conjunto, por meio de documentos colhidos de diferentes lados, cotejados, coordenados e comparados uns

---

[45] KARDEC, Allan. *A gênese*, p. 56.
[46] Id. *Revista Espírita*, v. 3, 1860, p. 173.

com os outros. Conduzi-me, pois, com os Espíritos, como teria feito com os homens. Para mim eles foram, do menor ao maior, meios de me informar, e não *reveladores predestinados*. Foram estas as disposições com que empreendi meus estudos espíritas e neles prossegui sempre. Observar, comparar e julgar, essa a regra que constantemente segui.[47]

A crítica contumaz censurou-nos por aceitarmos muito facilmente as doutrinas de certos Espíritos, sobretudo no que diz respeito às questões científicas. Tais pessoas revelam, por isso mesmo, que ignoram o verdadeiro objetivo da ciência espírita, assim como desconhecem aquele a que nos propomos, facultando-nos o direito de lhes devolver a censura de leviandade com que nos julgaram. Certamente não nos cabe ensinar a reserva com que deve ser acolhido aquilo que vem dos Espíritos; estamos longe de tomar todas as suas palavras como artigos de fé. Sabemos que entre eles há os que se encontram em todos os graus, de saber e de moralidade; para nós, é uma população que apresenta variedades muito mais numerosas que as que percebemos entre os homens; o que queremos é estudar essa população; é chegar a conhecê-la e compreendê-la. Para isso, estudamos as individualidades, observamos as pequenas diferenças e procuramos apreender os traços distintivos de seus costumes, de seus hábitos e de seu caráter; enfim, queremos nos identificar tanto quanto possível com o estado desse mundo.[48]

Algumas pessoas disseram que fui muito precipitado nas teorias espíritas, que ainda não era tempo de estabelecê-las e que as observações não se achavam ainda bastante completas [...] Pois bem! Devo dizer em que se funda minha confiança na veracidade e na superioridade dos Espíritos que me instruíram. Primeiramente direi que, conforme seu conselho, nada aceito sem controle e sem exame; não adoto uma ideia senão quando me parece racional, lógica, concorde com os fatos e as observações e se nada de sério vem contradizê-la. Mas meu julgamento não poderá ser um critério infalível. O assentimento que encontrei da parte de muitas pessoas mais esclarecidas

---

[47] KARDEC, Allan. *Obras póstumas*, p. 351.
[48] Id. *Revista Espírita*, v. 2, 1859, p. 264.

do que eu me fornece a primeira garantia. Mas encontro outra, não menos preponderante, no caráter das comunicações que foram obtidas desde que me ocupo de Espiritismo. Posso dizer que jamais me escapou uma só dessas palavras, um único desses sinais pelos quais sempre se traem os Espíritos inferiores, mesmo os mais astuciosos. Jamais dominação; jamais conselhos equívocos ou contrários à caridade e à benevolência; jamais prescrições ridículas. Longe disso; neles não encontrei senão pensamentos generosos, nobres, sublimes, isentos de pequenez e de mesquinharia. Numa palavra: suas relações comigo, nas menores como nas maiores coisas, sempre foram de tal modo que, se tivesse sido um homem a me falar, eu o teria considerado o melhor, o mais sábio, o mais prudente, o mais moralizado e o mais esclarecido.[49]

Entre o Espiritismo e outros sistemas filosóficos há esta diferença capital: que estes são, todos, obra de homens, mais ou menos esclarecidos, ao passo que naquele que me atribuís, eu não tenho o mérito da invenção de um só princípio. Diz-se: a filosofia de Platão, de Descartes, de Leibnitz; nunca se poderá dizer: a doutrina de Allan Kardec; e isto felizmente, pois que valor pode ter um nome em assunto de tamanha gravidade? O Espiritismo tem auxiliares de maior preponderância, ao lado dos quais não passamos de simples átomo.[50]

Tal é a base sobre a qual nos apoiamos, quando formulamos um princípio da Doutrina. Não é porque esteja de acordo com nossas ideias que o temos por verdadeiro. Não nos colocamos, absolutamente, como árbitro supremo da verdade e a ninguém dizemos: 'Crede em tal coisa, porque somos nós que vo-lo dizemos.' Aos nossos próprios olhos, nossa opinião não passa de uma opinião pessoal, que pode ser verdadeira ou falsa, visto não nos considerarmos mais infalível do que qualquer outro. Também não é porque um princípio nos foi ensinado que o consideramos verdadeiro, mas porque recebeu a sanção da concordância.[51]

---

[49] KARDEC, Allan. *Revista Espírita*, v. 2, 1859.
[50] Id. *O que é o espiritismo*, p. 102-103.
[51] KARDEC, Allan. *O evangelho segundo o espiritismo*, p. 29.

O PAPEL DE ALLAN KARDEC
na codificação espírita

Como se vê, Allan Kardec nunca se julgou o criador da Doutrina. Contudo,

"é infinitamente mais do que um mero copista ou um simples colecionador de pensamentos alheios. Deseja apagar-se individualmente para que a obra sobreleve às contingências humanas; a Doutrina não deve ficar 'ligada' ao seu nome pessoal, como por exemplo, a do super-homem a Nietzsche, o islamismo a Maomé, o positivismo a Augusto Comte ou a teoria da relatividade a Einstein; é, no entanto, a despeito de si mesmo, mais do que simples colaborador, para alcançar o estágio de um coautor quanto ao plano expositivo e às obras subsequentes. [...] Homem culto, objetivo, esclarecido e com enormes reservas às doutrinas religiosas e filosóficas de sua época, tem em mente inúmeras indagações para as quais ainda não encontrara resposta. Ao mesmo tempo que vai registrando as observações dos Espíritos, vai descobrindo um mundo inteiramente novo e insuspeitado e tem o bom senso de não se deixar fascinar pelas suas descobertas. [...] Daí em diante, isto é, a partir de *O livro dos espíritos*, seus amigos [espirituais] assistem-no, como sempre o fizeram, mas deixam-no prosseguir com a sua própria metodologia e nisso também ele era mestre consumado, por séculos de experiência didática. As obras subsequentes da Codificação não surgem mais do diálogo direto com os Espíritos e sim das especulações e conclusões do próprio Kardec, sem jamais abandonar, não obstante, o gigantesco painel desenhado a quatro mãos em *O livro dos espíritos*.[52]

Confessa ainda o erudito escritor e pesquisador espírita, Hermínio Corrêa de Miranda, que, conversando uma vez em seu grupo sobre o papel de certos Espíritos na História, disse-lhe um amigo espiritual ser

muito importante para todos nós o trabalho daqueles a quem ele chamou *Espíritos ordenadores*. São os que vêm incumbidos de colocar em linguagem humana, acessível, as grandes ideias. Sem eles, muito do que se descobre, se pensa e se realiza ficaria perdido no caos e na ausência de perspectiva e hierarquia. São eles – Espíritos lúcidos, objetivos e essencialmente organizadores – que disciplinam as ideias, desco-

---
[52] MIRANDA, Hermínio C. *Nas fronteiras do além*, p. 9-18.

brindo-lhes as conexões, implicações e consequências, colocando-as ordenadamente ao alcance da mente humana, de modo facilmente acessível e assimilável, sob a forma de novas sínteses do pensamento. São eles, portanto, que resumem um passado de conquistas e preparam um futuro de realizações. Sem eles, o conhecimento seria um amontoado caótico de ideias que se contradizem, porque invariavelmente vem joio com o trigo, na colheita, e ganga com ouro, na mineração. São eles os faiscadores que tudo tomam, examinam, rejeitam, classificam e colocam no lugar certo, no tempo certo, altruisticamente, para que quem venha depois possa aproveitar-se das estratificações do conhecimento e sair para novas sínteses, cada vez mais amplas, mais nobres, mais belas, *ad infinitum*. – Allan Kardec é um desses Espíritos."[53]

***

Modesto por natureza, Kardec sempre subestimou o papel que lhe foi destinado na Codificação Espírita, especialmente na recepção de *O livro dos espíritos*, insistindo a todo instante que o mérito principal da obra cabia aos Espíritos que a ditaram, o que em boa parte é verdade. Não menos verdadeiro, porém, é que a ele coube a ingente tarefa de organizar e ordenar as perguntas – e que perguntas! – sobre todos os assuntos, dos mais simples aos mais complexos, abrangendo variados ramos do conhecimento humano, não se limitando sua ação apenas ao ordenamento e à distribuição metódica das matérias, nem mesmo à elaboração de notas e à forma de algumas partes da redação. Fez mais: A distribuição didática das matérias encerradas no texto; a redação dos comentários às respostas dos Espíritos, os quais primam pela concisão e pela clareza com que foram expostos; a precisão com que intitula capítulos e subcapítulos; as elucidações complementares de sua autoria; as observações e anotações, as paráfrases e conclusões, sempre profundas e incisivas; e bem assim sua notável introdução – tudo isto atesta a grande cultura de Kardec, o carinho e a diligência com que ele se houve no afanoso trabalho que se comprometera

---

[53] MIRANDA, Hermínio C. *Nas fronteiras do além*, p. 9-18.

a publicar. Allan Kardec fez o que ninguém até então havia feito: foi o primeiro a formar com os fatos observados um corpo de doutrina metódico e regular, claro e inteligível para todos, extraindo do amontoado caótico de mensagens mediúnicas os princípios fundamentais com que elaborou uma nova doutrina filosófica, de caráter científico e de consequências morais ou religiosas.[54]

Afora isso, há outro ponto importante a considerar.

> [...] O *Livro dos Espíritos* não surgiu, como às vezes ingenuamente se assume, de uma grande massa de respostas vindas de inumeráveis pontos. Embora [...] Kardec [...] tenha aproveitado algumas comunicações que lhe foram enviadas, o grosso do livro, em sua primeira edição, foi fruto de um trabalho sistemático concebido por ele e desenvolvido com a ajuda mediúnica das duas irmãs Baudin, e depois da senhorita Japhet, para a revisão. Somente quanto a alguns pontos mais delicados é que julgou prudente conferir as opiniões com o auxílio de outros poucos médiuns.

Vê-se, pois,

> que na curta fase [menos de dois anos] de elaboração do *Livro dos Espíritos*, em sua primeira [...] e, talvez, segunda edição, simplesmente não havia uma extensa rede de colaboradores, e muito menos de colaboradores perfeitamente sintonizados com um projeto de tal complexidade.[55]

E, contudo, há quem afirme que Allan Kardec não passou de secretário, de simples auxiliar dos Espíritos,[56] quando da recepção da 1ª edição do livro, publicada em 1857, em contraposição ao papel preponderante que ele teria exercido na 2ª edição, por conta, nesta última, de um suposto menor controle da parte dos Espíritos. Ora, é o próprio Allan Kardec quem esclarece, em *Nota* aos "Prolegômenos", inserida nas *duas* edições citadas, que *O livro dos espíritos* "não foi entregue à publicidade senão depois de ter sido *revisto* cuidadosamente, várias vezes seguidas, e *corrigido* pelos próprios Espíritos."

---
[54] WANTUIL, Zêus (Org.). *Allan Kardec, o educador e o codificador.* p. 286-287.
[55] CHIBENI, Sílvio Seno. *Reformador*, abr. 2003, p. 22-25.
[56] ABREU, Silvino Canuto. *O primeiro livro dos espíritos*, p. XX-XXII.

Essa *revisão* e *correção* pelos próprios Espíritos, ao contrário do que possa parecer à primeira vista, não diminui de forma alguma o papel extraordinário que tocou a Allan Kardec na Codificação do Espiritismo. Senão vejamos:

> O estudo atento das declarações de Kardec sobre o seu papel e, sobretudo, a reflexão madura sobre o conjunto de sua produção, não deixam dúvida quanto à centralidade de sua contribuição no estabelecimento das bases do Espiritismo [...] A concepção e condução de todo o programa de pesquisa espírita, em seus múltiplos desdobramentos, bem como a lucidez e precisão superiores de seus próprios textos, indicam de forma inconteste que Kardec não foi mero auxiliar dos Espíritos....[57]

E nada mais natural que assim fosse. Afinal de contas, tendo a inspirá-lo o Espírito de Verdade, cuja proteção jamais lhe faltou;[58] amparado pela grande alma do Mestre de todos nós, que o auxiliava de modo muito particular,[59] Allan Kardec colhia, de forma direta e na fonte mais pura, as bases indispensáveis ao estabelecimento de uma doutrina libertadora, eminentemente consoladora, em cujo leme se achava o próprio Cristo de Deus.

Com tais premissas, não pretendemos divinizar o homem nem situá-lo em plano mais elevado do que ele mesmo se colocou. Contudo, há que se reconhecer em Allan Kardec os atributos de um Espírito verdadeiramente superior, as credenciais de um ministro de primeira classe, de um embaixador plenipotenciário enviado ao mundo em missão excepcional, o instrumento principal – podemos dizer assim – de que o Cristo se serviu na Terra para "restabelecer as coisas no seu verdadeiro sentido, dissipar as trevas, confundir os orgulhosos e glorificar os justos."[60]

O Tradutor

---

[57] CHIBENI, Sílvio Seno. *Reformador*, abr. 2003, p. 22-25.
[58] KARDEC, Allan. *Obras póstumas*, p. 360.
[59] Id. Ibid., p. 399.
[60] KARDEC, Allan. *O evangelho segundo o espiritismo*, p. 19.

Introdução
ao estudo da doutrina espírita[61]

Resposta a várias objeções

Para coisas novas precisamos de palavras novas; assim o exige a clareza da linguagem, para evitarmos a confusão inerente ao sentido múltiplo dos mesmos termos. As palavras *espiritual, espiritualista, espiritualismo* têm acepção bem definida; dar-lhes uma nova, para aplicá-las à Doutrina dos Espíritos,[62] seria multiplicar as causas, já tão numerosas, de anfibologia. Com efeito, o espiritualismo é o oposto do materialismo;

---

[61] N.T.: conforme assinalamos no primeiro volume (1858) da *Revista Espírita*, "a tradução de uma obra é tarefa espinhosa. Por mais cuidadosa, por mais fiel e honesta, jamais expressará, na sua inteireza, as variadas nuanças da língua original. Há palavras, sentenças e máximas que não encontram equivalência satisfatória em nossa língua. Por outro lado, as próprias emoções se diluem ou se ampliam ao serem transferidas de uma para outra cultura, sem falar das armadilhas que nos são estendidas quando traduzimos literalmente, ou – mais grave ainda – quando *interpretamos* o pensamento do autor, na inglória tentativa de superar o texto original. A par disto, a desejável observância das regras gramaticais e estilísticas que dizem respeito ao idioma no qual nos exprimimos, de modo a tornar agradável a leitura e não cansar o leitor." E tanto é assim que o próprio Allan Kardec, no capítulo XXIII, item 3 de *O evangelho segundo o espiritismo* (1864), já reconhecia que, "na mesma língua, algumas palavras perdem seu valor com o passar dos séculos", sendo "por isso que uma tradução rigorosamente literal nem sempre exprime perfeitamente o pensamento e que, para ser exata, deve empregar, às vezes, não termos correspondentes, mas outros equivalentes, ou perífrases". Embora se referindo mais particularmente às Escrituras Sagradas, estas observações do Codificador encontram aplicação geral na tradução de qualquer obra.

[62] N.T.: ao longo de toda esta tradução, mantivemos a distinção *gráfica* entre o elemento inteligente universal (espírito) e as individualidades dos seres extracorpóreos (Espíritos), com inicial minúscula e maiúscula, respectivamente, fugindo, assim, quanto a este ponto, ao texto original da 1ª edição francesa, embora Allan Kardec só adotasse tal critério a partir da 2ª edição, de 1860, conforme *Nota* de sua autoria inserida após a pergunta 76 daquela edição.

quem quer que acredite ter em si alguma coisa além da matéria é espiritualista; mas não se segue daí que creia na existência dos Espíritos ou em suas comunicações com o mundo visível. Em lugar das palavras *espiritual, espiritualismo*, empregaremos, para designar esta última crença, as palavras *espírita* e *espiritismo*, cuja forma lembra a origem e o sentido radical e que, por isso mesmo, têm a vantagem de ser perfeitamente inteligíveis. Diremos, pois, que a Doutrina *Espírita* ou o *Espiritismo* consiste na crença das relações do mundo material com os Espíritos ou seres do mundo invisível. Os adeptos do Espiritismo serão os *espíritas* ou, se quiserem, os *espiritanos*.[63]

Há outra palavra acerca da qual importa igualmente que todos se entendam, porque é uma das pedras angulares de toda doutrina moral, e por ser objeto de inúmeras controvérsias, à falta de uma acepção bem determinada: a palavra *alma*. A divergência de opiniões sobre a natureza da alma provém da aplicação particular que cada um faz desse vocábulo. Uma língua perfeita, em que cada ideia tivesse sua representação por um termo próprio, evitaria muitas discussões; com uma palavra para cada coisa todos se entenderiam.

Segundo uns, a alma é o princípio da vida material orgânica; não tem existência própria e cessa com a vida: é o materialismo puro. Neste sentido e por comparação, dizem de um instrumento rachado, que não produz mais som, que ele não tem alma. Conforme essa opinião, tudo que vive teria uma alma, tanto as plantas como os animais e o homem.[64]

Outros pensam que a alma é o princípio da inteligência, agente universal do qual cada ser absorve uma porção. Segundo esses, não haveria em todo o Universo senão uma só alma a distribuir centelhas entre os diversos seres inteligentes durante a vida destes; após a morte, cada centelha retorna à fonte comum, confundindo-se com o todo, como os regatos e os rios voltam ao mar, de onde saíram. Essa opinião difere da precedente em que, nesta hipótese, há em nós algo mais que a matéria, restando alguma coisa após a morte; mas, é quase como se nada restasse,

---

[63] N.T.: termo substituído mais tarde pela palavra *espiritista*.
[64] N.T.: na edição definitiva de 1860, o último período deste parágrafo passou a ter a seguinte redação: "Conforme essa opinião, a alma seria um efeito e não uma causa".

visto que, não tendo mais individualidade, não mais teríamos consciência de nós mesmos. Dentro desta opinião, a alma universal seria Deus, e cada ser uma porção da Divindade; é a doutrina do *panteísmo*.

Segundo outros, enfim, a alma é um ser moral, distinto, independente da matéria e que conserva sua individualidade após a morte. Esta acepção é, sem contestação, a mais geral, porque, sob um nome ou outro, a ideia desse ser que sobrevive ao corpo se encontra em estado de crença instintiva, e independentemente de qualquer ensinamento, entre todos os povos, seja qual for seu grau de civilização. Essa doutrina é a dos *espiritualistas*.

Sem discutir aqui o mérito dessas opiniões e colocando-nos por um momento em terreno neutro, diremos que estas três aplicações da palavra *alma* constituem três ideias distintas, que reclamariam cada uma um termo diferente. Essa palavra tem, pois, tríplice acepção e cada um tem razão, de seu ponto de vista, na definição que lhe dá; o mal decorre do fato de não dispor a língua senão de uma palavra para exprimir três ideias. A fim de evitar todo equívoco, seria necessário restringir-se a acepção da palavra *alma* a uma dessas três ideias; a escolha é indiferente, desde que todos se entendam, pois tudo isto é uma questão de convenção. Julgamos mais lógico tomá-la na sua acepção mais comum; por isso chamaremos ALMA *ao ser imaterial e individual que reside em nós e sobrevive ao corpo*.

Na falta de um vocábulo especial para cada uma das duas outras ideias a que corresponde a palavra alma, denominamos:

Princípio vital, o princípio da vida material e orgânica, seja qual for sua fonte, e que é comum a todos os seres vivos, desde as plantas até o homem. O princípio vital é coisa distinta e independente, já que pode haver vida com abstração da faculdade de pensar. A palavra *vitalidade* não expressaria a mesma ideia. Para alguns, o princípio vital é uma propriedade da matéria, um efeito que se produz quando a matéria se acha em dadas circunstâncias. Segundo outros, e esta é a ideia mais comum, ele reside num fluido especial, universalmente espalhado e do qual cada ser absorve e assimila uma parte durante a vida, como vemos os corpos inertes absorverem a luz. Esse seria, então, o *fluido vital* que, na opinião de alguns, não seria outro que o fluido elétrico animalizado, também designado por *fluido magnético, fluido nervoso,* etc.

Seja como for, há um fato que não se poderia contestar, pois que resulta da observação: é que os seres orgânicos têm em si uma força íntima que produz o fenômeno da vida, enquanto essa força existe; que a vida material é comum a todos os seres orgânicos e que ela independe da inteligência e do pensamento; que a inteligência e o pensamento são faculdades próprias de certas espécies orgânicas; finalmente, que entre as espécies orgânicas dotadas de inteligência e de pensamento há uma, dotada de um senso moral especial que lhe dá incontestável superioridade sobre as outras: a espécie humana.

Chamamos, finalmente, inteligência animal ao *princípio intelectual* comum em diversos graus a homens e animais, independente do princípio vital e cuja fonte nos é desconhecida.

A *alma*, na acepção exclusiva que adotamos, é atributo especial do homem.

Concebe-se que, com uma acepção múltipla do termo alma, a alma não exclui o materialismo, nem o panteísmo. O próprio espiritualista pode muito bem entender a alma segundo uma ou outra das duas primeiras definições, sem prejuízo do ser imaterial distinto, a que então dará um nome qualquer. Assim, essa palavra não representa uma opinião: é um proteu que cada um ajeita à vontade. Daí tantas disputas intermináveis.

Evitar-se-ia igualmente confusão, mesmo se servindo da palavra *alma* nos três casos, desde que se lhe ajuntasse um qualificativo especificando o ponto de vista sob o qual a encaramos ou a aplicação que dela se faz. Esta teria, então, um termo genérico, como *gás*, por exemplo, que se distingue de outro ajuntando-se-lhe as palavras *hidrogênio, oxigênio, azoto,* etc. Poder-se-ia, assim, dizer (e talvez fosse o melhor) a *alma vital*, indicando o princípio da vida material, a *alma intelectual*, o princípio da inteligência; e a *alma espírita*, o princípio de nossa individualidade após a morte. Como se vê, tudo isso é uma questão de palavras, mas questão muito importante para nos entendermos. De acordo com isso, a *alma vital* seria comum a todos os seres orgânicos: plantas, animais e homens; a *alma intelectual* seria própria dos animais e dos homens, e a *alma espírita* pertenceria somente ao homem.

Julgamos dever insistir nestas explicações pela razão de que a Doutrina Espírita repousa naturalmente sobre a existência, em nós, de um ser independente da matéria e que sobrevive ao corpo. Devendo a palavra *alma* repetir-se frequentemente no curso desta obra, importava ser fixada no sentido que lhe atribuímos, a fim de evitarmos todo engano.

Passemos, agora, ao objeto principal desta instrução preliminar.

A Doutrina Espírita, como tudo que constitui novidade, tem seus adeptos e contraditores. Vamos tentar responder a algumas das objeções destes últimos, examinando o valor dos motivos em que se apoiam, sem termos entretanto a pretensão de convencer a todos, pois há pessoas que acreditam que a luz foi feita somente para elas. Dirigimo-nos às pessoas de boa-fé, sem ideias preconcebidas ou irrevogáveis, mas sinceramente desejosas de instruir-se, e lhes demonstraremos que a maioria das objeções que fazem à Doutrina provém da observação incompleta dos fatos e de um julgamento feito com muita leviandade e precipitação.

Recordemos, inicialmente, em poucas palavras, a série progressiva dos fenômenos que deram origem a esta Doutrina.

O primeiro fato observado foi o da movimentação de objetos diversos. Designaram-no vulgarmente pelo nome de *mesas girantes* ou *dança das mesas*. Este fenômeno, que parece ter sido observado primeiramente na América, ou, melhor, que se repetiu nesse país, porquanto a História prova que ele remonta à mais alta antiguidade, produziu-se acompanhado de circunstâncias estranhas, tais como ruídos insólitos, pancadas sem causa ostensiva conhecida. Dali propagou-se rapidamente pela Europa e por outras partes do mundo; a princípio suscitou muita incredulidade, mas, em breve, a multiplicidade das experiências não mais permitiu que se duvidasse de sua realidade.

Se tal fenômeno se tivesse limitado ao movimento de objetos materiais, poderia explicar-se por uma causa puramente física. Estamos longe de conhecer todos os agentes ocultos da Natureza, ou todas as propriedades dos que conhecemos: a eletricidade, aliás, multiplica diariamente os recursos que proporciona ao homem e parece destinada a iluminar a Ciência com uma nova luz. Nada haveria, pois, de impossível em que a eletricidade modificada por certas circunstâncias, ou algum outro agente desconhecido, fosse a causa desse movimento. A reunião de muitas pessoas, aumentando o poder de ação, parecia apoiar essa teoria, visto poder considerar-se o grupo como uma pilha, cuja potência corresponde ao número de elementos.

O movimento circular nada tinha de extraordinário: está na Natureza; todos os astros se movem circularmente. Poderíamos, pois, ter em pequena escala um reflexo do movimento geral do Universo, ou, melhor dizendo, uma causa, até então desconhecida, podendo produzir acidentalmente, com pequenos objetos e em dadas condições, uma corrente análoga à que arrasta os mundos.

Mas o movimento nem sempre era circular; muitas vezes era brusco, desordenado, o objeto violentamente sacudido, derrubado, levado numa direção qualquer e, contrariamente a todas as leis da estática, levantado e mantido em suspensão. Nada havia ainda nesses fatos que não pudesse ser explicado pelo poder de um agente físico invisível. Não vemos a eletricidade derrubar edifícios, arrancar árvores, atirar longe os corpos mais pesados, atraí-los ou repeli-los?

Supondo-se que os ruídos insólitos e as pancadas não fossem um dos efeitos ordinários da dilatação da madeira, ou de alguma outra causa acidental, podiam muito bem ser produzidos pela acumulação de um fluido oculto: a eletricidade não produz os mais violentos ruídos?

Até aí, como se vê, tudo pode caber no domínio dos fatos puramente físicos e fisiológicos. Mesmo sem sair desse círculo de ideias, havia ali matéria de estudos sérios e dignos de prender a atenção dos cientistas. Por que assim não aconteceu? É penoso dizê-lo, mas isso se deve a causas que provam, entre mil fatos semelhantes, a leviandade do espírito humano. De início, a vulgaridade do objeto principal que serviu de base às primeiras experiências talvez não lhes fosse estranha. Que influência não tem tido muitas vezes uma palavra sobre as coisas mais graves! Sem considerar que o movimento podia ser transmitido a um objeto qualquer, a ideia das mesas prevaleceu, sem dúvida por ser o objeto mais cômodo e porque todos se sentam mais naturalmente em volta de uma mesa do que de qualquer outro móvel. Ora, os homens superiores são às vezes tão pueris que não seria impossível a certos espíritos de escol se julgarem indignos de sua posição, caso se ocupassem com o que se convencionou chamar *dança das mesas*. É mesmo provável que se o fenômeno observado por Galvani o tivesse sido por homens vulgares e ficasse caracterizado por um nome burlesco, ainda estaria relegado ao lado da varinha mágica. Qual, com efeito, o cientista que não teria julgado uma indignidade ocupar-se com a *dança das rãs*?

Alguns, entretanto, bastante modestos para convirem em que a Natureza bem podia não lhes ter dito a última palavra, quiseram ver, para tranquilidade de suas consciências. Mas aconteceu que o fenômeno nem sempre lhes correspondeu à expectativa e, por não se ter produzido constantemente à vontade deles e segundo seu modo de experimentação, concluíram pela negativa. A despeito, porém, do que decretaram, as mesas – pois há mesas – continuam a girar e podemos dizer como Galileu: *e, contudo, elas se movem!* Diremos mais: os fatos se multiplicam de tal modo que têm hoje direito de cidadania, não se tratando mais senão de encontrar-lhes uma explicação racional.

Poder-se-ia inferir alguma coisa contra a realidade do fenômeno pelo fato de nem sempre se produzir de maneira idêntica, segundo a vontade e as exigências do observador? Os fenômenos de eletricidade e da química não estão subordinados a certas condições? E devemos negá-los porque não se produzem fora dessas condições? Que há, pois, de surpreendente em que o fenômeno do movimento dos objetos pelo fluido humano também tenha suas condições e deixe de produzir-se quando o observador, colocando-se no seu ponto de vista, pretende fazê-lo seguir ao sabor de seu capricho ou sujeitá-lo às leis dos fenômenos conhecidos, sem considerar que para fatos novos pode e deve haver novas leis? Ora, para conhecer essas leis, é preciso estudar as circunstâncias em que os fatos se produzem, e esse estudo requer observação perseverante, atenta e por vezes muito longa.

Mas, objetam algumas pessoas, muitas vezes há fraudes evidentes. Perguntar-lhes-emos, em primeiro lugar, se estão bem certas de que há fraudes e se não tomaram por fraudes efeitos que não podiam explicar, mais ou menos como o camponês que tomava um físico a fazer experiências, por hábil escamoteador. Supondo mesmo que isso tenha ocorrido algumas vezes, seria razão para negar-se o fato? Dever-se-ia negar a Física, porque há prestidigitadores que se enfeitam com o título de físicos? É necessário, ao demais, levar em conta o caráter das pessoas e o interesse que possam ter em iludir. Seria, então, simples gracejo? Pode-se muito bem se divertir por algum tempo, mas um gracejo prolongado indefinidamente seria tão fastidioso para o mistificador, como para o mistificado. Haveria, além disso, numa mistificação que se prolonga de um extremo a outro do mundo e entre as pessoas mais sérias, mais honradas e mais esclarecidas, alguma coisa ao menos tão extraordinária quanto o próprio fenômeno.

Se os fenômenos com que nos estamos ocupando se houvessem limitado ao movimento dos objetos, teriam permanecido, como dissemos, no domínio das ciências físicas. Mas não foi isso que aconteceu: cabia-lhes colocar-nos na pista de fatos de ordem singular. Acreditaram haver descoberto, não sabemos pela iniciativa de quem, que a impulsão dada aos objetos não era somente o produto de uma força mecânica cega, mas que havia nesse movimento a intervenção de uma causa inteligente. Uma vez aberto, esse caminho era um campo inteiramente novo de observações; era o véu que se levantava de sobre muitos mistérios. Haverá, com efeito, uma potência inteligente? Tal a questão. Se essa potência existe, qual é ela, qual sua natureza, sua origem? Está acima da Humanidade? Tais as outras questões que decorrem da primeira.

As primeiras manifestações inteligentes se produziram por meio de mesas que se levantavam e, com um dos pés, davam determinado número de pancadas, respondendo desse modo – *sim* ou *não* – conforme fora convencionado, a uma questão proposta. Até aí, nada de seguramente convincente para os céticos, porque podia acreditar-se num efeito do acaso. Em seguida, obtiveram-se respostas mais desenvolvidas por meio das letras do alfabeto: dando o objeto móvel um número de pancadas correspondentes ao número de ordem de cada letra, chegava-se a formar palavras e frases que respondiam às questões propostas. A exatidão das respostas e sua correlação com as perguntas causaram espanto. O ser misterioso que assim respondia, interrogado sobre sua natureza, declarou que era *Espírito*, ou *gênio*, deu seu nome e forneceu diversas informações a respeito.

Tal meio de correspondência era demorado e incômodo. O Espírito, e isto é ainda uma circunstância digna de nota, indicou outro. Foi um desses invisíveis que aconselhou a adaptação de um lápis a uma cesta ou a outro objeto. A cesta, colocada sobre uma folha de papel, é posta em movimento pela mesma potência oculta que faz mover as mesas; mas, em vez de um simples movimento regular, o lápis traça por si mesmo letras formando palavras, frases e discursos de muitas páginas, tratando das mais altas questões de Filosofia, de Moral, de Metafísica, de Psicologia, etc., e com tanta rapidez como se escrevesse com a mão.

O conselho foi dado simultaneamente na América, na França e em diversos países. Eis em que termos o deram em Paris, a 10 de junho de 1853, a um dos mais fervorosos adeptos da Doutrina e que, havia já vários anos, desde 1849, se ocupava com a evocação dos Espíritos: "Vai buscar, no quarto ao lado, a cestinha; prende nela um lápis; coloca-a sobre o papel e põe teus dedos sobre a borda." Alguns instantes depois a cesta se pôs em movimento e o lápis escreveu, de modo bem legível, esta frase: "O que vos digo aqui, eu vos proíbo expressamente de dizer a alguém. Da próxima vez que escrever, escreverei melhor".

Como o objeto a que se adapta o lápis não passa de simples instrumento, sua forma e natureza são completamente indiferentes; procurou-se a disposição mais cômoda e foi assim que muitas pessoas passaram a usar a prancheta.

A cesta e a prancheta só podem ser postas em movimento sob a influência de certas pessoas, dotadas, para isso, de um poder especial, as quais se designam pelo nome de *médiuns*, isto é, meios ou intermediários entre os Espíritos e os homens. As condições que facultam esse poder se prendem a causas ao mesmo tempo físicas e morais, ainda imperfeitamente conhecidas, porquanto se encontram médiuns de todas as idades, de ambos os sexos e em todos os graus de desenvolvimento intelectual. É, além disso, uma faculdade que se desenvolve pelo exercício.

Obtido o fato, restava constatar um ponto essencial, o papel do médium nas respostas e a parte que nelas pode tomar, mecânica e moralmente. Duas circunstâncias capitais, que não escapariam a um observador atento, podem resolver a questão. A primeira é o modo pelo qual a cesta se move sob sua influência, pela simples imposição dos dedos sobre a borda; o exame demonstra a impossibilidade de o médium imprimir uma direção qualquer à cesta. Essa impossibilidade se patenteia, sobretudo, quando duas ou três pessoas colocam os dedos, ao mesmo tempo, na mesma cesta; seria preciso haver entre elas uma concordância de movimentos verdadeiramente fenomenal; além disso, seria preciso haver uma concordância dos pensamentos para que pudessem entender-se sobre a resposta a dar à questão formulada. Outro fato, não menos singular, vem aumentar ainda mais a dificuldade. É a mudança radical da caligrafia, conforme o Espírito que se manifesta, reproduzindo-se a escrita toda vez que o mesmo Espírito retorna. Seria, pois, necessário que o médium se houvesse exercitado em dar à própria caligrafia vinte formas diferentes e, sobretudo, que pudesse lembrar-se da que pertence a este ou àquele Espírito.

A segunda circunstância resulta da própria natureza das respostas que, na maioria das vezes, sobretudo quando se referem a questões abstratas ou científicas, estão notoriamente fora dos conhecimentos e, em alguns, além do alcance intelectual do médium; que este, como geralmente sucede, não tem consciência do que escreve sob sua influência; que, frequentemente, não entende ou não compreende a questão proposta, já que pode ser formulada numa língua que lhe seja estranha, podendo a resposta ser dada nesse idioma. Enfim, muitas vezes acontece que a cesta escreva espontaneamente, sem que se haja feito pergunta alguma, sobre um assunto qualquer e inteiramente inesperado.

Em alguns casos, essas respostas revelam tal cunho de sabedoria, profundeza e oportunidade, pensamentos tão elevados e tão sublimes, que não podem emanar senão de uma inteligência superior, impregnada da mais pura moralidade. De outras vezes são tão levianas, tão frívolas, tão triviais mesmo, que a razão se recusa a acreditar que possam proceder da mesma fonte. Tal diversidade de linguagem não se pode explicar senão pela diversidade das inteligências que se manifestam. Essas inteligências estão na Humanidade ou fora da Humanidade? Este o ponto a esclarecer e cuja explicação completa se encontrará nesta obra, tal como foi dada pelos próprios Espíritos.

Eis, pois, efeitos patentes que se produzem fora do círculo habitual de nossas observações; que não ocorrem misteriosamente, mas à luz do dia; que todos podem ver e constatar, que não constituem privilégio de nenhum indivíduo e que milhares de pessoas reproduzem à vontade todos os dias. Esses efeitos têm necessariamente uma causa e, desde que revelam a ação de uma inteligência e de uma vontade, saem do domínio puramente físico.

Muitas teorias foram formuladas a respeito. Vamos examiná-las daqui a pouco e veremos se podem explicar a razão de todos os fatos que se produzem. Admitamos, por enquanto, a existência de seres distintos da Humanidade, pois é essa a explicação fornecida pelas Inteligências que se revelam, e vejamos o que eles nos dizem.

Como dissemos, os seres que assim se comunicam designaram-se a si mesmos pelo nome de Espíritos ou gênios, declarando, alguns pelo menos, ter pertencido a homens que viveram na Terra. Eles constituem o mundo espiritual, como constituímos, durante nossa vida, o mundo corpóreo.

Resumiremos aqui, em poucas palavras, os pontos mais importantes da doutrina que nos transmitiram, a fim de mais facilmente respondermos a certas objeções.

> Deus é eterno, imutável, imaterial, único, onipotente, soberanamente justo e bom.
>
> Criou o Universo, que compreende todos os seres animados e inanimados, materiais e imateriais.

Os seres materiais constituem o mundo visível ou corpóreo, e os seres imateriais o mundo invisível ou espiritual, isto é, dos Espíritos.

O mundo espiritual é o mundo normal, primitivo, eterno, preexistente e sobrevivente a tudo.

O mundo corpóreo é secundário; poderia deixar de existir, ou não ter existido jamais, sem alterar a essência do mundo espiritual.

Os seres corpóreos habitam os diferentes globos do Universo.

Os seres imateriais ou Espíritos estão em toda parte: o Espaço é o seu domínio.

Os Espíritos revestem temporariamente um envoltório material perecível, cuja destruição pela morte lhes restitui a liberdade.

Entre as diferentes espécies de seres corpóreos, Deus escolheu a espécie humana para a encarnação dos Espíritos, o que lhe dá superioridade moral e intelectual sobre as demais.

A alma é um Espírito encarnado, sendo o corpo apenas o seu envoltório.

Há no homem três coisas: 1º, o corpo ou ser material análogo aos animais e animado pelo mesmo princípio vital; 2º, a alma ou ser imaterial, Espírito encarnado no corpo; 3º, o laço que une a alma ao corpo, princípio intermediário entre a matéria e o Espírito.

Tem assim o homem duas naturezas: pelo corpo, participa da natureza dos animais, dos quais tem os instintos; pela alma, participa da natureza dos Espíritos.

Os Espíritos pertencem a diferentes classes e não são iguais, nem em poder, nem em inteligência, nem em saber, nem em moralidade. Os da primeira ordem são os Espíritos superiores, que se distinguem dos outros por sua perfeição, conhecimentos, proximidade de Deus, pureza de sentimentos e amor ao bem: são os anjos ou Espíritos puros. As demais classes se distanciam cada vez mais dessa perfeição. Os das classes inferiores são inclinados à maioria de nossas paixões: o ódio, a inveja, o ciúme, o orgulho, etc.; comprazem-se no mal. Entre eles há os que não são nem muito bons nem muito maus, antes trapalhões e inconvenientes do que perversos; a malícia e as inconsequências parecem suas principais características: são os Espíritos estouvados.

Os Espíritos não ocupam perpetuamente a mesma ordem. Todos se melhoram passando pelos diferentes graus da hierarquia espírita. Essa melhora se efetua por meio da encarnação, que é imposta a uns como expiação e a outros como missão. A vida material é uma prova a que devem submeter-se várias vezes, até que hajam atingido a absoluta perfeição; é uma espécie de filtro ou depurador de onde saem mais ou menos purificados.

Deixando o corpo, a alma volta ao mundo dos Espíritos, de onde havia saído, para recomeçar nova existência material, após um lapso de tempo mais ou menos longo, durante o qual permanece no estado de Espírito errante.[65]

Tendo o Espírito que passar por muitas encarnações, conclui-se que todos nós tivemos muitas existências e que teremos ainda outras, mais ou menos aperfeiçoadas, quer na Terra, quer em outros mundos.

A encarnação dos Espíritos ocorre sempre na espécie humana; seria erro acreditar-se que a alma ou Espírito possa encarnar no corpo de um animal.[66]

As diferentes existências corpóreas do Espírito são sempre progressivas e jamais retrógradas; mas a rapidez de seu progresso depende dos esforços que faça para chegar à perfeição.

As qualidades da alma são as do Espírito que está encarnado em nós; assim, o homem de bem é a encarnação de um Espírito bom e o homem perverso a de um Espírito impuro.

A alma tinha sua individualidade antes de encarnar e a conserva depois que se separa do corpo.

---

[65] Nota de Allan Kardec: entre a doutrina da reencarnação e a da metempsicose, tal como a admitem algumas seitas, há uma diferença característica que será explicada no curso desta obra.
[66] N.T.: neste parágrafo é que caberia a referência sobre a metempsicose. Allan Kardec procedeu às devidas alterações quando publicou a edição definitiva de *O livro dos espíritos*.

Na sua volta ao mundo dos Espíritos, a alma encontra todos aqueles que conheceu na Terra, e todas as suas existências anteriores se refletem na sua memória, com a lembrança de todo o bem e de todo mal que fez.

O Espírito encarnado se acha sob a influência da matéria. O homem que vence essa influência, pela elevação e depuração de sua alma, aproxima-se dos Espíritos bons, com os quais estará um dia. Aquele que se deixa dominar pelas más paixões, e põe todas as suas alegrias na satisfação dos apetites grosseiros, aproxima-se dos Espíritos impuros, dando preponderância à natureza animal.

As relações dos Espíritos com os homens são constantes. Os Espíritos bons nos incitam ao bem, nos sustentam nas provas da vida e nos ajudam a suportá-las com coragem e resignação. Os maus nos impelem ao mal: é para eles um prazer ver-nos sucumbir e nos identificar com seus defeitos.

As comunicações dos Espíritos com os homens são ocultas ou ostensivas. As ocultas ocorrem pela influência boa ou má que exercem sobre nós, à nossa revelia. Cabe ao nosso julgamento discernir as boas das más inspirações. As comunicações ostensivas se dão por meio da escrita, da palavra ou de outras manifestações materiais, na maioria das vezes pelos médiuns que lhes servem de instrumento.

Os Espíritos se manifestam espontaneamente ou mediante evocação. Podem evocar-se todos os Espíritos: os que animaram homens obscuros, como os das personagens mais ilustres, seja qual for a época em que tenham vivido; os de nossos parentes, de nossos amigos ou inimigos, e deles obter, por meio de comunicações escritas ou verbais, conselhos, informações sobre sua situação no além-túmulo, seus pensamentos a nosso respeito, assim como as revelações que lhes sejam permitidas fazer-nos.

Os Espíritos são atraídos em razão de sua simpatia pela natureza moral do meio que os evoca. Os Espíritos superiores se comprazem nas reuniões sérias, onde predominam o amor do bem e o desejo sincero de instruir-se e melhorar-se. A presença deles afasta os Espíritos inferiores que, ao contrário, encontram livre acesso e podem agir com toda liberdade entre pessoas frívolas ou guiadas apenas pela curiosidade, e por toda parte onde encontrem maus instintos. Longe de se obterem bons conselhos, ou ensinamentos úteis, deles só se devem esperar futilidades, mentiras, gracejos de mau gosto ou mistificações, pois muitas vezes tomam nomes venerados, a fim de melhor induzirem ao erro.

Distinguir os Espíritos bons dos maus é extremamente fácil. A linguagem dos Espíritos superiores é constantemente digna, nobre, marcada pela mais alta moralidade, isenta de toda paixão inferior; seus conselhos revelam a mais pura sabedoria e têm sempre por objetivo nosso melhoramento e o bem da Humanidade. A dos Espíritos inferiores, ao contrário, é inconsequente, muitas vezes trivial e mesmo grosseira; se por vezes dizem coisas boas e verdadeiras, em muitas outras dizem falsidades e absurdos, por malícia ou ignorância. Zombam da credulidade e se divertem à custa dos que os interrogam, lisonjeando-lhes a vaidade e embalando-lhes os desejos com falsas esperanças. Em resumo, as comunicações sérias, na total acepção do termo, só são dadas nos centros sérios, naqueles cujos membros estão unidos por íntima comunhão de pensamentos, tendo em vista o bem.

A moral dos Espíritos superiores se resume, como a do Cristo, nesta máxima evangélica: Fazer aos outros o que gostaríamos que os outros nos fizessem, isto é, fazer o bem e não o mal. O homem encontra nesse princípio a regra universal de conduta, mesmo para suas menores ações.

Eles nos ensinam que o egoísmo, o orgulho, a sensualidade são paixões que nos aproximam da natureza animal, prendendo-nos à matéria; que o homem que, desde este mundo, se desliga da matéria pelo desprezo das futilidades mundanas e pelo amor ao próximo, aproxima-se da natureza espiritual; que cada um de nós deve tornar-se útil segundo as faculdades e os meios que Deus nos colocou nas mãos para nos provar; que o Forte e o Poderoso devem apoio e proteção ao Fraco, porque aquele que abusa de sua força e de seu poder para oprimir o semelhante transgride a Lei de Deus. Ensinam, finalmente, que no mundo dos Espíritos, nada podendo estar oculto, o hipócrita será desmascarado e todas as suas torpezas descobertas; que a presença inevitável, e de todos os instantes, daqueles para com quem agimos mal é um dos castigos que nos estão reservados; que ao estado de inferioridade e de superioridade dos Espíritos correspondem penas e gozos que nos são desconhecidos na Terra.

Mas eles também nos ensinam que não há faltas irremissíveis que um arrependimento sincero e uma conduta melhor não possam apagar. O homem encontra o meio de consegui-lo nas diferentes existências que lhe permitem avançar, conforme seus desejos e seus esforços, na senda do progresso, rumo à perfeição, que é o seu objetivo final.

Este é o resumo da Doutrina Espírita, tal como resulta dos ensinamentos dados pelos Espíritos superiores. Vejamos agora as objeções que se lhe opõem.

Entre os antagonistas, é preciso distinguir aqueles entre os quais a incredulidade é uma ideia preconcebida, e no meio destes cumpre ainda distinguir os que repelem as coisas novas por motivos de interesse pessoal; com estes, não temos necessidade alguma de nos ocupar. Em outros, o amor-próprio constitui motivo não menos poderoso; acreditam que a Natureza já lhes disse a última palavra, não lhes reserva mais mistérios, e que tudo aquilo que exceda a elevada ideia que fazem da própria inteligência não passa de estupidez. Seria igualmente perder tempo discutir com eles; só lhes diremos que se transportem alguns anos atrás e vejam o que então pensavam das novas conquistas do homem os que, como eles, pretendiam impor limites à Natureza, parecendo dizer-lhe: não irás além. Os sarcasmos e as perseguições não impediram o progresso, e perguntamos o que lucrou a reputação deles em se inscreverem na oposição a fatos que, mais tarde, lhes viriam dar tão fulminante desmentido à perspicácia. O homem que julga infalível sua razão está bem perto do erro; mesmo aqueles que têm as mais falsas ideias das coisas se apoiam na razão, sendo por causa disso que rejeitam tudo quanto lhes parece impossível. Aqueles que outrora repeliram as admiráveis descobertas de que se glorifica a Humanidade, apelaram todos a esse juiz, para as rejeitar; muitas vezes, aquilo que se chama

INTRODUÇÃO
ao estudo da doutrina espírita

razão não passa de orgulho disfarçado, e quem quer que se considere infalível pretende igualar-se a Deus e talvez até mesmo duvide do poder infinito do Criador.

Dirigimo-nos, portanto, aos antagonistas de boa-fé, prudentes bastante para não duvidarem do que não viram, e que, julgando o futuro pelo passado, não creem que o homem haja chegado ao seu apogeu, nem que a Natureza lhe tenha virado a última página de seu livro.

Para muita gente, a oposição das corporações científicas constitui, quando não uma prova, pelo menos forte presunção contrária. Não somos dos que se rebelam contra os cientistas, pois não queremos que digam que os insultamos; ao contrário, nós os temos em grande estima e ficaríamos muito honrados se fôssemos contados entre eles. Mas a opinião deles não pode representar, em todas as circunstâncias, uma sentença irrevogável.

Desde que a Ciência sai da observação material dos fatos, e trata de os apreciar e explicar, o campo está aberto às conjecturas. Cada um constrói seu sistemazinho, que deseja fazer prevalecer e o sustenta com obstinação. Não vemos diariamente as opiniões mais contraditórias serem alternadamente preconizadas e rejeitadas, ora repelidas como erros absurdos e depois proclamadas como verdades incontestáveis? Os fatos, eis o verdadeiro critério de nossos julgamentos, o argumento sem réplica. Na ausência dos fatos, a dúvida é a opinião do homem sensato.

No tocante às coisas notórias, a opinião dos sábios[67] é, com toda razão, digna de fé, pois eles sabem mais e melhor que o vulgo. Mas, em termos de princípios novos, de coisas desconhecidas, sua maneira de ver quase sempre é hipotética, visto que não se acham mais livres de preconceitos que os outros. Direi mesmo que o sábio talvez tenha mais preconceitos que qualquer outro, pois uma propensão natural o leva a subordinar tudo ao ponto de vista em que se especializou: o matemático não vê prova senão numa demonstração algébrica, o quí-

---

[67] N.T.: *savants*, no original. Assim eram chamados os cientistas, os pesquisadores de uma ciência no século XIX. Contudo, muitas vezes Kardec utilizou esse vocábulo no seu sentido lato, isto é, para designar homens eruditos, judiciosos, sensatos, prudentes, enfim, homens que revelam muita sabedoria, sejam ou não "cientistas". Assim, de acordo com o contexto da palavra *savants* na frase, ora ela é traduzida como "sábios", ora como "cientistas".

mico refere tudo à ação dos elementos, etc. Todo homem que faz uma especialidade, a ela se aferra com todas as forças. Tirai-o daí e o vereis quase sempre delirar, por querer submeter tudo ao mesmo crivo; é uma consequência da fraqueza humana. Consultarei, pois, de bom grado e com toda confiança, um químico sobre uma questão de análise, um físico sobre a força elétrica, um mecânico sobre uma força motriz. Hão, porém, de permitir-me, sem que isto afete a estima a que têm direito por seu saber especial, que eu não tenha em melhor conta suas opiniões negativas sobre o Espiritismo, do que o parecer de um arquiteto sobre uma questão de música.

Mas será preciso diploma oficial para se ter bom senso? E não haverá fora das cátedras acadêmicas senão tolos e imbecis? Que se dignem lançar os olhos para os adeptos da Doutrina Espírita, a fim de verem se entre eles só existem ignorantes, e se o número imenso de homens de mérito que a têm abraçado permite relegá-la ao rol das crenças vulgares. O caráter, o saber desses homens merece que se diga: Já que eles afirmam, deve haver pelo menos alguma coisa.

Repetimos ainda que, se os fatos com que nos estamos ocupando se houvessem restringido ao movimento mecânico dos corpos, a pesquisa da causa física desse fenômeno entraria no domínio da Ciência. Como, porém, se trata de uma manifestação fora do âmbito das leis da Humanidade, escapa à competência da ciência material, porque não pode ser explicada por algarismos, nem por uma força mecânica. Infelizmente, o erro de muita gente consiste em querer submeter tais fenômenos às mesmas experiências dos fenômenos ordinários, sem atentar que um fenômeno que sai do círculo dos conhecimentos usuais deve ter sua razão de ser para ficar fora desses mesmos conhecimentos, nem pode ser comprovado pelas mesmas experiências. Quando surge um fato novo, que não tem relação com nenhuma ciência conhecida, o sábio, para estudá-lo, deve fazer abstração de sua ciência e dizer a si mesmo que se trata de um estudo novo, impossível de ser feito com ideias preconcebidas.

Acrescentemos que o estudo de uma doutrina, tal como a Doutrina Espírita, que nos lança de súbito numa ordem de coisas tão nova e tão grande, não pode ser realizado com proveito senão por homens sérios, perseverantes, isentos de prevenções e animados de firme e sincera vontade de chegar a um resultado. Não poderíamos dar essa qualificação aos que julgam *a priori*, levianamente e sem tudo terem visto; que não imprimem a seus estudos a continuidade, a regularidade e o recolhimento necessários. Ainda menos poderíamos dá-los a certas pessoas que, para não perderem sua reputação de homens de espírito, se esforçam por encontrar um lado burlesco nas coisas mais verdadeiras, ou tidas como tais por pessoas cujo saber, caráter e convicções merecem consideração dos que se prezam de bem-educados. Que se abstenham, portanto, os que entendem que os fatos não são dignos de sua atenção. Ninguém pensa violentar-lhes a crença; concordem, porém, em respeitar a dos outros.

O que caracteriza um estudo sério é a continuidade que se lhe dá. Devemos admirar-nos de não obter, com frequência, nenhuma resposta sensata a questões de si mesmas graves, quando as fazemos ao acaso e à queima-roupa, em meio a uma enxurrada de perguntas extravagantes? Além disso, acontece muitas vezes que uma questão complexa, para ser esclarecida, exige outras preliminares ou complementares. Quem quer adquirir uma ciência deve fazer um estudo metódico dela, começar pelo princípio e seguir o encadeamento e o desenvolvimento das ideias. Aquele que dirige a um sábio, ao acaso, perguntas acerca de uma ciência cujas primeiras palavras ignore, colherá algum proveito? Poderá o próprio sábio, por maior que seja sua boa vontade, dar-lhe resposta satisfatória? Essa resposta isolada será forçosamente incompleta e, por isso mesmo, quase sempre ininteligível, ou parecerá absurda e contraditória. Dá-se exatamente o mesmo nas relações que estabelecemos com os Espíritos. Se quisermos nos instruir na sua escola, com eles devemos fazer um curso; mas, como entre nós, é preciso escolher os professores e trabalhar com assiduidade.

Dissemos que os Espíritos superiores só comparecem às reuniões sérias, sobretudo àquelas em que reina perfeita comunhão de pensamentos e de sentimentos para o bem. A leviandade e as questões ociosas os afastam, como, entre os homens, afastam as pessoas sensatas;

o campo fica, então, livre à turba dos Espíritos mentirosos e frívolos, sempre à espreita de ocasiões para zombarem de nós e se divertirem à nossa custa. O que sucederia, numa reunião dessas, a uma pergunta grave? Seria respondida, mas por quem? É como se no meio de um bando de galhofeiros lançássemos estas questões: Que é a alma? Que é a morte? e outras tão recreativas quanto essas. Se quereis respostas sérias, comportai-vos com seriedade na mais ampla acepção do termo e procurai preencher todas as condições requeridas; só então obtereis grandes coisas. Sede mais laboriosos e perseverantes nos vossos estudos, a fim de que os Espíritos superiores não vos abandonem, como faz um professor com alunos negligentes.

Voltemos ao nosso assunto.

O movimento dos objetos é um fato comprovado. A questão é saber se, nesse movimento, há ou não uma manifestação inteligente e, em caso afirmativo, qual a origem de tal manifestação.

Não falamos do movimento inteligente de certos objetos, nem das comunicações verbais, nem mesmo das que o médium escreve diretamente. Esse gênero de manifestação, evidente para os que viram e aprofundaram o assunto, não é, à primeira vista, bastante independente da vontade para firmar a convicção de um observador novato. Só trataremos, portanto, da escrita obtida com o auxílio de um objeto qualquer munido de um lápis, tal como a cesta, a prancheta, etc. A maneira pela qual os dedos do médium repousam sobre o objeto desafia, como já dissemos, a mais perfeita destreza de sua parte em poder participar, de algum modo, no traçar das letras. Mas admitamos ainda que, por uma habilidade maravilhosa, possa ele enganar os olhos do mais atento observador; como explicar a natureza das respostas, quando estão muito além de todas as ideias e conhecimentos do médium? E note-se que não se trata de respostas monossilábicas, mas, frequentemente, de muitas páginas escritas com admirável rapidez, quer espontaneamente, quer sobre determinado assunto. Pela mão do médium menos versado em literatura surgem, de quando em quando, poesias de sublimidade e pureza impecáveis, que os melhores poetas humanos não desaprovariam. E o que aumenta ainda mais a estranheza desses fatos é que eles se produzem por toda parte e que os médiuns se multiplicam ao infinito. Esses fatos são reais ou não? Para esta pergunta só temos uma resposta: vede e observai; não vos faltarão oportunidades; mas, sobretudo, observai muitas vezes, por longo tempo e de acordo com as condições exigidas.

Diante da evidência, que respondem os antagonistas? Sois, dizem eles, vítimas do charlatanismo, ou joguete de uma ilusão. A isso replicaremos, para começar, que não cabe a palavra *charlatanismo* onde não há lucro; os charlatães não trabalham de graça. Seria, quando muito, uma mistificação. Mas por que singular coincidência esses mistificadores se teriam entendido de um extremo a outro do mundo, para agir do mesmo modo, produzir os mesmos efeitos e, sobre os mesmos assuntos e em diversas línguas, dar respostas idênticas, se não quanto à forma, pelo menos quanto ao sentido? Como é que pessoas sérias, honradas e instruídas se prestariam a semelhantes manobras? E com que fim? Como achar em crianças a paciência e a habilidade necessárias? Pois, se os médiuns não são instrumentos passivos, é preciso que tenham habilidade e conhecimentos incompatíveis com uma certa idade e certas posições sociais.

Então argumentam que, se não há fraude, os dois lados podem ser vítimas de uma ilusão. Em boa lógica, a qualidade das testemunhas tem certo peso; ora, é aqui o caso de perguntarmos se a Doutrina Espírita, que conta hoje milhões de adeptos, só os recruta entre os ignorantes? Os fenômenos em que ela se apoia são tão extraordinários que concebemos a dúvida. Porém, o que não se poderia admitir é a pretensão de certos incrédulos ao monopólio do bom senso, nem que, sem respeito às conveniências e ao valor moral dos adversários, tachem de ineptos, sem a menor cerimônia, os que não concordam com seus pareceres. Aos olhos de qualquer criatura judiciosa, a opinião de pessoas esclarecidas que por muito tempo viram, estudaram e meditaram um fato, constituirá sempre, quando não uma prova, pelo menos uma presunção a seu favor, já que pode prender a atenção de homens sérios, que não tinham interesse algum em propagar erros nem tempo a perder com futilidades.

Entre as objeções, algumas há mais sedutoras, ao menos na aparência, porque colhidas da observação e feitas por pessoas sérias.

Uma dessas objeções é que a linguagem de certos Espíritos não parece digna da elevação que se atribui a seres sobrenaturais. Quem se reportar ao resumo da Doutrina, acima apresentado, verá que os próprios Espíritos nos ensinam que não são iguais em conhecimento, nem em qualidades morais, e que não se deve tomar ao pé da letra tudo quanto dizem. Cabe às pessoas sensatas separar o bom do mau. Seguramente, os que deduzem desse fato que só lidamos com seres malfazejos, cuja única ocupação é mistificar, não conhecem as comunicações que são dadas nas reuniões onde só se manifestam Espíritos superiores; de outro modo não pensariam assim. É lamentável que o acaso os tenha servido tão mal, só lhes mostrando o lado mau do mundo espiritual, pois não queremos supor que uma tendência simpática atraia para eles, em vez dos bons, os Espíritos maus, os Espíritos mentirosos, ou aqueles cuja linguagem é de revoltante grosseria. Poder-se-ia, no máximo, concluir que a solidez dos princípios dessas pessoas não é bastante forte para afastar o mal e que, achando certo prazer em lhes satisfazerem a curiosidade, os Espíritos maus disso se aproveitam para se insinuar entre elas, enquanto os bons se afastam. Se meditarem sobre os princípios doutrinários contidos neste livro, nele encontrarão as condições necessárias para obterem comunicações de ordem elevada e para se libertarem da obsessão de Espíritos inferiores.

Julgar a questão dos Espíritos por esses fatos seria tão pouco lógico quanto julgar o caráter de um povo pelo que se diz e faz numa reunião de estouvados ou de gente de má fama, da qual nem participam as pessoas circunspetas nem as sensatas. Essas criaturas se encontram na situação de um estrangeiro que, chegando a uma grande capital pelo mais desprezível de seus subúrbios, julgasse todos os habitantes pelos costumes e pela linguagem desse bairro ínfimo. No mundo dos Espíritos também há uma sociedade boa e uma sociedade má; dignem-se essas pessoas de estudar o que se passa entre os Espíritos de escol e se convencerão de que a cidade celeste não contém apenas a escória popular.

Mas, perguntam elas, os Espíritos de escol vêm até nós? A isto responderemos: Não fiqueis no subúrbio; vede, observai e julgai; os fatos aí estão para todos. A menos que a elas se apliquem estas palavras de Jesus: *Têm olhos e não veem; têm ouvidos e não ouvem.*

Uma variante dessa opinião consiste em não ver nas comunicações espíritas e em todos os fatos materiais a que elas dão lugar, mais que a intervenção de um poder diabólico, novo proteu que revestiria todas as formas para melhor nos enganar. Não a julgamos merecedora de exame sério, razão por que não nos demoraremos em considerá-la; acha-se refutada pelo que acabamos de dizer. Diremos apenas que, se fosse assim, teríamos de convir em que o diabo é às vezes bastante criterioso, bem razoável e sobretudo muito moral, ou, então, que há também diabos bons.

É estranho, acrescentam, que só se falem dos Espíritos de personagens conhecidas e perguntam por que são eles os únicos a se manifestarem. Eis aí um erro, oriundo, como tantos outros, de observação superficial. Dentre os Espíritos que vêm espontaneamente, há maior número de desconhecidos que de ilustres, designando-se os primeiros por um nome qualquer e muitas vezes por um nome alegórico ou característico. Quanto aos que se evocam, a menos que seja um parente ou amigo, é muito natural que nos dirijamos aos que conhecemos, de preferência aos que nos são desconhecidos. O nome das personagens ilustres impressiona mais e é por isso que são mais notadas.

Acham também muito singular que os Espíritos de homens eminentes atendam familiarmente ao nosso apelo e se ocupem, às vezes, com coisas insignificantes, em comparação com as grandes coisas que realizavam durante a vida. Isso nada tem de estranho para os que sabem que o poder ou a consideração de que esses homens gozaram neste mundo não lhes dá nenhuma supremacia no mundo espiritual. Nisto, os Espíritos confirmam estas palavras do Evangelho: "Os grandes serão rebaixados e os pequenos serão elevados", que devem ser entendidas como se referindo à posição que cada um de nós ocupará entre eles. É assim que aquele que foi o primeiro na Terra poderá ser um dos últimos no mundo espiritual. Aquele diante de quem curvávamos aqui a cabeça, pode, portanto, vir entre nós como o mais humilde operário, porque, ao deixar a vida, deixou toda sua grandeza, e o mais poderoso monarca talvez lá se encontre abaixo do último de seus soldados.

Um fato demonstrado pela observação e confirmado pelos próprios Espíritos é o de que os Espíritos inferiores muitas vezes se apresentam com nomes conhecidos e respeitados. Quem pode, pois, assegurar que os que dizem ter sido, por exemplo, Sócrates, Júlio César, Carlos Magno, Fénelon, Napoleão, Washington, etc., tenham realmente animado essas personagens? Essa dúvida existe mesmo entre alguns adeptos fervorosos da Doutrina Espírita; admitem a intervenção e a manifestação dos Espíritos, mas perguntam que controle se pode ter de sua identidade. Semelhante controle é, de fato, muito difícil de estabelecer-se. Embora não possa ser feito de modo tão autêntico como por uma certidão de registro civil, pode-o ao menos por presunção, segundo certos indícios.

Quando se manifesta o Espírito de alguém que conhecemos pessoalmente, de um parente ou de um amigo, por exemplo, sobretudo se morreu há pouco tempo, acontece geralmente que sua linguagem guarda perfeita relação com o caráter que lhe conhecíamos. Isto já constitui indício de identidade. Mas quase não há mais lugar para dúvida quando esse Espírito fala de coisas particulares, lembra casos de família que somente o interlocutor conhece. Um filho não se enganará, por certo, com a linguagem de seu pai ou de sua mãe, nem os pais com a linguagem dos filhos. Algumas vezes passam-se coisas surpreendentes nesses gêneros de evocações íntimas, capazes de convencerem o maior incrédulo. O cético mais endurecido fica, não raro, aterrorizado com as revelações inesperadas que lhe são feitas.

Outra circunstância muito característica vem como prova de identidade. Dissemos que a caligrafia do médium muda geralmente com o Espírito evocado, e que essa caligrafia se reproduz exatamente igual toda vez que o mesmo Espírito se manifesta. Constatou-se inúmeras vezes, sobretudo para pessoas falecidas recentemente, que a escrita denota flagrante semelhança com a que tinha em vida essa pessoa; têm-se obtido assinaturas de perfeita exatidão. Longe estamos, entretanto, de dar esse fato como regra e menos ainda como regra constante; apenas o mencionamos como digno de nota.

Somente os Espíritos que atingiram certo grau de purificação se acham libertos de toda influência corpórea; porém, quando não estão completamente desmaterializados – é a expressão de que se servem – conservam a maior parte das ideias, dos pendores e até das *manias* que tinham na Terra, o que também é um meio de reconhecê-los, meio a que igualmente se chega por uma imensidade de fatos minuciosos, que só uma observação atenta, cuidadosa, pode revelar. Veem-se escritores a discutir suas próprias obras ou doutrinas, aprovando ou condenando certas partes delas; outros Espíritos a lembrar circunstâncias ignoradas ou pouco conhecidas de suas vidas ou de suas mortes; enfim, todas as coisas que são ao menos provas morais de identidade, únicas que se podem invocar, tratando-se de coisas abstratas.

Ora, se a identidade de um Espírito evocado pode, até certo ponto, ser estabelecida em alguns casos, não há razão para que não o seja em outros; e se não dispomos dos mesmos meios de controle em relação a pessoas cuja morte ocorreu há mais tempo, resta sempre o da linguagem e do caráter, porque, seguramente, o Espírito de um homem de bem não falará como o de um perverso ou de um devasso. Quanto aos Espíritos que se apropriam de nomes respeitáveis, esses logo se traem por sua linguagem e por suas máximas. Aquele que se dissesse Fénelon, por exemplo, e que ofendesse, ainda que acidentalmente, o bom senso e a moral, mostraria, por esse simples fato, o embuste. Se, ao contrário, os pensamentos que ele exprime são sempre puros, sem contradições e constantemente à altura do caráter de Fénelon, não há motivos para se duvidar de sua identidade. De outro modo, seria preciso admitir que um Espírito que só prega o bem é capaz de mentir conscientemente, e isso sem utilidade alguma. Afinal, que importa que um Espírito seja realmente o de Fénelon? Desde que só diga coisas boas, é um Espírito bom, sendo indiferente o nome sob o qual se apresente.

As observações anteriores nos levam a dizer algumas palavras sobre as contradições que se possam encontrar nas soluções dadas pelos

Espíritos a certas perguntas, e das quais os adversários tentam tirar um argumento contra a Doutrina.

Sendo os Espíritos muito diferentes uns dos outros, do ponto de vista dos conhecimentos e da moralidade, é evidente que a mesma questão pode ser por eles resolvida em sentidos opostos, conforme a categoria que ocupem, exatamente como sucederia entre os homens se a propusessem, ora a um sábio, ora a um ignorante, ora a um gracejador de mau gosto. O ponto essencial, já o dissemos, é saber a quem nos dirigimos.

Mas, ponderam, como se explica que Espíritos reconhecidos como seres superiores nem sempre estejam de acordo entre si? Diremos, em primeiro lugar, que, independentemente da causa que acabamos de assinalar, existem outras que podem exercer certa influência sobre a natureza das respostas, abstração feita do caráter dos Espíritos. Este é um ponto capital, cuja explicação se encontrará no curso desta obra, motivo por que nos abstemos de reproduzi-la aqui. É nisso sobretudo que consiste a dificuldade dos estudos espíritas. É por isso que dizemos que esses estudos requerem atenção demorada, observação profunda e, principalmente, como o exigem todas as ciências humanas, continuidade e perseverança. São precisos alguns anos para formar-se um médico medíocre e três quartas partes da vida para formar-se um cientista. Como se pretender em algumas horas adquirir a Ciência do Infinito? Que ninguém, portanto, se iluda: o estudo do Espiritismo é imenso; diz respeito a todas as questões da metafísica e da ordem social; é todo um mundo que se abre diante de nós. Será de admirar que demande tempo, muito tempo mesmo?

A contradição, ademais, nem sempre é tão real quanto possa parecer, prendendo-se mais à forma da linguagem que ao sentido intrínseco. Não vemos todos os dias homens que professam a mesma ciência divergirem na definição dada a uma coisa, seja porque empregam termos diferentes, seja porque a consideram sob outro ponto de vista, embora a ideia fundamental seja sempre a mesma? Acrescentemos, ainda, que a forma da resposta depende muitas vezes da forma da pergunta. Seria pueril, portanto, ver contradição onde geralmente só existe diferença de palavras. Os Espíritos superiores não se preocupam de modo algum com a forma; para eles, o fundo do pensamento é tudo.

 Tomemos por exemplo a definição de alma. Não tendo esta palavra uma acepção única, os Espíritos podem, assim como nós, divergir na definição que lhe dão: um poderá dizer que é o princípio da vida, outro chamá-la de centelha anímica, um terceiro afirmar que ela é interna, um quarto que é externa, etc., e todos terão razão, cada um de seu ponto de vista. Poder-se-á mesmo crer que alguns deles professem teorias materialistas e, todavia, não ser assim. Dá-se o mesmo com a palavra *Deus*. Será: o Princípio de todas as coisas, o Criador do Universo, a Inteligência Suprema, o Infinito, o Grande Espírito, etc. Mas, em última análise, será sempre Deus. Citemos, finalmente, a classificação dos Espíritos. Eles formam uma série ininterrupta, desde o grau inferior até o grau superior. A classificação é, pois, arbitrária: um poderá fixá-la em três classes, outro em cinco, dez ou vinte, à vontade, sem que nenhum esteja em erro. Todas as ciências humanas nos oferecem o mesmo exemplo. Cada cientista tem o seu sistema; os sistemas mudam, mas a Ciência não muda. Quer se aprenda a Botânica pelo sistema de Lineu, de Jussieu ou de Tournefort, nem por isso se saberá menos Botânica. Deixemos, pois, de dar às coisas puramente convencionais mais importância do que merecem, para só nos atermos àquilo que é verdadeiramente sério e, não raro, a reflexão nos fará descobrir, naquilo que parecia ser o maior disparate, uma similitude que nos havia escapado a um primeiro exame.

 Passaríamos de leve pela objeção que fazem alguns céticos, a propósito das falhas ortográficas cometidas por certos Espíritos, se ela não desse margem a uma observação essencial. A ortografia deles, cumpre dizê-lo, nem sempre é impecável; mas é preciso ter a razão muito estreita para se fazer disso objeto de crítica séria, dizendo que, uma vez que os Espíritos tudo sabem, devem saber ortografia. Poderíamos opor-lhes inúmeros pecados desse gênero, cometidos por mais de um sábio da Terra, o que em nada lhes diminui o mérito. Entretanto, há neste fato uma questão mais grave. Para os Espíritos, principalmente para os Espíritos superiores, a ideia é tudo, a forma nada é. Libertos da matéria, sua linguagem é rápida como o pensamento, pois que são os próprios pensamentos que se comunicam sem intermediário. Devem, pois, sentir-se muito pouco à vontade quando são obrigados, para se comunicarem conosco, a se servirem das formas longas e embaraçosas da linguagem humana e, sobretudo, a lutarem com a insuficiência e imperfeição dessa linguagem para exprimirem todas as ideias; é o que eles próprios declaram. Além disso, é curioso observar os meios de que muitas vezes se servem para atenuarem esse inconveniente. O mesmo se daria conosco, se tivéssemos de nos exprimir num idioma mais rico em palavras e expressões, e mais pobre em fraseados do que a nossa. É o embaraço sentido pelo homem de gênio, que se impacienta com a lentidão da pena, sempre muito atrasada em relação ao seu pensamento. É compreensível, diante disto, que os Espíritos liguem pouca importância à puerilidade da ortografia, sobretudo quando se trata de ensino importante. Ademais, já não é maravilhoso que se exprimam indiferentemente em todas as línguas e as compreendam todas? Não se conclua daí, no entanto, que a correção convencional da linguagem lhes seja desconhecida, pois a observam quando necessário. É assim, por exemplo, que a poesia por eles ditada desafiaria quase sempre a crítica do mais meticuloso purista, e isso *a despeito da ignorância do médium.*

    Há, ainda, pessoas que veem perigo por toda parte e em tudo que não conhecem. Também não deixam de tirar conclusão desfavorável do fato de algumas pessoas, ao se entregarem a esses estudos, terem perdido a razão. Como é que homens sensatos podem ver nisto uma objeção séria? Não se dá o mesmo com todas as preocupações intelectuais sobre um cérebro fraco? Quem conhece o número de loucos e maníacos que os estudos matemáticos, médicos, musicais, filosóficos e outros já produziram? E devemos, por isso, banir tais estudos? Que prova isso? Nos trabalhos corpóreos, estropiam-se os braços e as pernas, que são os instrumentos da ação material; nos trabalhos da inteligência, estropia-se o cérebro, que é o instrumento do pensamento. Mas, por se ter quebrado o instrumento, não se segue que o mesmo tenha acontecido ao Espírito: ele continua intacto, e quando se libertar da matéria não gozará menos da plenitude de suas faculdades. É, no seu gênero, como homem, um mártir do trabalho.

Resta-nos examinar duas objeções, únicas que realmente merecem esse nome, porque se baseiam em teorias racionais. Ambas admitem a realidade de todos os fenômenos materiais e morais, mas excluem a intervenção dos Espíritos.

Segundo a primeira dessas teorias, todas as manifestações atribuídas aos Espíritos não seriam mais que efeitos magnéticos. Os médiuns ficariam num estado que se poderá chamar de sonambulismo desperto, fenômeno de que podem dar testemunho todos os que estudaram o magnetismo. Nesse estado as faculdades intelectuais adquirem um desenvolvimento anormal; o círculo das percepções intuitivas se amplia além dos limites de nossa concepção ordinária. Assim, o médium tiraria de si mesmo e por efeito de sua lucidez tudo que diz e todas as noções que transmite, mesmo sobre as coisas que lhe sejam mais estranhas no seu estado normal.

Não seremos nós quem conteste o poder do sonambulismo, cujos prodígios observamos, estudando todas as suas fases. Concordamos, realmente, em que muitas manifestações espíritas podem ser explicadas por esse meio; contudo, uma observação atenta e prolongada mostra uma porção de fatos em que a intervenção do médium, a não ser como instrumento passivo, é materialmente impossível. Aos que partilham dessa opinião, diremos, como aos outros: "Vede e observai, porque seguramente ainda não vistes tudo." Em seguida, opor-lhes-emos duas considerações tiradas de sua própria doutrina. De onde veio a teoria espírita? É um sistema imaginado por alguns homens para explicar os fatos? De modo algum. Quem, então, a revelou? Precisamente esses mesmos médiuns cuja lucidez exaltais. Se, pois, essa lucidez é tal como a supondes, por que teriam eles atribuído aos Espíritos o que hauriam em si mesmos? Como teriam dado essas informações tão precisas, tão lógicas e tão sublimes sobre a natureza dessas inteligências extra-humanas? De duas coisas, uma: ou eles são lúcidos, ou não. Se o são, e se temos confiança em sua veracidade, não poderíamos, para sermos coerentes, admitir que não estejam com a verdade. Em segundo lugar, se todos os fenômenos tivessem sua fonte no médium, seriam idênticos no mesmo indivíduo e não se veria a mesma pessoa usar de uma linguagem heterogênea, nem exprimir alternadamente as coisas mais contraditórias. Esta falta de unidade nas manifestações obtidas pelo médium prova a diversidade das fontes. Se, pois, não podemos encontrá-las todas no médium, é preciso que as procuremos fora dele.

Segundo outra opinião o médium é a fonte das manifestações; mas, em vez de extraí-las de si mesmo, como o pretendem os partidários da teoria sonambúlica, ele as colhe do meio ambiente. O médium seria então uma espécie de espelho a refletir todas as ideias, todos os pensamentos e todos os conhecimentos das pessoas que o cercam; nada diria que não fosse conhecido, pelo menos de algumas delas. Não se pode negar, e isto constitui mesmo um princípio da Doutrina, a influência que os assistentes exercem sobre a natureza das manifestações. No entanto, essa influência é bem diversa da que se supõe existir, e daí a que o médium seja um eco do pensamento daqueles que o rodeiam, vai grande distância, visto que milhares de fatos demonstram terminantemente o contrário. Isto é um grave erro, que prova, uma vez mais, o perigo das conclusões prematuras. Como essas pessoas não podem negar a existência de um fenômeno que a ciência comum não consegue explicar, e não querendo admitir a presença dos Espíritos, explicam-no a seu modo. A teoria que sustentam seria sedutora se pudesse abranger todos os fatos, mas não é isso que acontece. Quando se lhes demonstra, até à evidência, que certas comunicações do médium são completamente estranhas aos pensamentos, aos conhecimentos e às próprias opiniões dos assistentes; que essas comunicações frequentemente são espontâneas e contradizem todas as ideias preconcebidas, elas não se deixam vencer tão facilmente. Respondem que a irradiação vai muito além do círculo imediato que nos cerca; o médium é o reflexo da Humanidade inteira, de tal sorte que, se não haure as inspirações ao seu redor, vai buscá-las fora, na cidade, no país, em todo o globo terreno e mesmo em outras esferas.

Não creio que se encontre nessa teoria explicação mais simples e mais provável que a do Espiritismo, pois ela pressupõe uma causa bem mais maravilhosa. A ideia de que seres que povoam os espaços e que, em contato permanente conosco, nos comunicam seus pensamentos, nada tem que choque mais a razão do que a suposição dessa irradiação universal, vinda de todos os pontos do Universo para se concentrar no cérebro de um indivíduo.

Ainda uma vez, e este é um ponto fundamental sobre o qual nunca insistiremos bastante: a teoria sonambúlica e a que se poderia chamar *refletiva* foram imaginadas por alguns homens; são opiniões individuais, criadas para explicar um fato, ao passo que a Doutrina dos Espíritos não é de concepção humana. Foi ditada pelas próprias inteligências que se manifestam, quando nela ninguém pensava e a opinião geral até mesmo a repelia. Ora, perguntamos: onde os médiuns foram colher uma doutrina que não passava pelo pensamento de ninguém na Terra? Também perguntamos: Por que estranha coincidência milhares de médiuns espalhados por todos os pontos do globo, e que jamais se viram, concordaram em dizer a mesma coisa? Se o primeiro médium que apareceu na França sofreu a influência de opiniões já aceitas na América, por que capricho foi ele buscá-las a 2.000 léguas além-mar, no seio de um povo tão estranho por seus costumes quanto por sua língua, em vez de procurá-las ao seu redor?

Também há outra circunstância na qual não se tem pensado bastante. As primeiras manifestações, na França como na América, não se deram por meio da escrita nem da palavra falada, mas por pancadas concordantes com as letras do alfabeto e formando palavras e frases. Foi por esse meio que as inteligências autoras das manifestações declararam ser Espíritos. Se, portanto, pudéssemos supor a intervenção do pensamento dos médiuns nas comunicações verbais ou escritas, outro tanto não se pensaria em relação às pancadas, cuja significação não podia ser conhecida previamente.

Poderíamos citar inúmeros fatos que demonstram, na inteligência que se manifesta, uma individualidade evidente e uma absoluta independência de vontade. Recomendamos, portanto, aos dissidentes uma observação cuidadosa; se quiserem estudar bem, sem prevenção e sem concluir antes de terem visto tudo, reconhecerão a incapacidade de sua teoria para explicar todos os fatos. Limitar-nos-emos a propor as seguintes questões: Por que a inteligência que se manifesta, seja ela qual for, recusa responder a certas perguntas sobre assuntos perfeitamente conhecidos, por exemplo, sobre o nome ou a idade do interlocutor, sobre o que ele tem na mão, que fez na véspera, seus planos para o dia seguinte, etc.? Se o médium fosse o espelho do pensamento dos assistentes, nada lhe seria mais fácil que responder.

Os adversários retrucam o argumento indagando, por sua vez, por que os Espíritos, que tudo devem saber, não podem dizer coisas tão simples, de acordo com o axioma: *Quem pode o mais pode o menos*, e daí concluem que não são Espíritos. Se um ignorante ou um zombador, apresentando-se a uma douta assembleia, perguntasse, por exemplo, por que é dia em pleno meio-dia, seria crível que ela se desse ao incômodo de responder seriamente? E seria lógico concluir-se, pelo silêncio ou pelas zombarias com que respondesse ao interpelante, que seus membros não passam de tolos? Ora, é precisamente porque são superiores que os Espíritos não respondem a questões inúteis e ridículas, nem querem ir para a berlinda; é por isso que se calam ou dizem que só se ocupam com coisas mais sérias.

Perguntaremos, finalmente, por que os Espíritos vêm e se vão, muitas vezes, em dado momento, e por que, passado esse momento, não há pedidos nem súplicas que os façam voltar? Se o médium só agisse por impulsão mental dos assistentes, é claro que, em tal circunstância, o concurso de todas as vontades reunidas deveria estimular sua clarividência. Se, portanto, não cede ao desejo da assembleia, corroborado por sua própria vontade, é que obedece a uma influência estranha a ele mesmo e aos que o cercam, influência que, por esse simples fato, acusa sua independência e sua individualidade.

Os estranhos fenômenos que estamos testemunhando agora não resultam de uma descoberta devida ao acaso. Os Espíritos nos dizem que há nesse fato, que em pouco tempo tomou proporções tão consideráveis, qualquer coisa de providencial. Declaram que estão encarregados, de agora em diante, de instruir os homens e de derrubar os erros e os preconceitos, não mais por meio de alegorias e figuras simbólicas, mas em linguagem clara e inteligível para todos; não mais sobre um ponto isolado do globo, mas em toda a superfície da Terra. Segundo eles, essas manifestações são o prelúdio da transformação da Humanidade.

Seja como for, não podemos negar que encontramos, nos ensinamentos dos Espíritos superiores, os preceitos de uma sublime moral, que não é senão o desenvolvimento e a explicação da moral do Cristo e cujo efeito é tornar melhores os homens. Há pessoas que acham essa moral insuficiente, dizendo nada haver nela de novo; é a moral vulgar. Dever-se-ia esperar da parte dos Espíritos alguma coisa mais grandiosa, mais extraordinária; alguma coisa, em suma, que saísse do lugar-comum.

Temos pouca coisa a responder-lhes. Diremos, para começar, que estamos apresentando aqui apenas um resumo e que, se quiserem conhecer a Doutrina completa, será preciso que se deem ao trabalho de estudá-la e, sobretudo, de meditar suas aplicações. A base sobre a qual repousa essa moral é simples, é verdade; mas é por sua simplicidade mesma que ela é sublime: Deus fez seu código em poucas palavras. Ela é conhecida, é ainda verdade: é a moral que se ensina por toda parte. Por que, então, a praticam tão pouco? Mais de um entre os que a consideram mesquinha talvez ficassem um pouco desapontados se fossem constrangidos a praticar, no rigor do termo, este simples preceito, tão pueril aos seus olhos: *Não faças a outrem o que não quererias que te fizessem*, e, principalmente, de reparar tudo o que fizeram, violando essa norma.

De duas coisas, uma: ou eles acham esse preceito rigoroso demais, ou o consideram demasiadamente brando. No primeiro caso, poder-se-ia crer que ficassem contentíssimos de vê-lo substituído por alguma coisa capaz de os livrar de uma obrigação que, convenhamos, é bastante incômoda para muita gente; no segundo, é que eles aparentemente já a praticam escrupulosamente, e que são mais severos para consigo do que o próprio Deus. Pois bem! Por mais doce que seja essa obrigação, Deus se contenta com ela e, quando o homem o quiser, com essas poucas palavras fará de seu globo uma Terra Prometida.

Quanto a nós, achamos que os Espíritos nos dão prova de sua superioridade justamente por confirmarem as palavras do Cristo e por anunciarem que estão encarregados de apressar o fim do reino do egoísmo e substituí-lo pelo da justiça. Não cremos que seja possível a alguém se convencer sinceramente da existência e da manifestação dos Espíritos sem promover séria mudança em si mesmo e sem encarar com confiança o futuro. Esta crença, portanto, não pode conduzir o homem senão ao caminho do bem, pois nos mostra a nulidade das coisas terrenas a par do infinito que nos aguarda; coloca na primeira linha das condições de nossa felicidade futura o amor e a caridade para com os semelhantes, fazendo que se diluam as paixões que nos assemelham ao bruto.

Allan Kardec

Prolegômenos

Fenômenos que escapam às leis da ciência vulgar manifestam-se por toda parte, revelando, na causa que os produz, a ação de uma vontade livre e inteligente.

Diz a razão que um efeito inteligente há de ter como causa uma força inteligente e os fatos provaram que essa força pode entrar em comunicação com os homens por meio de sinais materiais.

Interrogada sobre sua natureza, essa força declarou pertencer ao mundo dos seres espirituais que se despojaram do invólucro corpóreo do homem. Assim é que a Doutrina dos Espíritos foi revelada.

As comunicações entre o mundo espiritual e o mundo corpóreo fazem parte da natureza das coisas e não constituem nenhum fato sobrenatural, razão pela qual encontramos seus vestígios entre todos os povos e em todas as épocas. Hoje se generalizaram e se tornaram patentes para todos.

Os Espíritos anunciam que chegaram os tempos marcados pela Providência para uma manifestação universal e que, sendo eles os ministros de Deus e os agentes de sua vontade, sua missão é instruir e esclarecer os homens, abrindo uma Nova Era para a regeneração da Humanidade.

Este livro é o repositório de seus ensinos. Foi escrito por ordem e sob o ditado de Espíritos superiores, para estabelecer os fundamentos da verdadeira Doutrina Espírita, isenta dos erros e dos preconceitos. Nada encerra que não seja a expressão do pensamento deles e que não tenha sido por eles examinado. Só a ordem e a distribuição metódica das matérias, assim como a forma material de algumas partes da redação constituem obra daquele que recebeu a missão de o publicar.

Entre os Espíritos que concorreram para a realização desta obra, muitos viveram em diversas épocas na Terra, onde pregaram e praticaram a virtude e a sabedoria. Outros, por seus nomes, não pertenceram a nenhuma personagem cuja lembrança a História tenha guardado, mas sua elevação é atestada pela pureza de sua doutrina e sua união com os que trazem nomes venerados.

Eis os termos em que nos deram, por escrito e por muitos médiuns, a missão de escrever este livro:

> Ocupa-te com zelo e perseverança do trabalho que empreendeste com o nosso concurso; este trabalho é também nosso. Revê-lo-emos juntos, a fim de que nada encerre que não seja a expressão de nosso pensamento e da verdade; e quando a obra estiver terminada, nós te ordenaremos não só a imprimi-la como a propagá-la; é uma coisa de utilidade universal.
>
> Compreendeste bem tua missão; estamos contentes contigo. Continua e não te abandonaremos jamais. Crê em Deus e caminha com confiança!
>
> Estaremos contigo sempre que o pedires e estarás também às nossas ordens toda vez que te chamarmos, pois este livro é apenas uma parte da missão que te está confiada e que um de nós já te revelou.
>
> Entre os ensinos que te são dados, alguns há que deves guardar somente para ti, até nova ordem. Quando chegar o momento de os publicares, nós to avisaremos. Enquanto esperas, medita sobre eles, a fim de estares pronto quando te dissermos.
>
> Porás no cabeçalho do livro a cepa que te desenhamos,[68] porque é o emblema do trabalho do Criador. Aí se acham reunidos todos os princípios materiais que melhor podem representar o corpo e o espírito. O corpo é a cepa; a alma é o bago; o espírito é a seiva.[69] O

---

[68] Nota de Allan Kardec: a cepa que se vê na p. 67 é o fac-símile da que os Espíritos desenharam.
[69] N.T.: na edição definitiva de 1860, esse trecho passou ter a seguinte redação: "O corpo é a cepa; o espírito é a seiva; a alma ou espírito ligado à matéria é o bago".

homem quintessencia o espírito pelo trabalho e tu sabes que é somente pelo trabalho do corpo que o espírito adquire conhecimentos.

Não te deixes desanimar pela crítica. Encontrarás contraditores obstinados, principalmente entre os que têm interesse nos abusos. Encontra-los-ás mesmo entre os Espíritos, porque os que ainda não estão completamente desmaterializados procuram muitas vezes semear a dúvida por malícia ou ignorância. Prossegue sempre; aqui estaremos para te amparar e aproxima-se o tempo em que a verdade brilhará de todos os lados.

A vaidade de certos homens, que julgam saber tudo e tudo querem explicar a seu modo, dará origem a opiniões dissidentes. Mas, todos os que tiverem em vista o grande princípio de Jesus se confundirão num mesmo sentimento de amor ao bem e se unirão por um laço fraterno, que abarcará o mundo inteiro; deixarão de lado as miseráveis disputas de palavras, para só se ocuparem com o que é essencial. E a Doutrina será sempre a mesma, quanto ao fundo, para todos os que receberem comunicações de Espíritos superiores."[70]

***

Nota – Os princípios contidos neste livro resultam das respostas dadas pelos Espíritos às questões diretas que lhes foram propostas, bem como das instruções que deram espontaneamente sobre as matérias que encerra. O material foi coordenado de maneira a apresentar um conjunto regular e metódico, e não foi entregue à publicidade senão depois de ter sido revisto cuidadosamente, várias vezes seguidas, e corrigido pelos próprios Espíritos.

A primeira coluna contém as perguntas formuladas e as respostas textuais. A segunda encerra o enunciado da Doutrina sob forma corrente. São ambas, propriamente falando, duas redações ou duas formas diferentes do mesmo tema: uma tem a vantagem de apresentar,

---

[70] N.T.: como se vê, na 1ª edição de O livro dos espíritos, os "Prolegômenos" são mais resumidos e terminam sem as assinaturas dos Espíritos relacionados na edição definitiva da obra.

de alguma sorte, a feição das entrevistas espíritas; a outra, de permitir uma leitura sequencial.

Embora o assunto versado em cada coluna seja o mesmo, encerram, frequentemente, numa e noutra, pensamentos especiais que, mesmo quando não resultam de perguntas diretas, não deixam de ser o fruto das lições dadas pelos Espíritos, pois nenhuma há que não seja a expressão do pensamento deles.

LIVRO PRIMEIRO

Doutrina Espírita

CAPÍTULO I
Deus

CAPÍTULO II
Criação

CAPÍTULO III
Mundo corpóreo

CAPÍTULO IV
Mundo espiritual ou dos Espíritos

CAPÍTULO V
Encarnação dos Espíritos

CAPÍTULO VI
Retorno da vida corpórea à vida espiritual

CAPÍTULO VII
Diferentes encarnações dos Espíritos

CAPÍTULO VIII
Emancipação da alma durante a vida corpórea

CAPÍTULO IX
Intervenção dos Espíritos no mundo corpóreo

CAPÍTULO X
Manifestação dos Espíritos

CAPÍTULO I

Deus

Provas da existência de Deus – Deus é um ser individual – Atributos da divindade

1. *Que é Deus?* [71, 72] [LE-1.] [73]
Deus é a inteligência suprema, causa primeira de todas as coisas.[74]

2. *Onde se pode encontrar a prova da existência de Deus?* [LE-4.]

---

[71] N.T.: as perguntas feitas por Allan Kardec aparecem em itálico; as respostas dadas pelos Espíritos estão postas entre aspas; os comentários atribuídos ao Codificador estão grafados em tipos menores, não aspeados e em letras "redondas".

[72] N.T.: conforme se pode ver mais adiante na reprodução digitalizada da edição francesa deste livro, suas matérias estão distribuídas em duas colunas, o que pode confundir um pouco o leitor e tornar enfadonha a leitura. Para obviar esses inconvenientes, preferimos agrupá-las numa só coluna, como, aliás, procedeu Allan Kardec na 2ª edição de *O livro dos espíritos* e nas demais obras da Codificação.

[73] N.T.: os números colocados entre colchetes [...], precedidos das siglas LE ou LM, que aparecem ao final das perguntas deste livro e, mais raramente, depois das respostas dos Espíritos ou dos comentários de Kardec, correspondem, respectivamente, aos números das questões alusivas ao mesmo assunto, existentes na edição definitiva de *O livro dos espíritos* (LE) e de *O livro dos médiuns* (LM). Muitas delas são textuais e, embora nem todas obedeçam à mesma redação, nem apresentem os mesmos desdobramentos, permitirão ao leitor confrontar facilmente o texto histórico publicado em 1857 com o texto atual – definitivo – dos dois primeiros livros da Codificação Espírita.

[74] N.T.: na edição original deste livro, dividido em duas colunas, esta resposta aparece sem aspas, na coluna da direita, espaço reservado aos comentários de Allan Kardec, levando muita gente a perguntar-se se teria sido dada por ele ou pelos Espíritos da Codificação, dúvida que já não subsiste na 2ª edição da obra, publicada em 1860, onde o referido texto aparece entre aspas, sendo, portanto, atribuído aos Espíritos. O mesmo raciocínio se aplica à resposta da questão nº 53 desta obra que, na edição original francesa, também aparece sem aspas, na coluna da direita (ver reprodução digitalizada do livro, páginas 405 e 418, respectivamente).

"Num axioma que aplicais às vossas ciências: não há efeito sem causa. Procurai a causa de tudo o que não é obra do homem e vossa razão responderá."

> Para crer em Deus basta lançar os olhos sobre as obras da Criação. O Universo existe, logo tem uma causa. Duvidar da existência de Deus seria negar que todo efeito tem uma causa e avançar que o nada pôde fazer alguma coisa.

3. *Que consequência se pode tirar do sentimento intuitivo, que todos os homens trazem em si, da existência de Deus?* [LE-5.]

"Que Deus existe."

3-a. *O sentimento íntimo que temos da existência de Deus não seria fruto da educação e das ideias adquiridas?*[75] [LE-6.]

"Se assim fosse, por que vossos selvagens teriam esse sentimento?"

> Deus pôs dentro de nós mesmos a prova de sua existência pelo sentimento instintivo que se acha entre todos os povos, em todos os séculos e em todos os graus da escala social.
>
> Se o sentimento da existência de um ser supremo fosse apenas produto de um ensino, não seria universal e, como sucede com as noções científicas, só existiria nos que tivessem recebido esse ensino.

4. *Poder-se-ia encontrar nas propriedades íntimas da matéria a causa primeira da formação das coisas?* [LE-7.]

"Mas, então, qual seria a causa dessas propriedades? É preciso sempre uma causa primeira."

> Atribuir a formação primeira das coisas às propriedades íntimas da matéria seria tomar o efeito pela causa, pois essas propriedades são, em si mesmas, um efeito que deve ter uma causa.

---

[75] N.T.: o texto original francês não contempla com letras as perguntas numeradas que aparecem nesta tradução. Assim procedendo, tivemos em vista facilitar ao leitor a localização de cada uma delas ao longo deste livro.

5. *Que pensar da opinião que atribui a formação primeira a uma combinação fortuita da matéria, ou seja, ao acaso?* [LE-8.]

"Outro absurdo. Que homem de bom senso pode considerar o acaso como um ser inteligente? E, além disso, que é o acaso? Nada!"

> A harmonia que regula as forças do Universo revela combinações e propósitos determinados e, por isso mesmo, denota um poder inteligente. Atribuir a formação primeira ao acaso seria um contrassenso, pois o acaso é cego e não pode produzir os efeitos que a inteligência produz.

6. *Onde se vê, na causa primeira, uma inteligência suprema e superior a todas as inteligências?* [LE-9.]

"Tendes um provérbio que diz: Pela obra se conhece o autor. Pois bem! Vede a obra e procurai o autor. É o orgulho que gera a incredulidade. O homem orgulhoso nada admite acima de si e, por isso, se julga um espírito forte. Pobre ser, que um sopro de Deus pode abater!"

> Julga-se o poder de uma inteligência por suas obras. Não podendo nenhum ser humano criar o que a Natureza produz, a causa primeira é, portanto, uma inteligência superior à Humanidade.

> Quaisquer que sejam os prodígios realizados pela inteligência humana, ela própria tem uma causa e, quanto maior for o que realize, tanto maior há de ser a causa primeira. Essa inteligência superior é que é a causa primeira de todas as coisas, seja qual for o nome pelo qual a designem.

7. *Alguns filósofos disseram que Deus é o infinito; os próprios Espíritos assim o têm designado. Que se deve pensar desta explicação?* [LE-3.]

"Definição incompleta. Pobreza da linguagem dos homens, insuficiente para definir o que está acima de sua inteligência."

7-a. *Que se deve entender por infinito?* [LE-2.]

"O que não tem começo nem fim."

> Deus é infinito em suas perfeições, mas o infinito é uma abstração. Dizer que Deus é o *infinito* é tomar o atributo de uma coisa pela

própria coisa; é definir uma coisa que não é conhecida por outra que também não o é. E é assim que, querendo penetrar o que não lhe é dado conhecer, o homem se lança num beco sem saída, dando margem a discussões.

8. *Deus é um ser distinto, ou seria, segundo a opinião de alguns, a resultante de todas as forças e de todas as inteligências do Universo reunidas, o que faria de cada ser uma parcela da Divindade?* [LE-14.]

"Orgulho da criatura, que se julga o próprio Deus. Filha ingrata que renega o pai."

> Deus é um ser distinto de todos os outros seres. Ver Deus na resultante de todas as forças reunidas do Universo seria negar sua existência; Ele seria então efeito, e não causa.
>
> A inteligência de Deus se revela em suas obras como a de um pintor em seu quadro; mas as obras de Deus não são o próprio Deus, como o quadro não é o pintor que o concebeu e executou. Seria ainda aqui tomar o efeito pela causa.

9. *Pode o homem compreender a natureza íntima de Deus?* [LE-10.]
"Não."

9-a. *Por que não é dado ao homem compreender a essência da Divindade?* [LE-10.]
"Falta-lhe, para tanto, um sentido."

9-b. *Será dado um dia ao homem compreender o mistério da Divindade?* [LE-11.]
"Quando não mais tiver o espírito obscurecido pela matéria e, por sua perfeição, se houver aproximado de Deus, então o verá e o compreenderá."

> A inferioridade das faculdades do homem não lhe permite compreender a natureza íntima de Deus. Na infância da Humanidade, o homem o confunde muitas vezes com a criatura, cujas imperfeições lhe atribui; mas, à medida que nele se desenvolve o senso moral, seu pensamento penetra melhor no âmago das coisas; então

faz da Divindade uma ideia mais justa e mais conforme à sã razão, embora sempre incompleta.

10. *Se não podemos compreender a natureza íntima de Deus, podemos ter ideia de algumas de suas perfeições?* [LE-12.]

"Sim, de algumas. O homem as compreende melhor à medida que se eleva acima da matéria; ele as entrevê pelo pensamento."

10-a. *Quando dizemos que Deus é eterno, infinito, imutável, imaterial, único, onipotente, soberanamente justo e bom, não temos uma ideia completa de seus atributos?* [LE-13.]

"De vosso ponto de vista, sim, porque acreditais abranger tudo. Mas ficai sabendo que há coisas acima da inteligência do homem mais inteligente e para as quais a vossa linguagem, limitada às vossas ideias e sensações, não tem como se expressar.

"A razão, com efeito, vos diz que Deus deve possuir essas perfeições em grau supremo, porque, se tivesse uma só de menos, ou não a tivesse em grau infinito, não seria superior a tudo e, por conseguinte, não seria Deus. Para estar acima de todas as coisas, Deus não pode achar-se sujeito a qualquer vicissitude, nem sofrer nenhuma das imperfeições que a imaginação possa conceber" (Nota 1).[76]

A razão nos diz que Deus é eterno, imutável, imaterial, único, onipotente, soberanamente justo e bom e *infinito* em todas as suas perfeições.

Deus é *eterno*. Se tivesse tido um começo, teria saído do nada, ou, então, teria sido criado por um ser anterior. É assim que, pouco a pouco, remontamos ao infinito e à eternidade.

É *imutável*. Se estivesse sujeito a mudanças, as leis que regem o Universo não teriam nenhuma estabilidade.

É *imaterial*. Isto é, sua natureza difere de tudo o que chamamos matéria; de outro modo, não seria imutável, porque estaria sujeito às transformações da matéria.

---

[76] N.T.: esta e outras *Notas* que aparecem entre parênteses encontram-se desenvolvidas no final desta tradução (p. 347 a 364).

É *único*. Se houvesse muitos deuses, não haveria unidade de vistas, nem unidade de poder na ordenação do Universo.

É *onipotente*. Porque é único. Se não tivesse o soberano poder, algo haveria mais poderoso ou tão poderoso quanto Ele; não teria, assim, feito todas as coisas e as que não tivesse feito seriam obra de outro Deus.

É *soberanamente justo e bom*. A sabedoria providencial das Leis divinas revela-se nas menores como nas maiores coisas, e essa sabedoria não permite se duvide nem de sua justiça, nem de sua bondade.

CAPÍTULO II

Criação

Princípio das coisas – Investigações da Ciência sobre o princípio das coisas – Infinito do espaço – Todos os mundos do Universo são povoados de seres vivos – Formação dos seres vivos na Terra – Adão – Diversidade das raças na Terra

11. *O Universo foi criado, ou existe de toda eternidade, como Deus?* [LE-37.]

"Sem dúvida o Universo não pôde fazer-se a si mesmo; e se existisse, como Deus, de toda a eternidade, não poderia ser obra de Deus."

11-a. *Como Deus criou o Universo?* [LE-38.]

"Para me servir de uma expressão comum: por sua vontade."

O Universo compreende a infinidade dos mundos que vemos e dos que não vemos, todos os seres animados e inanimados, todos os astros que se movem no espaço, assim como os fluidos que o preenchem.

Diz-nos a razão não ser possível que o Universo se tenha feito a si mesmo e que, não podendo ser obra do acaso, há de ser obra de Deus.

12. *É dado ao homem conhecer o princípio das coisas?* [LE-17.]

"Não, Deus o proíbe."

12-a. *Poderemos conhecer a duração da formação dos mundos: da Terra, por exemplo?* [LE-42.]

"Nada te posso dizer a respeito, porque só o Criador o sabe; e bem louco quem pretendesse sabê-lo, ou conhecer o número de séculos dessa formação."

> O princípio das coisas é um mistério que não é dado ao homem penetrar nesta vida e que inutilmente ele procura conhecer. Tanto é assim que a origem dos mundos, a época, a maneira e a duração de sua formação permanecem nos segredos de Deus.

13. *O homem penetrará um dia o mistério das coisas que lhe são ocultas neste mundo?* [LE-18.]

"Sim; quando o véu estiver levantado para ele."

13-a. *Os Espíritos conhecem o princípio das coisas?* [LE-239.]

"Mais ou menos, segundo sua elevação e pureza. Os Espíritos inferiores não sabem mais que os homens."

> O véu que agora oculta ao homem o princípio das coisas lhe será levantado numa existência mais apurada; então compreenderá tudo: o passado e o futuro se desdobrarão aos seus olhos à medida que se elevar na perfeição espiritual, e a Natureza não terá mais segredos para ele.

14. *Não pode o homem, pelas investigações científicas, penetrar alguns dos segredos da Natureza?* [LE-19.]

"Sim; mas não pode ultrapassar os limites fixados por Deus."

14-a. *Por que os homens que aprofundam as ciências naturais são tão frequentemente levados ao ceticismo?* [LE-147.]

"Orgulho! Sempre orgulho! O filho que julga saber mais que o pai o despreza e renega; mas o orgulho será confundido."

14-b. *O orgulho será confundido neste mundo ou no outro?*

"Neste mundo e no outro."

> O homem, mediante sua inteligência, poderá penetrar alguns mistérios da Natureza, até os limites fixados por Deus às investigações da Ciência. Quanto mais é concedido ao homem penetrar nesses mistérios, tanto

maior deve ser sua admiração pelo poder e sabedoria do Criador. Mas, seja por orgulho, seja por fraqueza, sua própria inteligência o faz, muitas vezes, joguete da ilusão, e cada dia que passa lhe mostra quantos erros tomou por verdades e quantas verdades repeliu como erros.

15. *Fora das investigações científicas, pode o homem receber comunicações de ordem mais elevada acerca do que lhe escapa aos testemunhos dos sentidos?* [LE-20.]

"Sim, se o julgar útil, Deus pode revelar-lhe aquilo que a Ciência não consegue explicar."

> A ciência vulgar do homem não ultrapassa o testemunho dos sentidos; entretanto, em algumas circunstâncias lhe é dado receber comunicações de ordem mais elevada. É por meio delas que o homem adquire, dentro de certos limites, o conhecimento de seu passado e de seu destino futuro.

16. *O espaço universal é infinito ou limitado?* [LE-35.]

"Infinito. Supõe limites para ele: que haveria além? Isto te confunde a razão, bem o sei; no entanto, a razão te diz que não pode ser de outro modo. O mesmo se dá com o infinito em todas as coisas. Não é na vossa pequena esfera que podereis compreendê-lo."

> O espaço universal é infinito, isto é, sem bordas. Supondo-se um limite ao espaço, por mais distante que o pensamento possa concebê-lo, diz a razão que além desse limite há alguma coisa e assim, gradativamente, até o infinito, porque, mesmo que essa coisa fosse o vácuo absoluto, ainda seria espaço.

17. *Todos os globos que circulam no espaço são habitados?* [LE-55.]

"Sim."[77]

---

[77] N.T.: nem todos os globos apresentam condições de habitabilidade, pelo menos as que conhecemos na Terra e que são necessárias para a presença do homem neste planeta. Na Lua, por exemplo, não poderíamos viver. Como, porém, a constituição física dos diferentes globos não é a mesma, e sendo diferentes as condições de existência dos seres que os habitam, apropriadas aos meios em que têm de viver, é possível a vida mesmo em temperaturas extremas e na mais densa ou rarefeita atmosfera. Além disso, ao afirmarem que todos os globos que circulam no espaço são habitados, os Imortais poderão estar se referindo, também, aos *mundos transitórios*, verdadeiras estações ou pontos de repouso aos Espíritos errantes.

17-a. *Os outros mundos são habitados por seres inteligentes como o homem?* [LE-55.]

"Sim, e o homem da Terra está longe de ser, como supõe, o primeiro em inteligência, bondade e perfeição. Entretanto, há homens que se julgam muito fortes e pretendem que só este pequeno globo tem o privilégio de abrigar seres racionais. Orgulho e vaidade! Acreditam que Deus criou o Universo só para eles."

> Deus povoou os mundos de seres vivos, e todos concorrem para o objetivo final da Providência. Acreditar que os seres vivos estejam limitados ao único ponto que habitamos no Universo, seria pôr em dúvida a sabedoria de Deus, que não fez coisa alguma inútil; Ele deve ter dado a cada um desses mundos uma destinação mais séria que a de nos recrearem a vista. Nada, aliás, nem na posição, nem no volume, nem na constituição física da Terra pode levar-nos à suposição de que só ela goze do privilégio de ser habitada, com exclusão de tantos milhares de mundos semelhantes.

18. *A constituição física dos diferentes globos é a mesma?* [LE-56.]
"Não; eles não se assemelham de forma alguma."

18-a. *Não sendo a mesma para todos a constituição física dos mundos, deve-se concluir que tenham organizações diferentes os seres que os habitam?* [LE-57.]
"Sem dúvida, como entre vós os peixes são feitos para viver na água e os pássaros no ar."

18-b. *Poderíamos obter alguns dados sobre o estado dos diferentes mundos?*
"Sim; todavia, não os podereis verificar. Ademais, para que vos serviriam? Ocupai-vos de vosso mundo, pois aí tendes muita coisa a fazer."

> A constituição física dos diferentes globos não é idêntica. As condições de existência dos seres que os habitam devem ser apropriadas ao meio em que são chamados a viver. Assim também em nosso mundo vemos seres destinados a viverem na água, no ar e na terra, diferirem bastante em estrutura e organização,

porquanto o poder de Deus é infinito e sua Providência provê a todas as necessidades. Se nunca tivéssemos visto peixes, não compreenderíamos que alguns seres pudessem viver dentro da água. Assim acontece com outros mundos, que provavelmente contêm elementos que desconhecemos.

19. *O homem sempre existiu na Terra?* [LE-59.]
"Não; mas em outros planetas."

19-a. *Podemos conhecer a época do aparecimento do homem e dos outros seres vivos na Terra?* [LE-48.]
"Não; todos vossos cálculos são quiméricos."

O homem e os diversos animais nem sempre existiram na Terra, fato esse demonstrado pela Ciência e confirmado pela revelação. A época da aparição dos seres vivos na Terra se perde na noite dos tempos e nos é desconhecida.

20. *Houve um tempo em que a Terra não era habitada?*
"Sim, quando ela estava em fusão."

20-a. *De onde vieram os seres vivos para a Terra?* [LE-44.]
"A Terra lhes continha os germens, que aguardavam o momento favorável para se desenvolverem."

20-b. *Ainda há seres que nasçam espontaneamente?*[78] [LE-46.]
"Sim, mas o gérmen primitivo já existia em estado de latência. Sois todos os dias testemunhas desse fenômeno. Os tecidos do homem e dos animais não contêm os germens de uma multidão de vermes que só esperam, para desabrochar, a fermentação pútrida necessária à sua existência? É um pequeno mundo que dormita e que se cria."

No começo tudo era caos. A Terra era desabitada, os elementos estavam confundidos, e nada do que vive podia existir; mas já

---

[78] N.T.: hoje a Ciência já não admite a geração espontânea, como o fazia no século XIX, nem mesmo para os seres das ordens mais inferiores da Criação, como vírus e bactérias, por exemplo.

encerrava em seu seio o princípio orgânico de todos os seres. Aos poucos, cada coisa foi tomando o lugar que a Natureza lhe assinalou; os princípios orgânicos se reuniram assim que cessou a força que os mantinha afastados, formando os germens de todos os seres vivos. Estes germens permaneceram em estado de latência e de inércia, como a crisálida e as sementes das plantas, até o momento propício à eclosão de cada espécie; então os seres de cada espécie se reuniram e se multiplicaram (*Nota* 2). [LE-43, 44.]

21. *A espécie humana se encontrava entre os elementos orgânicos contidos no globo terrestre?* [LE-47.]
"Sim."

21-a. *A espécie humana começou por um único homem?* [LE-50.]
"Não."

21-b. *Então, Adão é um ser imaginário?*
"Não, mas não foi o primeiro, nem o único a povoar a Terra." [LE-50.]

21-c. *Apareceram muitos homens ao mesmo tempo na Terra?*
"Já te foi dito que sim; e muito tempo antes que Adão surgisse, que já era melhor."

21-d. *Poderemos saber em que época viveu Adão?* [LE-51.]
"Mais ou menos na que lhe assinalais: cerca de 4.000 anos antes do Cristo."

> A espécie humana se encontrava entre os elementos orgânicos contidos no globo terrestre, e veio a seu tempo. Foi isso que levou a se dizer que o homem se formara do limo da terra.
>
> A Humanidade não começou por um só homem. Aquele, cuja tradição se conservou sob o nome de Adão, foi um dos que sobreviveram, em certa região, a alguns dos grandes cataclismos que em diversas

épocas abalaram a superfície do globo; mas ele não foi nem o primeiro nem o único que povoou a Terra.

As leis da Natureza se oporiam a que o progresso da Humanidade, constatado muito tempo antes do Cristo, pudesse realizar-se em alguns séculos, caso o homem não estivesse na Terra senão a partir da época assinalada à existência de Adão.

22. *De onde vêm as diferenças físicas e morais que distinguem as variedades de raças humanas na Terra?*[79] [LE-52.]

"Do clima, da vida e dos costumes. Dá-se o mesmo com dois filhos da mesma mãe que, educados longe um do outro e de modos diferentes, em nada se assemelharão quanto ao moral."

22-a. *Essas diferenças constituem espécies distintas?* [LE-53.a.]

"Certamente que não; todos são da mesma família. Porventura as múltiplas variedades de um mesmo fruto as impedem de pertencer à mesma espécie?"

22-b. *Se a espécie humana não procede de um só indivíduo, os homens devem deixar, por isso, de se considerarem irmãos?* [LE-54.]

"Todos os homens são irmãos em Deus, porque são animados pelo espírito e tendem para o mesmo fim. Quereis sempre tomar as palavras ao pé da letra."

A variedade de climas sob os quais os homens se formaram, a diversidade dos hábitos e das necessidades têm produzido neles diferenças físicas e morais mais ou menos pronunciadas. Tais diferenças não alteram o caráter distintivo da espécie humana, nem impedem os homens de pertencerem à mesma família e de serem todos irmãos, destinados todos ao mesmo fim que lhes foi assinalado pela Providência.

Os povos têm formado ideias muito divergentes sobre a Criação, segundo o grau de suas inteligências. A razão, apoiada na Ciência,

---

[79] N.E.: ver "Nota Explicativa", p. 551.

reconheceu a inverossimilhança de certas teorias. Aquela que é dada pelos Espíritos confirma a opinião admitida há muito tempo pelos homens mais esclarecidos. Longe de amesquinhar a obra divina, ela no-la mostra sob um aspecto mais grandioso e mais conforme às noções que temos do poder e da majestade de Deus.

CAPÍTULO III

⚜

Mundo corpóreo

Seres orgânicos – Princípio vital – Instinto e inteligência – Diferença entre as plantas, os animais e o homem

23. *O mundo corpóreo é limitado à Terra que habitamos?*
"Não, pois todos os mundos do Universo são povoados de seres vivos."

O mundo corpóreo se compõe de todos os seres orgânicos considerados como formados de matéria, que existem na Terra e em outros globos do Universo.

24. *É a mesma a lei que une os elementos da matéria nos seres orgânicos e inorgânicos?* [LE-60.]
"Sim."

24-a. *A matéria inerte não sofre nenhuma modificação nos seres orgânicos?*
"A matéria é sempre a mesma, mas animalizada." [LE-61.]

24-b. *Qual a causa da animalização da matéria?* [LE-62.]
"Sua união com o princípio vital."

Como todos os outros corpos, os seres orgânicos são formados pela agregação da matéria; há, porém, algo a mais neles, uma causa especial de atividade íntima devida à presença do princípio vital. Eles nascem, crescem, vivem, reproduzem-se por si mesmos e morrem; realizam atos que variam segundo a natureza dos órgãos de que estão providos e que são apropriados às suas necessidades (*Nota 3*).

25. *O princípio vital é o mesmo para todos os seres orgânicos?* [LE-66.]
"Sim, modificado segundo as espécies. É ele que lhes dá movimento e atividade e os distingue da matéria inerte; porque o movimento da matéria não é a vida; ela recebe esse movimento, não o dá."

> O princípio vital é o mesmo para todos os seres orgânicos; conforme a natureza dos seres, ele sofre certas modificações, mas que não lhe alteram a essência íntima. Dá a todos a atividade que lhes faz exercerem os atos necessários à própria conservação.

26. *A vitalidade é um atributo permanente do princípio vital, ou somente se desenvolve pelo funcionamento dos órgãos?* [LE-67.]
"Só se desenvolve com o corpo."

26-a. *Pode-se dizer que a vitalidade fica em estado de latência, quando o princípio vital não está unido ao corpo?* [LE-67.a.]
"Sim, é isso mesmo."

> Ao mesmo tempo que o princípio vital dá impulsão aos órgãos, a ação destes entretém e desenvolve a atividade do princípio vital, mais ou menos como o atrito produz o calor. Pode-se dizer que a vitalidade permanece em estado de latência, se não estiver unida ao corpo e desenvolvida.

27. *Qual a causa da morte nos seres orgânicos?* [LE-68.]
"Esgotamento dos órgãos."

27-a. *Poder-se-ia comparar a morte à cessação do movimento numa máquina desorganizada?* [LE-68.a.]
"Sim; se a máquina não está bem montada, a mola se parte; se o corpo está enfermo, a vida se extingue."

> A morte resulta do esgotamento ou da desagregação dos órgãos que não podem mais entreter a atividade do princípio vital. Cessado o

funcionamento dos órgãos por uma causa qualquer, esse princípio perde suas propriedades ativas e a vida acaba.

A vida orgânica é, portanto, o estado ativo do princípio vital; a morte é a cessação dessa atividade, ou o estado de latência do princípio vital (*Nota* 4).

28. *Em que se transforma a matéria dos seres orgânicos quando eles morrem?* [LE-70.]
"A matéria se decompõe e vai formar novos organismos."

28-a. *Em que se transforma o princípio vital de cada ser vivo depois que eles morrem?* [LE-70.]
"O princípio vital retorna à massa."

28-b. *Seria o princípio vital aquilo que certos filósofos chamam* alma universal?
"Isso é um sistema."

> Morto o ser orgânico, a matéria de que é formado se decompõe; os elementos, por meio de novas combinações, transformam-se e constituem novos seres que haurem da fonte universal o princípio da vida e da atividade, o absorvem e assimilam, para o restituírem à mesma fonte quando deixarem de existir. O princípio vital é o que alguns chamam de alma universal.

29. *A inteligência é um atributo do princípio vital?* [LE-71.]
"Não, pois as plantas vivem e não pensam: só têm vida orgânica. A inteligência e a matéria são independentes, já que um corpo pode viver sem a inteligência; mas a inteligência só pode manifestar-se por meio dos órgãos materiais. É preciso a união com o espírito para dar inteligência à matéria animalizada."

> A vitalidade é independente do princípio intelectual. A inteligência é uma faculdade especial, peculiar a algumas classes de seres orgânicos e que lhes dá, com o pensamento, a vontade de agir, a consciência de sua existência e de sua individualidade, bem como os meios de estabelecerem relações com o mundo exterior e de proverem às suas necessidades.

30. *O instinto é independente da inteligência?* [LE-73.]
"Não exatamente, porque o instinto é uma espécie de inteligência."

30-a. *Quais os caracteres distintivos do instinto e da inteligência?*
"O instinto é uma inteligência irracional, independente da vontade."

> O instinto é uma inteligência rudimentar, que difere da inteligência propriamente dita por serem suas manifestações quase sempre espontâneas e independentes da vontade, ao passo que as da inteligência resultam de uma combinação e de um ato deliberado. [LE-75.a.]

31. *O instinto é comum a todos os seres vivos?*
"Sim, tudo que vive tem instinto. É por ele que todos os seres proveem às suas necessidades." [LE-73.]

31-a. *Pode-se estabelecer um limite entre o instinto e a inteligência, isto é, precisar onde acaba um e começa a outra?* [LE-74.]
"Não, porque muitas vezes se confundem. Mas se podem distinguir muito bem os atos que decorrem do instinto daqueles que pertencem à inteligência."

> O instinto é comum a todos os seres orgânicos, mas varia em suas manifestações, conforme as espécies e suas necessidades. É cego e puramente mecânico nos seres inferiores privados da vida de relação, como as plantas. Nos seres que têm a consciência e a percepção das coisas exteriores, ele se alia à inteligência, isto é, à vontade e à liberdade. [LE-75.a.]

32. *Podemos dizer que os animais só agem por instinto?* [LE-593.]
"Isso ainda é um sistema de vossos pretensos filósofos. É bem verdade que o instinto domina a maioria dos animais. Mas não vês que muitos agem com vontade determinada? É que têm inteligência, embora limitada."

> Além do instinto, não se poderia negar a certos animais a prática de atos combinados, que denotam vontade de agir em determinado sentido, conforme as circunstâncias. Há, pois, neles, uma espécie de

inteligência, mas cujo exercício se circunscreve quase exclusivamente aos meios de satisfazerem às suas necessidades físicas e de proverem à sua conservação.

33. *Os animais têm alguma linguagem?* [LE-594.]

"Se vos referis a uma linguagem formada de sílabas e palavras, não; se pensais num meio de se comunicarem entre si, eles têm linguagem. Dizem uns aos outros muito mais coisas do que imaginais. A linguagem deles, porém, assim como as ideias que possam ter, são limitadas às suas necessidades."

33-a. *Há animais que não têm voz. Estes não parecem destituídos de linguagem?* [LE-594.a.]

"Eles se compreendem por outros meios. Oh! homens, para vos comunicardes reciprocamente, só dispondes da palavra? Que dizeis dos mudos?"

> Sendo dotados de vida de relação, os animais têm uma linguagem pela qual se comunicam uns com os outros, se advertem e exprimem as sensações que experimentam; nem mesmo os que não produzem sons articulados estão desprovidos de meios de comunicação.
>
> O homem, pois, não goza do privilégio exclusivo da palavra. Enquanto a linguagem dos animais é apropriada às suas necessidades e limitada ao círculo de suas ideias, a do homem se presta a todas as percepções de sua inteligência.

34. *No aspecto físico o homem é superior aos animais?*

"Pelo físico ele é como os animais, e bem menos dotado que muitos deles; a Natureza lhes deu tudo que o homem é obrigado a inventar com sua inteligência, para a satisfação de suas necessidades e para sua conservação." [LE-592.]

> Pelo físico o homem é um ser orgânico análogo aos animais, sujeito às mesmas necessidades e dotado dos mesmos instintos para as prover. Seu corpo é submetido às mesmas leis de decomposição e sua própria constituição o tornaria inferior a muitos deles se não fora suprida pela superioridade de sua inteligência.

35. *A diferença entre o homem e os animais não seria mais sensível no aspecto moral que no físico?*
"Sim; ele tem faculdades que lhe são próprias. Quanto a este ponto, vossos filósofos não estão de acordo em quase nada. Uns querem que o homem seja um animal e outros que o animal seja um homem. Todos estão errados. O homem é um ser à parte, que desce muito baixo algumas vezes ou que pode elevar-se muito alto." [LE-592.]

> O homem é dotado de faculdades especiais que, do ponto de vista moral, o colocam incontestavelmente acima de todos os seres da Criação, que ele sabe subjugar e sujeitar às suas necessidades. Somente ele se aperfeiçoa por si mesmo e aproveita as lições da experiência e da tradição; apenas ele é capaz de sondar os mistérios da Natureza e dela tirar não só novos recursos e novos prazeres, mas, também, a esperança do porvir.

36. *É correto dizer-se que as faculdades instintivas diminuem à medida que crescem as intelectuais?* [LE-75.]
"Não; o instinto existe sempre, mas o homem o despreza. O instinto também pode conduzir ao bem. Ele quase sempre nos guia e algumas vezes com mais segurança do que a razão."

36-a. *Por que a razão nem sempre é um guia infalível?* [LE-75.a.]
"Seria infalível se não fosse falseada pela má-educação, pelo orgulho e pelo egoísmo."

> No homem, as faculdades instintivas não ficam neutralizadas pelo desenvolvimento da inteligência; somente ele não lhes dá a devida atenção, a fim de ouvir o que chama sua razão. O instinto é um guia interior que tanto conduz ao bem quanto ao mal; a razão permite a escolha e dá ao homem o livre-arbítrio. O instinto jamais se engana; a razão sim, quase sempre pelo orgulho, pelo egoísmo e pelo falso caminho imprimido pela educação.

37. *A diferença entre o homem e os animais não consistiria apenas no desenvolvimento das faculdades?*

"Não; como já dissemos, o homem é um ser à parte. Seu corpo apodrece como o dos animais, é verdade, mas seu Espírito tem outro destino que só ele pode compreender."

As faculdades que são próprias do homem, e que os demais seres vivos não possuem, atestam em sua pessoa a existência de um princípio superior à vitalidade, ao instinto e à inteligência animal. É esse princípio que lhe dá a inteligência moral e o sentimento de seu destino futuro.

CAPÍTULO IV

Mundo espiritual ou dos Espíritos

Criação dos Espíritos – Natureza e imaterialidade dos Espíritos – Forma dos Espíritos – Perispírito – O mundo espiritual é o mundo normal primitivo – Os Espíritos habitam o espaço universal – Dom de ubiquidade atribuído aos Espíritos – Faculdade de ver, nos Espíritos – Comunicações mútuas dos Espíritos – Estado primitivo dos Espíritos; seu aperfeiçoamento progressivo – Diferentes ordens de Espíritos – Todos os Espíritos tendem à perfeição – Queda dos anjos – Demônios – Funções e atribuições dos Espíritos – Faculdades intelectuais dos Espíritos; seus conhecimentos do passado e do futuro – Penas e gozos dos Espíritos – Famílias de Espíritos

38. *Os Espíritos tiveram princípio ou existem, como Deus, de toda a eternidade?* [LE-78.]

"Se não tivessem tido princípio, seriam iguais a Deus, ao passo que são criação sua e se acham submetidos à sua vontade. Deus existe de toda a eternidade, é incontestável; quanto, porém, ao modo como Ele nos criou, nada sabemos. Podes dizer que não tivemos princípio se por isto entenderes que, sendo eterno, Deus há de ter criado incessantemente. Mas, quando e como Ele criou cada um de nós, eu te repito, ninguém o sabe: eis o mistério."

Deus criou os seres inteligentes que povoam o Universo fora do mundo material e que são designados pelo nome de *Espíritos*. A origem dos Espíritos, assim como a causa primeira de todas as coisas, é um dos segredos de Deus. Os próprios Espíritos ignoram de que maneira foram feitos. Sabem apenas que são uma criação de Deus, porque estão submetidos à sua vontade; mas, como sucede com todas as criaturas, também existem mistérios para eles.

39. *Os Espíritos são imateriais, ou formados de uma substância qualquer? Podemos conhecer sua natureza íntima?* [LE-82.]

"Como se pode definir uma coisa, quando faltam termos de comparação e com uma linguagem deficiente? Um cego de nascença pode definir a luz? Imaterial não é bem o termo; incorpóreo seria mais exato, pois deves compreender que, sendo uma criação, o Espírito há de ser alguma coisa. É a matéria quintessenciada, mas sem analogia para vós, e tão etérea que não pode ser percebida por vossos sentidos grosseiros."

> A natureza íntima dos Espíritos, bem como sua origem, é um mistério que não nos é dado conhecer neste mundo. Dizemos que os Espíritos são imateriais porque sua essência difere de tudo que conhecemos sob o nome de matéria. Um povo de cegos de nascença não teria termos para exprimir a luz e seus efeitos. Do mesmo modo, em relação à essência dos seres sobre-humanos, somos verdadeiros cegos. Não os podemos definir senão por meio de comparações sempre imperfeitas.

40. *Os Espíritos são seres distintos da Divindade, ou seriam apenas emanações ou porções da Divindade e, por isto, chamados filhos de Deus?* [LE-77.]

"Meu Deus! São obra sua, exatamente como um homem que faz uma máquina; essa máquina é obra do homem, e não o próprio homem. Sabes que o homem, quando faz alguma coisa bela e útil, chama-lhe sua filha, sua criação. Pois bem! O mesmo se dá com relação a Deus; somos seus filhos, pois somos obra sua."

> Os Espíritos fazem parte da Criação, e, como tais, são considerados filhos de Deus; não obstante, são seres distintos do próprio Deus, assim como a obra é distinta do obreiro. Se fossem apenas emanações

ou irradiações da Divindade, participariam de todas as infinitas perfeições divinas.

41. *Os Espíritos têm uma forma determinada, limitada e constante?* [LE-88.]
"Aos vossos olhos, não; aos nossos, sim. O Espírito é, se quiserdes, uma chama, um clarão ou uma centelha."

41-a. *Qual a cor dessa chama?* [LE-88.a.]
"Depende do grau de perfeição deles. Quando o Espírito é puro, ela pode comparar-se à do rubi."

> Os Espíritos não têm, por si mesmos, nenhuma forma, nenhuma extensão determinada e constante, no sentido que associamos a estas palavras. Uma chama, um clarão ou uma centelha etérea, variando do escuro ao brilho do rubi, conforme a pureza do Espírito, é a única que poderia nos dar uma ideia deles, embora pálida e incompleta.

42. *O Espírito propriamente dito tem alguma cobertura, ou, como pretendem alguns, está envolvido numa substância qualquer?* [LE-93.]
"O Espírito está envolvido numa substância que é vaporosa para ti, mas ainda bastante grosseira para nós; suficientemente vaporosa, no entanto, para poder elevar-se na atmosfera e transportar-se aonde queira."

42-a. *De onde tira o Espírito o seu envoltório?* [LE-94.]
"Do fluido universal de cada globo."

42-b. *Esse envoltório é perceptível e toma formas determinadas?* [LE-95.]
"Sim, a forma que o Espírito queira, e é desta maneira que ele vos aparece algumas vezes."

> Assim como o gérmen de um fruto é envolvido pelo perisperma, o Espírito propriamente dito é revestido por um envoltório que, por comparação, se pode chamar *perispírito*. O perispírito é de natureza semimaterial, isto é, de natureza intermediária

entre o espírito e a matéria. Toma formas determinadas segundo a vontade do Espírito e pode, em certos casos, impressionar nossos sentidos.

A substância do perispírito é tirada do fluido universal. É mais ou menos etérea, segundo o estado constitutivo de cada globo. Passando de um mundo a outro, o Espírito muda de envoltório ou de perispírito, como nós mudamos de roupa.

43. *Os Espíritos têm individualidade?*
"Sim; nunca se confundem."

Os Espíritos têm individualidade e existência própria. Distinguem-se uns dos outros sem jamais se confundirem.

44. *Os Espíritos constituem um mundo à parte, fora aquele que vemos?* [LE-84.]
"Sim, o mundo dos Espíritos ou das inteligências incorpóreas."

Os Espíritos constituem todo um mundo incorpóreo, invisível para nós em nosso estado normal, ao passo que os seres corpóreos constituem o mundo material e visível.

45. *Qual dos dois, o mundo espiritual ou o mundo corpóreo é o principal na ordem das coisas?* [LE-85.]
"O mundo espiritual."

45-a. *O mundo espiritual preexiste a tudo?*
"Preexiste e sobrevive a tudo." [LE-85.]

45-b. *O mundo corpóreo poderia deixar de existir, ou nunca ter existido, sem que isso alterasse a essência do mundo espiritual?* [LE-86.]
"Sim; eles são independentes."

O mundo espiritual, ou dos Espíritos, é o mundo normal, primitivo, preexistente e sobrevivente a tudo. O mundo corpóreo é secundário, transitório, passageiro e subordinado; é perecível porque a matéria, em se transformando, produz sem cessar novos seres animados ou inanimados; poderia deixar de existir, ou nunca ter existido, sem por isso alterar a essência do mundo espiritual.

46. *Os Espíritos ocupam uma região determinada e circunscrita no espaço universal?* [LE-87.]
"Não; eles estão por toda parte."

46-a. *Eles estão à nossa volta, ao nosso lado?*
"Sim, e vos observam."

Os Espíritos não habitam um lugar determinado; estão em toda parte, o Universo é o seu domínio; os espaços infinitos estão cheios deles. Acham-se em torno de nós, ao nosso lado, bem como nas regiões mais distantes e até nas entranhas da Terra.

47. *Os Espíritos se transportam instantaneamente de um lugar a outro?*
"Sim."

47-a. *Os Espíritos gastam algum tempo para percorrer o espaço?* [LE-89.]
"Sim, mas com a rapidez do pensamento."

47-b. *A matéria oferece obstáculo aos Espíritos?* [LE-91.]
"Não; eles penetram tudo."

A essência etérea dos Espíritos lhes permite franquear os espaços e transportar-se prontamente de um lugar a outro e de um mundo a outro. A matéria não lhes oferece qualquer obstáculo; penetram tudo, introduzem-se em qualquer lugar: o ar, a terra, as águas e até mesmo o fogo lhes são igualmente acessíveis.

48. *O mesmo Espírito pode dividir-se ou existir em vários pontos ao mesmo tempo?* [LE-92.]
"Não; não pode haver divisão de um mesmo Espírito; mas cada um é um centro que irradia para diferentes lados, e é por isso que parecem estar em muitos lugares ao mesmo tempo. Vês o Sol? É somente um; no

entanto, irradia-se em todas as direções e leva muito longe seus raios. Contudo, não se divide."

> Cada Espírito é uma unidade indivisível; por conseguinte, não pode estar, ao mesmo tempo, em vários pontos diferentes. Cada um deles é um centro ou foco intelectual que irradia para diferentes lados, como o cérebro irradia o pensamento, sem para isso se dividir. Apenas nesse sentido é que se deve entender o dom da ubiquidade atribuído aos Espíritos.

49. *A visão dos Espíritos é circunscrita como a dos seres corpóreos?* [LE-245.]
"Não."

49-a. *Onde ela se localiza?*
"Em todo o seu ser." [LE-245.]

49-b. *Os Espíritos podem ver simultaneamente nos dois hemisférios?* [LE-247.]
"Sim, veem por toda parte; para eles não há trevas."

> Nos Espíritos, a faculdade de ver não é circunscrita como nos seres corpóreos; é uma propriedade inerente à sua natureza e que reside em todo o seu ser, como a luz reside num corpo luminoso. É uma espécie de lucidez universal que se estende a tudo, que abrange simultaneamente o espaço, os tempos e as coisas, lucidez para a qual não há trevas, nem obstáculos materiais.

50. *Os Espíritos podem esconder-se uns dos outros?* [LE-283.]
"Não; podem afastar-se uns dos outros, mas sempre se veem."

> A faculdade de ver é ilimitada entre os Espíritos; por conseguinte, eles não podem ocultar-se uns dos outros. Podem até distanciar-se, mas sempre se vendo. Nenhum esconderijo os pode subtrair à vista.

51. *Os Espíritos podem ocultar reciprocamente seus pensamentos?* [LE-283.]
"Não; para eles tudo é patente, sobretudo quando são perfeitos."

Da visão e da penetração indefinidas dos Espíritos decorre o conhecimento recíproco de seus pensamentos. Nada entre eles poderia dissimular-se, principalmente quando são perfeitos.

52. *Como os Espíritos se comunicam entre si?* [LE-282.]
"Eles se veem e se compreendem. A palavra é material: é o reflexo do Espírito."

Da intuição de seus pensamentos recíprocos decorre, para os Espíritos, o modo de suas comunicações; eles se veem e se compreendem, sem necessidade da palavra.

53. *Os Espíritos foram criados bons e maus, ou entre eles existem os bons e os maus?* [LE-115.]
Deus criou todos os Espíritos simples e ignorantes, isto é, sem saber. A cada um deu uma missão, com o fim de esclarecê-los e de os fazer chegar progressivamente à perfeição, pelo conhecimento da verdade, para aproximá-los de si. Para eles, a felicidade eterna e sem mescla consiste nessa perfeição.

Os Espíritos adquirem aqueles conhecimentos, passando pelas provas que Deus lhes impõe. Uns aceitam essas provas com submissão e chegam mais depressa à meta que lhes foi destinada. Outros só a suportam murmurando e assim, por culpa sua, permanecem afastados da perfeição e da prometida felicidade.[80]

53-a. *De acordo com isto, os Espíritos se assemelhariam, na sua origem, a crianças ignorantes e sem experiência, só adquirindo pouco a pouco os conhecimentos que lhes faltam ao percorrerem as diferentes fases da vida?* [LE-115.a.]
"Sim, a comparação é justa; a criança rebelde permanece ignorante e imperfeita; seu maior ou menor aproveitamento vai depender de sua docilidade. Mas a vida do homem tem um termo, ao passo que a dos Espíritos se estende ao infinito."

---

[80] N.T.: em respeito ao original, não aspeamos a resposta da questão 53. Ver nota de rodapé nº 74, à p. 73.

54. *Todos os Espíritos são iguais entre si?* [LE-96.]
"Não; eles são de diferentes ordens."

54-a. *Em que se baseia a diferença que existe entre eles?*
"No grau de perfeição a que chegaram." [LE-96.]

54-b. *Entre os Espíritos, há quantas ordens ou graus de perfeição?* [LE-97.]
"O número é ilimitado, mas pode ser reduzido a três principais."

> O mundo espiritual se compõe, assim, de Espíritos mais ou menos perfeitos. Essa diferença constitui entre eles uma hierarquia baseada no grau de purificação a que chegaram. Podemos dividi-los em três ordens principais; mas esse número nada tem de absoluto, considerando-se que cada ordem apresenta uma infinidade de graus.

55. *Quais são os Espíritos da primeira ordem?* [LE-112 e 113.]
"Os Espíritos puros, os que atingiram a perfeição." [LE-97.]

55-a. *Que são anjos, arcanjos ou serafins?* [LE-113.]
"Espíritos puros."

55-b. *Os anjos são seres de natureza diferente da dos outros Espíritos?* [LE-128.]
"Não; todos percorreram os diferentes graus da escala. Mas, como já dissemos, uns cumpriram sua missão sem murmurar e chegaram mais depressa." [LE-129.]

> No primeiro posto da hierarquia espírita estão os Espíritos que alcançaram a perfeição. São os Espíritos puros que, não tendo mais provas a sofrer, ficam por toda a eternidade na glória de Deus. São designados às vezes pelos nomes de anjos, arcanjos ou serafins.

> Os anjos não constituem seres de natureza especial; como os demais Espíritos, eles percorreram as diferentes ordens. O homem que adquiriu o máximo de saber e experiência não fica, por isso, dotado de natureza diversa da que possuía na infância.

56. *Quais são os Espíritos da segunda ordem?* [LE-107 a 111.]
"Os que chegaram ao meio da escala."

56-a. *Que é que caracteriza os Espíritos da segunda ordem?* [LE-107.]
"O desejo do bem é sua preocupação."

56-b. *Têm apenas o desejo do bem ou terão também o poder de praticá-lo?* [LE-98.]
"Eles têm esse poder conforme seu grau de perfeição; mas todos ainda têm que sofrer provas."

> Os Espíritos da segunda ordem são os que ainda têm provas a sofrer. Estão em plano intermediário, entre os Espíritos puros e os Espíritos inferiores, e se aproximam mais ou menos de uns e de outros, de acordo com seu grau de perfeição.
>
> São bastante aperfeiçoados para só terem *o desejo do bem*, mas não suficientemente elevados para terem a soberana Ciência, pois a perfeição só é adquirida pelos que hão percorrido todos os graus da vida espiritual.

57. *Quais são os Espíritos da terceira ordem?* [LE-101 a 106.]
"Os que ainda se acham na parte inferior da escala: os Espíritos imperfeitos."

57-a. *Que é que caracteriza os Espíritos da terceira ordem?* [LE-101.]
"A ignorância e todas as más paixões que retardam o seu aperfeiçoamento."

57-b. *Os Espíritos da terceira ordem são todos essencialmente maus?*
"Não; uns não fazem nem o bem nem o mal; outros, ao contrário, regozijam-se no mal e ficam satisfeitos quando encontram ocasião de praticá-lo."

57-c. *Que se deve entender por duendes?*
"Duendes, trasgos e diabretes: tudo é a mesma coisa. São Espíritos levianos, antes trapalhões que maus, que se comprazem mais com a

malícia do que com a maldade e que encontram prazer em mistificar e causar pequenas contrariedades." [LE-103.]

> Os Espíritos da terceira ordem são os Espíritos imperfeitos, isto é, os que ainda têm quase todos os escalões a percorrer. Caracterizam-se pela ignorância, pelo orgulho, pelo egoísmo e por todas as más paixões que lhes são consequentes.
>
> Podem ser divididos em três classes principais:
>
> 1º - *Espíritos neutros* - os que não são nem bastante bons para fazerem o bem, nem bastante maus para fazerem o mal. [LE-105.]
>
> 2º - *Espíritos impuros* - os que são inclinados ao mal, de que fazem o objeto de suas preocupações. [LE-102.]
>
> 3º - *Espíritos travessos* – são levianos, maliciosos, inconsequentes, mais turbulentos que maus; intrometem-se em tudo, comprazem-se em causar pequenos desgostos e ligeiras alegrias, em induzir maliciosamente ao erro por meio de mistificações. Também são designados pelos nomes de *duendes* ou *diabretes*. [LE-103.]

58. *Os Espíritos são bons ou maus por natureza, ou são eles mesmos que se melhoram?* [LE-114.]

"São os próprios Espíritos que se melhoram."

58-a. *Os Espíritos pertencem perpetuamente à mesma ordem?*

"Ao se melhorarem, eles passam de uma ordem inferior para uma ordem superior." [LE-114.]

> Os Espíritos não são bons ou maus pela própria essência de sua natureza, nem ficam pertencendo perpetuamente à mesma ordem. Todos eles são Espíritos que se melhoram e que, em se purificando, passam de uma ordem inferior para outra superior.

59. *Há Espíritos que permanecerão para sempre nas ordens inferiores?* [LE-116.]

"Não; todos se tornarão perfeitos. Eles mudam de ordem, mas isso demora, porque, como já dissemos de outra vez, um pai justo e misericordioso não pode banir eternamente seus filhos. Pretenderíeis que Deus, tão grande, tão bom, tão justo, fosse pior que vós mesmos?"

59-a. *Depende dos Espíritos abreviar o tempo de suas provas?* [LE-117.]
"Certamente. Eles chegam mais ou menos depressa, conforme seu desejo e submissão à vontade de Deus. Uma criança dócil não se instrui mais depressa que uma criança rebelde?"

> Não há Espíritos condenados a ficar perpetuamente nas classes inferiores. Ao passarem pelas provas a que são submetidos, todos se melhoram e atingirão o grau superior na vida eterna.
>
> A melhoria sucessiva dos Espíritos faz parte dos desígnios da Providência. Todos progridem em virtude de uma potência que os domina, como o homem passa da infância à idade madura; todos mudam e se transformam em tempo mais ou menos longo, segundo o próprio desejo, pois depende da vontade deles chegar mais depressa ou menos depressa.

60. *Os Espíritos podem degenerar?* [LE-118.]
"Não; à medida que avançam, compreendem o que os distanciava da perfeição. Quando o Espírito termina uma prova, fica com o conhecimento que adquiriu e não o esquece mais."

> Os Espíritos que atingiram um grau superior não podem degenerar nem falir novamente; eles têm o conhecimento do bem e do mal; a experiência que adquiriram os impede de retrogradarem.

61. *Que pensar então da crença nos Espíritos decaídos?*
"Já dissemos que todos os Espíritos foram criados ignorantes e sem experiência; aprendem a verdade mediante as provas a que são submetidos e nas missões que lhes são dadas. Os que cumprem suas missões sem queixumes, avançam; os outros ficam na retaguarda. Não, são, portanto, decaídos; são, se quiseres, Espíritos rebeldes, tal como a criança indócil para com o pai. Deus, porém, não é impiedoso; faculta-lhes incessantemente os meios de se melhorarem; cumpre-lhes aproveitá-los mais ou menos depressa, *segundo o desejo de cada um*, sendo nisso que consiste o livre-arbítrio."

A ideia da queda dos Espíritos supõe uma degradação. Ora, tendo todos os Espíritos o mesmo ponto de partida, que é o estado de ignorância e de inexperiência, não poderão senão elevar-se ou ficar estacionários; por conseguinte, não pode haver queda no sentido vulgar ligado a esta palavra. A elevação deles depende do próprio desejo que tenham de progredir e da submissão que manifestem à vontade de Deus; considerando-se, porém, que alguns Espíritos não têm aceitado sem queixumes a missão que lhes cumpre realizar, são punidos por si mesmos, sofrendo por mais tempo as penas inerentes à própria inferioridade; mas tal sofrimento não é eterno, pois cedo ou tarde compreendem a falta que cometeram e avançam progressivamente. Há, pois, no caso simples rebelião, e não queda. Não são anjos rebeldes, visto como os anjos, que são Espíritos chegados à perfeição, não podem degenerar.[81]

62. *Há demônios no sentido que se dá a esta palavra?* [LE-131.]
"Se houvesse demônios, seriam obra de Deus. E Deus seria justo e bom se tivesse criado seres eternamente votados ao mal e infelizes para sempre? Se há demônios, é em teu mundo grosseiro e em outros semelhantes que eles residem. São esses homens hipócritas que fazem de um Deus justo um Deus mau e vingativo e que julgam agradá-lo pelas abominações que cometem em seu nome."

Por demônios, segundo a acepção vulgar da palavra, se entendem seres essencialmente e perpetuamente malfazejos; seriam, como todas as coisas, criados por Deus. Ora, Deus, que é soberanamente justo e bom, não pode ter criado seres naturalmente predispostos ao mal e condenados para sempre. Se não fossem obra de Deus, existiriam, como Ele, de toda a eternidade, ou então haveria muitas potências soberanas.

63. *Os Espíritos têm outra coisa a fazer, além de se melhorarem pessoalmente?* [LE-558.]

---

[81] N.T.: para maiores detalhes sobre o assunto, ver *Revista Espírita*, janeiro de 1862: "Ensaio de interpretação sobre a doutrina dos anjos decaídos"; *A gênese*, cap. XI, it. 43 e seguintes: "Doutrina dos anjos decaídos e da perda do paraíso" (Edições FEB).

"Concorrem para a harmonia do Universo, executando as vontades de Deus, de quem são ministros."

63-a. *Os Espíritos inferiores e imperfeitos também desempenham função útil no Universo?* [LE-559.]

"Todos têm sua missão útil. O menos qualificado dos pedreiros não concorre para a construção do edifício, tanto como o arquiteto?"

> Os Espíritos são os ministros de Deus e os agentes de sua vontade; é por meio deles que Deus governa o mundo. Todos, desde o primeiro até ao último concorrem para a harmonia do Universo; cada qual tem um papel na ordem geral, segundo a classe a que pertence; é nisso que consiste a missão deles, e é desempenhando-a que se aperfeiçoam e adquirem os conhecimentos que um dia os tornarão perfeitos.

64. *Cada Espírito tem atribuições especiais?* [LE-560.]

"Vale dizer que temos de habitar todas as regiões e adquirir o conhecimento de todas as coisas, presidindo sucessivamente a todos os componentes do Universo. Mas, como diz o Eclesiastes, há tempo para tudo. Assim, tal Espírito cumpre hoje neste mundo o seu destino; tal outro cumprirá ou já cumpriu o seu, em outra época, na terra, na água, no ar, etc."

> Para se instruírem acerca de todas as coisas, os Espíritos têm sucessivamente que percorrer as diferentes fases de ordem física e de ordem moral do Universo. Desta forma, enquanto alguns presidem na Terra os fenômenos geológicos, outros presidem os fenômenos do ar, das águas, da vegetação, do nascimento e da morte dos seres vivos, da produção e da destruição de todas as coisas; é por intermédio deles que se cumprem as revoluções que transformam a face dos mundos.

65. *As funções que os Espíritos desempenham na ordem das coisas são permanentes para cada um deles, ou são atribuições exclusivas de certas classes?* [LE-561.]

"Todos têm que percorrer os diferentes graus da escala para se aperfeiçoarem. Deus, que é justo, não poderia ter dado a uns a ciência sem trabalho, enquanto outros só a adquirem com muito esforço."

As funções exercidas pelos Espíritos não são permanentes para cada um deles, nem exclusivas de certas classes, visto ser preciso que todos cumpram seu destino para alcançar a perfeição. Dá-se a mesma coisa entre os homens, onde ninguém chega ao grau supremo de habilidade numa arte qualquer, sem antes adquirir os conhecimentos necessários na prática das partes mais ínfimas dessa arte.

66. *A ideia dos gnomos, dos silfos e de outros gênios criados pela imaginação não pareceria ter sua fonte no conhecimento adquirido ou na intuição das diversas funções dos Espíritos?*

"Sem dúvida; naquilo que chamais fábulas há muitas vezes grandes verdades. A maior parte tem sua fonte na revelação das coisas do Alto, mas que foram tomadas ao pé da letra; eis aí o erro."

A ideia das funções que exercem os Espíritos, como a própria Doutrina Espírita, encontra-se sob formas diversas na crença de todos os povos e em todas as épocas, com a diferença de que fizeram seres distintos daquilo que não passa de um atributo temporário. Foi assim que a imaginação inventou os gnomos, os silfos, as ninfas e toda a falange de gênios.

67. *Os Espíritos têm percepções que nos sejam desconhecidas?*

"Certamente, pois vossas faculdades são limitadas por vossos órgãos. A inteligência é um atributo do Espírito, mas que se manifesta mais livremente quando este não tem obstáculos a vencer." [LE-237.]

A inteligência é um atributo essencial da natureza do Espírito, confundindo-se com ele. A faculdade de conhecer é consequência da inteligência, faculdade que se exerce livremente e sem entraves, quando não está circunscrita pelos órgãos materiais. É por isso que os Espíritos têm percepções que nos são desconhecidas.

68. *As percepções e os conhecimentos dos Espíritos são ilimitados? Numa palavra: eles sabem tudo?* [LE-238.]

"Não; entretanto, quanto mais se aproximam da perfeição, tanto mais sabem."

As percepções e os conhecimentos não são ilimitados para todos os Espíritos, mas proporcionais ao grau de pureza e de perfeição a que tenham chegado.

69. *Os Espíritos compreendem a duração, como nós?* [LE-240.]
"Não, e é isso que faz que nem sempre nos compreendeis, quando se trata de determinar datas ou épocas."

>A inteligência dos Espíritos abarca a eternidade. A duração, para eles, anula-se, por assim dizer, e os séculos, para nós tão longos, não passam, aos olhos deles, de breves instantes.

70. *Os Espíritos fazem do presente ideia mais precisa e mais justa que nós?* [LE-241.]
"Mais ou menos como aquele que vê claramente faz ideia mais exata das coisas que o cego. Os Espíritos veem o que não vedes; julgam, pois, de modo diverso do vosso. Mas, ainda uma vez, isso depende da elevação deles."

>A faculdade de ver tudo, junto à amplitude das percepções intelectuais e à penetração do pensamento, faculta aos Espíritos um conhecimento absoluto do presente, permitindo-lhes abarcar, num golpe de vista, todos os eventos contemporâneos. É por isso que julgam as coisas com mais sensatez do que nós mesmos o faríamos, tolhidos que estamos por nosso envoltório terrestre.

71. *Como é que os Espíritos têm conhecimento do passado?* [LE-242.]
"O passado, quando com ele nos ocupamos, é presente, exatamente como te lembras de uma coisa que te impressionou no curso de teu exílio. Simplesmente, como já não temos o véu material que obscurece tua inteligência, lembramo-nos de coisas que para ti estão apagadas."

71-a. *Esse conhecimento é ilimitado para eles?* [LE-242.]
"Não; nem tudo os Espíritos sabem, a começar por sua própria criação."

>Em se apagando a duração do tempo, o *passado* vem à memória dos Espíritos e lhes mostra, como presente, os acontecimentos mais dis-

tantes de nós. Conhecem, pois, o passado, salvo a origem e o princípio das coisas que, para eles como para nós, ficam envoltos num véu misterioso, até que hajam atingido a perfeição suprema.

Como a amplitude das percepções dos Espíritos está subordinada ao grau de elevação deles, o conhecimento que têm do passado, mesmo para as coisas vulgares, vai depender dessa elevação.

72. *Os Espíritos conhecem o futuro?* [LE-243.]

"Isto também depende da perfeição deles. Muitas vezes, apenas o entreveem, *mas nem sempre lhes é permitido revelá-lo*. Quando o veem, o futuro lhes parece presente."

72-a. *Os Espíritos que alcançaram a perfeição absoluta têm conhecimento completo do futuro?* [LE-243.a.]

"Completo não é bem o termo, pois só Deus é soberano Senhor e ninguém o pode igualar."

O conhecimento do *futuro* tem, para os Espíritos, limites que não lhes é permitido ultrapassar. Eles o conhecem de acordo com seu grau de perfeição. Segundo esse grau, prejulgam-no com maior ou menor exatidão, como consequência do presente; entreveem-no e podem, se estiver nos desígnios da Providência, fazer uma revelação parcial. O futuro, então, se desdobra diante deles: veem-no como veem o passado e o presente.

73. *Os Espíritos experimentam nossas necessidades e sofrimentos físicos? Sentem fadiga e necessidade de repouso?* [LE-253 e 254.]

"Não; eles são Espíritos. É certo que os conhecem, porque já os sofreram, mas não os sentem como vós, materialmente."

Em virtude de sua essência espiritual, os Espíritos não podem ficar sujeitos às influências que afetam a matéria. Não sentem nossas necessidades, nem nossos sofrimentos físicos, nem fadiga, nem precisam de repouso, embora os compreendam.[82]

---

[82] N.T.: ver, na edição definitiva de *O livro dos espíritos*, a resposta à questão nº 256, bem como a dissertação de Kardec (it. 257), intitulada "Ensaio teórico sobre a sensação dos Espíritos".

74. Os Espíritos são felizes ou infelizes?
"Felizes ou infelizes, conforme seu grau de perfeição."

74-a. Existem os que gozam de inalterável felicidade?
"Sim, os Espíritos puros. Todos a alcançarão; *depende deles*."

> As penas e gozos dos Espíritos são inerentes à natureza deles e ao grau de perfeição que alcançaram. A felicidade perfeita e sem mescla é apanágio dos Espíritos puros; até lá, eles não desfrutam senão de uma felicidade incompleta.

75. Podemos compreender a natureza das penas e gozos dos Espíritos, comparando-os aos que experimentamos na Terra?
"Não; suas penas e gozos nada têm de carnal."

> As penas e os gozos dos Espíritos nada têm das sensações corpóreas e, no entanto, são mil vezes mais vivazes do que esses que experimentamos na Terra, tanto no bem como no mal.

76. Os Espíritos de diferentes ordens estão misturados uns com os outros? [LE-278.]
"Sim e não; eles se veem, mas se distinguem uns dos outros."

76-a. Há Espíritos que se atraem e outros que se repelem?
"Sem dúvida, de acordo com a analogia ou a antipatia de seus sentimentos, como acontece entre vós. Os Espíritos desprendidos da matéria repelem-se ou se atraem, tal como sucede entre os encarnados. *É todo um mundo do qual o vosso é pálido reflexo.*"

> Embora os Espíritos estejam por toda parte, as diferentes ordens não se misturam; eles se veem a distância. Os da mesma categoria reúnem-se por uma espécie de afinidade e formam grupos ou famílias de Espíritos unidos pelos laços da simpatia. Tal uma grande cidade, onde os homens de todas as classes e condições se veem e se encontram, sem se confundirem; onde as sociedades se formam pela analogia dos gostos; onde o vício e a virtude convivem lado a lado sem se falarem.

77. Qual o móvel que atrai os Espíritos bons?
"O desejo de fazer o bem; simpatia. Os semelhantes se atraem."

77-a. *Quais são as ocupações dos Espíritos bons?*
"Velar pelo cumprimento do bem; ocupar-se com a Humanidade e com os meios de melhorá-la."

77-b. *Qual a natureza das relações entre os Espíritos bons e os maus?* [LE-280.]
"Os bons se empenham em combater as más inclinações dos outros, *a fim de ajudá-los a subir*. É sua missão."

> Os Espíritos bons se atraem pela similitude dos gozos, pela comunhão de sentimentos e pensamentos e pelo desejo de fazer o bem. Os sentimentos de amor e benevolência são atributos exclusivos dos Espíritos bons. A ocupação deles consiste em velar pelo exato cumprimento de tudo o que é bom e lutar contra as más inclinações dos Espíritos inferiores, *a fim de os ajudar a subir*. É assim que ouvimos os Espíritos bons pela voz da consciência, à qual tapamos tantas vezes os ouvidos.

78. Qual o móvel que atrai os Espíritos maus?
"O desejo de fazer o mal; vergonha de suas faltas e necessidade de permanecer no meio de seres que lhes são semelhantes."

78-a. *Por que os Espíritos inferiores se comprazem no mal?*
"Pelo despeito de não terem merecido estar entre os bons." [LE-281.]

78-b. *Os Espíritos têm paixões especiais de que está isenta a Humanidade?* [LE-363.]
"Não; do contrário vo-las teriam comunicado."

78-c. *Os Espíritos exercem influência uns sobre os outros?*
"Sim, os superiores sobre os inferiores."

> Os Espíritos inferiores se atraem pela similitude de suas más tendências e pelo desejo de fazer o mal. A inveja, o ciúme, o orgulho, o egoísmo e todas as paixões más são peculiares aos Espíritos imperfeitos, que se acham, por sua inferioridade moral e ignorância, sob a influência dos Espíritos superiores. Eles se comprazem no mal por inveja e ciúme que sentem da felicidade dos bons; é desejo deles impedir, tanto quanto possam, que os Espíritos ainda imperfeitos alcancem o supremo bem; querem que os outros sintam o que eles próprios experimentam.

79. *Os Espíritos se consagram afeições particulares?* [LE-291.]
"Sim, como entre os homens."

79-a. *Os Espíritos guardam ódio entre si?* [LE-292.]
"Sim, os Espíritos impuros."

79-b. *As afeições dos Espíritos são mais puras que as dos homens?*
"Quanto mais perfeito o Espírito, tanto mais pura é a afeição que guardam entre si."

79-c. *As afeições recíprocas dos Espíritos são passíveis de alterações?* [LE-296.]
"Não, pois todos os sentimentos ficam a descoberto; *eles não podem enganar-se.*"

> Além da similitude de pensamentos que une os Espíritos da mesma ordem, há entre eles afeições individuais fundadas em simpatias especiais. Quanto mais perfeitos são, tanto mais puras são essas afeições; para eles, o amor que os une é fonte de suprema felicidade. Só existe ódio entre os Espíritos impuros. Como os Espíritos não podem dissimular seus pensamentos, *a hipocrisia é impossível entre eles;* é por isso que suas afeições são inalteráveis.

CAPÍTULO V

Encarnação dos Espíritos

Objetivo da encarnação – A alma – Há três coisas no homem: o corpo, a alma e o perispírito – Dupla natureza do homem – Origem das paixões – União da inteligência e da perversidade – Instante da união entre a alma e o corpo – Relações congênitas entre filhos e pais – Semelhanças físicas e morais – Indivisibilidade da alma – Sede da alma – A alma é interna ou externa? – Influência da matéria e dos órgãos sobre as manifestações da alma – Loucura. Idiotismo – Ideias intuitivas trazidas ao homem pelo Espírito nele encarnado

80. *Os Espíritos podem tornar-se melhores durante sua existência espiritual?*

"Eles têm a vontade e o desejo de melhorar-se; contudo, para realizarem esse desejo, *devem passar por todas as tribulações da existência corpórea.*"

80-a. *Qual o objetivo da encarnação dos Espíritos?* [LE-132.]

"Deus lhes impõe a encarnação com o fim de fazê-los chegar à perfeição. Para uns, é expiação; para outros, missão."

> A passagem pela vida material é necessária à purificação dos Espíritos. Para se melhorarem e se instruírem, *eles têm que passar por todas as tribulações da existência corpórea*. A encarnação lhes é imposta, seja como expiação para uns, seja como missão para outros. Tudo se encadeia na Natureza; ao mesmo tempo que o Espírito se depura pela encarnação, concorre, simultaneamente, para o cumprimento dos desígnios da Providência.

81. *Que é a alma?* [LE-134.]

"Um Espírito encarnado."

81-a. *As almas e os Espíritos são, portanto, idênticos, a mesma coisa?* [LE-134.b.]

"Sim, as almas não são senão os Espíritos."

81-b. *Que pensar da opinião dos que consideram a alma o princípio da vida material?* [LE-138.]

"É uma questão de palavras, com a qual nada temos. Começai por vos entenderdes mutuamente."

> A *alma* é um Espírito encarnado. Antes de unir-se ao corpo, a alma é um Espírito errante ainda impuro; é um dos seres que povoam o mundo espiritual e que revestem temporariamente um envoltório carnal, a fim de se purificar e se instruir. Ao encarnar no corpo de um homem, o Espírito lhe traz o princípio intelectual e moral que o torna superior aos animais (ver, na "Introdução", a explicação da palavra *alma*).

82. *Há quantas partes essenciais no homem?*

"Três: a alma, que é a primeira de todas; o corpo e, depois, o laço que une a alma ao corpo."

82-a. *O laço que une a alma ao corpo é de natureza material ou espiritual?* [LE-135.a.]

"De uma e de outra. É preciso que seja assim para que eles possam comunicar-se um com o outro. Por meio desse laço é que o Espírito atua sobre a matéria e vice-versa."

> Há no homem três coisas:
>
> 1º) O corpo ou ser material, análogo ao dos animais e animado pelo mesmo princípio vital;
>
> 2º) A alma, Espírito encarnado que tem no corpo a sua habitação;
>
> 3º) O princípio intermediário ou perispírito, substância semimaterial que serve de primeiro envoltório ao Espírito e une a alma ao corpo. Tais são, num fruto, semente, a polpa e a casca.

83. *Qual a origem das qualidades morais, boas ou más, do homem?* [LE-361.]

"São as do Espírito nele encarnado. Quanto mais puro é o Espírito, mais o homem é propenso ao bem."

83-a. *Parece resultar daí que o homem de bem é a encarnação de um Espírito bom, e o homem vicioso a de um Espírito mau?* [LE-361.a.]

"Sim, mas não digais Espírito mau; dizei antes que o homem vicioso é a encarnação de um Espírito imperfeito, pois, do contrário, poder-se-ia crer na existência de Espíritos sempre maus, a que chamais demônios."

> Sendo os Espíritos de diferentes ordens, uns já depurados e possuídos do amor do bem, e outros ainda impuros, dominados pelas más paixões, resulta que eles trazem ao homem, ao encarnarem, as qualidades boas ou más inerentes à categoria a que pertencem, e que, assim, o homem de bem é a encarnação de um Espírito já purificado, e o homem perverso a de um Espírito ainda imperfeito. O homem vicioso que se arrepende e se melhora é a encarnação de um Espírito que compreende seus erros e tende a um destino melhor.

84. *Visto que há no homem um corpo e uma alma, e que pelo corpo ele se assemelha aos animais, haverá nele uma dupla natureza?*[83]

"Sim, a natureza animal e a natureza espiritual." [LE-605.]

84-a. *As paixões do homem lhe vêm dos Espíritos ou são inerentes ao seu organismo?*

"De ambos. Já dissemos que uma parte delas se deve à influência dos Espíritos."

> Há no homem duas naturezas: por seu corpo participa da natureza dos animais e de seus instintos; por sua alma, participa da natureza dos Espíritos. Estas duas naturezas dão às paixões do homem duas fontes distintas: uma provém dos instintos da natureza animal, e a outra resulta das impurezas do Espírito nele encarnado, e que simpatiza com a baixeza dos apetites animais. [LE-605.]

---

[83] N.E.: ver "Nota Explicativa", p. 551.

85. *O mesmo Espírito dá ao homem as qualidades morais e as da inteligência?* [LE-364.]
"Sim."

85-a. *Por que alguns homens muito inteligentes, o que é indício de superioridade, são ao mesmo tempo profundamente viciosos?* [LE-365.]
"É que os Espíritos encarnados nesses homens não são ainda bastante puros, sendo por isso dominados por outros Espíritos mais maldosos que eles mesmos."

> O mesmo Espírito dá ao homem as qualidades morais e as da inteligência; mas se o Espírito não estiver bastante purificado, o homem se entrega às paixões animais ou cede à influência de outro Espírito igualmente imperfeito, que se aproveita de sua fraqueza para o dominar. Daí, no mesmo indivíduo, a união frequente da perversidade e da inteligência.

86. *Em que época a alma se une ao corpo?* [LE-344.]
"No nascimento."[84]

---

[84] N.T.: mais tarde esta resposta recebeu a seguinte redação: "A união começa na *concepção*, mas só se completa no momento do nascimento. Desde o instante da concepção, o Espírito designado para habitar certo corpo a este se liga por um laço fluídico, que cada vez mais se vai apertando até o instante em que a criança vê a luz. O grito, que então escapa de seus lábios, anuncia que ela se conta no número dos vivos e dos servos de Deus." (*O livro dos espíritos*, 2ª edição, q. 344). A não ser assim, estariam justificados todos os abortos, praticados em qualquer período da gestação, inclusive os realizados na véspera da data provável do parto, o que não admitem nem mesmo os defensores mais ferrenhos dessa prática criminosa.

Menos de um ano após a publicação da 1ª edição de *O livro dos espíritos* (*Revista Espírita* de março de 1858 – *Conversas familiares de além-túmulo* – "O doutor Xavier", q. 26, p. 141 da edição da FEB), Allan Kardec, no claro intuito de esclarecer melhor a questão, indaga daquele Espírito se há crime em privar da vida uma criança, antes de seu nascimento, recebendo dele a seguinte resposta: "Há crime toda vez que transgredis a Lei de Deus. Uma mãe, ou qualquer outra pessoa, cometerá crime sempre que tirar a vida de uma criança antes do nascimento, pois está impedindo uma alma de suportar as provas de que serviria de instrumento o corpo que se estava formando." Como se vê, a resposta dada pelo doutor Xavier em 1858 passou a integrar a questão 358 da edição definitiva de *O livro dos espíritos*, publicada em 1860.

Em 1861, quando da reimpressão da *Revista Espírita* de 1858, Allan Kardec houve por bem aditar a seguinte observação, inserida depois da resposta à questão 34 do mesmo artigo – "O doutor Xavier" – assim concebida: "A união [entre a alma e o corpo] começa desde a concepção, isto é, a partir do momento em que o Espírito, sem estar encarnado, liga-se ao corpo por um laço fluídico, que cada vez mais se vai apertando até o instante em que a criança vê a luz. A encarnação só se completa quando a criança respira" (ver *O livro dos espíritos*, q. 344 e seguintes).

86-a. *Antes do nascimento a criança tem alma?*
"Não."

86-b. *Como vive, então?*
"Como as plantas."

> A alma ou Espírito se une ao corpo no momento em que a criança vê a luz e respira. Antes do nascimento, a criança só tem vida orgânica sem alma. Vive como as plantas, tendo apenas o instinto cego de conservação, comum a todos os seres vivos.

87. *Os pais transmitem aos filhos uma parcela de suas almas ou se limitam a lhes dar a vida animal, à qual uma nova alma vem, mais tarde, adicionar a vida moral?* [LE-203.]
"Somente a vida animal, pois a alma é indivisível. Um pai estúpido pode ter filhos inteligentes e *vice-versa*."

> A geração se opera no homem como nos animais. Os pais só transmitem aos filhos a vida orgânica, à qual mais tarde uma nova alma, estranha à do pai e da mãe, vem acrescentar a vida moral e intelectual.

88. *Frequentemente os pais transmitem aos filhos uma semelhança física. Transmitirão também alguma semelhança moral?* [LE-207.]
"Não, pois têm almas ou Espíritos diferentes."

88-a. *De onde vêm as semelhanças morais que algumas vezes se notam entre pais e filhos?* [LE-207.a.]
"São Espíritos simpáticos, atraídos pela similitude de suas inclinações."

> Os pais podem transmitir aos filhos semelhança física, porque o corpo procede do corpo; mas não podem transmitir semelhança moral, visto que a alma do filho é estranha à dos pais. Entretanto, a alma deles pode atrair para o corpo da criança um Espírito da mesma categoria e tendo com ela similitude de gostos e inclinações.

89. *Os Espíritos dos pais exercem alguma influência sobre os dos filhos, após o nascimento destes?* [LE-208.]

"Muito grande. Conforme já dissemos, os Espíritos devem contribuir para o progresso uns dos outros. Pois bem! Os Espíritos dos pais têm por missão desenvolver os de seus filhos pela educação. Isto constitui para eles uma prova: *se falharem, serão culpados*."

> Os Espíritos exercem influência uns sobre os outros; os bons, com vistas a fazer avançar os que ainda são inferiores; os impuros, no intuito de retardar o progresso dos bons. É assim que o Espírito encarnado nos pais transmite ao dos filhos, *pela educação*, os princípios bons ou maus de que estiver animado, segundo a categoria que ocupe, procurando igualá-lo a si.

90. *Pode o Espírito encarnar ao mesmo tempo em dois corpos diferentes?* [LE-137.]
"Não; ele é indivisível."

90-a. *De onde vem a semelhança de caráter que muitas vezes existe entre dois irmãos, principalmente entre gêmeos?* [LE-211.]
"Espíritos simpáticos que se aproximam por analogia de sentimentos *e que se sentem felizes por estar juntos*."

> Por ser indivisível, o Espírito não pode encarnar ao mesmo tempo em dois corpos diferentes. A analogia de caráter que existe muitas vezes entre várias pessoas, sobretudo entre irmãos, provém da similitude dos Espíritos que se aproximam por simpatia e se sentem felizes por estar juntos.

91. *De onde provém o caráter distintivo que se nota em cada povo?* [LE-215.]
"Os Espíritos também possuem famílias, formando-as pela semelhança de suas inclinações mais ou menos depuradas, conforme a elevação que tenham alcançado. Pois bem! Um povo é uma grande família onde se reúnem Espíritos simpáticos."

> Os Espíritos formam entre si grupos ou famílias, fundados sobre a semelhança de suas inclinações, gostos e desejos. A tendência que têm os membros dessas famílias, para se unirem, é a origem da semelhança que existe no caráter distintivo de cada povo.

92. Que pensar da teoria da alma subdividida em tantas partes quantos são os músculos e presidindo assim a cada uma das funções do corpo? [LE-140.]
"Isso depende do sentido que se atribui à palavra alma. Se por alma se entende o fluido vital, a teoria está certa; se o que se entende é o Espírito encarnado, a teoria está errada. Já dissemos que o Espírito é indivisível; ele transmite o movimento aos órgãos através do fluido intermediário, sem por isso se dividir."

> A alma, como o Espírito, é indivisível; ela age por meio dos órgãos e estes são animados pelo fluido vital que se reparte entre eles e, mais abundantemente, nos que formam os centros ou focos do movimento. Os que chamam a *alma* de fluido vital têm razão de dividi-la em tantas partes quantas são as funções existentes no corpo; mas esta explicação não pode convir à alma, se for considerada como sendo o Espírito que habita o corpo durante a vida e o abandona por ocasião da morte.

93. Qual a sede da alma no corpo? A cabeça ou o coração? [LE-146.]
"Isso varia segundo as pessoas."

93-a. Quais as pessoas que a possuem no coração? [LE-146.]
"Aquelas cujas ações têm, todas, por objeto a Humanidade."

93-b. Quais os que a têm na cabeça? [LE-146.]
"Os grandes gênios, os literatos, os políticos, etc."

93-c. Que pensar da opinião dos que situam a alma num ponto determinado e circunscrito: num centro vital? [LE-146.a.]
"Significa dizer que o Espírito habita de preferência essa parte de vosso organismo, pois para ali convergem todas as sensações: a vista, o gosto, o olfato, a audição e mesmo o tato. Isto, porém, não quer dizer que o Espírito aí esteja confinado e, sim, que o organismo concentra todos esses sentidos num só local, a fim de te provar que é unicamente pela união e harmonia da matéria que o Espírito pode agir livremente e assim adquirir os conhecimentos que lhe são necessários."

A alma, propriamente falando, não possui uma sede absoluta no corpo, porque o Espírito encarnado não fica confinado num órgão qualquer. Os que a colocam no centro que consideram como sendo o da vitalidade, a confundem com o fluido ou princípio vital. Entretanto, pode-se dizer que a sede da alma se encontra especialmente nos órgãos que servem às manifestações intelectuais e morais, isto é, no cérebro e no coração. Localiza-se mais particularmente num ou noutro, segundo as pessoas, podendo, todavia, residir simultaneamente nesses dois locais; está no coração daqueles cujas ações têm, todas, por objeto a Humanidade e no cérebro dos grandes gênios e dos intelectuais. Pode-se ser homem de bem sem ter inteligência superior, e intelectual sem ser homem de coração.

94. *Há algum fundo de verdade na opinião dos que pensam que a alma é externa e envolve o corpo?* [LE-141.]

"A alma não está encerrada no corpo como o pássaro numa gaiola. Irradia-se e se manifesta exteriormente como a luz através de um globo de vidro. É nesse sentido que se pode dizer que ela é externa. A alma tem dois envoltórios. Um, sutil e leve: é o primeiro, ao qual chamas perispírito; outro, grosseiro, material e pesado: o corpo. A alma é o centro de todos esses envoltórios, como o gérmen em um núcleo, já o dissemos."

A alma, ou o Espírito, habita o corpo, mas não fica aí aprisionada. Irradia-se toda ao seu redor por suas manifestações, como o som em torno de um centro sonoro, ou como a luz ao redor de um foco luminoso. Sob este ponto de vista, ela é interna e externa ao mesmo tempo, mas nem por isso é o envoltório do corpo. Para os que chamam *alma* o envoltório semimaterial do Espírito, ou perispírito, ela seria externa em relação ao Espírito. Para nós, a alma é o próprio Espírito, isto é, o centro ou foco intelectual e moral, não podendo, portanto, ser um envoltório qualquer.

95. *Ao unir-se ao corpo, o Espírito identifica-se com a matéria?* [LE-367.]

"Não; a matéria é apenas o envoltório do Espírito, como a roupa é o envoltório do corpo."

Livro Primeiro – Capítulo V
Encarnação dos espíritos

O Espírito, em sua encarnação, não se identifica com a matéria. A matéria é apenas um envoltório, e sempre distinta dele, como o próprio corpo é distinto da roupa que o recobre.

96. *Ao unir-se ao corpo, o Espírito conserva os atributos da natureza espiritual?*
"Sim." [LE-367.]

96-a. *As faculdades do Espírito são exercidas com total liberdade após sua união com o corpo?* [LE-368.]
"Não; elas dependem dos órgãos que lhe servem de instrumento. A grosseria da matéria as enfraquece."

96-b. *De acordo com isso, o envoltório material seria um obstáculo à livre manifestação das faculdades do Espírito, como um vidro opaco se opõe à livre emissão da luz?* [LE-368.a.]
"Sim, e muito opaco."

> Ao unir-se ao corpo, o Espírito conserva os atributos de sua natureza espiritual; mas suas faculdades ficam limitadas pelos órgãos que lhe servem para manifestar-se. Sendo os órgãos os instrumentos de manifestação das faculdades da alma, tal manifestação se acha subordinada ao desenvolvimento e ao grau de perfeição desses mesmos órgãos. A densidade da matéria que envolve o Espírito também lhe tira uma parte de suas faculdades, tal como a água lodosa, que tira a liberdade dos movimentos do corpo que nela se ache mergulhado, ou como um globo de vidro opaco que embaça a claridade da luz.

97. *O Espírito que anima o corpo de uma criança é tão desenvolvido quanto o de um adulto?* [LE-379.]
"Sim; apenas a imperfeição dos órgãos o impede de manifestar-se."

> Como as manifestações das faculdades do Espírito estão subordinadas ao desenvolvimento dos órgãos do corpo, o Espírito que anima a criança é tão maduro quanto o de um adulto; mas age em função do instrumento, de cujo auxílio precisa para manifestar-se.

98. Qual a causa da nulidade moral e intelectual de certos seres, tais como os que se designam pelos nomes de idiotas ou cretinos?[85]
"Imperfeição dos órgãos."

98-a. *Se a nulidade moral e intelectual é provocada apenas pela imperfeição dos órgãos, deve-se concluir que a alma do cretino e do idiota seja tão desenvolvida quanto a de um homem no pleno gozo de suas faculdades?*[86]
"Sim, e muitas vezes mais."

98-b. *Qual o objetivo da Providência ao criar seres assim tão infelizes?*[87] [LE-372.]
"São Espíritos *em punição* que habitam corpos de idiotas. Dá-se a mesma coisa nos casos de loucura. Esses Espíritos sofrem pelo constrangimento que experimentam e pela impossibilidade em que estão de se manifestarem por meio de órgãos não desenvolvidos ou defeituosos. É por isso que, muitas vezes, buscam na morte um meio de quebrar esses grilhões."

> A nulidade moral e intelectual de certos seres é devida à imperfeição dos órgãos, que não permite à alma manifestar-se plenamente. Frequentemente é uma expiação para o Espírito que habita tal corpo. Ora, como a superioridade moral nem sempre guarda relação com a superioridade intelectual, os maiores gênios podem ainda ter muito que expiar; daí, não raro para eles, uma existência inferior à que já tiveram e uma causa de sofrimentos.
>
> Tais são os idiotas, os cretinos e os loucos, embora a causa fisiológica de tais moléstias seja diferente. O Espírito deles é tão desenvolvido quanto o do homem de gênio; os entraves que encontra nas manifestações são para ele, Espírito, como os grilhões que comprimem os movimentos de um homem vigoroso, razão por que, tantas vezes, busca quebrá-los pelo suicídio.

---

[85] N.E.: ver "Nota Explicativa", p. 551.
[86] N.E.: ver "Nota Explicativa", p. 551.
[87] N.E.: ver "Nota Explicativa", p. 551.

99. *Por que o Espírito encarnado perde a lembrança de seu passado e o conhecimento do futuro?* [LE-392.]
"O homem não pode nem deve saber tudo. Deus assim o quer."

99-a. *O passado e o futuro ficam ocultos ao homem de maneira absoluta?*
"Sim, para certas coisas; não, para todas. Isso depende da vontade de Deus."

> O invólucro corpóreo tira ao Espírito a memória do passado anterior à sua existência atual; esconde-lhe também o futuro e os mistérios que a Providência houve por bem ocultar ao homem. Sem o véu que lhe encobre certas coisas, o homem ficaria ofuscado, como quem passa sem transição da obscuridade à luz.

100. *O Espírito encarnado conserva algum vestígio das percepções que tinha antes de se unir ao corpo?* [LE-218.]
"Sim; guarda vaga lembrança, que lhe dá o que se chama ideias inatas."

100-a. *É a essa vaga lembrança que o homem deve, mesmo no estado de selvageria, o sentimento instintivo da existência de Deus e o pressentimento da vida futura?* [LE-221.]
"Sim; mas o orgulho sufoca, muitas vezes, esse sentimento."

100-b. *É a essa mesma lembrança que se devem certas crenças relativas à Doutrina Espírita, e que se encontram em todos os povos?* [LE-221.a.]
"Sim; essa doutrina é tão antiga quanto o mundo."

> Embora o Espírito perca, sob a ação de seu invólucro corpóreo, a percepção do mundo espiritual, nem por isso deixa de trazer consigo a intuição do que conhecia antes de encarnar e que permanece em seu foro íntimo como vaga lembrança. Tal é a origem do sentimento inato que leva o homem a reconhecer a existência de um Ser Supremo, que lhe dá a consciência do bem e do mal e lhe faz pressentir o futuro. Tal ainda a fonte de inúmeras crenças relacionadas com a Doutrina Espírita e que se encontram desenvolvidas no seio de todos os povos e em todas as épocas, se bem que interpretadas sob formas mais ou menos grosseiras por ignorância, fanatismo e ambição.

CAPÍTULO VI

Retorno da vida corpórea à vida espiritual[88]

A alma após a morte – Individualidade da alma antes e depois da morte – O todo universal – Independência da alma e do princípio vital – O corpo pode viver sem a alma – Separação da alma e do corpo – Sensação da alma ao retornar ao mundo dos Espíritos – Lembrança da existência corpórea – Relações entre as almas dos que se conheceram na Terra – Maneira pela qual as almas consideram as coisas deste mundo – Humilhação dos grandes e exaltação dos pequenos

101. *Em que se torna a alma no instante da morte?* [LE-149.]
"Volta a ser Espírito."

> A alma que havia deixado o mundo dos Espíritos para vestir o invólucro corpóreo, deixa esse envoltório no momento da morte e volta imediatamente a ser Espírito.

102. *Após a morte, a alma conserva sua individualidade?* [LE-150.]
"Sim; jamais a perde."

> A alma nunca perde sua individualidade; tinha-a antes de encarnar e a conserva durante e após sua união com o corpo.

---

[88] N.T.: entenda-se a volta do Espírito, *extinta a vida corpórea*, à vida no mundo espiritual.

103. *Que pensar da opinião dos que dizem que após a morte a alma retorna ao todo universal?* [LE-151.]

"O conjunto dos Espíritos não forma um todo? Não constitui um mundo completo? Quando estás numa assembleia, és parte integrante dela e, não obstante, conservas sempre tua individualidade."

> Os que pensam que, pela morte, a alma retorna ao todo universal estão errados, se por isso entendem que, semelhante a uma gota d'água que cai no oceano, ela perde ali sua individualidade. Estão certos, se por *todo universal* entendem o conjunto dos seres incorpóreos, de que cada alma ou Espírito é um elemento. Tal um soldado que faz parte de um exército onde fica submetido à lei comum, sem por isso deixar de ser ele mesmo.

104. *A alma é independente do princípio vital?* [LE-136.]

"Sim; o corpo é apenas o envoltório, repetimo-lo sem cessar."

104-a. *O corpo pode existir sem a alma?* [LE-136.a.]

"Sim; entretanto, desde que cessa a vida do corpo, a alma o abandona. Antes do nascimento a alma ainda não está nele;[89] não há união entre a alma e o corpo,[90] ao passo que, depois de se haver estabelecido essa união, a morte do corpo rompe os laços que o unem à alma e a alma o deixa."

> A alma é independente do princípio vital. Antes do nascimento o corpo pode viver sem a alma, porque não existe ainda união entre a alma e o corpo; mas, depois de se haver estabelecido essa união, a alma deixa o corpo tão logo este cesse de viver, porque então os laços que existiam entre a alma e o corpo são rompidos. A vida orgânica pode animar um corpo sem alma, mas a alma não pode habitar um corpo privado de vida orgânica.

105. *É dolorosa a separação da alma e do corpo?* [LE-154.]

"Não; o corpo quase sempre sofre mais durante a vida do que no momento da morte; a alma nenhuma parte toma nisso. Os sofrimentos

---

[89] N.T.: a expressão "a alma ainda não está nele" foi excluída da 2ª edição de *O livro dos espíritos*.
[90] N.T.: ver nota de rodapé nº 84, à pág. 118.

que algumas vezes se experimentam no instante da morte são *um gozo para o Espírito*, que vê chegar o termo de seu exílio."

> Os sofrimentos que algumas vezes se experimentam no momento da morte se devem a causas corpóreas e acidentais; a alma não toma qualquer parte nisso. Os sofrimentos constituem mesmo *um gozo para o Espírito*, visto lhe anunciarem a libertação, que se aproxima. Na morte natural, a que resulta do esgotamento dos órgãos em consequência da idade, o homem deixa a vida sem perceber: é uma lâmpada que se apaga por falta de combustível.

106. *A separação da alma e do corpo se opera instantaneamente?* [LE-155.a.]

"Sim; ela escapa como frágil pomba perseguida por um abutre."[91]

> A separação da alma e do corpo se opera instantaneamente; rompidos os laços que a retinham, ela foge como um prisioneiro que se evade.

107. *A separação da alma e do corpo se opera algumas vezes antes da cessação completa da vida orgânica?* [LE-156.]

"Sim; como na agonia, a alma já deixou o corpo. Nada mais resta que a vida orgânica. O corpo é uma máquina que o coração põe em movimento; existe enquanto o coração faz circular o sangue nas veias e para isso não precisa da alma."

> A separação da alma e do corpo quase sempre se verifica antes da cessação completa da vida orgânica. É o que acontece com o homem agonizante: embora ainda lhe reste um sopro de vida, ele já não tem consciência de si mesmo. Na morte violenta ou acidental, quando os órgãos ainda não se enfraqueceram pela idade ou pelas doenças, a separação da alma e o cessar da vida ocorrem simultaneamente. [LE-161.]

---

[91] N.T.: conforme resposta à questão 155-a da edição definitiva de *O livro dos espíritos*, de 1860, que trata do mesmo assunto, tal separação *não* se opera instantaneamente: "A alma se desprende gradualmente e não escapa como um pássaro cativo a quem se restituiu a liberdade. Aqueles dois estados se tocam e se confundem, de modo que o Espírito se desprende pouco a pouco dos laços que o retinham: *eles se desatam, não se quebram*".

108. *Deixando o corpo, a alma tem imediatamente consciência de si mesma?* [LE-163.]
"Consciência imediata."[92]

108-a. *O exemplo de uma pessoa que passa da escuridão para a claridade pode dar-nos uma ideia desse fato?*
"Não exatamente, pois a alma precisa de algum tempo para reconhecer-se. A princípio tudo é confuso. É como um homem que sai de profundo sono; até que desperte completamente, suas ideias só lhe chegam pouco a pouco."

> Ao deixar seu envoltório, a alma tem imediata consciência de si mesma e de sua individualidade; mas precisa de algum tempo para reconhecer-se. No primeiro momento acha-se como que aturdida e na condição de um estrangeiro subitamente transportado a uma cidade desconhecida, ou como alguém que sai de profundo sono e não se encontra ainda completamente acordado. A lucidez das ideias e a memória do passado lhe voltam à medida que se apaga a influência da matéria da qual acaba de libertar-se. [LE-165.]

109. *Que sensação experimenta a alma no momento em que, deixando seu invólucro corpóreo, entra de novo no mundo dos Espíritos?* [LE-159.]
"Depende; quer dizer: se praticaste o mal com o desejo de o fazer, no primeiro momento te sentirás envergonhado de o haveres praticado."

109-a. *É a mesma, a sensação que experimenta a alma do justo?*
"Oh! isso é bem diferente; sua alma sente-se como que aliviada de grande peso." [LE-159.]

> O primeiro sentimento que a alma experimenta ao regressar ao mundo espiritual vai depender do uso que haja feito da vida que lhe foi dada como prova. Se o seu tempo foi mal empregado, e

---

[92] N.T.: na edição definitiva de *O livro dos espíritos*, esta resposta passou a ter a seguinte redação: "Consciência imediata não é bem o termo; a alma fica algum tempo em estado de perturbação".

se praticou o mal com conhecimento de causa, o primeiro sentimento que a domina é o da vergonha e o da confusão, visto que todas as suas ações ficarão então a descoberto; tal como se dá na Terra com alguém que é preso em flagrante delito por um ato que julgava profundamente oculto. A alma do justo, ao contrário, fica como que aliviada de grande peso; entra radiosa e feliz por sua libertação no mundo dos Espíritos, *porque não teme nenhum olhar investigador.*

110. *No momento da morte, a alma tem, algumas vezes, uma aspiração ou êxtase que lhe faça entrever o mundo onde vai entrar?* [LE-157.]
"Sim."

110-a. *Que sente ela nesse momento?*
"Sente que se vão romper os laços que a prendem ao corpo; *emprega então todos os esforços para desfazê-los inteiramente.*" [LE-157.]

No momento da morte, a alma tem, algumas vezes, uma aspiração ou êxtase que lhe faz entrever o mundo onde vai entrar. Já em parte desprendida da matéria, sente se quebrarem os laços que a prendiam à Terra *e que ela própria se esforça para rompê-los;* vê o futuro desdobrar-se diante de si.

111. *O exemplo da lagarta pode dar-nos uma ideia da vida terrestre, do túmulo e, finalmente, de nossa nova existência?* [LE-158.]
"Uma pálida ideia. A imagem é boa; todavia, não deve ser tomada ao pé da letra, como frequentemente o fazeis."

O exemplo da lagarta, que inicialmente rasteja na terra, depois se encerra na sua crisálida em estado de morte aparente, para em seguida renascer com uma existência brilhante, é uma imagem, embora pálida e incompleta, de nossa existência terrestre, do túmulo e, finalmente, de nossa nova existência.[93]

---

[93] N.T.: na presente edição de *O livro dos espíritos*, de 1857, este *comentário* atribuído a Allan Kardec, que vem logo depois da resposta dos Espíritos à questão 111, passa a integrar a q. 158 da edição definitiva, publicada em 1860.

112. *O Espírito desprendido da matéria guarda lembrança de sua existência corpórea?* [LE-304.]
"Sim, e de todos os atos de sua vida."

112-a. *Como ele considera seu corpo?* [LE-309.]
"Como uma roupa imprestável, da qual se desembaraçou."

> Ao despojar-se da matéria, o Espírito conserva a lembrança de sua existência corpórea, cujos atos e mínimos detalhes lhe acorrem de novo à memória. Vê seu envoltório deteriorar-se, como veríamos apodrecer uma roupa velha que jogamos fora.

113. *A alma que volta à vida espiritual é sensível às homenagens prestadas aos seus despojos mortais?* [LE-326.]
"Não; já não tem a vaidade terrena e compreende a futilidade deste mundo, principalmente quando o Espírito já chegou a certo grau de perfeição. Mas, ficai sabendo, há Espíritos que, nos primeiros momentos que se seguem à sua morte material, experimentam grande prazer com as honras que lhes são prestadas, ou se aborrecem com o abandono a que relegaram seus despojos mortais. É que ainda conservam algumas ideias e preconceitos da vida terrena."

> Ao retornar à vida espiritual, a alma que já alcançou certo grau de perfeição compreende a futilidade das coisas humanas e vê, sem prazer e sem orgulho, as honras prestadas aos seus despojos mortais. A lembrança das pessoas que lhe são caras é a única coisa a que dá valor. Somente os Espíritos inferiores, ainda sob a influência da matéria, experimentam, no momento da morte material, certo prazer com as honras que lhes são tributadas ou lamentam o abandono a que relegaram seu corpo.

114. *Os Espíritos retornam aos túmulos onde repousam seus corpos, de preferência a outros locais?*
"Não; o corpo não passava de uma vestimenta; não se interessam mais por ele."

É um erro e uma ideia supersticiosa pensar que os Espíritos retornam aos túmulos onde repousam seus corpos, de preferência a outros lugares. Não dão importância ao envoltório, *que lhes causou sofrimentos.*

115. *O respeito instintivo que, em todos os tempos e entre todos os povos, o homem testemunha pelos mortos, é efeito da intuição que tem da vida futura?* [LE-329.]
"Sim, é a consequência natural."

> Em todos os tempos e entre todos os povos, o homem tem testemunhado respeito instintivo pelos mortos. Tal sentimento prova haver nele intuição da existência futura, pois, sem isso, esse respeito não teria qualquer objetivo.

116. *Os Espíritos se reconhecem por terem convivido na Terra? O filho reconhece o pai, o amigo reconhece o seu amigo?* [LE-285.]
"Sim, e assim de geração em geração."

> Ao retornar à vida espiritual, a alma guarda lembrança de sua existência corpórea, reconhecendo aqueles a quem conheceu na Terra: o amigo reconhece o amigo, o filho reconhece o pai, *e assim de geração em geração.*

117. *Como se reconhecem no mundo dos Espíritos os homens que se conheceram na Terra?* [LE-285.a.]
"Vemos nossa vida passada e lemos nela como num livro. Vendo o pretérito de nossos amigos e inimigos, aí vemos sua passagem da vida para a morte."

> Os homens que se conheceram na Terra não se reconhecem no mundo dos Espíritos por uma forma qualquer. A vida terrena se apresenta a eles; nela eles leem como num livro aberto e, vendo o passado dos que conheceram, veem sua passagem de uma vida para outra.

118. *Dois seres que foram inimigos na Terra guardam ressentimento um do outro no mundo dos Espíritos?* [LE-293.]

"Não; compreendem que o ódio que se votavam mutuamente era estúpido e pueril o motivo que o inspirava. Apenas os Espíritos imperfeitos conservam uma espécie de animosidade, enquanto não se tenham purificado."

118-a. *As lembranças das más ações que dois homens praticaram um contra o outro constitui obstáculo à simpatia que deve reinar entre eles?* [LE-294.]
"Sim; essa lembrança os leva a se afastarem um do outro."

> Dois seres que foram inimigos na Terra não guardam entre si nenhum ressentimento no mundo dos Espíritos, porque compreendem perfeitamente quanto era estúpido seu ódio e pueril o motivo que o inspirava. Mas a lembrança das más ações que cometeram uns contra os outros os leva a se afastarem. Tal como dois escolares que chegam à idade da razão e reconhecem a puerilidade das querelas que tiveram na infância e deixam de se querer mal.

119. *Podemos dissimular alguns de nossos atos aos Espíritos?* [LE-283, 456 e 457.]
"Não; nem atos nem pensamentos."

119-a. *Sendo assim, parece mais fácil ocultar qualquer coisa de uma pessoa viva do que escondê-la dessa mesma pessoa depois de morta?* [LE-457.a.]
"Certamente, e quando vos julgais bem escondidos, muitas vezes tendes uma multidão de Espíritos que vos observam."

> Sendo a visão indefinida e a penetração do pensamento um dos atributos dos Espíritos, resulta que não lhes podemos dissimular nada. Podemos ocultar alguma coisa a uma pessoa durante a vida, mas não poderemos mais fazê-lo depois de sua morte, pois ela conhece todos os nossos atos e os mais secretos movimentos de nossa alma.

120. *Os Espíritos conservam algumas das paixões humanas?* [LE-228.]
"Os Espíritos puros, ao perderem seu envoltório, deixam as más paixões e só guardam as do bem; mas os Espíritos inferiores as conservam, pois do contrário pertenceriam à primeira ordem."

Ao deixarem o envoltório material, os Espíritos superiores só conservam das paixões humanas as voltadas ao bem. Os Espíritos inferiores, ao contrário, conservam as más, e é isso que os mantém nas classes inferiores até que estejam depurados.

121. *Como a alma do justo é acolhida na sua volta ao mundo dos Espíritos?* [LE-287.]
"Como um irmão bem-amado e esperado há muito tempo; *aqueles que o amam vêm recebê-lo.*"

121-a. *E a alma do mau?* [LE-287.]
"A alma do mau é acolhida como um ser a quem se despreza."

121-b. *Que sentimento experimentam os Espíritos impuros, ao verem chegar outro Espírito mau?* [LE-288.]
"Os maus ficam satisfeitos quando veem seres semelhantes a eles e, também como eles, privados da felicidade infinita, como acontece, na Terra, a um bandido entre seus iguais."

> No seu retorno ao mundo espiritual a alma do justo é acolhida pelos Espíritos bons como o é um viajante por seus amigos ao regressar de excursão perigosa, ou como um irmão bem-amado, esperado há muito tempo. Se escapou dos perigos da viagem, isto é, se saiu vitoriosa das tentações e das provações, eleva-se na hierarquia dos Espíritos; se, ao contrário, sucumbiu, entra na classe dos Espíritos inferiores, satisfeitos ante da visão de um ser à sua imagem e, como eles, privado da felicidade infinita.

122. *O homem que foi feliz neste mundo lastima a felicidade que perdeu ao deixar a Terra?* [LE-313.]
"Não, pois a felicidade eterna é mil vezes preferível à gozada neste mundo. Só os Espíritos inferiores podem lamentar as alegrias condizentes com sua natureza impura, e que lhes acarretam a expiação pelo sofrimento."

> Os gozos terrenos perecem com o corpo. Como já não dá nenhuma importância ao corpo, o Espírito não sente saudade de nenhum dos

prazeres grosseiros que usufruiu na Terra, pois compreende a futilidade desses prazeres em comparação com a felicidade eterna. Tal como o homem adulto que menospreza o que constituía as delícias de sua infância.

123. *Aquele que começou grandes trabalhos com um objetivo útil e que os vê interrompidos pela morte, lamenta, no outro mundo, tê-los deixado por acabar?* [LE-314.]

"Não, porque vê que outros estão designados para concluí-los. Trata, ao contrário, de influenciar outros Espíritos humanos, a fim de que os levem adiante. Seu objetivo, na Terra, era o bem da Humanidade; no mundo dos Espíritos, esse objetivo continua sendo o mesmo."

O homem que começou na Terra grandes trabalhos com um objetivo útil e que os vê interrompidos pela morte, uma vez no mundo dos Espíritos não experimenta mais nenhum pesar por os haver deixado inacabados, porquanto, liberto de todo sentimento de vaidade, vê que outros homens estão destinados a levá-los adiante. Longe disso, procura influenciar outros Espíritos humanos a dar-lhes prosseguimento.

124. *O poder e a consideração de que um homem desfrutou na Terra lhe dão alguma supremacia no mundo dos Espíritos?* [LE-275.]

"Não, pois os pequenos serão elevados e os grandes rebaixados. Lê os salmos."

124-a. *Como devemos entender essa elevação e esse rebaixamento?* [LE-275.a.]

"Não sabes que os Espíritos são de diferentes ordens, conforme seus méritos? Pois bem! O maior na Terra pode pertencer à última categoria entre os Espíritos, ao passo que seu servo pode estar na primeira. Compreendes isto?"

124-b. *Aquele que foi grande na Terra e que se acha em posição inferior, entre os Espíritos, sente humilhação por isso?* [LE-276.]

"Quase sempre muito grande, sobretudo se era orgulhoso e invejoso."

As grandezas terrenas desaparecem com a vida corpórea. O homem só leva consigo o mérito do bem que haja feito. O poder e a consideração que tenha fruído na Terra não lhe conferem nenhuma superioridade no mundo dos Espíritos; *lá os pequenos serão elevados e os grandes rebaixados.*

Essa elevação e esse rebaixamento devem ser entendidos como diferentes ordens de Espíritos; é assim que um poderoso da Terra pode ser relegado entre os Espíritos inferiores, enquanto um homem da mais humilde condição pode ficar na primeira; de onde resulta, no mundo dos Espíritos, a desigualdade, que constitui glória para uns e humilhação para outros. Era isso que Jesus entendia, quando disse: "Meu reino não é deste mundo."

CAPÍTULO VII

Diferentes encarnações dos Espíritos[94]

Reencarnação dos Espíritos – Metempsicose – Objetivo da reencarnação – A vida temporal é uma peneira ou um depurador para o Espírito – A reencarnação nos diferentes mundos – Estado progressivo físico e moral dos seres que habitam os diferentes mundos – Vida eterna – Espíritos errantes – Intervalos das existências corpóreas – Provações da vida corpórea – Escolha das provas – Lembrança das existências anteriores – Marcha progressiva dos Espíritos – Semelhanças físicas e morais do homem nas suas múltiplas existências

125. *A alma passa por muitas encarnações ou, melhor dizendo, por muitas existências corpóreas?* [LE-166.b.]

"Sim, todos nós temos muitas existências corpóreas. Os que dizem o contrário querem manter-vos na ignorância em que eles próprios se encontram; esse é o desejo deles."

125-a. *Qual o objetivo das diversas encarnações?* [LE-167.]

"Expiação, melhoramento progressivo da Humanidade. Sem isso, onde estaria a justiça?"

Todos os Espíritos tendem para a perfeição e Deus lhes faculta os meios de alcançá-la pelas provações da vida corpórea. Mas, em sua

---

[94] N.T.: a expressão "dos Espíritos" não faz parte do título original deste capítulo. Consta, porém, no Sumário da 1ª edição francesa, razão por que a inserimos nesta tradução.

justiça, Ele lhes concede realizar, em novas existências, *o que não puderam fazer ou concluir numa primeira prova*. Deus não agiria com equidade, nem de acordo com sua bondade, se castigasse para sempre os que encontraram obstáculos ao seu melhoramento, independentemente de sua vontade, no próprio meio em que foram colocados. [LE-171.]

126. *Em que se baseia o dogma da reencarnação?* [LE-171.]
"Na justiça de Deus e na revelação, pois incessantemente repetimos: o bom pai sempre deixa aos filhos uma porta aberta ao arrependimento. Não te diz a razão que seria injusto privar para sempre da felicidade eterna todos aqueles de quem não dependeu se melhorarem? Não são filhos de Deus todos os homens? Somente entre os homens egoístas se encontram a iniquidade, o ódio implacável e os castigos sem remissão."

> O dogma da reencarnação, isto é, o que consiste em admitir para o homem muitas existências sucessivas, é o único que corresponde à ideia que fazemos da justiça de Deus, com respeito aos homens de formação moral inferior; o único que pode explicar o futuro e firmar nossas esperanças, pois que nos oferece os meios de resgatar nossos erros mediante novas provações. A razão no-lo indica e os Espíritos o ensinam. É o que Jesus queria dizer por estas palavras que não foram compreendidas: *Eu fui, Eu sou, Eu serei.*

127. *A alma do homem não teria sido inicialmente o princípio de vida dos seres vivos mais primitivos da Criação, para chegar, por meio de uma lei progressiva, até ao homem, percorrendo os diversos graus da escala orgânica?* [540; 613.]
"Não! Não! Homens, somos natos. Cada coisa progride na sua espécie e na sua essência; o homem jamais foi outra coisa além de homem."[95]

---

[95] N.T.: os Espíritos da Codificação, tendo à frente o Espírito de Verdade, houveram por bem modificar este conceito, conforme se pode verificar no trecho final da resposta à questão 540 da edição definitiva, a saber: "[...] É assim que tudo serve, tudo se encadeia na Natureza, desde o átomo primitivo até o arcanjo, que também começou pelo átomo. [...]", tese que predominou nos demais livros da Codificação e, posteriormente, na obra dos continuadores de Kardec, a partir de Delanne e Léon Denis. Vejam-se, também, os quatro últimos parágrafos dos comentários de Allan Kardec à questão nº 613 da edição definitiva de *O livro dos espíritos*, parágrafos

Seja qual for a diversidade das existências por que passe o nosso Espírito ou nossa alma, elas pertencem todas à Humanidade. Seria erro acreditar que, por uma lei progressiva, o homem haja passado pelos diferentes graus da escala orgânica para chegar ao seu estado atual. Assim, sua alma não foi inicialmente o princípio de vida dos primitivos seres animados da Criação, para chegar sucessivamente ao grau superior: ao homem.

128. *A doutrina da metempsicose tem algum fundo de verdade?*
"Não, visto que o homem tem sido sempre ele mesmo."

128-a. *Por mais errônea que seja, a doutrina da metempsicose não resultaria do sentimento intuitivo que o homem possui de suas diversas existências?* [LE-613.]
"Sim, mas o homem a desnaturou, como costuma fazer com a maioria de suas ideias intuitivas. Sempre o mesmo orgulho, a mesma ambição!"

A doutrina da metempsicose é duplamente errônea, visto que, em vez de estar fundada na marcha ascendente da Natureza, tem por princípio a degradação dos seres que ela faz passar da Humanidade ao estado de bruto. Contudo, por mais falsa que seja essa doutrina, não deixa de resultar do sentimento intuitivo do homem sobre as diferentes existências corpóreas que ele percorreu ou que deve ainda percorrer.

129. *Não podendo os Espíritos melhorar-se, a não ser por meio das tribulações da existência corpórea, segue-se que a vida material seja uma espécie de* cadinho, *pelo qual devem passar os seres do mundo espiritual para alcançarem a perfeição?* [LE-196.]
"Sim, é exatamente isso."

129-a. *É o corpo que influi sobre o Espírito para que este se melhore, ou é o Espírito que influi sobre o corpo?* [LE-196.a.]

---

que só foram acrescentados por ele a partir da 4ª edição da obra, publicada em 1861, e que revelam o extremado devotamento, o prudente cuidado, o zelo a toda prova e a elegância sem par do Codificador ao abordar um tema delicado que, por ora, segundo palavras suas, ainda faz parte dos segredos de Deus.

"Teu Espírito é tudo; teu corpo é uma veste que apodrece: eis tudo."

As vicissitudes da existência são provas que os Espíritos devem sofrer para chegarem à perfeição. Eles se melhoram nessas provas evitando o mal e praticando o bem. A vida corpórea é, pois, uma espécie de *cadinho* ou *depurador*, por onde devem passar os seres do mundo incorpóreo. Entretanto, isto só se dá depois de numerosas encarnações ou depurações sucessivas, que eles atingem, em tempo mais ou menos longo, *segundo seus esforços*, o objetivo para o qual aspiram.

130. *Nossas diversas encarnações se realizam todas na Terra?* [LE-172.]
"Não; nem todas."

130-a. *Onde elas se realizam?* [LE-172.]
"Nos diferentes mundos."

130-b. *Podemos reaparecer muitas vezes na Terra?* [LE-173.a.]
"Certamente."

130-c. *Podemos voltar à Terra depois de termos vivido em outros mundos?* [LE-173.b.]
"Sim."

130-d. *Depois de terem encarnado em outros mundos, os Espíritos podem encarnar na Terra, sem que aqui jamais tenham estado?* [LE-176.]
"Sim, do mesmo modo que vós em outros globos."

130-e. *Podemos saber quando um Espírito está na sua primeira encarnação?* [LE-176.b.]
"Não."

As diferentes encarnações não se realizam, necessariamente, todas na Terra: podem cumprir-se nos diversos mundos que compõem o Universo. A que passamos na Terra não é a primeira, nem a última, embora seja uma das mais materiais e das mais distantes da perfeição. É possível que cada um de nós já tenha aparecido na Terra, como é possível que aqui reapareçamos um dia; é o que saberemos quando nos houvermos despido da espessa vestimenta que nos comprime, porque, então, teremos recuperado a lembrança do passado. A primeira encarnação dos Espíritos é um mistério que não nos é dado desvendar.

131. *Os Espíritos são de diferentes sexos?* [LE-201.]
"Não; o mesmo Espírito pode animar alternadamente sexos diferentes."

Os Espíritos não têm sexo e nas suas diversas encarnações eles podem animar, alternadamente, corpos de homens ou de mulheres.[96]

132. *Os seres que habitam os diferentes mundos têm corpos semelhantes aos nossos?* [LE-181.]
"Sem dúvida eles têm corpos, porque o Espírito precisa estar revestido de matéria; mas esse envoltório é mais ou menos material, conforme o grau de pureza a que chegaram os Espíritos. É isso que diferencia os mundos que devemos percorrer, pois há muitas moradas na casa de nosso Pai, sendo de muitos graus essas moradas. Alguns o sabem e têm consciência disso aqui na Terra, o que não acontece com outros."

132-a. *Podemos conhecer exatamente o estado físico e moral dos diferentes mundos?* [LE-182.]
"Nós, Espíritos, só podemos responder de acordo com o grau de adiantamento em que vos encontrais; ou seja: não podemos revelar estas coisas a todos, pois nem todos estão em condições de compreendê-las *e isso os perturbaria.*"

> As condições para a encarnação nos diferentes mundos variam segundo a perfeição do Espírito; à medida que este se aproxima da perfeição, o corpo que o reveste aproxima-se igualmente da natureza espiritual. A matéria é menos densa, ele já não se arrasta penosamente pela superfície do solo, suas necessidades físicas são menos grosseiras, não mais sendo preciso que os seres vivos se destruam

---

[96] N.T.: inquiridos se os Espíritos têm sexo, os Imortais assim responderam a Kardec: "Não como o entendeis, porque os sexos dependem do organismo. Há entre eles amor e simpatia, mas baseados na afinidade de sentimentos" (q. 200 da 2ª edição francesa de *O livro dos espíritos*).

mutuamente para se alimentarem. O Espírito é mais livre e tem, das coisas longínquas, percepções que desconhecemos. Vê com os olhos do corpo o que só entrevemos pelo pensamento.

A depuração progressiva dos Espíritos reflete-se na perfeição moral dos seres em que estão encarnados. As paixões animais se enfraquecem e o egoísmo cede lugar ao sentimento da fraternidade. É assim que, nos mundos superiores à Terra, as guerras são desconhecidas, os ódios e discórdias não têm objetivo, pois ninguém pensa em prejudicar seu semelhante.

133. *Os Espíritos podem encarnar em mundo menos perfeito do que aquele a que já pertencem?* [LE-178.]
"Sim."

133-a. *Por que, então, submetê-los às tribulações de uma existência inferior, uma vez que já se acham depurados?*
"É uma missão para ajudar o progresso."

Os Espíritos que habitam um mundo superior podem encarnar em mundos menos perfeitos; nesse caso, não se trata de expiação, mas de missão, que eles cumprem assistindo os homens na senda do progresso, missão que aceitam satisfeitos pela oportunidade que têm de praticar o bem.

134. *Os seres que habitam cada mundo alcançaram todos o mesmo grau de perfeição?* [LE-179.]
"Não; é como na Terra: há seres mais e menos adiantados."

Nem todos os seres que habitam cada mundo chegaram ao mesmo grau de perfeição. Assim como vemos na Terra raças mais ou menos adiantadas, cada mundo abriga também seres mais ou menos aperfeiçoados, embora no conjunto superiores ou inferiores a nós (*Nota* 3).

135. *O estado físico e moral dos seres vivos é perpetuamente o mesmo em cada globo?* [LE-185.]
"Não."

135-a. *Todos os mundos começaram, como o nosso, por um estado inferior?*
"Sim."

135-b. *A Terra também sofrerá a transformação que já se produziu em outros mundos?*
"Certamente. Tornar-se-á um paraíso terrestre, quando os homens se houverem tornado bons."

> O estado físico e moral dos seres vivos não é perpetuamente o mesmo em cada globo. Todos os mundos começaram a ser povoados pelas raças inferiores que se foram aprimorando. É assim que as raças, que hoje povoam a Terra, desaparecerão um dia e serão substituídas por seres cada vez mais perfeitos; essas raças transformadas sucederão às atuais, como estas sucederam a outras ainda mais grosseiras.[97]

136. *Haverá mundos onde o Espírito, deixando de revestir corpos materiais, só tenha por envoltório o perispírito?* [LE-186.]
"Sim, e mesmo esse envoltório se torna tão etéreo que para vós é como se não existisse. É esse o estado dos Espíritos puros."

> À medida que os Espíritos se depuram, despojam-se, nas encarnações sucessivas e conforme o mundo que habitam, do envoltório grosseiro dos mundos inferiores. Chegados a certo grau de superioridade, o envoltório deles consiste apenas no perispírito (43). No último grau de depuração o Espírito fica, para nós, como que despido de todo e qualquer envoltório.

137. *Em que se transforma o Espírito depois de sua última encarnação?* [LE-170.]
"Em Espírito bem-aventurado; é a vida eterna."

137-a. *Assim a vida eterna seria o estado da alma que percorreu todas as existências corpóreas?*

---

[97] N.E.: ver "Nota Explicativa", p. 551.

"Sim, ela goza de perfeita felicidade; mas essa felicidade não é a do egoísta: a alma está sempre feliz pelo bem que pode fazer."

>Os Espíritos chegados à perfeição absoluta não precisam mais de encarnação; são Espíritos puros; isto é para eles a vida eterna. A vida eterna é o estado dos Espíritos que alcançaram o supremo grau de pureza e que, não mais precisando sofrer as provas da vida material, gozam de inalterável felicidade. É a vida de que falava Jesus, quando dizia: "Meu reino não é deste mundo."

138. *O perispírito é parte integrante e inseparável do Espírito?*
"Não; o Espírito pode despojar-se dele."[98]

138-a. *De onde o Espírito tira seu perispírito?* [LE-94.]
"Do fluido de cada globo."

138-b. *A substância que compõe o perispírito é a mesma em todos os globos?* [LE-187.]
"Não; ela é mais ou menos etérea."

138-c. *Passando de um mundo a outro, o Espírito deixa seu perispírito para tomar outro?*
"Sim, e com a rapidez do relâmpago."

>A substância semimaterial de que se forma o perispírito é inerente a cada globo e sua natureza é mais ou menos etérea segundo o mundo ao qual pertence. Em suas transmigrações de um mundo a outro, os Espíritos se despojam do perispírito do mundo que deixam, para revestir instantaneamente o do mundo em que entram. É sob esse envoltório que eles nos aparecem algumas vezes com figuração humana ou outra qualquer, seja nos sonhos, seja mesmo no estado de vigília, mas sempre inacessível ao tato.[99]

---

[98] N.T.: ver resposta à questão 186 da edição definitiva de 1860, que liquida o assunto.
[99] N.T.: *sempre* inacessível ao *tato* não é bem o termo. O Espírito pode manifestar-se ao mesmo tempo pela vista e pelo *tato*, como o demonstram claramente os livros *Fatos espíritas*, de William Crookes, e *O trabalho dos mortos*, de Nogueira de Faria, ambos editados pela FEB (ver, também, a questão 202-a desta tradução, p. 188).

139. *A alma reencarna imediatamente após a separação do corpo?* [LE-223.]
"Algumas vezes reencarna imediatamente, mas na maioria das vezes só depois de intervalos mais ou menos longos."

139-a. *Qual pode ser a duração desses intervalos?* [LE-224.a.]
"De alguns minutos a alguns séculos; depende do grau de pureza dos Espíritos. Mas, em geral, o justo reencarna imediatamente numa condição melhor, isto é, dotado de uma faculdade de percepção mais ampla do passado, do futuro e do presente.

"Algumas vezes o Espírito reencarna logo em seguida, numa condição mais penosa do que a que tinha antes. Um malfeitor, um assassino pode reencarnar imediatamente em condições que lhe permitam arrepender-se. Se, na existência material em que cometeu o crime, talvez se achasse em condição de poder satisfazer a todas as suas necessidades, na nova encarnação se verá privado dessas condições e perderá a companhia daqueles com quem mantinha laços de amizade."

> A reencarnação da alma pode ocorrer imediatamente após a separação do corpo; na maior parte das vezes, porém, só se realiza com intervalos mais ou menos longos. O número das encarnações e a duração dos intervalos não nos podem ser revelados; vai depender do grau de pureza a que chegaram os Espíritos.
>
> O homem que tem consciência de sua inferioridade haure na doutrina da reencarnação uma esperança consoladora. Se crê na justiça de Deus, não pode esperar que, na eternidade, seja igual aos que procederam melhor que ele. A ideia de que essa inferioridade não o deserdará para sempre do bem supremo, e que ele poderá conquistá-lo mediante novos esforços o sustenta e lhe dá coragem. Qual é aquele que, ao término da carreira, não lamenta ter adquirido tarde demais uma experiência da qual não pode mais aproveitar? Essa experiência tardia não fica perdida; o Espírito a aproveitará em nova existência (*Nota* 4).

140. *Que se torna a alma no intervalo das diversas encarnações?* [LE-224.]
"Espírito errante, que aspira a novo destino."

140-a. *Entre os Espíritos errantes haverá apenas Espíritos inferiores?*
"Há Espíritos errantes de todos os graus."

140-b. *Os Espíritos errantes são felizes ou infelizes?* [LE-231.]
"Depende da perfeição em que se encontram."

> Nos intervalos que separam cada encarnação, a alma é um Espírito errante que aspira a uma nova existência que deve cumprir. Os Espíritos errantes não se encontram necessariamente num estado de inferioridade absoluta. São mais ou menos elevados e, por conseguinte, mais ou menos felizes, conforme o bem ou o mal que hajam feito.

141. *Por não ter podido praticar o mal, o Espírito de uma criança que morreu em tenra idade pertence às categorias superiores?* [LE-198.]
"Não; se não fez o mal, também não fez o bem e Deus não o isenta das provas que tenha de padecer."

141-a. *Em que se transforma o Espírito de uma criança que morreu em tenra idade?* [LE-199.a.]
"Entra em outro corpo e recomeça uma nova existência."

141-b. *Por que a vida se interrompe com tanta frequência na infância?* [LE-199.]
"Pode ser, para o Espírito, o complemento de uma existência *e, quase sempre, uma expiação para os pais.*"

> Como todos os outros, o Espírito da criança não alcança o estado de pureza absoluta senão depois de o ter merecido por seus atos, e Deus não o desobriga das provas por que tenha de passar. A alma da criança que morre ao nascer, ou antes de ter plena consciência e liberdade de seus atos, não mereceu penas nem recompensas; cumprirá sua missão em outra existência. Muitas vezes, a duração da vida da criança é, para o Espírito nela encarnado, o complemento de uma existência interrompida antes do termo requerido, e sua morte *uma prova ou uma expiação para os pais.*

142. *O arrependimento se dá no estado corpóreo ou no estado espiritual?* [LE-990.]
"No estado espiritual; mas, também pode ocorrer no estado corpóreo, quando bem compreendeis a diferença entre o bem e o mal."

142-a. *Qual a consequência do arrependimento no estado espiritual?* [LE-991.]
"O desejo de uma nova encarnação para se purificar."

142-b. *O arrependimento sempre acontece no estado corpóreo?*
"Muito mais do que se crê, embora, frequentemente, tarde demais."

142-c. *Qual a consequência do arrependimento no estado corpóreo?* [LE-992.]
"Avançar, *já na vida presente*, se ainda houver tempo para o homem reparar suas faltas."

> Para o homem que compreende a diferença existente entre o bem e o mal, o arrependimento começa no estado corpóreo, pois a consciência lhe censura os erros e ele pode melhorar-se. O arrependimento dá-se sempre no estado espiritual, quando, então, já é tarde demais para emendar-se; todo pesar é supérfluo, visto que o Espírito não pode mais abrandar sua sorte, a não ser depurando-se mediante nova encarnação. Depois da morte, compreende as faltas que o privam da felicidade de que gozam os Espíritos superiores e aspira a uma nova existência, em que possa expiá-las; esta, porém, não lhe é concedida ao seu bel-prazer; deve esperar que o tempo se consuma.

143. *O homem perverso que não reconheceu suas faltas durante a vida sempre as reconhece depois da morte?* [LE-994.]
"Sim; sempre as reconhece, e então sofre mais, porque vê e *sente em si todo o mal que praticou*."

> O homem perverso que não haja reconhecido suas faltas durante a vida sempre as reconhecerá quando se tornar Espírito; sofrerá, então, muito mais, pois compreenderá quanto foi culpado e padecerá de todos os malefícios que fez aos outros ou de que foi causa *voluntária*.

144. *A expiação se realiza no estado corpóreo ou no estado espiritual?* [LE-998.]

"Já dissemos que o Espírito é tudo, o corpo nada é. O Espírito a experimenta; o corpo é o instrumento."

> A expiação se cumpre durante a existência corpórea por meio de provas a que o Espírito se acha submetido. O Espírito as sofre, o corpo é o instrumento. O castigo consiste nos sofrimentos morais inerentes à sua inferioridade na vida espiritual.

145. *O Espírito pode escolher o corpo em que deve encarnar?* [LE-335.]

"Não; pode escolher somente o gênero de provas que deve sofrer, e é nisso que consiste seu livre-arbítrio."[100]

145-a. *Assim, todas as tribulações que experimentamos na vida teriam sido previstas e escolhidas por nós mesmos?*[101] [LE-259.]

"Sim."

145-b. *O que guia o Espírito na escolha das provas que queira sofrer?* [LE-264.]

"Ele escolhe, de acordo com a natureza de suas faltas, as provas que o levem a expiá-las e o façam progredir mais depressa."

145-c. *O Espírito poderá fazer a escolha de suas provas durante a vida corpórea?* [LE-267.]

"Seu desejo pode influir, dependendo da intenção. Como Espírito livre, porém, quase sempre vê as coisas de modo bem diferente do que quando se acha encarnado. É o Espírito quem faz a escolha; mas, ainda uma vez, ele pode fazê-la mesmo na vida material, pois há sempre momentos em que o Espírito se torna independente da matéria em que habita."

> Não cabe ao Espírito a escolha do corpo em que deve encarnar, mas a do gênero de provas que queira sofrer, e é nisso que consiste seu li-

---

[100] N.T.: o Espírito também pode, em certos casos, escolher o corpo. Ver resposta à questão 335 da edição definitiva de *O livro dos espíritos*.
[101] N.T.: "todas" não é bem o termo. Ver resposta à questão 259 da edição definitiva de *O livro dos espíritos*.

vre-arbítrio. Assim, pois, uns podem impor-se uma vida de misérias e privações a fim de tentar suportá-la com coragem; outros querem experimentar-se pelas tentações da fortuna e do poder, bem mais perigosos pelo abuso e má utilização que se podem fazer deles, afora as más paixões que desenvolvem.

Sob a influência das ideias carnais, o homem, na Terra, só vê nas provas o lado penoso. É por isso que lhe parece natural escolher as que, de seu ponto de vista, podem coexistir com os prazeres materiais. Na vida espiritual, todavia, ele pensa de outro modo; compara esses gozos fugazes e grosseiros com a inalterável felicidade que entrevê e, desde então, que lhe importam alguns sofrimentos passageiros? (*Nota* 5) [LE-266.]

146. *No intervalo das existências corpóreas, o Espírito tem conhecimento de todas as suas vidas anteriores?* [LE-308.]

"Sim; lembra-se de todas as suas existências, embora não se lembre, de modo absoluto, de todos os atos que praticou. É frequente evocares um Espírito errante que acaba de deixar a Terra e que não se lembra dos nomes das pessoas a quem amava, nem de detalhes que, para ti, parecem importantes; isso pouco lhe importa e cai no esquecimento. O de que ele se lembra muito bem são os fatos principais que o ajudam a melhorar-se."

Em sua sabedoria, a Providência julgou por bem ocultar ao homem o mistério de suas existências anteriores. Ao encarnar, o Espírito perde a lembrança delas, mas, ao entrar novamente na vida espiritual, suas diversas existências lhe vêm à memória, assim como todos os atos que praticou. Todavia, há detalhes pouco importantes que ele não valoriza e que caem no esquecimento. Lembra-se principalmente das faltas e dos fatos que podem influenciar no seu melhoramento.

147. *Como podemos melhorar, se não conhecemos os erros cometidos nas existências anteriores?* [LE-393.]

"A cada nova existência adquires mais inteligência e podes distinguir melhor o bem e o mal. Onde estaria o mérito se te lembrasses de todo o passado?"

A perda da lembrança de nossas existências anteriores durante a encarnação, bem como dos erros que tenhamos cometido, não constitui obstáculo à nossa melhoria, porque em cada existência nova a inteligência do homem se torna mais desenvolvida e ele compreende melhor o bem e o mal.[102]

148. *Podemos ter algumas revelações sobre nossas existências anteriores?* [LE-395.]

"Nem sempre. Contudo, muitas pessoas sabem o que foram e o que faziam. Se lhes fosse permitido dizê-lo abertamente, fariam extraordinárias revelações sobre o passado."

148-a. *Algumas pessoas julgam ter vaga lembrança de um passado desconhecido. Essa ideia é apenas uma ilusão?* [LE-396.]

"Algumas vezes é real; frequentemente, porém, é uma ilusão contra a qual deve o homem precaver-se."

148-b. *Nas existências corpóreas de natureza mais elevada que a nossa, a lembrança das existências anteriores é mais precisa?* [LE-397.]

"Sim; à medida que o corpo se torna menos material, o homem recorda melhor."

Nem sempre o mistério de nossas existências anteriores é absolutamente impenetrável; poderá ser permitido a certas pessoas tomarem conhecimento do que foram e do que fizeram no passado, embora nem sempre lhes seja permitido revelar isso. Há os que guardam vaga lembrança do passado, mais ou menos como a imagem fugaz de um sonho que em vão se procura captar. Essa lembrança se torna cada vez mais clara, à medida que o homem se eleva na escala dos seres que habitam os mundos de ordem superior. Salvo o caso de uma revelação direta, a lembrança que julgamos ter de nosso passado não deve ser aceita senão com grande reserva, já que pode ser efeito de ilusão ou de imaginação superexcitada.

---

[102] N.T.: ver também *O evangelho segundo o espiritismo*, cap. V, it. 11.

149. *Em suas novas existências pode o homem descer mais baixo do que já esteja na atual?* [LE-193.]
"Em termos de *posição social*, sim; como Espírito, não."

149-a. *O homem pode recuar no caminho do progresso?*
"Não; mas somente deixar de progredir."

149-b. *Temos visto, no entanto, alguns povos recaírem na barbárie.* [LE-786.]
"É um tempo de parada; um passo atrás, a fim de avançarem mais tarde. Devemos ver a Humanidade em seu conjunto e não em alguns detalhes."

> A marcha dos Espíritos é progressiva e jamais retrógrada. Elevam-se gradualmente na hierarquia e não descem da categoria a que chegaram. Em suas diferentes existências corpóreas eles podem descer *em posição social*, mas não como Espíritos. Assim, a alma de um poderoso da Terra pode mais tarde animar o mais humilde operário e *vice-versa*, porque, entre os homens, as posições sociais guardam, frequentemente, relação inversa com a elevação dos sentimentos morais. Herodes era rei; e Jesus, carpinteiro. [LE-194.a.]

150. *É possível, em nova encarnação, que a alma de um homem de bem anime o corpo de um celerado?* [LE-194.]
"Não, visto que não pode degenerar."

150-a. *A alma de um homem perverso pode transformar-se na de um homem de bem?* [LE-194.a.]
"Sim, se se arrependeu. Isso, então, é uma recompensa."

> Não podendo o Espírito decair de sua classe, mas progredindo sempre, resulta que a alma de um homem de bem não pode, numa existência nova, animar o corpo de um celerado; mas a alma de um perverso pode tornar-se a de um homem de bem, se compreendeu suas faltas, o que será para ela uma recompensa.

151. *O homem conserva, em suas novas existências, os traços do caráter moral de suas vidas anteriores?* [LE-216.]

"Sim, isso pode acontecer. Mas, melhorando-se, ele muda. Sua posição social pode, também, não ser a mesma. Se de soberano passa a trapeiro, seus gostos serão muito diferentes e teríeis dificuldade em reconhecê-lo."

> Sendo o Espírito o mesmo em suas diversas encarnações, suas manifestações podem guardar certas analogias de uma para outra. O homem pode, pois, conservar os traços do caráter moral de suas existências anteriores; mas os gostos, os hábitos e as tendências mudam, quer em posição social, que pode ser muito diferente, quer pelo melhoramento do Espírito que, de orgulhoso e malvado, pode tornar-se humilde e humano, se se arrependeu.

152. *Nas suas diferentes encarnações, o homem conserva os traços do caráter físico das existências anteriores?* [LE-217.]

"Não; o corpo é destruído e o novo não tem nenhuma relação com o antigo. Entretanto, o Espírito se reflete no corpo. Certamente o corpo é apenas matéria, mas, apesar disso, é modelado pelas capacidades do Espírito, que lhe imprime certo caráter, principalmente ao rosto, o que significa dizer que o rosto, mais particularmente, reflete a alma. É por isso que uma pessoa excessivamente feia, quando nela encarnou um Espírito bom, criterioso e humanitário, tem qualquer coisa que agrada, ao passo que há rostos belíssimos, que nenhuma impressão te causam, podendo até mesmo inspirar-te repulsa. Poderias supor que somente corpos bem moldados servem de envoltório a Espíritos mais perfeitos, quando encontras todos os dias homens de bem sob um exterior disforme."

> Os caracteres físicos do homem são atributos do corpo, e sendo o corpo destruído pela decomposição, aquele que reveste a alma numa nova encarnação não guarda nenhuma relação *essencial* com o que deixou; seria, pois, absurdo deduzir-se uma sucessão de existências tomando por base apenas uma semelhança eventual.
>
> Todavia, ainda que o corpo e o Espírito sejam de natureza diferente e não se liguem entre si senão por laços indiretos e frágeis, o corpo

é, de certo modo, modelado pelo Espírito. O rosto é o reflexo deste, e não é sem razão que se apontam os olhos como o espelho da alma. Assim, mesmo sem haver pronunciada parecença, a fisionomia, por refletir o caráter do Espírito, pode dar lugar ao que se chama "um ar de família", e sob o envoltório mais humilde se pode encontrar a expressão da grandeza e da dignidade, enquanto sob a indumentária do monarca se veem algumas vezes a da baixeza e da ignomínia.

CAPÍTULO VIII

Emancipação da alma durante a vida corpórea

Sonhos – Sonambulismo natural – Segunda vista – Alucinações; visões – Crisíacos – Êxtase – Sonambulismo magnético

153. *O Espírito encarnado permanece de bom grado em seu invólucro corpóreo?* [LE-400.]

"O Espírito encarnado aspira incessantemente à libertação; quanto mais grosseiro é o envoltório, tanto mais deseja ver-se livre dele."

> A alma só reveste o invólucro corpóreo porque a isso é constrangida pela necessidade; eis por que aspira sem cessar a desembaraçar-se de suas faixas, até que os laços que a prendem à Terra sejam desfeitos de uma vez por todas.

154. *Durante o sono, a alma repousa como o corpo?* [LE-401.]

"Não, o Espírito jamais está inativo."

154-a. *Que faz o Espírito durante o sono do corpo?*

"Afrouxando-se os laços que o prendem ao corpo e não precisando mais o corpo de sua presença, o Espírito se lança no espaço e *entra em relação mais direta com outros Espíritos*." [LE-401.]

> Durante o estado de vigília, em que as forças vitais do corpo estão em plena atividade, a alma, por estar subordinada à influência da matéria

a que está ligada, perde parte de suas faculdades; em outras palavras, essas faculdades, por não terem mais a plenitude de sua liberdade, tornam-se de alguma sorte latentes. Durante o sono os laços corpóreos se afrouxam e a alma recobra parcialmente a liberdade.

155. *Como podemos julgar da liberdade do Espírito durante o sono?* [LE-402.]

"Pelos sonhos."

155-a. *Os sonhos têm, pois, algum fundo de verdade?*

"Os sonhos são sempre verdadeiros, mas não como o entendem os ledores de sorte. Sabei que o Espírito jamais repousa e, quando o corpo repousa, o Espírito tem mais faculdades que no estado de vigília. Lembra-se do passado e algumas vezes prevê o futuro. Adquire mais poder e pode entrar em comunicação com outros Espíritos, *seja deste mundo, seja do outro*. Dizes frequentemente: Tive um sonho extravagante, um sonho horrível, mas absolutamente inverossímil. Enganaste; quase sempre é a lembrança dos lugares e das coisas que viste ou que verás em outra existência ou em outra ocasião. Estando o corpo entorpecido, o Espírito trata de quebrar seus grilhões e de investigar no passado ou no futuro." [LE-402.]

> A liberdade da alma, durante o sono, manifesta-se pelo fenômeno dos sonhos. Os sonhos são efeito da emancipação da alma, que se torna mais independente pela suspensão da vida ativa e de relação. Daí uma espécie de clarividência indefinida, que se estende aos lugares mais distantes ou que jamais se viu, e algumas vezes até a outros mundos. Daí também a lembrança que traz à memória acontecimentos verificados na presente existência ou em existências anteriores; daí, finalmente, em alguns casos, o pressentimento das coisas futuras.
>
> A lembrança incompleta que nos resta ao despertar, daquilo que nos apareceu em sonho, a extravagância das imagens do que se passa ou se passou em mundos desconhecidos, entremeados de coisas do mundo atual, formam esses conjuntos bizarros e confusos, que parecem não ter sentido ou ligação.

156. *O sonambulismo natural tem alguma relação com os sonhos? Como explicá-lo?* [LE-425.]

"É um estado de independência da alma, mais completo que no sonho, estado em que suas faculdades ficam mais desenvolvidas. A alma tem percepções de que não dispõe no sonho."

> Quando a independência da alma é mais completa e suas faculdades se manifestam com maior energia do que no sonho, produz o fenômeno designado pelo nome de *sonambulismo natural,* do qual o sonho não é senão um diminutivo ou uma variedade (*Nota* 6).

157. *O fenômeno designado pelo nome de segunda vista tem alguma relação com o sonho e o sonambulismo?* [LE-447.]

"Tudo isso é uma coisa só. No que chamais segunda vista, o Espírito ainda está mais livre, embora o corpo não esteja adormecido."

157-a. *Aquele que é dotado de segunda vista vê com os olhos do corpo?*

"Não; assim como o sonâmbulo, *ele vê pela alma*."

> A emancipação da alma se manifesta às vezes no estado de vigília e produz o fenômeno conhecido pelo nome de *segunda vista,* que dá aos que a possuem a faculdade de ver, ouvir e sentir *além dos limites de nossos sentidos*. Percebem as coisas ausentes por toda parte onde a alma possa estender sua ação; veem, por assim dizer, através da vista ordinária e como por uma espécie de miragem.

158. *A segunda vista é permanente?* [LE-448.]

"A faculdade, sim; o exercício, não."

158-a. *A segunda vista se desenvolve espontaneamente ou pela vontade de quem a possui?* [LE-449.]

"Na maioria das vezes é espontânea, mas não raro a vontade também desempenha importante papel. Se tomares como exemplo certas pessoas a quem se dá o nome de ledores de sorte, algumas das quais dotadas dessa faculdade, verás que é com o auxílio da própria vontade que entram no estado de segunda vista, ou naquilo que chamas visão."

A segunda vista nunca é permanente; produz-se instantaneamente em dados momentos, muita vez sem ser superexcitada, embora possa ser provocada pela vontade. No instante em que se verifica o fenômeno da segunda vista, o estado físico do indivíduo é sensivelmente modificado; o olhar tem algo de vago; ele fita sem ver; toda sua fisionomia reflete uma espécie de exaltação. Entre as pessoas que se atribuem o dom da presciência, algumas devem a essa faculdade o conhecimento acidental que têm de certas coisas.

159. *As pessoas dotadas de segunda vista têm sempre consciência de sua faculdade?* [LE-453.]

"Não. Consideram isso perfeitamente natural e muitos creem que, se toda gente se observasse melhor, cada um veria que possui essa faculdade."

A maior parte dos indivíduos dotados de segunda vista não se dão conta de que possuem essa faculdade, que lhes parece tão natural como a de ver; consideram-na um atributo de seu ser, sem nada ter de excepcional. Muitas vezes o esquecimento se segue a essa lucidez passageira, cuja lembrança se torna cada vez mais vaga e acaba por desaparecer, como a de um sonho.

160. *Há diversidade de graus na faculdade da segunda vista?*

"Sim, e o mesmo indivíduo pode ter todos os graus."

160-a. *Poder-se-ia atribuir a uma espécie de segunda vista a perspicácia de certas pessoas que, sem nada terem de extraordinário, julgam as coisas com mais precisão do que outras?* [LE-454.]

"Sim; é sempre a alma a irradiar mais livremente."

160-b. *Essa faculdade pode dar, em alguns casos, a presciência das coisas?* [LE-454.a.]

"Sim; ela dá os pressentimentos."

Há graus infinitos no poder da segunda vista, desde a sensação confusa até a percepção clara e nítida das coisas presentes ou ausentes. Esses diferentes graus podem encontrar-se reunidos no mesmo indivíduo. No estado rudimentar, ela confere a certas pessoas o tato, a perspicácia, uma espécie de segurança em seus atos, a que se pode chamar de *precisão de golpe de vista moral*. Mais desenvolvida, desperta pressentimentos; mais desenvolvida ainda, mostra os acontecimentos que se deram ou estão para dar-se.

161. *É verdade que certas circunstâncias desenvolvem a segunda vista?* [LE-452.]
"Sim."

161-a. *Quais são essas circunstâncias?*
"A moléstia, a proximidade do perigo, uma grande comoção." [LE-452.]

161-b. *Conforme isso, as visões não seriam coisas puramente fantásticas?*
"Não; o corpo fica algumas vezes num estado particular que permite ao Espírito ver o que não podeis enxergar com os olhos carnais."

> O fenômeno da segunda vista parece produzir-se mais frequentemente sob o império de certas circunstâncias. As épocas de crises, calamidades, grandes comoções, todas as causas, enfim, que superexcitam o moral, provocam seu desencadeamento. Parece que a Providência, em presença do perigo, nos dá os meios de o conjurar. Todas as seitas e todos os partidos perseguidos dão numerosos exemplos disso.

162. *É necessário o sono completo para a emancipação do Espírito?* [LE-407.]
"Não; o Espírito recobra sua liberdade quando os sentidos se entorpecem."

162-a. *Algumas vezes temos a impressão de ouvir em nós mesmos palavras pronunciadas distintamente e que não guardam nenhuma relação com o que nos preocupa. Qual a razão disto?* [LE-408.]
"Sim, e mesmo frases inteiras, sobretudo quando os sentidos começam a entorpecer-se. Repito sem cessar: é, algumas vezes, o fraco eco de um Espírito que deseja comunicar-se contigo."

162-b. *Que será preciso fazer, então?*
"Escutar."

> O Espírito aproveita, para se emancipar, todos os instantes de descanso que lhe faculta o corpo; para isso, porém, não há necessidade de repouso absoluto. Desde que haja prostração das forças vitais, o Espírito se desprende e, quanto mais fraco estiver o corpo, tanto mais livre se achará o Espírito. É dessa forma que o cochilo ou um simples entorpecimento dos sentidos nos apresenta as mesmas imagens do sonho. Muitas vezes ouvimos dentro de nós mesmos palavras ou frases inteiras, pronunciadas distintamente; são Espíritos que desejam comunicar-se conosco. Quase sempre essas palavras não têm nenhum sentido aparente; mas, algumas vezes, são advertências.

163. *Por que a mesma ideia, a de uma descoberta, por exemplo, surge ao mesmo tempo em vários pontos?* [LE-419.]

"Já dissemos que durante o sono os Espíritos se comunicam entre si. Pois bem! Quando o corpo desperta, o Espírito se lembra do que aprendeu e o homem julga ter inventado. Assim, muitos podem descobrir a mesma coisa ao mesmo tempo. Quando dizeis que uma ideia está no ar, fazeis uso de uma figura de linguagem mais exata do que supondes. Cada um contribui, sem o suspeitar, para propagá-la."

> Durante o sono, nosso Espírito se comunica com outros Espíritos, quer errantes, quer encarnados em outros mundos; comunica-se, também, com outros Espíritos encarnados na Terra e que, como ele, estão em liberdade. Ao despertarem dos corpos, esses Espíritos trazem consigo os conhecimentos que adquiriram. É esta a causa das ideias que parecem surgir simultaneamente em vários pontos. Muitas vezes o nosso Espírito revela a outros Espíritos, e isto à nossa revelia, o que constituía o objeto de nossas preocupações.

164. *Os Espíritos podem comunicar-se, se o corpo estiver completamente acordado?* [LE-420.]

"Sim. Como já dissemos, o Espírito não se acha encerrado no corpo como numa caixa; irradia por todos os lados." [LE-141.]

164-a. *Como se explica que duas pessoas, perfeitamente acordadas, tenham instantaneamente a mesma ideia?* [LE-421.]

"São dois Espíritos simpáticos que se comunicam e veem reciprocamente seus pensamentos, mesmo quando o corpo não está dormindo."

164-b. *Estará aí a causa de nossas simpatias e antipatias pelas pessoas que vemos pela primeira vez?*

"Sim."

> O Espírito encarnado não se acha encerrado no corpo, mas, ao contrário, irradia-se por todos os lados. Daí a mútua comunhão de pensamentos entre dois Espíritos que se encontram, que faz com que duas pessoas se vejam e se compreendam sem necessidade dos sinais exteriores da linguagem. Dois Espíritos podem assim comunicar-se, mesmo quando o corpo se encontra em estado de vigília, sobretudo se são simpáticos; daí, algumas vezes, a simultaneidade do mesmo pensamento entre duas pessoas diferentes. Daí, igualmente, a atração ou a repulsão instintiva que sentimos às vezes por certas pessoas logo à primeira vista.

165. *Qual a diferença entre o extático e o sonâmbulo?* [LE-439.]

"É um sonambulismo mais apurado. A alma é mais independente."[103]

165-a. *O Espírito do extático penetra realmente nos mundos superiores?* [LE-440.]

"Sim, ele os vê e compreende a felicidade dos que os habitam, razão por que gostaria de neles permanecer."

165-b. *Poderia penetrar em todos os mundos, sem exceção?*

"Não, pois alguns mundos são inacessíveis aos Espíritos que ainda não se acham suficientemente depurados."

---

[103] N.T.: na 2ª edição francesa (1860) deste livro, esta questão recebeu o nº 439 e está assim concebida: *Qual a diferença entre o êxtase e o sonambulismo?* – "O êxtase é um sonambulismo mais apurado. A alma do extático é ainda mais independente". Isto dá mais clareza e objetividade ao assunto tratado.

165-c. *Entretanto, há coisas que o extático pensa ver, mas que, evidentemente, resultam de uma imaginação abalada pelas crenças e preconceitos terrenos. Assim, nem tudo o que ele vê é real?* [LE-443.]

"Tudo o que ele vê é real; mas, como seu Espírito está sempre sob a influência das ideias terrenas, pode ver à sua maneira ou, melhor dizendo, exprimir o que viu numa linguagem condizente com os preconceitos e ideias de que se acha imbuído; ou com vossos preconceitos, a fim de ser mais bem compreendido."

165-d. *Quando o extático exprime o desejo de deixar a Terra, fala sinceramente? E não o retém o instinto de conservação?* [LE-441.]

"Isso depende do grau de purificação do Espírito. Se vê sua posição futura melhor que a da vida presente, esforça-se por desfazer os laços que o prendem à Terra."

165-e. *Se abandonássemos o extático a si mesmo, sua alma poderia deixar definitivamente o corpo?* [LE-442.]

"Sim, ele poderia morrer. Por isso é preciso chamá-lo por meio de tudo que o possa prender a este mundo, sobretudo fazendo-lhe compreender que a maneira mais certa de não ficar lá, onde vê que seria feliz, consiste em partir a cadeia que o retém ao planeta terreno."

> O êxtase é o estado no qual a independência da alma em relação ao corpo se manifesta de modo mais sensível, tornando-se, de certa forma, palpável.
>
> No sonho e no sonambulismo, a alma vaga pelas regiões terrestres. No êxtase, penetra em um mundo desconhecido, o dos Espíritos etéreos, com os quais entra em comunicação, sem, todavia, ultrapassar certos limites, que não poderia transpor sem desfazer totalmente os laços que a prendem ao corpo. Um fulgor resplandecente e inteiramente novo a envolve, harmonias desconhecidas na Terra a extasiam, um bem-estar indefinível a invade: goza antecipadamente da beatitude celeste *e pode-se dizer que põe um pé no limiar da eternidade*.
>
> No estado de êxtase, o aniquilamento do corpo é quase completo; este só mantém, por assim dizer, a vida orgânica. Sente-se que a

alma está ligada a ele apenas por um fio, que um esforço a mais poderia romper para sempre.

Nesse estado, desaparecem todos os pensamentos terrestres, cedendo lugar ao sentimento apurado que é a própria essência de nosso ser imaterial. Inteiramente entregue a tão sublime contemplação, o extático encara a vida apenas como uma parada momentânea; para ele, os bens e os males, as alegrias grosseiras e as misérias da Terra não passam de incidentes fúteis de uma viagem, da qual se sente feliz por ver o termo.

Nem sempre o êxtase é isento de perigo para a vida. Em sua aspiração por um mundo melhor, a alma poderia desfazer os laços que a unem ao corpo, se não fosse retida pela ideia de que, ao desatá-los ela mesma, ficará afastada desse mundo que entrevê. [LE-455.]

166. *O chamado sonambulismo magnético tem alguma relação com o sonambulismo natural?* [LE-426.]
"É a mesma coisa."

166-a. *Qual a natureza do agente chamado fluido magnético?* [LE-427.]
"Fluido universal, fluido vital."

166-b. *O fluido magnético tem alguma relação com a eletricidade?*
"Um pouco; poder-se-ia dizer que é a eletricidade animalizada." [LE-427.]

Os fenômenos do êxtase e do sonambulismo naturais se produzem espontaneamente e independem de qualquer causa exterior conhecida. Mas, em certas pessoas dotadas de organização especial, podem ser provocados artificialmente, pela ação do agente magnético.

O estado designado pelo nome de *sonambulismo magnético* só difere do sonambulismo natural pelo fato de ser provocado, enquanto o outro é espontâneo.

167. *Qual é a causa da clarividência sonambúlica?* [LE-428.]
"A mesma que a da segunda vista; *é a alma quem vê.*"

167-a. *Como o sonâmbulo pode ver através de corpos opacos?* [LE-429.]

"Não há corpos opacos senão para vossos órgãos grosseiros. Já não dissemos que, para o Espírito, a matéria não oferece obstáculo, pois que ele a atravessa livremente? Com frequência ele vos diz que vê pela fronte, pelo joelho, etc., porque vós, inteiramente mergulhados na matéria, não compreendeis que ele possa ver sem o auxílio dos órgãos. Ele mesmo, pelo desejo que manifestais, julga precisar de tais órgãos; mas, se o deixásseis livre, compreenderia que vê por todas as partes de seu corpo, ou, melhor dizendo, que vê de fora de seu corpo."

> A causa da clarividência do sonâmbulo magnético e do sonâmbulo natural é exatamente a mesma: *é um atributo da alma*, uma faculdade inerente a todas as partes do ser incorpóreo que existe em nós, e que tem como limites apenas aqueles assinalados à própria alma. O sonâmbulo vê em todos os lugares aonde sua alma possa transportar-se, seja qual for a distância.
>
> Na visão a distância, o sonâmbulo não vê as coisas a partir do local onde se acha seu corpo, como se fosse por meio de um telescópio. Ele as vê presentes, como se estivesse no lugar onde elas existem, porque, na verdade, sua alma lá se encontra. É por isso que seu corpo fica como que aniquilado e privado de sensações, até que a alma venha apossar-se dele novamente. [LE-455.]

168. *Já que a clarividência do sonâmbulo é a de sua alma ou de seu Espírito, por que ele não vê tudo e tantas vezes se engana?* [LE-430.]

"Primeiro, não é permitido aos Espíritos imperfeitos verem tudo e tudo conhecerem. Sabes perfeitamente que eles ainda partilham de vossos erros e preconceitos. E, depois, quando estão presos à matéria, não gozam de todas as suas faculdades de Espírito. Deus deu ao homem a faculdade sonambúlica com um fim útil e sério, e não para lhe ensinar o que não deve saber. Eis por que os sonâmbulos nem tudo podem dizer."

> O poder da lucidez sonambúlica não é indefinido. O Espírito, mesmo quando completamente livre, é limitado em suas faculdades e conhecimentos, segundo o grau de perfeição que haja alcançado; e é mais limitado ainda quando ligado à matéria, da qual sofre a influência.

Essa é a causa pela qual a clarividência sonambúlica não é universal nem infalível. E tanto menos se pode contar com sua infalibilidade quanto mais a desviem do fim proposto pela Natureza ao dotar o homem dessa faculdade, transformando-a em objeto de curiosidade e experimentação. [LE-455.]

169. *A exaltação da clarividência sonambúlica depende da organização física ou da natureza do Espírito encarnado?* [LE-433.]
"De ambas."

169-a. *Qual a origem das ideias inatas do sonâmbulo e como pode falar com exatidão de coisas que ignora no estado de vigília, inclusive das que estão acima de sua capacidade intelectual?* [LE-431.]
"Acontece que o sonâmbulo possui mais conhecimentos do que supões. Apenas estão adormecidos, porque seu envoltório é imperfeito demais para que possa lembrar-se deles. Que é, afinal, um sonâmbulo? Espírito como nós, encarnado na matéria para cumprir sua missão, e o estado em que entra o desperta dessa letargia. Já te dissemos repetidamente que revivemos muitas vezes; é essa mudança que o faz perder materialmente o que conseguiu aprender na existência precedente. Entrando no estado a que chamas *crise*,[104] ele se lembra, mas nem sempre de maneira completa; sabe, mas não poderia dizer de onde lhe vem o que sabe, nem como possui esses conhecimentos. Passada a crise, toda lembrança se apaga e ele volta à obscuridade."

> A exaltação da clarividência sonambúlica depende de uma disposição física especial que permite ao Espírito desprender-se mais ou menos facilmente da matéria. As faculdades que manifesta são tanto maiores quanto mais elevada for a ordem a que ele pertença.
>
> Em cada uma de suas existências corpóreas, o Espírito adquire um acréscimo de conhecimentos e experiência. Esquece-os em parte, quando encarnado em matéria excessivamente grosseira, *mas, como Espírito, recorda-se delas.* É por isso que certos sonâmbulos revelam conhecimentos superiores ao seu grau de instrução, e mesmo

---
[104] N.T.: grifo nosso.

superiores às suas capacidades intelectuais. No estado de vigília esses conhecimentos deixam, por vezes, uma vaga lembrança, uma espécie de intuição que constitui o que se chama ideias inatas.

A inferioridade intelectual e científica do sonâmbulo, quando desperto, não nos autoriza julgar previamente os conhecimentos que ele possa revelar no estado de lucidez. Conforme as circunstâncias e o objetivo que se tenha em vista, ele os pode haurir de sua própria experiência, ou da clarividência das coisas presentes; como, todavia, seu próprio Espírito pode ser mais ou menos adiantado, possível lhe é dizer coisas mais ou menos exatas.

170. *As sibilas e os oráculos da Antiguidade eram dotados de segunda vista?*
"Algumas vezes; eram então aquilo a que chamais *crisíacos*. Como vossos feiticeiros e adivinhos, eram explorados pela cupidez, quando eles mesmos não eram charlatães."

170-a. *Que se deve pensar das alucinações?*
"São mais reais do que se crê. Quando não se sabe explicar uma coisa, diz-se que é uma alucinação."

170-b. *Entretanto, a alucinação nos faz ver coisas que nada têm de real. Por exemplo, dissestes que não há demônios. Pois bem! Quando em sonho ou desperto alguém vê o que se chama diabo, o fato não seria produto da imaginação?*
"Sim, algumas vezes, quando o homem se deixa influenciar por certas leituras ou histórias de diabruras que impressionam; lembra-se, então, delas e julga ver o que não existe. Mas nós te havíamos dito também que o Espírito, sob seu envoltório semimaterial, pode revestir todas as formas para se manifestar. Um Espírito zombeteiro pode, pois, te aparecer com chifres e garras, se lhe aprouver, para abusar de tua credulidade, como um Espírito bom se pode mostrar com asas e semblante radioso. Como precisa tornar-se acessível a teus sentidos, toma tais formas ou outras quaisquer."

A espécie de crise que provoca muitas vezes o desenvolvimento da segunda vista, do sonambulismo e do êxtase, tem feito dar, em certos casos, o nome de *crisíacos* aos que são dotados dessa faculdade. Houve crisíacos em todos os tempos e em todas as nações, os quais têm sido considerados de modo diverso conforme as épocas, os costumes e o grau de civilização. Aos olhos dos céticos, que negam o que não compreendem, eles passam por cérebros avariados; as seitas religiosas os transformaram em profetas, sibilas e oráculos; nos séculos de superstição, ignorância e fanatismo, eram feiticeiros que se mandavam queimar. Para o homem sensato, que crê no poder infinito e na inesgotável bondade do Criador, é uma faculdade inerente à espécie humana, pela qual Deus nos revela a existência de nossa essência incorpórea.

A ciência humana, impossibilitada de explicar esses fenômenos pelas leis físicas da matéria, tão só porque não obedecem ao capricho e à vontade dos experimentadores, acha mais simples atribuí-los aos desarranjos do cérebro e os designa pelo nome de *alucinações*.

171. *Que consequências se podem tirar dos fenômenos do sonambulismo e do êxtase? Não seriam uma espécie de iniciação à vida futura?* [LE-445.]

"É, melhor dizendo, a vida passada e a vida futura que o homem entrevê. Que ele estude esses fenômenos e neles encontrará a solução de mais de um mistério que sua razão procura inutilmente devassar."

171-a. *Os fenômenos do sonambulismo e do êxtase poderiam conciliar-se com o materialismo?* [LE-446.]

"Quem os estuda de boa-fé e sem prevenções não pode ser materialista, nem ateu."

Pelos fenômenos do sonambulismo e do êxtase, quer natural, quer magnético, a Providência nos dá a prova irrecusável da existência e da independência da alma e nos faz assistir ao sublime espetáculo de sua emancipação. Por esse meio ela nos abre o livro de nosso destino.

Enquanto o homem se perde nas sutilezas de uma metafísica abstrata e ininteligível, em busca das causas de nossa existência moral, Deus põe diariamente sob nossos olhos e ao alcance da mão os meios mais simples e mais evidentes para o estudo da psicologia experimental (*Nota 7*).

CAPÍTULO IX

⚜

Intervenção dos Espíritos no mundo corpóreo

Penetração dos Espíritos em nossos pensamentos – Influência dos Espíritos em nossos pensamentos e atos – Sujeição do homem aos Espíritos – Pactos – Influência dos Espíritos sobre os bens e os males da vida corpórea – Afeição dos Espíritos por certas pessoas – Crenças em locais fatalmente propícios ou funestos pela frequência de Espíritos – Gênios familiares – Pessoas fatais ou propícias a outras pessoas – Maldição – Possessos

172. *Os Espíritos veem tudo o que fazemos?* [LE-456.]

"Sim, pois constantemente vos rodeiam; cada um, porém, só vê as coisas a que dá atenção, não se ocupando das que lhes são indiferentes."

172-a. *Os Espíritos podem conhecer nossos mais secretos pensamentos?* [LE-457.]

"Sim, mesmo aqueles que desejaríeis ocultar de vós mesmos."

172-b. *Que pensam de nós os Espíritos que estão ao nosso redor e nos observam?* [LE-458.]

"Depende. Os Espíritos levianos riem dos pequenos aborrecimentos que vos causam e zombam de vossas impaciências. Os Espíritos sérios lamentam vossas imperfeições e procuram ajudar-vos."

Como os Espíritos estão por toda parte, nós os temos continuamente à nossa volta, vendo e ouvindo tudo o que fazemos e dizemos. A penetração do pensamento, que é um dos atributos de sua essência, permite que eles leiam nos refolhos mais profundos de nossos corações; nada lhes pode ser dissimulado; conhecem tudo que gostaríamos de esconder de nós mesmos.

Os Espíritos que nos rodeiam e nos observam julgam nossos atos do ponto de vista de sua própria natureza. Os Espíritos leviano, à maneira das crianças travessas, se divertem à nossa custa; os Espíritos sérios apiedam-se de nossas torpezas e fraquezas.

173. *Os Espíritos influem em nossos pensamentos e em nossos atos?* [LE-459.]
"Sim."

173-a. *De que modo os Espíritos influem em nossas ações?*
"Dirigindo vosso pensamento."

173-b. *Exercerão alguma influência nos acontecimentos da vida?*
"Sim, pois que te aconselham."

Os Espíritos influem em nossos pensamentos e, portanto, em nossas ações, que são a consequência de nossos pensamentos; é desta forma que podem influir sobre os acontecimentos da vida material. A influência dos Espíritos é uma missão que receberam para a execução dos desígnios da Providência.

174. *Além dos pensamentos que nos são próprios, haverá outros que nos sejam sugeridos?* [LE-460.]
"Sim, e é isso que vos deixa na incerteza, porque tendes em vós duas ideias que se combatem."

Como nossa alma é um Espírito encarnado, resulta que temos pensamentos que nos são próprios e outros que nos são sugeridos por Espíritos estranhos; daí, muitas vezes, os pensamentos contraditórios que nos chegam ao mesmo tempo sobre o mesmo assunto.

175. *Como distinguir os pensamentos que nos são próprios dos que nos são sugeridos?* [LE-461.]

"Quando sugerido, o pensamento surge de improviso; é como uma voz que te fala. Geralmente, os pensamentos próprios são os que acorrem em primeiro lugar."

> Os pensamentos que nos são sugeridos não são, em geral, produto da reflexão; são, de certo modo, espontâneos, surgem de improviso e fazem brotar dentro de nós ideias novas; parece que ouvimos uma voz interior que nos diz para ir ou agir neste ou naquele sentido.

176. *Como distinguir se um pensamento sugerido procede de um Espírito bom ou de um Espírito mau?* [LE-464.]

"Estudai o caso. Os Espíritos bons só aconselham o bem. Cabe a vós distinguir."

176-a. *De acordo com isso, não seria mais exato dizer que o primeiro impulso é sempre bom?* [LE-463.]

"Pode ser bom ou mau, conforme a natureza do Espírito encarnado em ti."

> Os pensamentos que nos são estranhos, bem como os que nos são próprios, podem ser bons ou maus, segundo o Espírito que no-los sugere. O pensamento do bem nos advém sempre dos Espíritos bons, e o do mal, dos Espíritos imperfeitos. Deus nos deu a razão e o discernimento; cumpre a nós escolher.

177. *Com que objetivo os Espíritos imperfeitos nos induzem ao mal?* [LE-465.]

"Para que sofrais como eles sofrem."

177-a. *Isso diminui seus sofrimentos?* [LE-465.a.]

"Não. Fazem-no por inveja, ao verem seres mais felizes do que eles."

177-b. *Qual a natureza do sofrimento que querem que os outros experimentem?* [LE-465.b.]

"Os que resultam dos seres de ordem inferior, afastados de Deus."

177-c. *Por que Deus permite que Espíritos nos incitem ao mal?* [LE-466.]

"Tu, sendo Espírito, deves progredir na ciência do infinito. Nossa missão é colocar-te no bom caminho, e quando más influências agem sobre ti, é que as atrais pelo desejo do mal. Eu já te disse que os Espíritos inferiores vêm auxiliar-te no mal, quando tens vontade de praticá-lo. Respondo ainda, uma vez mais, à tua pergunta: os Espíritos maus não podem ajudar-te no mal senão quando queiras o mal.

"Pois bem! Se és inclinado ao assassínio terás uma multidão de Espíritos que alimentarão em ti essa ideia. Mas, também, terás outros que se empenharão em influenciar-te para o bem, o que restabelece o equilíbrio da balança e te deixa senhor de teus atos."

> O Espírito deve progredir sem cessar na ciência do infinito e, para isso, há de passar pelas provas do mal para chegar ao bem. Tem a escolha dessas provas e é durante sua encarnação que deve sofrê-las. É então que outros Espíritos lhe vêm em auxílio, conforme seu desejo, quer para o bem, quer para o mal.
>
> Se a natureza ainda imperfeita de nosso Espírito faz predominar em nós o instinto do mal, uma multidão de Espíritos também imperfeitos se abate sobre nós, como sobre uma presa fácil, aguilhoando-nos pelos maus pensamentos que suscitam em nós. O objetivo deles, ao nos afastarem de Deus, é fazer que soframos como eles, deixando-nos estagnar em posições inferiores. Isto em nada lhes diminui os sofrimentos, mas a inveja que sentem da felicidade alheia os estimula a retardarem nossa melhoria tanto quanto possam.
>
> Mas, ao mesmo tempo, outros Espíritos tratam de influenciar-nos em sentido contrário, recolocando-nos no bom caminho; é assim que o equilíbrio se restabelece e que Deus deixa à nossa consciência a escolha do roteiro que devemos seguir, bem como a liberdade de ceder a uma ou outra das influências contrárias que se exercem sobre nós.

178. *Pode o homem libertar-se da influência dos Espíritos que o impelem ao mal?* [LE-467.]

"Sim, visto que tais Espíritos só se apegam aos que os chamam por seus desejos."

178-a. *Os Espíritos cuja influência é repelida pela vontade do homem renunciam às suas tentativas?* [LE-468.]

"Que querias que fizessem? Quando não há nada a fazer, eles cedem o lugar. Entretanto, espreitam o momento favorável, como o gato espreita o rato."

> Os Espíritos impuros só exercem sua dominação sobre o homem quando este, por seus desejos, os solicitam, apegando-se apenas aos que os escutam e fugindo dos que os repelem. Quando não veem nenhuma presa, deixam o campo livre aos Espíritos bons; entretanto, espreitam sem cessar o instante propício em que possam consumar seus propósitos. Praticando o bem e pondo toda nossa confiança em Deus, repelimos a influência dos Espíritos inferiores e destruímos o império que eles queriam exercer sobre nós.

179. *Não haverá homens que só tenham o instinto do mal?* [LE-993.]

"Já te disse que o Espírito tem que evoluir sem cessar. Aquele que, nesta vida, só possui o instinto do mal, terá o do bem em outra existência *e é por isso que renasce muitas vezes*, pois é preciso que todos progridam e atinjam a meta, uns em tempo mais curto, outros com mais lentidão, conforme seus desejos."

> Cada existência constitui uma das fases da vida espiritual. Temos todos os mesmos graus a percorrer, e o que não se conseguir numa se conseguirá em outra existência. Se um homem parece não ter senão o instinto do mal, é que terá o do bem em outra vida, sendo por isso que renasce muitas vezes. Aquele que só tem o instinto do bem já se purificou, pois talvez tenha tido o do mal numa existência anterior.

180. *Pelos favores que os Espíritos nos concedem, não nos submetem eles à sua dependência e não teremos, mais cedo ou mais tarde, contas a ajustar com eles?*

"Não; só a Deus devereis prestar contas."

180-a. *Haverá algo de verdadeiro nos pactos com os Espíritos maus?* [LE-549.]

"Não; não há pactos, mas naturezas más que simpatizam com os Espíritos maus. Por exemplo: queres atormentar teu vizinho e não sabes como fazê-lo. Apelas, então, a Espíritos inferiores que, como tu, só querem o mal e que, para te ajudarem, exigem que também os sirvas em seus maus propósitos; isto não significa que teu vizinho não possa livrar-se deles, por uma conjuração contrária ou pela própria vontade. Aquele que deseja praticar uma ação má, chama os Espíritos maus, a fim de que o auxiliem nessa decisão, mas aos quais, por sua vez, fica obrigado a servir, já que esses Espíritos também precisam dele para o mal que queiram fazer. É somente nisto que consiste o pacto."

> A dependência em que, algumas vezes, se acha o homem em relação aos Espíritos inferiores, provém de sua entrega aos maus pensamentos que tais Espíritos lhe sugerem, e não de quaisquer acordos feitos entre eles. O pacto, no sentido vulgar do termo, é uma alegoria que simboliza uma natureza má simpatizando com Espíritos malfazejos.
>
> O homem que quer fazer o mal chama a si Espíritos inferiores que, como ele, só querem o mal, os quais, para o ajudar, também querem que ele lhes sirva aos maus instintos. Isto não quer dizer que aquele que deva ser vítima de uma maldade não possa preservar-se dela por uma conjuração contrária ou pela própria vontade, apelando ao auxílio dos Espíritos bons. É apenas nisto que consiste o pacto, e somente a Deus devemos conta dos favores que tivermos recebido, uma vez que os Espíritos não passam de ministros e instrumentos da Providência divina.

181. *Os Espíritos se interessam por nossos infortúnios e por nossa prosperidade?* [LE-486.]

"Sim; os Espíritos bons fazem todo o bem que podem e se sentem felizes com as vossas alegrias."

181-a. *Dentre nossos males, quais os que mais afligem os Espíritos por nossa causa? Serão os males físicos ou os morais?* [LE-487.]

"Vosso egoísmo e a dureza de vossos corações. Daí decorre tudo o mais. Riem-se de todos esses males imaginários que nascem do orgulho e da ambição; alegram-se com os que têm por fim abreviar a duração de vossas provas, pois são a crise salutar do enfermo."

> Os Espíritos se interessam por nossa desgraça e por nossa prosperidade. Mas, sabendo que a vida corpórea é transitória e que as tribulações que a acompanham são meios de alcançar um estado melhor, eles se afligem mais pelas causas morais que nos conduzem à perdição, do que por nossos males físicos, que são passageiros. Pouco se incomodam com os infortúnios que apenas atingem nossas ideias mundanas e nossa ambição. Riem-se das futilidades, tal como fazemos com as mágoas pueris da infância.

182. *Os Espíritos têm o poder de afastar os males de certas pessoas e de atrair para elas a prosperidade?* [LE-532.]

"Não completamente, porque há males que estão nos desígnios da Providência; contudo, minoram vossas dores. Aquilo que vos parece um mal nem sempre é um mal. Muitas vezes, dele resultará um bem, que será maior que o mal, e é isso que não compreendeis, porque só pensais na hora presente."

> Como os males que nos afligem na Terra estão nos desígnios da Providência, nem sempre os Espíritos terão o poder de afastá-los inteiramente de nós, embora possam minorar nossas dores, dando-nos a força de as suportar com paciência e sugerindo-nos pensamentos propícios para nos livrarmos delas, tanto quanto possível, por nossa maneira de agir. Eles só assistem aqueles que sabem ajudar-se a si mesmos.

183. *Será por influência de algum Espírito que certos obstáculos parecem vir opor-se fatalmente aos nossos projetos?* [LE-534.]

"Sim e não. Algumas vezes são os Espíritos; de outras vezes sois vós, que escolhestes mal vossos projetos. A posição e o caráter influem bastante."

183-a. *Há pessoas que parecem perseguidas por uma fatalidade, independente da maneira como procedem. A desgraça não estará no seu destino?* [LE-852.]

"São talvez provas que devam sofrer e que elas mesmas escolheram. Ainda uma vez lançais à conta do destino o que muitas vezes é apenas consequência de vossas próprias faltas. Nos males que vos afligem, tratai de conservar pura a consciência e já vos sentireis bastante consolados."

> Quando obstáculos parecem vir opor-se fatalmente aos nossos projetos, não nos devemos queixar senão de nós mesmos, pois quase sempre fomos nós que nos conduzimos mal. As ideias justas ou falsas que fazemos das coisas nos levam a ser bem ou malsucedidos, de acordo com nosso caráter e nossa posição social. Achamos mais simples e menos humilhante para nosso amor-próprio atribuir nossos fracassos à sorte ou ao destino, do que à nossa própria falta. A influência dos Espíritos contribui algumas vezes para isso; entretanto, sempre podemos nos livrar dessa influência, repelindo as ideias que eles nos sugerem, quando más.

184. *Os Espíritos se afeiçoam de preferência a certas pessoas?* [LE-484.]
"Sim."

184-a. *Quais os motivos dessa preferência?*
"Tudo e nada; simpatia; similitude de sentimentos."

184-b. *Essa afeição dos Espíritos por certas pessoas é exclusivamente moral?* [LE-485.]
"Sim."

> Os Espíritos se afeiçoam de preferência a certas pessoas. Os motivos dessa preferência são exclusivamente morais e fundados na similitude dos sentimentos. Daí a simpatia dos Espíritos bons pelos homens de bem ou suscetíveis de se melhorarem, e a dos Espíritos impuros por pessoas perversas ou capazes de se perverterem.

185. *Os parentes e amigos que nos precederam na outra vida têm mais simpatia por nós do que os Espíritos que nos são estranhos?* [LE-488.]
"Sim, e quase sempre vos protegem como Espíritos."

185-a. *São sensíveis à afeição que lhes conservamos?* [LE-488.a.]
"Sim, mas se esquecem dos que os esquecem."

185-b. *Já que tivemos muitas existências, nossa parentela se originou bem antes de nossa existência atual?* [LE-204.]
"Não pode ser de outra maneira."

> Os parentes e amigos que nos precederam na vida espiritual apegam-se a nós em razão da afeição que lhes dispensamos, e frequentemente nos protegem como Espíritos. A parentela direta, oriunda de nossa existência atual, não é a única que subsiste entre nós, os homens, e os Espíritos. A sucessão das existências corpóreas estabelece entre eles e nós liames que remontam às existências anteriores; daí, muitas vezes, causas de simpatia entre nós, homens, e certos Espíritos que nos parecem estranhos.

186. *Haverá lugares propícios ou funestos pela natureza dos Espíritos que os frequentem?*
"Superstição; sois vós que atraís os Espíritos; sede sempre bondosos e só tereis Espíritos bons ao vosso lado."

> Os Espíritos se apegam mais às pessoas do que às coisas. É erro acreditar que certas localidades são fatalmente propícias ou funestas pela natureza dos Espíritos que as frequentem. Nós mesmos é que tornamos favoráveis ou desfavoráveis esses lugares, pela natureza dos Espíritos que para eles atraímos.

187. *Há Espíritos que se liguem particularmente a um indivíduo?* [LE-489.]
"Sim. É o que chamais *o gênio familiar*."

187-a. *Cada um de nós tem seu Espírito familiar?*
"Sim."

187-b. *O Espírito familiar liga-se ao indivíduo desde seu nascimento?* [LE-492.]
"Sim, e até a morte."

187-c. *Haverá Espíritos que se liguem a uma família inteira?* [LE-517.]
"Sim."

Além da influência geral dos Espíritos, todo homem fica mais ou menos sob a dependência de um Espírito particular que a ele se liga desde o nascimento até a morte. É o que se chama seu Espírito ou *gênio familiar*. Há os que se ligam a uma família inteira, isto é, aos membros de uma mesma família que vivem juntos e são unidos pela afeição.

188. *A missão do Espírito familiar é voluntária ou obrigatória?* [LE-493.]
"O Espírito é obrigado a velar por vós, mas pode escolher os seres que lhe são simpáticos."

188-a. *Ligando-se a uma pessoa ou a uma família, o Espírito renuncia a proteger outros indivíduos?* [LE-493.a.]
"Não, mas o faz com menos exclusividade."

> A missão do Espírito familiar é velar pela pessoa ou pela família cuja guarda lhe foi confiada. Esta missão não é voluntária. O Espírito é obrigado a velar por nós, mas pode escolher as pessoas que lhe são simpáticas. O Espírito que se liga a uma pessoa ou a uma família não renuncia, por isso, a se ocupar de outros indivíduos, embora o faça com menos exclusividade.

189. *Temos apenas um Espírito familiar?*
"Podemos ter dois, um Espírito bom e um mau."

189-a. *Dentre os dois, qual o que exerce maior influência?*
"Aquele pelo qual o homem se deixe dominar."

189-b. *Que se deve entender por anjo da guarda ou gênio bom?* [LE-490.]
"O Espírito familiar, quando é bom."

> Nem sempre existe apenas um Espírito familiar, muitas vezes há dois: um impele o homem à perdição, o outro o protege contra as tentações. O homem fica mais ou menos sob a influência de um ou de outro, conforme aquele por quem se deixe dominar. O que vulgarmente se chama anjo da guarda ou gênio bom é o Espírito familiar, quando ele é bom.

190. *O gênio protetor abandona algumas vezes seu protegido? Por que motivo?* [LE-495.]

"Afasta-se quando nele vê uma natureza má e predisposição a entregar-se ao seu gênio mau; mas não o abandona completamente e sempre se faz ouvir. Quem fecha os ouvidos é o homem. O protetor volta, desde que chamado."

190-a. *O Espírito mau também se retira, algumas vezes?*

"Sim, quando nada tem a fazer; mas espreita sempre as ocasiões de te induzir ao mal."

> Por vezes o Espírito bom se afasta de seu protegido quando vê nele irresistível vontade de se entregar ao inimigo; porém, não o abandona completamente e se faz sempre ouvir. É a voz da consciência a falar dentro de nós, mas à qual fechamos muitas vezes o ouvido. Pela mesma razão o Espírito mau renuncia às suas tentativas quando as reconhece inútil pelo ascendente que a vontade do homem dá ao Espírito benfazejo; entretanto, nem por isso deixa aquele de espreitar as ocasiões de nos induzir ao mal. É assim que o homem de bem tantas vezes é assaltado por maus pensamentos.

191. *O Espírito familiar fica fatalmente preso à criatura confiada à sua guarda?* [LE-494.]

"Não; muitas vezes ele a deixa por outra. Nesse caso, outro Espírito o substitui."

> O Espírito familiar não fica invariavelmente e fatalmente ligado ao ser que escolheu; muitas vezes o deixa por outro, sem causa preponderante. Outro Espírito, então, o substitui.

192. *Todos os homens têm seu gênio familiar?*
"Sim."

192-a. *Mesmo no estado de selvageria ou de degradação, os homens também têm seu gênio familiar?* [LE-509.]

"Sim; mas, então, o gênio mau o domina."

192-b. *Depois desta vida, reconheceremos nossos gênios bom e mau?* [LE-506.]
"Sim; já os conhecíeis antes de vossa encarnação."

> Todos os seres humanos têm seu gênio familiar, seja qual for o grau da escala social a que pertençam; mas, entre os homens ainda atrasados quanto ao desenvolvimento moral e intelectual, são os Espíritos imperfeitos que predominam. Ao deixarem a vida corpórea para penetrar o mundo dos Espíritos, todos reconhecerão seus gênios bons e maus.

193. *Recebemos conselhos dos Espíritos protetores?*
"Sim, de vossos Espíritos familiares."

193-a. *Por que meio eles nos dão esses conselhos?*
"Pelos pressentimentos e pensamentos que vos sugerem."

193-b. *Os conselhos de nossos Espíritos protetores têm como finalidade única nossa conduta moral ou também a conduta que devamos adotar em relação aos assuntos da vida particular?* [LE-524.]
"Tudo. Eles tentam fazer que vivais o melhor possível."

193-c. *Por que sinal podemos reconhecer que o conselho dado procede de um Espírito bom ou de Espírito mau?* [LE-464.]
"Eu já vos disse: pressentimento. Consultai a consciência e a natureza de vossos pensamentos."

> Os Espíritos protetores nos guiam ao bom caminho pelos conselhos que nos dão. Eles no-los transmitem por meio de pressentimentos e pelos pensamentos que nos sugerem, quer tenham como objetivo nossa conduta moral, quer digam respeito à conduta que devamos adotar em relação aos assuntos da vida particular, quer ainda para evitar os males que nos ameacem.

> Por outro lado, nosso gênio mau nos suscita entraves e provoca nossas desventuras aqui na Terra, ao nos sugerirem pensamentos perniciosos. Deus nos deu por guias a consciência e a razão; cabe a nós escolher. Quem quer que estude a natureza de seus pensamentos pode facilmente reconhecer-lhes a fonte.

194. *Que devemos pensar do primeiro impulso que nos impele em nossas ações?* [LE-463.]

"O primeiro impulso é sempre bom no homem que escuta a inspiração de seu gênio bom."

194-a. *Na incerteza, que devemos fazer?*

"Quando estiveres em dúvida, invoca teu Espírito bom." [LE-523.]

194-b. *A quem devemos rogar, quando não conhecemos nosso Espírito familiar?*

"*Pede a Deus, Senhor de todos os seres, para que te envie um de seus mensageiros, um de nós.*" [LE-523.]

> No homem que segue o impulso de seu gênio bom, o primeiro movimento é sempre bom; se ele o seguir, será sempre justo. Na incerteza, deve evocar com sinceridade seu anjo da guarda, pois sempre receberá dele um conselho salutar; ou rogar a Deus para que lhe envie um de seus mensageiros, isto é, um Espírito bom, e sua prece será sempre atendida.

195. *Que se deve pensar dessas pessoas que parecem ligar-se a certos indivíduos para levá-los fatalmente à perdição ou para guiá-los no bom caminho?* [LE-515.]

"Deus as envia para os experimentar."

195-a. *Nossos gênios bom e mau não poderiam encarnar, a fim de nos acompanharem na vida de maneira mais direta?* [LE-516.]

"Sim, isso acontece algumas vezes. Frequentemente, no entanto, eles encarregam dessa missão outros Espíritos encarnados que lhes são simpáticos."

> Há seres fatais para certas pessoas e que parecem ter nascido para as arrastar à ruína completa; outros, ao contrário, parecem predestinados a guiá-las no bom caminho. São seres animados por Espíritos mais ou menos puros que Deus põe em nosso caminho para nos experimentar ou nos socorrer. Cabe a nós escolher o bom ou o mau caminho. É

também, algumas vezes, o nosso gênio bom ou o nosso gênio mau que está encarnado para nos escoltar na vida.

196. *A malevolência dos seres que nos fizeram mal na Terra extingue-se com sua vida corpórea?* [LE-531.]

"Muitas vezes reconhecem a injustiça e o mal que causaram. Mas, também, não é raro que vos persigam com sua animosidade, se Deus o permitir, para continuar a vos experimentar."

196-a. *Que sentimento experimentam, após a morte, aqueles a quem fizemos mal neste mundo?* [LE-295.]

"Se são bons, eles vos perdoam, conforme vosso arrependimento."

A ação maléfica dos seres perversos que nos fizeram mal na Terra não se extingue com a vida corpórea. Muitas vezes, ao retornarem ao mundo dos Espíritos, reconhecem a injustiça que praticaram; todavia, podem continuar nos perseguindo com sua animosidade, até mesmo em outra existência, se Deus assim o permitir, para acabar nossa prova. Aqueles a quem fizemos mal nos perdoam as faltas após a morte, se forem bons, e segundo nosso arrependimento.

197. *A bênção e a maldição podem atrair o bem e o mal para aqueles sobre os quais são lançadas?* [LE-557.]

"Sim, porque na maior parte das vezes amaldiçoam-se os maus e se abençoam os bons. Deus não escuta uma maldição injusta e aquele que a pronuncia é culpado aos seus olhos. Como temos os dois gênios opostos, o bem e o mal, é possível que a maldição exerça uma influência momentânea, especialmente sobre a matéria. Contudo, essa influência só se verifica pela vontade de Deus, e como acréscimo de provação para aquele que a sofre."

A bênção e a maldição são invocações que têm por objetivo atrair o bem e o mal sobre as pessoas a quem são destinadas, mas não podem jamais desviar a Providência do caminho da justiça. Só atinge o maldito se ele for mau, e sua proteção cobre apenas aquele que tem mérito. Deus não escuta uma maldição injusta; ao contrário, faz que recaia sobre o ser que a pronunciou. Todavia, como temos dois gênios opostos, o bem e o mal, a vontade do homem pode influir momentaneamente, sobretudo na matéria; mas tal influência, seja ela boa ou má, só se dará dentro dos planos da Providência.

198. *Um Espírito pode tomar momentaneamente o invólucro corpóreo de uma pessoa viva, isto é, introduzir-se num corpo animado e agir no lugar do Espírito que nele se encontra encarnado?* [LE-473.]

"Não; o Espírito não entra num corpo como entras numa casa. Identifica-se com um Espírito encarnado, cujos defeitos e qualidades sejam os mesmos que os seus, a fim de agirem conjuntamente. Mas é sempre o Espírito encarnado quem atua, conforme queira, sobre a matéria de que se acha revestido."

A ação dos Espíritos sobre o homem não se limita a uma influência moral sobre o pensamento; algumas vezes essa ação é mais direta. Frequentemente eles se unem ao Espírito de uma pessoa viva e lhe prestam seu concurso, de modo a agirem conjuntamente, quer para o bem, quer para o mal; entretanto, o Espírito desencarnado não pode substituir-se ao que está encarnado, pois este terá que permanecer ligado ao seu corpo até o termo fixado para sua existência material.

199. *Haverá possessos segundo a ideia comumente associada a esta palavra?*

"Não, visto que dois Espíritos não podem habitar simultaneamente o mesmo corpo. Os assim chamados eram epilépticos ou loucos, mais necessitados de médico que de exorcismo." [LE-474.]

Como o Espírito desencarnado não pode substituir-se ao que está encarnado, nem coabitar com este no mesmo corpo, resulta que não há *possessos* no sentido vulgar associado a esta palavra. Os que foram tomados como tais, nos tempos de superstição e ignorância, eram epilépticos, loucos ou *extáticos*.

CAPÍTULO X

Manifestação dos Espíritos[105]

Diferentes naturezas de manifestações – Médiuns – Diversas categorias de médiuns – Papel e influência do médium e do meio nas manifestações – Sinais de superioridade ou de inferioridade dos Espíritos – Natureza das comunicações espíritas – Os Espíritos podem revelar o futuro, as existências anteriores, os tesouros ocultos? – O Espiritismo não é um meio de adivinhação – Objetivo das manifestações espíritas – Evocações – Condições mais favoráveis à evocação – Manifestações espontâneas – Espíritos que se podem evocar – Evocação de pessoas vivas – Telegrafia humana ou comunicações espíritas entre pessoas vivas

200. *Os Espíritos podem atestar sua presença de um modo qualquer?*
"Sim, de muitas maneiras."

Os Espíritos atestam sua presença de diversas maneiras. Suas manifestações podem ser ocultas ou ostensivas, espontâneas ou mediante evocação.

201. *Todos os homens podem sentir os efeitos da presença dos Espíritos?*

---

[105] N.T.: conforme anunciou no "Aviso" que serve de prefácio à 2ª edição de *O livro dos espíritos*, Allan Kardec julgou por bem suprimir da 2ª edição de *O livro dos espíritos* o ensino relativo às manifestações espíritas propriamente ditas, e aos médiuns em geral — objeto deste capítulo — por constituírem, de certo modo, uma parte distinta da filosofia, requerendo estudo especial em volume à parte, providência que foi concretizada em 1861, com a publicação de *O livro dos médiuns*. É por esta razão que inserimos, no presente capítulo, algumas referências a esse livro, a fim de que o leitor possa confrontá-las com a palavra abalizada dos Espíritos da Codificação sobre o assunto aqui ventilado (mediunidade).

"Sim, segundo as aptidões de cada um; há, porém, algumas pessoas para as quais tais efeitos são mais evidentes."

> Achando-se todos os homens sob a influência dos Espíritos, cada qual pode sentir os efeitos da presença deles, seja moralmente, seja materialmente, segundo suas aptidões particulares.

202. *Os Espíritos podem manifestar-se de maneira sensível?*
"Sim, pelos mais diferentes meios."

202-a. *Podem impressionar o tato?*
"Sim, e também a audição, a vista e o olfato."

202-b. *Podem aparecer aos vivos sob uma forma humana não material?*
"Sim, naquilo a que chamais visões."

202-c. *Todos os Espíritos nos aparecem sob as mesmas formas?*
"Não."

202-d. *Podemos provocar a aparição dos Espíritos?*
"Sim, mas raramente; na maioria das vezes ela é espontânea."

202-e. *Que se deve pensar da chama azul que, segundo dizem, apareceu sobre a cabeça de Servius Tullius, quando criança?* [LM-100.29-a.]
"O fato foi real; era seu Espírito familiar."

202-f. *Qual o objetivo dos Espíritos com suas manifestações ostensivas?*
"Chamar vossa atenção para alguma coisa e atestar a presença deles."

202-g. *De que modo os Espíritos podem atuar sobre a matéria?*
"Por meio do laço que os une à matéria."

> As manifestações materiais dos Espíritos ocorrem sob formas muito variadas. Podem afetar nossos sentidos de diversas maneiras: o tato pela impressão de um corpo invisível, a audição pelo ruído, o olfato pelos odores sem causas conhecidas, e a vista pelas visões.

Muitas vezes eles atestam sua presença pelo movimento e pelos deslocamentos de corpos sólidos sem intermediários tangíveis.

Manifestam-se também sob a aparência de chamas ou clarões, ou ainda revestindo formas humanas ou outras quaisquer, que nada têm das propriedades conhecidas da matéria. É com o auxílio de seu envoltório semimaterial, ou perispírito, que atuam sobre a matéria e sobre nossos sentidos.

Muitas vezes, tais manifestações não passam de simples efeitos naturais provocados pelos Espíritos para chamar nossa atenção sobre um ponto ou um fato qualquer. De outras vezes, são fenômenos cuja causa nos é desconhecida, que explicamos segundo nossas ideias e preconceitos, ou que qualificamos de sobrenaturais, quando a causa deles parece escapar às leis ordinárias da Natureza.

203. *Existem coisas que se podem qualificar de sobrenaturais?*
"Não; desde que certa coisa acontece, é porque é possível."

203-a. *Por que, então, são chamadas sobrenaturais?*
"Porque não as compreendeis e porque, por orgulho e amor-próprio, achais mais simples negá-las."

203-b. *Entre os fenômenos citados como prova da ação de uma potência oculta, alguns há que são evidentemente contrários a todas as leis conhecidas da Natureza. Em tal caso, não é lícito duvidar-se?* [LM-74.25.]
"É que o homem está longe de conhecer todas as leis da Natureza; se as conhecesse todas, seria Espírito superior."

> Nada há de sobrenatural neste mundo, visto que nada pode ocorrer que não esteja nas possibilidades e nas leis da Natureza. O homem, porém, ainda está muito longe de conhecer todas as forças do Universo e, no seu orgulho, acha mais simples negar o que não compreende, pois seu amor-próprio sofreria ao confessar sua ignorância. Entretanto, cada dia que passa oferece um desmentido aos que, supondo saber tudo, pretendem impor limites à Natureza; isso, porém, não os torna menos orgulhosos. Desvendando sem

cessar novos mistérios, Deus adverte o homem a desconfiar das próprias luzes, porquanto dia virá em que *o saber do mais sábio será confundido*.

204. *Qualquer pessoa poderá ter provas das manifestações espíritas?*
"Sim; frequentemente tendes provas, mas não prestais a devida atenção ou as atribuís a outras causas."

204-a. *Haverá pessoas mais acessíveis que outras às manifestações?*
"Sim, aquelas a que chamais médiuns."

> Embora as manifestações ostensivas muitas vezes ocorram espontaneamente e qualquer criatura as possa receber, há pessoas dotadas de uma potência fluídica e de disposições especiais em virtude das quais conseguem obter mais facilmente manifestações de certa categoria. São designadas pelo nome de *médiuns*.

205. *A faculdade de que gozam os médiuns prende-se a causas físicas ou morais?*
"A ambas. A alma dos médiuns comunica-se mais facilmente com os outros Espíritos."

205-a. *Por que a alma dos médiuns entra mais facilmente em comunicação com os outros Espíritos?*
"Porque, sendo o corpo deles mais impressionável, o Espírito se desprende mais facilmente."

> A faculdade de que gozam os médiuns prende-se tanto a causas físicas quanto morais. Depende, em primeiro lugar, de certa impressionabilidade e, ao mesmo tempo, da natureza do Espírito encarnado que, por se desprender mais facilmente da matéria, entra, por conseguinte, de maneira mais fácil em comunicação com os outros Espíritos. Na maior parte das vezes, a causa de tais aptidões especiais não é apreciável por nossos sentidos; deve-se à natureza íntima daqueles que são dotados de tal faculdade.

206. *A faculdade de que gozam os médiuns é circunscrita pela idade e pelo sexo?*
"Não."

206-a. *Com que objetivo a Providência dotou certos indivíduos de modo mais especial com essa faculdade?* [LM-220.12.]
"É uma missão de que se incumbiram e da qual se sentem felizes. Eles são os intérpretes entre os Espíritos e os homens."

206-b. *A faculdade mediúnica lhes pode ser retirada?*
"Sim, se dela abusarem."

> Há médiuns de ambos os sexos e de todas as idades. A faculdade que lhes foi concedida constitui um dom precioso da Providência, já que lhes outorga o poder de serem os intérpretes diretos dos Espíritos e do ensinamento que estes transmitem aos homens. É uma missão que lhes foi confiada e da qual não se devem envaidecer, visto que Deus pode retirá-la, se abusarem de uma faculdade que lhes foi dada somente para o bem.

207. *No momento em que exerce sua faculdade, o médium se encontra em estado perfeitamente normal?* [LM-223.1.]
"Nunca completamente, pois é preciso que seu Espírito readquira parte de sua independência. Acha-se sempre, em maior ou menor grau, num estado de crise e é isto que o fatiga, razão pela qual necessita de repouso."

> Quando estão exercendo a mediunidade, os médiuns ficam geralmente em estado de crise ou de superexcitação, durante o qual fazem um dispêndio anormal de fluido vital. Esta perda lhes causa uma fadiga que alguns deles não podem suportar por muito tempo, a não ser apelando ao repouso para recuperar suas forças.

208. *Quais as pessoas a quem podemos aplicar o qualificativo de médium?*
"Todas as que sentem, de uma maneira qualquer, a presença dos Espíritos." [LM-159.]

208-a. *Como nem todos os médiuns sentem e produzem os mesmos efeitos, há várias espécies deles. Como os podemos classificar?*

"Como quiserdes, pois alguns só têm uma aptidão, enquanto outros as possuem todas."

208-b. *Aprovais a classificação dos médiuns, que damos logo a seguir?*

"Uma classificação é útil; esta aqui é boa; tanto ela quanto uma outra. Repetimos incessantemente: não convertais em fundo aquilo que não passa de forma."

> Podemos classificar os médiuns em várias categorias principais, segundo o gênero de manifestações que lhes seja especialmente dado obter. São:
>
> Médiuns motores
>
> Médiuns escreventes
>
> Médiuns falantes
>
> Médiuns videntes
>
> Médiuns sonâmbulos
>
> Médiuns extáticos
>
> Médiuns sensitivos[106]
>
> Médiuns inspirados
>
> Alguns médiuns reúnem em si todas ou várias dessas faculdades. Esta classificação, aliás, nada tem de absoluta; como cada uma delas apresenta uma infinidade de nuanças e graus, podemos multiplicar ou restringir-lhes o número à vontade.

209. *Qual é a causa do movimento dos corpos sólidos sob a influência dos médiuns motores?*

"Ação do Espírito; é a causa primeira."

209-a. *O Espírito atua diretamente sobre o objeto ou por um intermediário qualquer?*

---

[106] N.T.: o mesmo que médiuns impressionáveis.

"Por um intermediário, visto que estais num mundo grosseiro demais para que os Espíritos possam manifestar-se a vós sem intermediário."

209-b. *Esse intermediário é material?*
"Um meio termo entre a matéria e o espírito; porém é mais ou menos material, conforme a natureza dos mundos."

209-c. *Será o Espírito do médium a causa impulsiva do movimento, ou será um Espírito estranho?*
"Algumas vezes é o Espírito do médium; de outras vezes, um ou vários Espíritos estranhos."

> Médiuns motores são aqueles que têm o poder de imprimir movimento a certos objetos móveis, sem impulsão material, muitas vezes até mesmo sem nenhuma participação da vontade, ou só pela ação do pensamento. Para a produção desse fenômeno, será por vezes necessário o concurso de várias pessoas, segundo a natureza e o volume dos objetos; nem sempre, porém, tal concurso é indispensável, visto como o médium, sozinho, muita vez pode atuar sobre os mais consideráveis volumes.
>
> Esta categoria de médiuns é muito numerosa, sendo poucas as pessoas que, num grau qualquer, não sejam dotadas dessa faculdade. Algumas vezes o movimento é impresso pela ação direta do Espírito do médium; de outras vezes, pela ação de um ou de vários Espíritos estranhos, aos quais o médium serve de instrumento.

210. *O movimento impresso aos objetos terá sempre um significado qualquer?*
"Não."

210-a. *Qual é, então, o objetivo dessas manifestações?*
"Convencer as pessoas da presença de uma força superior ao homem; confundir seu orgulho e levá-lo a conhecer a verdade." [LM-85.]

210-b. *Como provar que a causa primeira é um Espírito e não a ação puramente física de um agente qualquer?*

"A inteligência não está na matéria. Pois bem! Quando esse movimento dá provas de inteligência, podes acreditar que venha da matéria? Quando alguém te fala, fazendo sinais com os braços ou dando batidas com um bastão, crês que o ser que pensa seja o braço ou o bastão?

> Na maioria das vezes, o movimento impresso aos objetos não tem qualquer significado, exceto convencer o homem da presença de um poder oculto e impalpável. Poderia explicar-se tão só pelo efeito de uma corrente fluídica ou elétrica, se fosse sempre puramente mecânico; contudo, a intervenção de uma inteligência extra-humana tornou-se óbvia quando comunicações inteligentes foram dadas por esse meio. Manifestações inteligentes devem, pois, ter uma causa inteligente. Ora, como a matéria, por si mesma, não é inteligente, só se poderá encontrar a causa no Espírito. Quando um cata-vento é agitado pela brisa, seu movimento é puramente físico; se transmite sinais, é que uma inteligência o faz mover.

211. *A faculdade de escrever sob a influência dos Espíritos é conferida a todos?*
"Por enquanto, não; mais tarde, porém, todos terão essa faculdade."

211-a. *Que condição deverá preencher a Humanidade para que tal faculdade se torne geral?*
"Quando os homens se transformarem e se tornarem melhores terão essa faculdade e muitas outras, de que agora estão privados por sua inferioridade moral."

211-b. *Essa transformação se dará na Terra, ou somente em mundos melhores?*
"Como já dissemos, começará aqui mesmo."

211-c. *A faculdade de escrever é espontânea, ou também é suscetível de desenvolver-se pelo exercício?*
"Uma e outra coisa; quase sempre exige paciência e perseverança. O desejo constante do médium ajuda os Espíritos a se porem em comunicação convosco."

211-d. *É necessária a fé para se adquirir a faculdade de médium escrevente?*
"Nem sempre; muitas vezes, com a fé não se escreve e, sem ela, escreve-se. Todavia, a fé vem depois; vai depender dos planos da Providência."

211-e. *O médium escrevente nunca tem consciência do que escreve?*
"Nunca não é o termo, pois acontece muitas vezes que ele vê, ouve e compreende enquanto escreve."

211-f. *Quando a escrita é indecifrável, como o médium a interpretará?*
"Por uma espécie de segunda vista; ou, então, o próprio Espírito lhe fala."

211-g. *Uma pessoa que não saiba escrever poderia ser médium escrevente?* [LM-223.18.]
"Sim."

211-h. *Que consequência se pode tirar da mudança de caligrafia na escrita do médium?*
"Espírito diferente que se comunica."

> Médiuns escreventes são aqueles dotados da faculdade de escrever sob o influxo direto do poder oculto que os dirige. A mão deles é agitada por um movimento convulsivo involuntário; cedem ao impulso de um poder que escapa evidentemente de seu controle, visto não poderem deter-se nem prosseguirem à vontade. Pegam o lápis sem o quererem e o deixam da mesma forma, pois nem a vontade nem o desejo podem fazer que o lápis se mova, caso este não deva correr sobre o papel.
>
> Às vezes é possível obter-se a escrita pela simples imposição das mãos sobre um objeto convenientemente disposto e munido de um instrumento próprio para escrever. A potência oculta imprime a esse objeto o movimento necessário para traçar as letras, sem que seja necessário guiá-lo para esse efeito.
>
> Conforme o poder do médium, as respostas são mais ou menos longas e formuladas com maior ou menor precisão. Alguns médiuns só

obtêm palavras isoladas; em outros a faculdade se desenvolve pelo exercício e se obtêm frases completas e dissertações extensas sobre assuntos propostos, ou transmitidos espontaneamente sem terem sido provocados por nenhuma pergunta.

Na maior parte das vezes o médium não tem consciência alguma do que escreve, a não ser depois de haver lido a mensagem; frequentemente, porém, ele vê, ouve e compreende o que escreve durante o próprio ato da escrita.

Algumas vezes a escrita é nítida e legível; em outras ocasiões pode ser indecifrável para as demais pessoas, menos para o médium que a recebeu e que a interpreta por uma espécie de intuição. Pela mão do mesmo médium a escrita pode mudar completamente, segundo a inteligência oculta que se manifesta, reproduzindo-se o mesmo tipo de letra toda vez que a mesma inteligência se comunica.

212. *O médium falante tem consciência do que diz?*
"Algumas vezes ele o sabe perfeitamente e fica surpreso com a facilidade com que se exprime; na maior parte das vezes, porém, fica em estado sonambúlico ou extático, condição em que, como Espírito, tem consciência do que fala; entretanto, não a tem como homem, pois perde a lembrança ao despertar."

212-a. *O médium falante poderá exprimir-se numa língua que lhe seja estranha?*
"Sim, isso pode acontecer."

212-b. *Uma pessoa privada da palavra poderia recuperá-la como médium?*
"Sim, momentaneamente, e a audição também."

Médiuns *falantes* são os que sentem nos órgãos vocais a influência da potência oculta que faz mover a mão do médium escrevente. No estado de superexcitação momentânea em que se encontram, eles falam espontaneamente e de improviso, ou respondem a perguntas, mesmo as mais estranhas aos seus conhecimentos, muitas vezes sem terem consciência do que dizem e sem lhe guardarem a lembrança. Transmitem pela palavra tudo que o médium escrevente transmite pela escrita.

213. *O médium vidente enxerga pelos órgãos ordinários da vista?* [LM-167.]
"Sim, algumas vezes; como, afinal, é sua alma quem vê, tanto pode enxergar com os olhos fechados, como com os olhos abertos."

213-a. *Assim sendo, um cego poderia ser médium vidente?* [LM-167.]
"Sim."

213-b. *As aparições, que algumas pessoas julgam ver, são efeitos da realidade ou de uma ilusão?*
"Algumas vezes se devem à imaginação superexcitada; a uma ilusão, portanto. Entretanto, já vos dissemos que os Espíritos podem aparecer sob a forma humana, sob a forma de flama, etc."

> Médiuns *videntes* são aqueles dotados da faculdade de ver os Espíritos, quando estes se manifestam de maneira ostensiva sob uma forma qualquer. Alguns deles gozam dessa faculdade no estado normal e guardam completa lembrança do fato; outros só a possuem em estado sonambúlico ou bem próximo do sonambulismo.
>
> Essa faculdade não é permanente; é sempre o efeito de uma crise momentânea e passageira. Podem ser colocadas na categoria de médiuns videntes todas as pessoas dotadas de segunda vista.

214. *Os sonâmbulos e os extáticos podem ser considerados médiuns?*
"Sim; são aqueles cujo Espírito está mais desprendido da matéria; gozam de mais liberdade, razão pela qual reúnem quase todas as outras faculdades."

> Médiuns *sonâmbulos* e médiuns *extáticos* são pessoas capazes de passarem ao estado conhecido pelo nome de sonambulismo e de êxtase, seja naturalmente e de modo espontâneo, seja por intermédio do poder magnético.

215. *Qual a faculdade que caracteriza os médiuns sensitivos?*

"Podemos dar esse nome a todas as pessoas que, a exemplo da sensitiva, são muito impressionáveis e recebem comunicações mentais, ainda que não se deem conta do fato."

215-a. *Não seria melhor dizer que a impressionabilidade resulta de uma irritabilidade nervosa?*
"Sim, quando ela é somente física; mas há pessoas que não têm nervos delicados e que sentem mais ou menos as impressões morais."

215-b. *Poder-se-ia incluir nessa categoria de médiuns as pessoas que se chamam inspiradas?*
"Sim, e haverá bem poucas que não o sejam mais ou menos em certos momentos."

215-c. *Um autor, um pintor, um músico, por exemplo, poderiam, nos momentos de inspiração, ser considerados como médiuns sensitivos?* [LM-183.3.]
"Sim, porque nesses momentos eles têm a alma mais livre e como que desprendida da matéria; a alma recobra parcialmente suas faculdades de Espírito e recebe mais facilmente as comunicações dos outros Espíritos que a inspiram."

> Os médiuns *sensitivos* são afetados mentalmente por impressões de que não se dão conta e que são, para eles, como que revelações de coisas passadas ou futuras.
>
> Nessa categoria podemos incluir as pessoas a quem são sugeridos pensamentos em oposição com suas ideias preconcebidas, muitas vezes incompatíveis com seu baixo nível cultural e com a simplicidade de sua inteligência. Podemos ainda incluir nessa categoria as pessoas que, mesmo sem serem dotadas de um poder especial e sem saírem do estado normal, têm lampejos de lucidez intelectual que lhes dão momentaneamente extraordinária facilidade de concepção e elocução. Nesses momentos, chamados justamente de inspiração, as ideias abundam, sucedem-se, encadeiam-se a bem dizer por si mesmas e por uma impulsão involuntária e quase febril; para eles, é

como se uma inteligência superior lhes viesse em auxílio; é como se o Espírito deles se desembaraçasse de um fardo.

Todos os médiuns são necessariamente sensitivos; a impressionabilidade é faculdade rudimentar indispensável ao desenvolvimento de todas as outras.

216. *Entre os diferentes modos de comunicação, quais os que se devem preferir?*

"Não tendes liberdade de escolher, porque os Espíritos se comunicam pelos meios que julgam mais conveniente empregar; isso depende das aptidões."

216-a. *Os Espíritos preferem certo modo de comunicação a outro?*
"Para o ensino eles preferem os mais rápidos: a palavra e a escrita." [LM-145.]

A escrita e a palavra são os meios mais completos e mais rápidos para a transmissão do pensamento dos Espíritos, seja pela precisão das respostas, seja pelos extensos desenvolvimentos que comportam. A escrita tem a vantagem de deixar traços materiais e de ser um dos meios mais adequados para combater a dúvida.

217. *O Espírito que se manifesta nas diferentes comunicações é sempre errante?*
"Não; pode estar encarnado no vosso mundo ou em outro."

217-a. *Em que estado se acha o corpo no momento em que o Espírito se manifesta?* [LM-284.39.]
"Dorme ou cochila. Quando o corpo repousa, os sentidos se entorpecem e o Espírito fica mais livre."

217-b. *Os Espíritos encarnados se manifestam tão facilmente quanto os Espíritos errantes?*
"Depende dos mundos que eles habitam. Quanto menos material é o corpo, tanto mais facilmente se desprende o Espírito; é quase como se não estivesse encarnado."

Nas comunicações escritas, verbais ou outras, o Espírito que se manifesta pode ser errante, ou estar encarnado neste mundo ou em outro. A encarnação não constitui obstáculo absoluto à manifestação dos Espíritos; porém, nos mundos em que os corpos são menos materiais, o Espírito, por se desprender com mais facilidade, poderá manifestar-se quase tão facilmente como se não estivesse encarnado. O Espírito encarnado se manifesta nos momentos em que o corpo repousa e os sentidos ficam inativos. Ao despertar, o Espírito retorna ao corpo. É assim que nosso próprio Espírito pode manifestar-se em outros lugares, quer diretamente, quer por interferência de um médium.

218. *As comunicações escritas ou quaisquer outras são sempre as de um Espírito estranho, ou podem provir igualmente do Espírito encarnado no médium?*

"A alma do médium pode comunicar-se, como a de qualquer outro. Se goza de certo grau de liberdade, recobra suas qualidades de Espírito. Tendes a prova disso nas visitas que vos fazem as almas de pessoas vivas, as quais muitas vezes se comunicam convosco pela escrita, sem que as chameis. Porque, ficai sabendo, entre os Espíritos que evocais, alguns estão encarnados na Terra. *Eles, então, vos falam como Espíritos e não como homens.* Por que não deveria acontecer a mesma coisa com o médium? [LM-223.2.]

218-a. *Como distinguir se o Espírito que responde é o do médium, ou outro?* [LM-223.3.]

"Pela natureza das comunicações. Estudai as circunstâncias, a linguagem, e distinguireis."

218-b. *O Espírito do médium não poderia, por efeito sonambúlico, penetrar o pensamento da pessoa que interroga e aí colher suas ideias? Nesse caso, como provar que se trata de um Espírito estranho?*

"Sim; todavia, ainda uma vez, estudai as circunstâncias e o reconhecereis facilmente."

218-c. *Desde que o Espírito do médium pode ter adquirido, em existências anteriores, conhecimentos que esqueceu sob o invólucro corpóreo, mas de que se lembra como Espírito, como estabelecer, naquilo que diz, o que provém de seu próprio Espírito encarnado?* [LM-223.4.]

"Acabo de responder. Há circunstâncias que não permitem a dúvida. Estudai *longamente* e meditai."

Nas comunicações escritas ou outras, o Espírito que se manifesta é, quase sempre, um Espírito estranho; contudo, pode acontecer também que seja o próprio Espírito encarnado no médium, quando se acha em estado de liberdade suficiente para agir como Espírito.

Reconhece-se a intervenção de um Espírito estranho pela natureza das comunicações. Quando estão fora das ideias, do caráter e da opinião do médium, torna-se evidente que devem ter uma fonte estranha. O Espírito do médium pode, é verdade, penetrar o pensamento daquele que interroga e refleti-lo, mesmo que não seja formulado pela palavra; mas assim não pode acontecer quando exprime ideias contrárias à do interlocutor, ou quando responde a uma pergunta *que não tem solução no pensamento de quem quer que seja.*

O Espírito do médium mais ignorante pode, também é verdade, possuir conhecimentos adquiridos em existências anteriores e dos quais se lembre como Espírito. Mas seria igualmente erro acreditar que ele haure em si mesmo tudo o que diz. Se fosse assim, por que atribuiria a uma intervenção estranha o que estaria nele mesmo? Uma observação atenta dos fatos demonstra que isso é impossível em inúmeras circunstâncias.

As comunicações transmitidas pelo médium podem, pois, proceder tanto de Espíritos estranhos como do Espírito do médium, cabendo ao observador atento fazer a distinção.

Quando um homem nos fala, reconhecemos facilmente as ideias que lhe são próprias das que lhe são estranhas; dá-se a mesma coisa quando conversamos com os Espíritos.

219. *As comunicações que provêm do Espírito do médium são sempre inferiores às que possam ser dadas por outros Espíritos?* [LM-223.5.]

"Sempre, não, pois o Espírito comunicante pode ser de ordem inferior à do médium e, então, falar com menos sensatez. É o que se vê no sonambulismo. Aí, na maioria das vezes, quem se manifesta é o Espírito do sonâmbulo, o qual, não raro, diz coisas muito boas."

> O valor das comunicações depende da evolução do Espírito que as revela. As que provêm do Espírito do médium não ficam, só por causa de sua própria origem, eivadas de erros, pois o Espírito estranho que se manifesta pode pertencer a uma ordem inferior à do médium e, por conseguinte, merecer menos confiança que este último. É principalmente no estado sonambúlico que a alma do médium atua por si mesma.

220. *O Espírito comunicante transmite diretamente seu pensamento, ou este tem por intermediário o Espírito encarnado no médium?* [LM-223.6.]

"O Espírito do médium é o intérprete, porque está ligado ao corpo que serve para falar e por ser necessária uma cadeia entre vós e os Espíritos que se comunicam, como é preciso um fio elétrico para transmitir uma notícia a grande distância, desde que haja, na extremidade do fio, uma pessoa inteligente que a receba e transmita."

220-a. *O Espírito encarnado no médium exerce alguma influência sobre as comunicações de outros Espíritos que ele deva transmitir?* [LM-223.7.]

"Sim, porque se não houver afinidade entre eles, o Espírito do médium pode alterar as respostas dos Espíritos estranhos e assimilá-las às suas próprias ideias e inclinações. *Porém, não exerce influência sobre os Espíritos comunicantes;* é apenas mau intérprete. Além disso, o Espírito do médium pode estar mais ou menos bem disposto em função de seu envoltório material e então as manifestações ocorrem com maior ou menor facilidade. Muitas vezes, porém, o médium quer dizer tudo e fazer tudo, o que causa sua perda; nós, então, o abandonamos às suas próprias forças. Se tiver vícios, são apenas Espíritos de sua categoria que se comunicam por ele."

> Os Espíritos desprendidos da matéria podem comunicar-se entre si sem intermediário; porém, para afetar nossos sentidos, precisam

de um intermediário material. Para as comunicações verbais ou escritas, o intermediário é o médium. O médium é animado por seu próprio Espírito, aquele que está encarnado nele, e esse Espírito é o intérprete do Espírito estranho que se comunica. Se não houver simpatia entre eles, o Espírito do médium poderá opor certa resistência e se tornar mau intérprete, por vezes até infiel, pois que agirá como antagonista do Espírito que se comunica. Se tiver vícios, o pensamento que deve transmitir pode ser desnaturado ou refletir seu caráter e suas tendências. Isso se dá com muita frequência no mundo, quando o conselho de um sábio é transmitido por um estouvado ou por um homem de má-fé.

Além das qualidades morais, existem disposições especiais que tornam o médium mais ou menos apto a transmitir as comunicações. O médium é um instrumento mais ou menos bom, mais ou menos cômodo, do qual os Espíritos superiores só se servem de bom grado quando nele encontram *o mínimo de obstáculos possíveis* à livre transmissão de seus pensamentos, fato a que dão pouca importância os Espíritos inferiores.

221. *Além da influência direta do Espírito do médium na sinceridade das manifestações, outros Espíritos poderão contribuir para alterá-las?*
"Sim, pois o Espírito do médium atrai a si Espíritos simpáticos que o ajudam e estimulam em tudo que ele possa fazer de mal, se sua natureza é má."

> O Espírito encarnado atrai a si os Espíritos que lhe são simpáticos e que formam em volta dele uma espécie de *coluna de Espíritos*. Se, pois, o do médium for imperfeito, será secundado por uma multidão de acólitos da mesma natureza que o excitarão a repelir ou desfigurar o pensamento que deva comunicar.

222. *O meio em que se acha o médium exerce alguma influência sobre as manifestações?* [LM-231.1.]
"Todos os Espíritos que cercam o médium o ajudam, para o bem ou para o mal."

222-a. *Os Espíritos superiores não podem vencer a má vontade do Espírito encarnado que lhes serve de intérprete e dos que o cercam?* [LM-231.2.]

"Sim, quando julgam conveniente e conforme a intenção da pessoa que a eles se dirige. Os Espíritos mais elevados podem às vezes comunicar-se, graças a um favor especial, não obstante a imperfeição do médium e do meio; mas, então, estes se conservam completamente estranhos."

> Sendo todo homem a encarnação de um Espírito, os das pessoas que cercam o médium agem sobre as manifestações em virtude da simpatia ou da antipatia que tenham pelo Espírito evocado. Segundo a imperfeição de cada um, opõem sua má vontade, corroborada pela dos Espíritos igualmente imperfeitos que eles atraem a si.
>
> Assim se explica a influência do meio sobre a natureza das comunicações espíritas. Todavia, quando os Espíritos o julgam útil, e segundo a intenção da pessoa com a qual se comunicam, o médium e o meio podem ficar alheios aos Espíritos e não constituir obstáculos à sinceridade das manifestações.

223. *Comunicando-se em dois centros diferentes, o mesmo Espírito pode dar, em cada um deles e sobre o mesmo ponto, respostas contraditórias?* [LM-301.1.]

"Se os dois centros diferirem entre si em opiniões e ideias, a resposta poderá chegar-lhes desfigurada, porque estão sob o influxo de diferentes falanges de Espíritos; não que a resposta seja contraditória, mas a maneira por que é dada.

"Para discernir a verdade do erro, há que se aprofundar as respostas e meditá-las longa e seriamente; é todo um estudo a ser feito. É preciso tempo para isso, como para estudar todas as coisas."

> Dois centros diferentes entre si em opiniões e ideias podem receber respostas contraditórias sobre o mesmo assunto, embora procedendo da mesma fonte, porque estão sob a influência de diferentes falanges de Espíritos que lhes são simpáticos e concorrem para desnaturar a ideia primitiva. Tal como dois homens a receberem a luz, um por uma vidraça vermelha, outro por uma vidraça azul; tomando o efeito pela causa, o primeiro dirá que a luz é vermelha, enquanto o outro

que ela é azul; entretanto, a luz será sempre branca, porém alterada pelo meio que atravessou.

224. *Compreende-se que uma resposta possa ser alterada. Mas, quando as qualidades do médium excluem toda ideia de má influência, como se explica que Espíritos superiores usem de linguagens diferentes e contraditórias sobre o mesmo assunto, para com pessoas perfeitamente sérias?* [LM-301.2.]

"Os Espíritos realmente superiores nunca se contradizem e a linguagem de que usam é sempre a mesma, *com as mesmas pessoas*. Pode, entretanto, diferir, de acordo com as pessoas e os lugares. Deve-se, porém, estar atento ao fato de que a contradição, muitas vezes, é apenas aparente, estando mais nas palavras que nas ideias, bastando que alguém reflita para verificar que a ideia fundamental é a mesma. Além disso, o mesmo Espírito pode responder diferentemente sobre a mesma questão, conforme o grau de perfeição dos que o evocam, pois nem sempre convém que todos recebam a mesma resposta, por não estarem todos igualmente adiantados. É exatamente como se uma criança e um sábio te fizessem a mesma pergunta. Por certo, responderias a cada um de modo que te compreendessem e ficassem satisfeitos. As respostas, nesse caso, embora diferentes, seriam fundamentalmente as mesmas. É preciso que nos tornemos compreensíveis. Se tiveres uma convicção bem sólida sobre algum ponto ou doutrina, mesmo falsa, é necessário que te desviemos dessa convicção, mas pouco a pouco. Esta a razão por que nos servimos, frequentemente, de *teus próprios termos*, parecendo até que concordamos com tuas ideias, a fim de que não te ofusques de repente, nem deixes de te instruir em nossa companhia."

A contradição que por vezes notamos nas respostas dos Espíritos, conforme as pessoas que com eles se comunicam, é apenas aparente; eles apropriam a linguagem aos que os escutam e podem assim dizer a mesma coisa com palavras diferentes.

Para os Espíritos superiores a forma nada representa; o pensamento é tudo. Julgam as coisas sob um ângulo completamente diverso do nosso; *aquilo que nos parece mais importante muitas vezes é bem secundário na visão deles*. Podem, pois, concordar com algumas opiniões e até servir-se de linguagem um tanto preconceituosa, a fim de serem mais bem compreendidos; entretanto, nem por isso estarão em contradição consigo mesmos. Pouco importa o meio, contanto que alcancem o fim, *pois a verdade está acima de todas as mesquinhas distinções com que seitas e partidos fazem seus artigos de fé.* Quer o Ser Supremo se chame Deus, Alá, Brama, Vichnu ou Grande Espírito, não será menos o Soberano Senhor.

Sobre as questões de metafísica, nem mesmo os próprios homens estão de acordo quanto ao valor das palavras. Os Espíritos podem, pois, usar as palavras segundo a ideia de cada um, a fim de serem entendidos mais facilmente, já que não estão incumbidos de reformar a língua. O erro é dos homens, ao tomarem o acessório pelo principal.

A linguagem humana está sempre subordinada à amplitude das ideias, sendo, pois, insuficiente para exprimir todos os matizes do pensamento dos Espíritos, assim como a do selvagem seria incapaz de expressar todas as ideias do homem civilizado.

225. *Quais as condições necessárias para que a palavra dos Espíritos superiores nos chegue isenta de qualquer alteração?* [LM-226.11.]

"Querer o bem; repelir o egoísmo e o orgulho. Ambas essas coisas são necessárias."

225-a. *Por que os Espíritos superiores permitem que pessoas dotadas de grande poder como médium, e que nos poderiam fazer tanto bem, sejam instrumentos do erro?* [LM-226.7.]

"Os Espíritos procuram influenciá-las; mas, quando essas pessoas se deixam arrastar por maus caminhos, eles não as impedem. É por isso que se servem delas com repugnância, visto que *a verdade não pode ser interpretada pela mentira.*"

A verdade se distingue do erro quando a luz chega sem obstáculo; essa condição se encontra na pureza dos sentimentos, no amor ao bem e no desejo de instruir-se, seja do médium, seja das pessoas que o cercam.

Para se obterem comunicações dos Espíritos superiores, isentas de toda alteração, não basta que se disponha de um médium, por mais poderoso que seja; é preciso, antes de tudo e como condição expressa, um médium puro, isto é, cuja alma não esteja maculada por nenhuma das paixões que caracterizam os Espíritos inferiores; por mais pura que seja, a água se altera ao passar por solo lodoso.

226. *Visto que as qualidades morais do médium afastam os Espíritos imperfeitos, como é que um médium dotado de boas qualidades transmite respostas falsas ou grosseiras?* [LM-226.6.]

"Conheces, porventura, todos os segredos da alma humana? Além disso, a criatura pode ser leviana e frívola, sem que seja viciosa, necessitando, às vezes, de uma lição, a fim de se manter vigilante."

Um médium, ainda que dotado de boas qualidades morais, transmite, algumas vezes, comunicações inconsequentes, falsas ou até mesmo cheias da mais revoltante grosseria. É que, sem ser vicioso, pode estar privado das qualidades *sólidas* que constituem o verdadeiro homem de bem. Ao lado de algumas qualidades podem encontrar-se vícios ocultos ou, no mínimo, a futilidade e a leviandade.

227. *Por que, habitualmente, certas pessoas só transmitem ou só recebem comunicações absurdas ou triviais, apesar do desejo de obterem comunicações sérias?*

"É a consequência da inferioridade do Espírito de tais pessoas, que simpatiza com Espíritos imperfeitos. Entretanto, mesmo em meio de comunicações insignificantes, *existe muitas vezes um bom ensinamento*. Um Espírito superior, que tenha acudido ao vosso apelo, não ficará muito tempo se fordes muito levianos, mas, sem se deter em minúcias, vos dirá algumas verdades, a fim de vos induzir a serdes menos frívolos."

Todo médium ou toda pessoa que, de forma geral, só recebe ou transmite comunicações absurdas, grosseiras ou simplesmente frívolas, deve deplorá-lo como indício da inferioridade de seu próprio Espírito. Provocando tais comunicações com vistas à curiosidade, o homem atrai Espíritos inferiores, sempre à espreita de ocasiões para gracejar ou praticar o mal. Felizes, ao contrário, os que só ouvem palavras impregnadas de sabedoria, pois são os eleitos dos Espíritos bons.

228. *Se a palavra dos Espíritos superiores só nos chega pura em condições tão difíceis de serem encontradas, não constitui esse fato obstáculo à propagação da verdade?* [LM-226.12.]

"Não, porque a luz sempre chega ao que deseja recebê-la. Todo aquele que queira esclarecer-se deve fugir das trevas, e as trevas se encontram na impureza do coração."

> O fato de os Espíritos superiores só se comunicarem mediante concurso de circunstâncias excepcionais, não constitui obstáculo à propagação da luz. Aqueles, pois, que queiram recebê-la, deverão despojar-se do orgulho e humilhar a razão diante do poder infinito do Criador, como melhor prova de sua sinceridade. Tal condição, todos podem preencher.

229. *Por que sinais se podem reconhecer a superioridade ou a inferioridade dos Espíritos?* [LM-268.1.]

"Pela linguagem, como distinguis um homem sensato de uma pessoa estouvada. Já dissemos que os Espíritos superiores jamais se contradizem e só falam coisas aproveitáveis. Só querem o bem, que lhes constitui a única preocupação.

"Os Espíritos inferiores ainda se encontram sob o domínio das ideias materiais; seus discursos refletem a ignorância e a imperfeição que lhes são características. Somente aos Espíritos superiores é permitido conhecer todas as coisas e julgá-las desapaixonadamente."

> Reconhece-se o caráter de um homem por sua linguagem, por suas máximas e por seus atos. Assim sucede com os Espíritos. Estudando com cuidado o caráter dos que se apresentam, sobretudo do ponto de vista moral, reconheceremos a natureza deles e o grau de confiança que nos inspiram. O bom senso não poderia enganar-se. Uma linguagem sempre séria, sem trivialidades nem contradições, a sabedoria das respostas, a elevação dos pensamentos, a pureza da

doutrina moral, aliados às marcas de benevolência e bondade, são sinais que caracterizam os Espíritos superiores.

230. *Basta que uma pergunta seja séria para obter resposta séria?* [LM-288.2.]
"Não; isso depende do Espírito que responde."

230-a. *Entretanto, uma pergunta séria não afasta os Espíritos levianos?* [LM-288.2-a.]
"Não é a pergunta que afasta os Espíritos levianos, e sim *o caráter de quem a faz*. Os Espíritos levianos respondem a tudo, tal como o fazem os estouvados."

> Não basta interrogar um Espírito para se conhecer a verdade. Precisamos, antes de tudo, saber a quem nos dirigimos, porque os Espíritos inferiores, em virtude da própria ignorância em que se acham, tratam com leviandade as mais sérias questões. Também não basta que um Espírito tenha sido na Terra um grande homem, para que se encontre, no mundo espiritual, de posse da soberana ciência. Só a virtude, purificando-o, tem o poder de aproximá-lo de Deus e ampliar seus conhecimentos (*Nota 8*).

231. *O conhecimento científico é sempre sinal certo da elevação de um Espírito?* [LM-268.2.]
"Não, porque se ele ainda estiver sob a influência da matéria, pode ter vossos vícios e preconceitos. Há pessoas que, neste mundo, são excessivamente invejosas e orgulhosas; julgais que, tão logo o deixem, perdem esses defeitos? Após a partida daqui, os Espíritos, principalmente os que alimentaram fortes paixões, permanecem envoltos numa espécie de atmosfera que lhes conserva todas as coisas más de que se impregnaram."

> Entre os Espíritos que ainda não se acham completamente desmaterializados, a moralidade nem sempre guarda relação com o saber de que dispõem. Os conhecimentos que exibem, muitas vezes com certa ostentação, não constituem sinal irrecusável de superioridade. A inalterável pureza dos sentimentos morais é que representa a verdadeira pedra de toque.

Por mais sábio que seja, o Espírito trai suas imperfeições morais pela linguagem, embora as imperfeições que esta apresente possam ser também o reflexo das imperfeições do médium.

232. *Os Espíritos imperfeitos podem semear a discórdia entre amigos, induzindo-os a falsas atitudes?*

"Sim, ficam satisfeitos em vos causar embaraços e não são nada escrupulosos quanto aos meios empregados.

"Os Espíritos superiores são sempre consequentes consigo mesmos. Desconfiai, pois, quando um de nós falar bem de alguém em determinado grupo, e mal em outro grupo que também nos invocar. Julgareis que somos nós e estareis enganados. Os Espíritos que ainda não alcançaram a perfeição, embora já bastante elevados, têm também seus momentos de antipatia.

"Crede sempre no bem, afastai-vos do mal e procurai sondar-lhes o real estado; somente à força de conversar com uns e com outros é que haveis de adquirir esse conhecimento. O bom senso vos há de guiar."

> Os Espíritos imperfeitos não se limitam a semear perturbação em nossa alma; muitas vezes aproveitam os meios de comunicação de que dispõem para dar pérfidos conselhos; incitam desconfiança e animosidade contra os que lhes são antipáticos, suscitam injustas prevenções e ficam satisfeitos com o mal que conseguirem que os outros pratiquem.
>
> Os homens fracos são o seu alvo para os induzir ao mal; os que podem desmascarar-lhes as imposturas constituem objeto de sua aversão. Ora empregam sofismas, ora sarcasmos, injúrias e até mesmo sinais materiais do poder oculto de que dispõem, a fim de melhor convencê-los e desviá-los do caminho da verdade. Sem serem maus, os Espíritos que ainda não são bastante elevados também têm seus momentos de antipatia não motivados, resultantes de sua depuração incompleta.

233. *Quando um Espírito inferior se manifesta, podemos obrigá-lo a retirar-se?* [LM-282.25.]

"Sim."

233-a. *De que maneira?*
"Não lhe dando atenção. Mas, como quereis que se retire, quando vos divertis com suas torpezas? Os que quiserem realmente livrar-se deles sempre o poderão com a assistência dos Espíritos bons, se a pedirem com fervor e em nome de Deus. Os Espíritos inferiores se apegam aos que os escutam com complacência, como os tolos entre vós." [LM-282.25.]

> Os Espíritos inferiores acabam sempre se retirando, desde que mostremos persistência e firmeza, não lhes dando atenção. Quem assim agir poderá obrigá-los a isso, intimando-os, em nome de Deus, a se afastarem, ou chamando a si os Espíritos bons, com fervor e confiança, sempre em nome de Deus. Não imagineis, contudo, que o nome de Deus seja aqui uma fórmula vã de exorcismo; se não passar de palavra banal nos lábios de quem o pronuncie, melhor será nada dizer.

Natureza das comunicações espíritas

234. *Os Espíritos respondem de bom grado às perguntas que lhes são dirigidas?* [LM-288.1.]
"Conforme as perguntas."

234-a. *Quais as que eles respondem com mais satisfação?*
"Os Espíritos superiores sempre respondem com prazer às que têm por objetivo o bem e os meios de progredirdes. Não dão ouvidos às perguntas fúteis e só se ligam às pessoas sérias." [LM-288.1.]

234-b. *Haverá perguntas que sejam antipáticas aos Espíritos imperfeitos?* [LM-288.3-a.]
"Não, porque eles respondem a tudo, sem se preocuparem com a verdade."

> Os Espíritos superiores respondem mais ou menos de bom grado às perguntas que lhes são dirigidas, conforme a natureza delas. As que visam ao bem e à pesquisa da verdade são sempre favoravelmente acolhidas por eles e lhes são particularmente agradáveis.

As perguntas inúteis e frívolas, as que têm por objetivo *pôr os Espíritos à prova*, ou revelem o desejo de fazer o mal, são, de modo especial, antipáticas aos Espíritos bons, que não se dignam de responder e se afastam. Os Espíritos levianos respondem a tudo, sem se preocuparem com a verdade.

235. *Que se deve pensar das pessoas que só veem distração e passatempo nas comunicações espíritas, ou um meio de obterem revelações sobre questões de interesse pessoal?* [LM-288.4.]

"Essas pessoas agradam muito aos Espíritos inferiores que, do mesmo modo que elas, gostam de divertir-se e ficam satisfeitos quando conseguem mistificá-las."

Aqueles que não buscam nas comunicações espíritas senão ocasião de satisfazer à vã curiosidade, ou nelas só veem um meio de obter revelações, estão muito errados. Tais propósitos denotam a inferioridade do Espírito dessas pessoas, sendo de esperar-se, por isso, que se tornem vítimas de Espíritos zombeteiros (*Nota* 9).

236. *Os Espíritos superiores são absolutamente contrários aos gracejos?*

"Não; muitas vezes condescendem com vossas fraquezas e compactuam com vossas puerilidades, sobretudo quando nelas veem um meio de atingir um objetivo mais sério."

236-a. *Prestar-se-ão por vezes à brincadeira?*

"Sim, chegando mesmo a provocá-las algumas vezes; mas, quando falam com seriedade, querem que todos fiquem sérios, porquanto, a não ser assim, retiram-se. É então que os Espíritos levianos lhes tomam o lugar."

Os Espíritos superiores não são infensos aos gracejos; também se prestam à brincadeira dentro de certa medida e sabem condescender com nossas fraquezas. Fazem-no, porém, sem se afastarem das conveniências, e é nisto que se pode apreciar sua natureza. Entre eles, a brincadeira nunca é trivial; muitas vezes é fina e picante, e o epigrama mordaz fustiga sempre com justeza. Como, no entanto, a missão deles é ensinar, costumam retirar-se quando veem que não lhes damos ouvidos. Entre os Espíritos que, embora zombeteiros, não são grosseiros, a sátira é quase sempre pertinente.

237. *Podemos pedir aos Espíritos sinais materiais como prova de sua existência e de seu poder?*
"Não; eles não se prestam ao capricho dos homens."

237-a. *Quando, no entanto, uma pessoa pede tais sinais para se convencer, não haveria utilidade em satisfazê-la, posto que seria um adepto a mais?*
"Os Espíritos só fazem o que querem e o que lhes é permitido. Ao vos falarem e responderem às vossas perguntas, atestam sua presença; isso deve bastar ao homem sério que procura a verdade nas palavras."

> É inútil pedir aos Espíritos a produção de fenômenos sensíveis como testemunho real de sua existência e de seu poder, dizendo que é para convencer o cético, que assim quer submetê-los a provas.
>
> Os Espíritos vivem em condições que nos são desconhecidas; o que está fora da matéria não pode sujeitar-se ao crivo da matéria. É, portanto, enganar-se redondamente quem os julgue de nosso ponto de vista. Quando acham útil revelar-se por sinais particulares, eles o fazem; mas isso jamais ocorre para satisfazer à nossa vontade, pois os Espíritos não estão sujeitos ao nosso capricho.

238. *Haverá utilidade em provocar os fenômenos ostensivos da manifestação dos Espíritos?*
"Como os homens ainda são crianças grandes, é preciso diverti-los; mas a sabedoria está na palavra do sábio e não na sua força material, que pode pertencer *tanto aos maus como aos bons*, e muito mais ainda aos maus, pois apenas os Espíritos inferiores se ocupam dessas coisas. Algumas vezes os Espíritos superiores servem-se deles, como farias com um empregado, quando queres ser ouvido. Presentemente, há Espíritos de todos os tipos que têm por missão provocar vossa admiração, a fim de vos levar a compreender que a vida não se acaba com o fim de vosso envoltório."

> Os efeitos ostensivos e extraordinários pelos quais os Espíritos podem atestar sua presença não constituem o objetivo essencial de suas

manifestações. Tal objetivo é a melhoria moral do homem, por meio dos ensinamentos que eles lhe transmitem, seja sobre a natureza das coisas, seja em relação à conduta que deve adotar para alcançar a perfeição que lhe garantirá a felicidade futura. Apegar-se aos fenômenos mais que aos ensinamentos é agir como certos *escolares, que têm mais curiosidade, que vontade de aprender*. Os Espíritos superiores nos ensinam pela palavra; os inferiores fazem a mesma coisa, ferindo nossos sentidos. O homem que já se elevou, o homem que tem fé não precisa de fenômenos; espera-os sem os provocar.

239. Quando os Espíritos não respondem a certas perguntas, será por não quererem, ou por que uma força superior se opõe a certas revelações? [LM-288.5.]
"Força superior. Há coisas que não podem ser reveladas."[107]

239-a. *Poder-se-ia, por meio de firme vontade, constranger um Espírito a dizer o que não queira?*
"Não. Já dissemos que é difícil aos Espíritos precisarem certos fatos. É muito importante que isto fique claro; o próprio Espírito pode não se achar em estado conveniente, o médium ser leviano, ou o ambiente pouco simpático. Por isso é sempre bom aguardar quando vos pedimos que espereis e, sobretudo, não vos obstinardes em querer fazer-nos responder."

> A Providência impôs limites às revelações que podem ser feitas ao homem. Os Espíritos sérios guardam silêncio sobre tudo o que lhes é interdito revelar. Insistindo para obter uma resposta, nós nos expomos às trapaças dos Espíritos inferiores, sempre prontos a aproveitar as ocasiões para armar ciladas à nossa credulidade.
>
> As pessoas que se ocupam mais em aprofundar os mistérios impenetráveis da origem e da essência das coisas, do que dos meios de promover sua própria melhoria, afastam-se das vistas da Providência. Entretanto, podem ser reveladas grandes verdades

---

[107] N.T.: em *O livro dos médiuns*, it. 288.5, esta resposta é mais abrangente: "Por ambas essas causas. Há coisas que não podem ser reveladas e outras que o próprio Espírito desconhece".

sobre os conhecimentos extra-humanos, dependendo isso da pureza de intenção daquele que interroga e de sua aptidão para receber certos ensinamentos, bem como da elevação do Espírito que queira comunicar-se com ele.

240. *Os Espíritos podem revelar-nos o futuro em certos casos?* [LM-289.7.]
"Em certos casos, sim; em todos, não, pois isto não lhes é permitido. Se o homem conhecesse o futuro, não cuidaria do presente.

"Esse é um ponto sobre o qual sempre insistis, com vistas à obtenção de uma resposta precisa. Trata-se de grande erro, pois a manifestação dos Espíritos não é um meio de adivinhação. Se fizerdes questão absoluta de uma resposta, ela vos será dada por um Espírito leviano, conforme temos dito a todo instante.

"Muitas vezes, somos nós que não queremos advertir-vos, a fim de que compreendais por vós mesmos que existe um risco, e vos submetais mais tarde aos nossos conselhos."

Em sua sabedoria, a Providência julgou por bem ocultar-nos o futuro. Somente dentro de certos limites é que nos pode ser revelado; será, pois, inútil tentarmos penetrar além das fronteiras traçadas àquilo que nos é permitido conhecer na Terra. Quis Deus, com isso, que aplicássemos toda nossa inteligência ao desempenho da missão que devemos cumprir como seres corpóreos. Se o homem conhecesse seu futuro, com certeza negligenciaria o presente, com prejuízo da harmonia geral para a qual devem concorrer todos os seus atos. Por isso o futuro só lhe é mostrado como um fim que ele deve atingir por seus esforços, mas sem saber a fieira pela qual deve passar para lá chegar.

241. *Que meio de verificação temos nós para reconhecer o grau de probabilidade daquilo que nos é anunciado pelos Espíritos?*
"Isso depende das circunstâncias: a natureza do Espírito, o objetivo a que visais e, por fim, o caráter das pessoas."

241-a. *Certos acontecimentos são anunciados sem serem previstos nem provocados. Qual o caráter de tais previsões?*

"São as mais positivas; o Espírito vê as coisas e julga útil dá-las a conhecer."

241-b. *Por que, em geral, os Espíritos se enganam nas datas?*
"É que não apreciam o tempo da mesma maneira que os homens. Muitas vezes, sois vós mesmos que vos enganais, interpretando a vosso modo aquilo que dizemos; e, depois, são os vocábulos de vossa linguagem material que frequentemente nos faltam. Vemos os acontecimentos; entretanto, nem sempre podemos precisar a época em que se darão, *ou não o devemos*. Nós vos advertimos; eis tudo.

"Ainda uma vez, nossa missão é vos fazer progredir; nós vos ajudamos tanto quanto podemos. Aquele que pede aos Espíritos superiores o conselho da sabedoria jamais será enganado; mas não acrediteis que percamos nosso tempo a ouvir todas as vossas tolices e a vos ler a sorte. Deixamos essa tarefa aos Espíritos levianos, que com ela se divertem como crianças travessas."

> O grau de probabilidade dos eventos futuros anunciados depende da superioridade dos Espíritos comunicantes, do meio social mais ou menos simpático no qual eles se encontram e do propósito mais ou menos sério que se tem em vista. Em geral, as comunicações *espontâneas*, isto é, as que emanam da iniciativa dos Espíritos, sem serem provocadas pelas perguntas, oferecem maior certeza; nesse caso, o Espírito somente as dá porque vê a utilidade delas.
>
> Os Espíritos veem, ou pressentem por indução, os acontecimentos futuros; e os veem cumprir-se dentro de um tempo que eles não mensuram como os homens; para lhes definirem a época, precisariam identificar-se com nossa maneira de calcular as datas, o que nem sempre julgam necessário; daí muito frequentemente uma causa de erros aparentes. [LE-240.]
>
> Não se deve perder de vista que é iludir-se completamente sobre a finalidade das comunicações espíritas quem nelas veja somente um meio de adivinhação de mesquinhos interesses pessoais. O objetivo é muito mais sério: fazer-nos avançar na senda do progresso. O ensino que nos ministram pode ter por alvo a Humanidade em geral,

ou cada indivíduo em particular. Quem quer que se dirija a Espíritos elevados, com sinceridade e boa-fé, receberá deles somente conselhos salutares, seja para sua conduta moral, *seja mesmo para seus interesses materiais*, e jamais será induzido ao erro.

242. *Não há homens dotados de um talento especial, que os faz entrever o futuro?* [LM-289.12.]
"Sim, aqueles cuja alma se desprende da matéria. Nesse caso, é o Espírito quem vê. Quando julga conveniente, Deus lhes permite revelarem certas coisas, com vistas ao bem. Todavia, mesmo entre eles há impostores e charlatães."

> Alguns homens, cuja alma se desprende antecipadamente dos laços terrestres e goza das faculdades do Espírito, receberam de Deus o dom de conhecer certos detalhes do futuro e de os revelar para o bem da Humanidade; mas, quantos ambiciosos se disfarçam sob o manto do profeta em proveito de suas paixões, abusando assim da credulidade alheia!

243. *Os Espíritos podem revelar nossas existências passadas?* [LM-290.15.]
"Geralmente, não; Deus o proíbe. Entretanto, algumas vezes elas são reveladas com verdade, mas, mesmo assim, conforme sua finalidade. Se é para vossa edificação e instrução elas serão verídicas, *sobretudo se a revelação é espontânea*."

243-a. *Por que alguns Espíritos nunca se recusam a fazer esta espécie de revelação?* [LM-290.15-a.]
"São Espíritos zombeteiros que se divertem à vossa custa."

> Deus lança igualmente um véu sobre as existências que percorremos. Entretanto, esse véu não é totalmente impenetrável. Elas nos podem ser reveladas se os Espíritos julgarem útil fazê-lo para a edificação e instrução nossa e segundo o objetivo a que nos propomos ao pedir essa revelação; fora disso, será inútil procurar conhecê-las; os Espíritos sérios se calam a tal respeito; os outros se divertem, insuflando com pretensas origens a vaidade do curioso.

244. *Podemos pedir conselhos aos Espíritos?* [LM-291.17.]
"Sim, certamente. Os Espíritos bons jamais recusam auxílio aos que os invocam com confiança, principalmente no que diz respeito à alma."

244-a. *Podem esclarecer-nos sobre coisas de interesse particular?* [LM-291.18.]
"Algumas vezes, conforme o motivo."

244-b. *Podem guiar os homens nas pesquisas científicas e nas descobertas?* [LM-294.28.]
"Sim, se for de utilidade geral; mas é preciso desconfiar dos conselhos dos Espíritos zombeteiros e ignorantes."[108]

244-c. *Podem também nos dar informações sobre nossos parentes, amigos e pessoas que nos precederam na outra vida?*
"Sim, quando isso lhes for permitido."

> Os Espíritos podem ajudar-nos com seus conselhos, principalmente os que se referem à alma e à perfeição moral. Os Espíritos superiores jamais recusam socorro aos que os invocam com sinceridade e confiança; mas repelem os hipócritas, os que *simulam pedir a luz* e se comprazem nas trevas.
>
> Podem, igualmente e dentro de certos limites, ajudar-nos no que respeita às coisas deste mundo, apontar-nos o caminho das pesquisas que são úteis à Humanidade, guiar-nos em tudo que tenha por fim o cumprimento do progresso moral e material do homem, e projetar luz sobre os pontos obscuros da História.
>
> Finalmente, podem falar-nos sobre nossos parentes e amigos, bem como sobre diversas personagens que nos precederam no meio deles.

245. *Os Espíritos podem dar conselhos sobre a saúde?* [LM-293.24.]

---

[108] N.T.: esta resposta é muito mais abrangente em *O livro dos médiuns*, conforme se depreende deste pequeno trecho: "A ciência é obra do gênio. Só deve ser adquirida pelo trabalho, pois é somente pelo trabalho que o homem se adianta no seu caminho. Que mérito teria ele se não lhe bastasse senão interrogar os Espíritos? A esse preço, qualquer imbecil poderia tornar-se sábio. O mesmo se dá com as invenções e descobertas industriais [...]".

"Sim, particularmente certos Espíritos. A saúde é uma condição necessária para a missão que se deve executar na Terra, razão por que os Espíritos se ocupam de boa vontade com ela."

> O conhecimento que têm os Espíritos superiores das leis da Natureza lhes permite darem úteis conselhos sobre a saúde, e fornecerem, sobre a causa das moléstias e sobre os meios de tratamento, indicações que deixam muito distante, na retaguarda, a ciência humana (*Nota* 10).

246. *A ciência dos Espíritos é universal?*
"Sabem tudo quando são Espíritos superiores; os outros, não."

246-a. *Os sábios da Terra são igualmente sábios no mundo dos Espíritos?*
"Não; eles não sabem mais que os outros e muita vez menos."

246-b. *Ao se tornar Espírito, o sábio reconhece seus erros científicos?* [LM-293.26.]
"Sim; e se o evocares, ele os confessará sem se envergonhar, caso haja chegado a um grau bastante elevado para se achar livre da vaidade e compreender que seu desenvolvimento não é completo."

> Uma vez no mundo dos Espíritos, os sábios da Terra não são mais sábios que os outros. Se, realmente, forem Espíritos superiores, a ciência deles não tem limites e reconhecem os erros que tomaram por verdades durante a vida corpórea. Se forem Espíritos inferiores, o saber de que dispõem é limitado e podem enganar-se.

> Todavia, os que durante uma ou várias existências aprofundaram determinado assunto, dele se ocupam com mais solicitude e frequentemente com mais sucesso, *porque é o ponto em que progrediram.*

247. *Os Espíritos conservam algum sinal do caráter que tinham na Terra?*
"Sim; quando não estão completamente desmaterializados, guardam o mesmo caráter, bom ou mau; conservam ainda alguns de seus prejuízos."

247-a. *Não compreendem que esses prejuízos estavam errados?*
"Compreenderão mais tarde."

Os Espíritos dos homens que tiveram na Terra preocupação exclusiva, material ou moral, permanecem ainda sob o império das ideias terrenas e guardam consigo uma parcela dos prejuízos, das predileções *e mesmo das manias* que tinham aqui, caso não se achem perfeitamente purificados e desprendidos da influência da matéria. Isso é facilmente reconhecível por sua linguagem.

248. *Os Espíritos podem fazer que se descubram tesouros ocultos?* [LM-295.30.]

"Não, os Espíritos superiores não se ocupam com essas coisas; mas os Espíritos zombeteiros te farão ver um tesouro num lugar, quando se acha em local oposto. São, na verdade, Espíritos maliciosos e isto tem sua utilidade: mostrar que deves trabalhar, e não correr atrás de quimeras. Se a Providência te destinar tais riquezas, tu as encontrarás; de outra forma, não."

É inútil interrogar os Espíritos sobre a existência de tesouros ocultos. Os Espíritos superiores só revelam coisas úteis e, aos seus olhos, tesouros não são desse número. Os Espíritos inferiores sentem maligno prazer em dar falsas indicações.

Quando riquezas enterradas devam ser descobertas, elas serão reveladas aos que estiverem destinados a usufruí-las, e isso é para eles muita vez um teste a que os submete a Providência.

249. *Que se deve pensar da crença nos Espíritos guardiães de tesouros ocultos?* [LM-295.31.]

"Há Espíritos que vivem no ar, como há os Espíritos da Terra, incumbidos de dirigir suas transformações interiores. Também é verdade que certos Espíritos só se interessam por pessoas; porém, pode haver uma categoria que se interesse por objetos. Como eu te dizia outro dia, avarentos, que esconderam seus tesouros, e que não se acham ainda suficientemente desmaterializados, podem ainda, depois de mortos, vigiar essas coisas até que compreendam a inutilidade de semelhante atitude."

Quanto mais imperfeita a alma humana, tanto mais ficará ligada às coisas deste mundo. É assim que o Espírito do avarento, que escondeu um tesouro, frequentemente se apega ao que lhe dava prazer durante a vida; e embora essas riquezas não lhe possam mais servir, ele oporá resistência aos que intentarem descobri-las, até que o tempo lhe faça compreender a inutilidade de sua vigilância. Com esse objetivo, pode, pois, o avarento desviar as pesquisas por meio da fascinação, agindo por si mesmo ou com o auxílio de outros Espíritos tão imperfeitos quanto ele. Este o verdadeiro sentido da crença nos Espíritos guardiães de tesouros ocultos.

250. *As pessoas que não tiveram chance de obter comunicações verbais ou escritas ficam por isso privadas do socorro das luzes dos Espíritos?*
"Não; a inspiração lhes virá em auxílio, sem falar nas circunstâncias que os Espíritos suscitarem."

250-a. *Não poderão receber uma inspiração perniciosa?*
"Sim; mas quando desejam apenas o bem, o Espírito protetor delas lhes sugerirá coisa melhor."

As pessoas que não tiverem possibilidade de obter dos Espíritos comunicações verbais ou escritas, seja por si mesmas, seja por meio de médiuns, não ficam por isso privadas do socorro de suas luzes. A inspiração, suscitada por seus Espíritos familiares ou protetores, bem como as circunstâncias que estes provoquem, lhes virão em auxílio. E felizes delas se tiverem bastante fé e vontade para sacudir toda influência perniciosa!

Evocações

251. *Como deve ser feita a evocação dos Espíritos?*
"É preciso que sejam evocados em nome de Deus Todo-Poderoso e para o bem de todos."

251-a. *A fé é necessária para as evocações?* [LM-282.13.]
"A fé em Deus, sim."

251-b. *A crença nos Espíritos também é necessária?*
"Não, se quiserdes o bem e se tiverdes o desejo de vos instruir; a crença virá depois."

> Toda evocação deve ser feita em nome de Deus, com fé, fervor, recolhimento e para o bem de todos; mas, sobretudo, que o nome de Deus não seja uma vã palavra nos lábios de quem a profere!
>
> A fé em Deus é necessária. Com relação aos Espíritos, e na ausência de convicção adquirida por experiência, o amor ao bem e o desejo sincero de se instruir são suficientes para que se obtenham manifestações sérias.

252. *Qualquer pessoa pode evocar os Espíritos?*
"Sim."

252-a. *O Espírito evocado atende sempre ao chamado que lhe é feito?* [LM-282.2.]
"Sim, se tiver permissão para isso."

> Qualquer pessoa pode evocar um ou vários Espíritos determinados, e o evocado atende a esse apelo, conforme as circunstâncias em que se ache, se o puder e se lhe for permitido fazê-lo.

253. *O Espírito evocado manifesta sempre sua presença de maneira ostensiva?*
"Não, pois nem sempre tem permissão para isso; mas se estiver ao lado da pessoa que o evoca, ele a assistirá e lhe suscitará bons pensamentos."

> Se não manifestar sua presença de maneira ostensiva, o Espírito evocado sempre se dará a conhecer, desde que se ache em condições propícias e esteja ao lado daquele que o evoca, auxiliando-o na medida de suas possibilidades.

254. *Reunidos em comunhão de pensamentos e de intenções, os homens dispõem de mais poder para evocar os Espíritos?* [LM-282.14.]
"Sim; quando estão reunidos pela fé e para o bem geral, os homens obtêm grandes coisas."

254-a. *São preferíveis as evocações em dias e horas determinados?* [LM-282.16.]

"Sim, e no mesmo lugar, pois os Espíritos aí comparecem com mais satisfação e mais facilmente. O desejo constante que tendes é que auxilia os Espíritos a se porem em comunicação convosco."

> Quando reunidos em comunhão de pensamentos e de intenções, com fé e sincero desejo do bem, os homens se tornam mais poderosos para evocar os Espíritos *superiores*. Ao elevarem a alma por alguns instantes, graças ao recolhimento na hora da evocação, identificam-se com os Espíritos bons que, então, vêm a eles mais facilmente.

> As evocações feitas em épocas regulares, em dias e horas fixos e num mesmo lugar, são mais favoráveis às manifestações sérias. Os Espíritos têm suas ocupações, e nem sempre as deixam *de repente*.

255. *O Espírito evocado vem espontaneamente, ou constrangido?* [LM-282.8.]

"Ele obedece à vontade de Deus, isto é, à lei geral que rege o Universo. Todavia, a palavra constrangido não se ajusta ao caso, já que o Espírito julga da utilidade de vir, ou deixar de vir. Ainda aí exerce o livre-arbítrio."

> Comparecendo à evocação, os Espíritos obedecem à necessidade de ordem geral das coisas, conquanto permaneçam senhores de si, conforme o grau de sua elevação e a utilidade das comunicações que se solicitam deles. É por isso que demoram mais ou menos tempo ou adiam suas respostas.

256. *A evocação é agradável ou penosa para os Espíritos?* [LM-282.20.]

"Conforme o pedido que se lhes faça. Quando o objetivo é louvável, a evocação constitui para eles coisa agradável e mesmo atraente."

256-a. *Os Espíritos veem com prazer as pessoas que buscam instruir-se?*

"Sim, elas são as mais estimadas dos Espíritos bons e deles obtêm os meios de alcançar a verdade."

> Os Espíritos comparecem à evocação com maior ou menor satisfação, conforme o objetivo daqueles que os chamam. Para os Espíritos

superiores, não é penoso nem desagradável comparecerem ao chamado toda vez que o fim é sério e louvável; longe disso! Comparecerão com prazer, porque estimam aqueles que procuram instruir-se elevando sua inteligência para o infinito.

257. *Há necessidade de evocar os Espíritos, toda vez que desejarmos que se manifestem?* [LM-282.22.]

"Não; frequentemente eles se apresentam sem serem chamados, e aí está a prova de que é por missão que o fazem, e não por se apegarem ao médium."

257-a. *Compreende-se que seja assim com relação aos que vêm comunicar boas coisas; mas, quanto aos que vêm dizer torpezas, qual seu objetivo?*

"É ainda uma missão, a fim de porem à prova vosso caráter."

Nas manifestações escritas ou outras, os Espíritos comparecem às vezes espontaneamente, sem chamada direta. Trata-se, nesse caso, de missão que eles vêm cumprir, seja para nos instruírem, seja para nos porem à prova.

Em geral, os Espíritos que se manifestam sem evocação fazem-se reconhecer por um nome qualquer, seja pelo nome de uma das pessoas mais conhecidas, nas quais estiveram encarnados na Terra, seja por um nome alegórico ou de fantasia. (*Nota* 11.)

258. *Os Espíritos superiores procuram encaminhar as reuniões fúteis a propósitos mais sérios?* [LM-231.3.]

"Sim, tratam de influenciá-las e dão bons conselhos; mas, quando veem que não são ouvidos, retiram-se, deixando aos Espíritos levianos toda liberdade para se divertirem à custa dos que os escutam."

258-a. *É proibido aos Espíritos inferiores comparecerem às reuniões sérias?* [LM-231.4.]

"Não, mas *eles se calam*, a fim de aproveitarem dos ensinamentos que vos são dados."

Os Espíritos superiores se afastam das reuniões levianas em que predominam o capricho, a futilidade e as paixões terrenas, quando reconhecem que sua presença é inútil. Deixam, então, o campo livre aos Espíritos levianos, que aí são mais bem ouvidos.

Os Espíritos imperfeitos não são excluídos das reuniões sérias; a elas comparecem para se instruírem, visto que o progresso é lei comum; entretanto, permanecem calados em presença de Espíritos superiores, *como estouvados numa reunião de pessoas ajuizadas.*

259. *Podem os Espíritos adornar-se com um nome venerado?*
"Sim, isso acontece algumas vezes, mas se descobre facilmente. Ademais, eles não podem tomar um nome venerado se o Espírito bom tem supremacia, razão pela qual se faz a evocação em nome de Deus. Anda direito e nada terás a temer."

259-a. *Podemos obrigar os Espíritos a se identificarem ou a se retirarem?*
"Sim, todos se inclinam diante do nome de Deus."

259-b. *Como se pode constatar a identidade dos Espíritos que se apresentam?* [LM-255 a 261.]
"Estudai sua linguagem, e as circunstâncias vos farão reconhecê-los."

Os Espíritos imperfeitos tomam algumas vezes nomes venerados, quer por malícia, quer para enganar a boa-fé e induzir mais seguramente ao erro; não podem, todavia, sustentar por longo tempo seu papel. O caráter de suas respostas logo nos faz descobrir o embuste, não deixando nenhuma dúvida sobre a natureza do Espírito que se apresenta.

Além disso, seja quem for, o Espírito não pode recusar-se a revelar seu verdadeiro nome, nem se retirar, caso seja citado a fazê-lo em nome de Deus, visto que todos se inclinam ante esse nome temível, quando invocado *com fervor.*

260. *Quando a evocação é feita de maneira geral e sem designação especial, qual o Espírito que se apresenta?*

"O que estiver mais próximo de vós no momento, ou aquele que tenha mais simpatia por vós."

Quando a evocação é feita de maneira geral e sem designação especial, o Espírito que comparece é o que estiver mais próximo de vós naquele momento ou que tenha mais simpatia pelo centro em que é feita a evocação.

261. *O Espírito que costuma apresentar-se a certas pessoas pode deixar de comparecer?*
"Sim."

261-a. *Que causa o pode impedir de vir?*
"Sua vontade, se notar que sua presença é inútil; pode, também, estar ocupado em outra parte, ou, ainda, não ter permissão para acudir ao chamado naquele momento."

O Espírito que habitualmente vem para junto de certas pessoas pode às vezes deixar de vir, seja de maneira definitiva, seja por um tempo mais ou menos longo. Isso pode ser efeito de sua vontade, ou de sua necessidade de estar em outro lugar, ou, ainda, porque não tenha permissão para vir nesse momento.

262. *Os Espíritos puros, isto é, os que já terminaram a série de suas encarnações, podem ser evocados?* [LM-282.31.]
"Sim, são os Espíritos superiores e bem-aventurados; porém, eles só se comunicam com os homens de coração puro e sincero e não com *os orgulhosos e egoístas*. Por isso mesmo, é preciso desconfiar dos Espíritos inferiores que lhes tomam o nome."

262-a. *Podemos evocar o Espírito de nossos parentes e amigos e entrar em comunicação com eles?* [LM-274.]
"Sim, e quando são felizes, gostariam muito que compreendêsseis não haver razão alguma para vos afligirdes pelo fato de eles não mais estarem na Terra."

Livro Primeiro – Capítulo X
Manifestação dos espíritos

A possibilidade de evocar não é circunscrita; estende-se a todos os seres incorpóreos, seja qual for o grau que ocupem na hierarquia espírita: aos Espíritos puros como aos Espíritos inferiores; ao Espírito de nossos parentes e amigos, com os quais podemos entrar em comunicação; aos dos homens mais ilustres, como aos dos mais obscuros, qualquer que seja, aliás, a antiguidade da existência que lhes atribuamos na Terra ou o lugar do Universo que habitem, porque, para os Espíritos, o tempo e o espaço se apagam diante do infinito.

263. *Como podem os Espíritos, dispersos pelos diferentes mundos, ouvir as evocações que lhes são feitas de todos os pontos do Universo, e estar sempre prontos a atender instantaneamente ao nosso chamado?* [LM-282.5.]

"Os Espíritos familiares que nos rodeiam saem à procura daqueles que evocais e os trazem *quando estes podem vir,* porque *sempre prontos* não é o termo, visto como nem sempre aqueles que evocais têm possibilidade de vir; e, depois, caso estejam encarnados, as necessidades de seus corpos podem retê-los, razão pela qual nem sempre vos atendem imediatamente, deixando-vos mais cedo do que gostaríeis."

263-a. *Levando-se em conta que, de certo modo, os Espíritos familiares servem de mensageiros nas evocações, exerceriam eles alguma influência na vinda dos evocados?*

"Sem dúvida; eles trazem mais facilmente aqueles que lhes são simpáticos e, quando são imperfeitos, não podem simpatizar com os Espíritos superiores."

> Nem sempre os Espíritos evocados atendem ao nosso chamado imediatamente, visto como não estão constantemente ao nosso lado; mas nossos Espíritos familiares, que nos acompanham sempre, vão à procura deles. Os Espíritos evocados podem estar encarnados ou ocupados; sua vinda é muitas vezes adiada, porque lhes é preciso algum tempo para se desprenderem e nem sempre podem deixar de repente o que estão fazendo. Esta a razão por que são preferíveis as evocações em dias e horas fixos, porque os Espíritos, estando prevenidos, ficam preparados, e também porque estimam e recomendam a pontualidade.

Os Espíritos evocados comparecem com maior ou menor prazer, conforme a simpatia que lhes inspira o Espírito que os evoca. Julgam o evocador pelas qualidades de seu mensageiro, razão pela qual as pessoas cujo caráter atrai Espíritos imperfeitos, entram mais dificilmente em relação com Espíritos superiores.

264. *Como se explica que o Espírito dos homens mais ilustres atenda com tanta facilidade e familiaridade ao chamado dos homens mais obscuros?* [LM-282.32.]

"Os homens julgam os Espíritos de acordo com eles mesmos, o que é um erro. Após a morte do corpo, eles não são uns mais que os outros; só os bons são superiores e estes vão a toda parte onde haja um bem que possam fazer."

Não há razão alguma para nos admirarmos de ver o Espírito das mais ilustres personagens da Terra atenderem à evocação dos mais humildes mortais. Quando deixam a Terra, ficam despojados de toda e qualquer grandeza mundana; aquele que foi o maior homem neste mundo, poderá vir a ser muito pequeno no mundo dos Espíritos, porquanto, em tal mundo, só a virtude confere superioridade; se forem bons, virão para o bem.

265. *O Espírito evocado ao mesmo tempo em muitos lugares pode responder simultaneamente às perguntas que lhe são dirigidas?* [LM-282.30.]

"Responde de início àquele que o evoca em primeiro lugar ou ao que possuir mais virtude. Muitas vezes é capaz de responder ao mesmo tempo, se as duas evocações forem tão sérias e fervorosas quer uma quer outra; depois, ainda há um mistério: é que, por desígnio da divina Providência, tais evocações costumam ter quase sempre a mesma finalidade, e a mesma resposta poderá servir às duas, e ser ouvida pelas duas."

Evocado ao mesmo tempo em vários locais diferentes, o Espírito responde inicialmente à pessoa que o evocar primeiro ou à que possuir mais virtude, ou também ainda àquela cujo fervor seja maior e mais útil a finalidade; adia outra para uma época determinada; mas pode também responder simultaneamente a diversas evocações, se for idêntico o objetivo. Quanto mais puro e elevado, tanto mais sua mente *irradia* e se expande como a luz. Tal como uma fagulha que projeta ao longe sua claridade e pode ser percebida de todos os pontos do horizonte.

266. *Podemos evocar vários Espíritos com vistas ao mesmo objetivo?*
"Sim; se houver simpatia entre eles, agirão de acordo e terão mais força."

266-a. *Quando vários Espíritos são evocados simultaneamente, qual o que responde?* [LM-282.28.]
"Um deles responde por todos."

> Podemos evocar simultaneamente vários Espíritos para concorrerem ao mesmo fim. Os que atendem a esse apelo coletivo são Espíritos simpáticos entre si. Neste caso, um deles responderá em nome de todos, como se fora a expressão do pensamento coletivo.

267. *Como se explica que dois Espíritos evocados simultaneamente e falando por dois médiuns diferentes possam trocar entre si palavras hostis? Não deveriam estar acima de semelhantes fraquezas?*
"Os Espíritos inferiores estão sujeitos às vossas paixões, e quando não simpatizam entre si, podem travar discussões. Frequentemente, porém, julgais que somos nós que discutimos, quando sois vós que o fazeis; muitas vezes, quando vos obstinais em demasia e não nos deixais falar convenientemente, calamo-nos; nesse caso, os Espíritos travessos, ou mesmo os vossos, ficam discutindo. Eis tudo."

> Dois Espíritos evocados simultaneamente podem responder cada qual por um médium diferente e estabelecer entre si conversação sobre determinado assunto. O caráter da palestra corresponde ao grau de superioridade dos Espíritos ou à simpatia que exista entre eles. Será grave e instrutiva se forem igualmente superiores e animados do mesmo pensamento para o bem. Caso contrário, ou segundo a influência que possa exercer a alma do médium ou dos assistentes sobre as comunicações, a discussão poderá tomar um caráter passional,

caracterizado por troca de palavras mais ou menos acerbas. O domínio da situação, porém, fica sempre com o Espírito mais elevado, que constrange o outro a calar-se.

268. *Podemos evocar o Espírito de uma pessoa no instante da morte?*
"Sim."

268-a. *Embora a separação da alma e do corpo se dê instantaneamente,*[109] *o Espírito tem de imediato percepção clara e nítida de sua nova situação?*
"Não; o Espírito precisa de algum tempo para reconhecer-se, até que se ache completamente desprendido da matéria".

> O Espírito pode ser evocado no instante mesmo da morte da pessoa que ele animava; contudo, embora a separação da alma e do corpo se faça instantaneamente, é-lhe preciso algum tempo para desprender-se por completo da matéria e reconhecer-se. Esta a razão por que, muitas vezes, as primeiras respostas exprimem certa confusão de ideias, até que o Espírito se familiarize com sua nova situação (*Nota* 12).

269. *Podemos evocar o Espírito de uma criança morta em tenra idade?*
"Sim."

269-a. *Como nos responderá ela, se morreu numa idade em que não tinha consciência de si mesma?*
"A alma da criança é um Espírito *ainda envolto nas faixas da matéria*. Porém, liberto da matéria, goza de suas faculdades de Espírito, porque os Espíritos não têm idade." [LM-282.35.]

> Ao ser evocado, as respostas dadas pelo Espírito de uma criança morta em tenra idade serão tão positivas quanto as do Espírito de um adulto, uma vez que não existe idade para os Espíritos. Liberto dos liames terrestres, ele recobra suas faculdades, seja qual for a idade do ser que haja animado. Todavia, até que se desmaterialize completamente, conserva na linguagem alguns vestígios do caráter da infância.

---

[109] N.T.: "instantaneamente" não é bem o termo. Ver questão 155-a da edição definitiva (1860) de *O livro dos espíritos*.

270. *Os Espíritos encarnados em outros mundos podem manifestar-se?*
"Sim, e mesmo os que estão reencarnados na Terra. Quanto menos grosseira for a matéria de seu corpo, tanto mais lhes será fácil desprender-se dela."

> O Espírito evocado pode estar livre, isto é, no estado de Espírito errante. Pode, também, estar reencarnado em outro globo ou no nosso. Quanto mais elevada sua nova existência corpórea, tanto menos o Espírito se achará ligado à matéria, e mais facilmente se comunicará conosco.

271. *Pode-se evocar o Espírito de uma pessoa viva?* [LM-284.38.]
"Sim, visto que se pode evocar um Espírito reencarnado. O Espírito de um vivo também pode, em seus momentos de liberdade, apresentar-se *sem ser evocado*, dependendo da simpatia que tenha pelas pessoas com quem se comunica."

271-a. *Em que estado se acha o corpo da pessoa cujo Espírito é evocado?* [LM-284.39.]
"Dorme ou cochila; é quando o Espírito está livre."

271-b. *Que faz o Espírito quando o corpo acorda?*
"É forçado a *entrar em seu corpo*; é então que vos deixa e quase sempre vos diz a razão disso" (*Nota* 13).

> O Espírito de uma pessoa viva, presente ou ausente, pode comunicar-se, seja espontaneamente, seja pela evocação, e responder por intermediação do médium às perguntas que lhe forem dirigidas. Tal comunicação só se dá nos momentos em que o Espírito goza de certa liberdade, isto é, durante o sono do corpo. Pode ocorrer espontaneamente, quando o Espírito já se acha quase desprendido, ou então quando Deus lhe concede essa faculdade, tendo em vista a transmissão de um ensinamento.
>
> Se a evocação for feita em estado de vigília, provoca o sono, ou pelo menos a prostração das forças físicas e intelectuais.

272. *Uma pessoa viva tem consciência de que foi evocada?* [LM-284.44.]
"Não; vós mesmos o sois mais frequentemente do que pensais."

272-a. *Quem nos poderia evocar, se somos seres tão obscuros?*

"Em outras existências, podeis ter sido personagens conhecidas neste mundo ou em outros; além disso, tendes também vossos parentes e amigos neste mundo e em outros. Suponhamos que vosso Espírito haja animado o corpo do pai de outra pessoa. Pois bem! Quando essa pessoa evocar o Espírito de seu pai, é vosso Espírito que será evocado e que responderá."

272-b. *Quando evocado, o Espírito de uma pessoa viva responde como Espírito ou com as ideias do estado de vigília?*

"Isso depende de sua elevação; julga, porém, de maneira mais sensata e tem menos prejuízos, absolutamente como os sonâmbulos; é um estado similar."

272-c. *Poder-se-iam modificar as ideias do estado normal, atuando sobre o Espírito?*[110]

"Sim, algumas vezes."

> Ao ser evocada, uma pessoa viva responde como o faria diretamente ela mesma; entretanto, em tal estado, seu Espírito não fica mais sujeito à matéria por laços tão íntimos, embora permanecendo sempre sob a influência das paixões terrenas. É por isso que pode julgar as coisas com mais retidão e com menos prejuízos, podendo mesmo, até certo ponto, tornar-se acessível às impressões que queiram fazê-lo sofrer, impressões essas que, quando ele se acha em seu estado normal, podem influir sobre sua maneira de ver.
>
> A pessoa viva evocada, quando em seu estado normal, não tem consciência do fato; só seu Espírito o sabe. No entanto, pode deixar dele vaga impressão, tal como a de um sonho.

---

[110] N.T.: mais tarde, Allan Kardec modificou a redação desta pergunta, de modo a torná-la mais compreensível. Na edição definitiva de *O livro dos médiuns* ela está assim concebida: "Poder-se-iam modificar as ideias de uma pessoa em estado de vigília, atuando sobre seu Espírito durante o sono?" [LM-284.47.]

O Espírito irradia-se às vezes para o local da evocação sem deixar o corpo; neste caso, a pessoa evocada pode manter todas as faculdades de sua vida de relação, ou conservar parte delas. Se estiver presente, pode interrogar seu próprio Espírito e responder a si mesma.

273. *A evocação de uma pessoa viva terá algum inconveniente?* [LM-284.53.]

"Sim, pois nem sempre é isenta de perigo; vai depender das circunstâncias em que se ache a pessoa evocada, porque, se estiver doente, a evocação poderá aumentar seus sofrimentos."

273-a. *Já que podemos ser evocados à nossa revelia, estaremos, porventura, expostos a perigo permanente, e certas mortes súbitas não se devem a essa causa?*

"Não; as circunstâncias não são as mesmas."

> Nem sempre a evocação de uma pessoa viva é isenta de inconvenientes. A brusca suspensão de suas faculdades intelectuais poderia oferecer-lhe perigo, se, nesse momento, ela necessitasse de toda sua presença de espírito. Além disso, se estiver debilitada pela idade, ou pelas moléstias, seus sofrimentos poderão ser aumentados com o afrouxamento dos laços que unem a alma ao corpo.

274. *Se evocarmos uma pessoa, cuja sorte nos seja desconhecida, podemos saber dela mesma se ainda existe?* [LM-292.23.]

"Sim."

274-a. *Se tiver morrido, poderá relatar as circunstâncias de sua morte?* [LM-292.23-a.]

"Sim; se der alguma importância a isso, poderá fazê-lo. A não ser assim, pouco se incomodará."

> Da possibilidade de evocar uma pessoa viva decorre a de evocar outra cujo paradeiro nos seja desconhecido, e de saber assim por ela mesma se ainda se acha neste mundo. As informações que seu

Espírito nos forneça guardam relação com a importância que ele atribua às coisas da Terra.

275. *O Espírito evocado de uma pessoa viva é livre para dizer o que quiser?* [LM-284.48.]
"Sim; ele tem suas faculdades de Espírito e, por conseguinte, seu livre-arbítrio."

275-a. *Se a pessoa souber que foi evocada, sua vontade poderá influir nas respostas de seu Espírito?*
"Sim."

275-b. *Se a evocação for feita à revelia, a vontade da pessoa evocada exercerá alguma influência?*
"O Espírito só diz o que quer."

275-c. *Em face disto, não se poderia obrigar uma pessoa evocada a dizer o que não quisesse falar?* [LM-284.49.]
"Não, a menos que o próprio indivíduo *o queira*."

> Quando a pessoa viva tem conhecimento da evocação no exato momento em que esta ocorre, sua vontade pode ditar as respostas transmitidas pelo médium. Se, ao contrário, a evocação se fizer à sua revelia, as respostas, sendo espontâneas, podem exprimir o pensamento real do indivíduo, *caso ele não tenha nenhum interesse em disfarçá-lo*.
>
> O Espírito conserva sempre seu livre-arbítrio e só dirá o que queira dizer; como, porém, tem mais perspicácia, age com mais cautela do que no estado de vigília. Laboraríamos em erro se pretendêssemos, por mero abuso, arrancar de alguém um segredo que ele queira guardar (*Nota* 14).

276. *Duas pessoas, que se evocassem reciprocamente, poderiam corresponder-se, transmitindo de uma a outra seus pensamentos?* [LM-285.58.]
"Sim, e essa telegrafia humana será um dia um meio universal de correspondência."

Livro Primeiro – Capítulo X
Manifestação dos espíritos

276-a. *Por que não poderá ser praticada desde agora?* [LM-285.58-a.]

"Já é praticada por algumas pessoas, mas não por todos. É preciso que os homens *se depurem*, a fim de que seus Espíritos se desprendam da matéria e isso constitui uma razão a mais para que a evocação se faça em nome de Deus."

> Duas pessoas que se evocassem mutuamente poderiam corresponder-se e transmitir de uma a outra os pensamentos, cada qual de seu lado, seja qual for a distância que estiverem uma da outra.
>
> Essa telegrafia humana se tornará universal e será um dia o meio mais rápido e mais simples de comunicação entre os homens, quando seus Espíritos, depurando-se, puderem isolar-se da matéria com mais facilidade. Até lá, a telegrafia humana continuará circunscrita *às almas de escol*.

LIVRO SEGUNDO

Leis morais

CAPÍTULO I
Lei divina ou natural

CAPÍTULO II
1. Lei de adoração

CAPÍTULO III
2. Lei do trabalho

CAPÍTULO IV
3. Lei de reprodução

CAPÍTULO V
4. Lei de conservação

CAPÍTULO VI
5. Lei de destruição

CAPÍTULO VII
6 . Lei de sociedade

CAPÍTULO VIII
7. Lei do progresso

CAPÍTULO IX
8. Lei de igualdade

CAPÍTULO X
9. Lei de liberdade

CAPÍTULO XI
10. Lei de justiça, amor e caridade

CAPÍTULO I

Lei divina ou natural

Caráter e objetivo da lei divina ou natural – O bem e o mal – Diferença entre lei natural e estado de natureza – Conhecimento intuitivo da lei natural – Revelação – Profetas – Caráter da lei de Jesus – Objetivo do ensinamento dado pelos Espíritos – Divisão da lei natural

277. *A Lei de Deus é eterna?*[111, 112] [LE-615.]

"Sim, e imutável."

277-a. *É possível que Deus haja prescrito aos homens, em certa época, aquilo que lhes proibiria em outra época?* [LE-616.]

"Deus não se engana. Os homens é que são obrigados a modificar suas leis, por serem imperfeitas."

A harmonia que rege o universo material e o universo moral se baseia em leis estabelecidas por Deus desde toda a eternidade. Essas leis são imutáveis como o próprio Deus.[113]

---

[111] Nota de Allan Kardec: fizemos uma modificação na disposição da matéria a partir desta parte do livro. Doravante, as duas colunas farão sequência uma da outra e não apresentarão duas partes distintas. Como precedentemente, as respostas *textuais* dadas pelos Espíritos seguem imediatamente as perguntas e são postas entre aspas. O que vem após as respostas constitui um desenvolvimento do assunto, emanado também dos Espíritos quanto ao fundo, mas não na forma, e afinal sempre revisto, aprovado e muitas vezes corrigido por eles. São ideias que emitiram parcialmente em diversas épocas, resumidas em estilo mais fluente, excluindo-se, todavia, o que formava dupla lição com o texto da resposta precedente.

[112] N.T.: conforme já explicamos na *nota de* rodapé nº 72, p. 73 deste livro, optamos desde o início em apresentar as matérias nele contidas em uma simples coluna, em vez de duas, obedecendo à seguinte ordem: pergunta, resposta, comentário de Allan Kardec.

[113] N.T.: alguns comentários, ou parte deles, normalmente atribuídos a Allan Kardec na 1ª edição deste livro, e que aparecem na segunda coluna da edição original, foram *incorporados*,

278. *As Leis divinas referem-se apenas à conduta moral?* [LE-617.]
"Todas as leis da Natureza são Leis divinas, visto que Deus é o autor de todas as coisas. O sábio estuda as leis da matéria, o homem de bem estuda e pratica as leis da alma."

278-a. *É permitido ao homem aprofundar-se nessas leis?* [LE-617.a.]
"*Sim, mas uma única existência não lhe basta para isso.*"

> Entre as Leis divinas, umas regulam o movimento e as relações da matéria bruta: são as leis físicas, cujo estudo é do domínio da Ciência. As outras dizem respeito especialmente ao homem em si mesmo e às suas relações com Deus e com os semelhantes. Abrangem tanto as regras da vida do corpo quanto as da vida da alma: são as leis morais.

279. *Que é a moral?* [LE-629.]
"A moral é a regra de bem proceder, isto é, a distinção entre o bem e o mal. O homem procede bem quando faz tudo pelo bem de todos, porque então cumpre a Lei de Deus."

279-a. *Em que se funda a moral?*
"Na observância das leis de Deus."

> Toda moral sã deve fundamentar-se na Lei de Deus, porquanto o bem é tudo o que é conforme à Lei de Deus e o mal é tudo o que

---

mais tarde, às respostas dos Espíritos da Codificação, o que lhes aumentou substancialmente a redação e as complementou. É o caso dos comentários às questões 84-a, 91, 110-a, 144, 151, 179, 185-b, 196-a, 198, 277-a, 280-a, 285, 289, 294, 295, 302, 315, 326, 327-b, 330-a, 333, 339, 340, 343-a, 348-a, 359-a, 375, 380, 392-a, 394, 416-a, 418-b, 420, 422, 436, 456-c, 467 e 489 desta tradução, os quais, na edição definitiva de 1860, passam a fazer parte das respostas dos Espíritos às perguntas 605, 215, 157, 998, 216, 993, 204, 295, 473, 616, 619, 633, 639, 643, 646, 626, 657, 684, 681, 689, 692, 704, 705, 716, 720-a, 733, 740, 766, 780-a, 778, 822-a, 826, 830, 832, 595, 916, 943 e 983, respectivamente.

Tal fato não nos deve surpreender absolutamente, se levarmos em conta a *Nota* de Allan Kardec que se segue aos "Prolegômenos" desta obra. Ao justificar a apresentação gráfica das matérias do livro em duas colunas, explica ele que ambas apresentam dupla redação ou duas formas diferentes do mesmo tema, tendo a primeira a vantagem de apresentar a matéria à feição das entrevistas espíritas, enquanto a segunda permite uma leitura sequencial. No entanto, "embora o assunto versado em cada uma delas seja o mesmo, encerram, numa e noutra, pensamentos especiais que, mesmo quando não resultam de perguntas diretas, não deixam de ser o fruto das lições dadas pelos Espíritos, *pois nenhuma há que não seja a expressão do pensamento deles.*"

dela se afasta. Assim, fazer o bem é proceder de acordo com a Lei de Deus; fazer o mal é infringir essa lei. [LE-630.]

280. *Deus facultou a todos os homens os meios de conhecerem suas leis?* [LE-619.]

"Todos podem conhecê-la; há, porém, os que a compreendem melhor do que outros."

280-a. *Quais são os que compreendem melhor a Lei de Deus?*

"Os homens de bem e os que desejam pesquisá-la. Todos, entretanto, a compreenderão um dia, pois é preciso que o progresso se realize. A criança não pode compreender tão bem quanto o adulto."

> A justiça das diversas encarnações do homem é uma consequência deste princípio, pois a cada nova existência sua inteligência se acha mais desenvolvida e ele compreende melhor o que é bem e o que é mal.

281. *A Lei de Deus é aquilo que se chama* lei natural?

"Sim; é a única verdadeira para a felicidade do homem. Indica-lhe o que deve fazer ou deixar de fazer e ele só é infeliz porque dela se afasta." [LE-614.]

282. *O estado de natureza e a lei natural são a mesma coisa?* [LE-776.]

"Não; o estado de natureza é o estado primitivo. A civilização é incompatível com o estado de natureza, enquanto que a lei natural contribui para o progresso da Humanidade."

282-a. *Que se deve pensar da opinião segundo a qual o estado de natureza seria o da perfeita felicidade na Terra?* [LE-777.]

"Que queres? É a felicidade do bruto. Há pessoas que não compreendem outra."

> O estado de natureza é a infância da Humanidade e o ponto de partida de seu desenvolvimento intelectual e moral. Sendo o homem perfectível e trazendo em si o gérmen de seu aperfeiçoamento, não foi destinado a viver perpetuamente no estado de natureza, dele

saindo em virtude do progresso da civilização. A lei natural, ao contrário, rege a Humanidade inteira e o homem se melhora à medida que melhor compreende e pratica essa lei.

283. *Onde está escrita a Lei de Deus?* [LE-621.]
"Na consciência."

283-a. *O homem tem meios de distinguir por si mesmo o que é bem do que é mal?* [LE-631.]
"Sim, quando crê em Deus e o quer saber. Deus lhe deu a inteligência para distinguir um do outro."

284. *Por estar sujeito ao erro, o homem não pode enganar-se na apreciação do bem e do mal, e crer que faz o bem, quando na realidade faz o mal?* [LE-632.]
"Jesus vos disse: vede o que gostaríeis que vos fizessem. Tudo se resume nisso. Não vos enganareis."

285. *A regra do bem e do mal, que se poderia chamar de* reciprocidade *ou de* solidariedade, *não pode ser aplicada à conduta pessoal do homem para consigo mesmo. Achará ele, na lei natural, a regra dessa conduta e um guia seguro?* [LE-633.]
"Quando comeis em excesso, isso vos faz mal. Pois bem! É Deus quem vos dá a medida do que necessitais. Quando ultrapassais essa medida, sois punidos. Dá-se o mesmo em tudo."

A lei natural traça ao homem o limite de suas necessidades; quando ele o ultrapassa, é punido pelo sofrimento. Se o homem sempre escutasse essa voz que lhe diz *basta!*, evitaria a maior parte dos males de que acusa a Natureza.

286. *As diferentes posições sociais criam necessidades novas, que não são as mesmas para todos os homens. Não fica parecendo que a lei natural não constitui regra uniforme?* [LE-635.]
"Essas diferentes posições estão na Natureza segundo a lei do progresso, o que não impede a unidade da lei natural, que se aplica a tudo."

> As condições da existência do homem mudam de acordo com os tempos e lugares, resultando para ele necessidades diferentes e posições sociais apropriadas a essas necessidades. Já que essa diversidade está na ordem das coisas, ela é conforme à Lei de Deus, lei que não deixa de ser una em seu princípio. Cabe à razão distinguir as necessidades reais das necessidades artificiais ou convencionais.

287. *O bem e o mal são absolutos para todos os homens?* [LE-636.]
"Sim, pois a Lei de Deus é a mesma para todos."

287-a. *O que é mal para alguns o é também e no mesmo grau para todos?*
"Não; o mal depende da vontade que se tenha de fazê-lo."

287-b. *De acordo com esse princípio, o bem seria sempre o bem e o mal sempre o mal, seja qual for a posição do homem. A diferença estaria então no grau de responsabilidade?*
"Exatamente."

287-c. *Será culpado o selvagem que, cedendo ao seu instinto, se alimenta de carne humana?* [LE-637.]
"Eu já disse que o mal depende da vontade. Pois bem! O homem é tanto mais culpado quanto melhor sabe o que faz."

> As condições da existência em que o homem é posto pela Natureza dão ao bem e ao mal relativa gravidade. Muitas vezes o homem comete faltas que, embora decorrentes da posição em que a sociedade o colocou, não são menos repreensíveis. Mas sua responsabilidade é proporcional aos meios de que dispõe para compreender o bem e o mal. É por isso que o homem esclarecido que comete uma simples injustiça é mais culpado aos olhos de Deus do que o selvagem ignorante que se entrega aos seus instintos.

288. *Parece, às vezes, que o mal é uma consequência da força das coisas. Tal, por exemplo, em certos casos, a necessidade de destruição, até mesmo* *de nosso semelhante. Pode-se dizer, então, que haja prevaricação à Lei de Deus?* [LE-638.]

"Embora necessário, o mal não deixa de ser o mal. Mas essa necessidade desaparece à medida que a alma se depura, passando de uma existência a outra. Então o homem se torna mais culpado quando o comete, porque melhor o compreende."

288-a. *Por que o mal está na natureza das coisas? Deus não podia ter criado a Humanidade em melhores condições?* [LE-634.]

"Já te dissemos: os Espíritos foram criados simples e ignorantes. O homem é composto de matéria e Espírito. O corpo é uma veste de que o Espírito se cobre, a fim de poder instruir-se. Se não houvesse montanhas, o homem não compreenderia que se pode subir e descer; e se não existissem rochas, não compreenderia que há corpos duros. É preciso que o Espírito adquira experiência e, para isso, é necessário que conheça o bem e o mal. Eis por que há união do Espírito ao corpo."

289. *O mal que cometemos não resulta muitas vezes da posição em que os homens nos colocaram? Quais são, nesse caso, os mais culpados?* [LE-639.]

"O mal recai sobre aquele que foi o seu causador."

> Assim, o homem que é levado a praticar o mal pela posição em que seus semelhantes o colocaram, é menos culpado do que aqueles que causaram esse mal, porque cada um será punido não só pelo mal que haja feito, mas também pelo mal que tenha provocado.

290. *Aquele que não pratica o mal, mas que se aproveita do mal praticado por outrem, é tão culpado quanto este?* [LE-640.]

"É como se o tivesse praticado. Aproveitar do mal é participar do mal."

291. *Será tão repreensível desejar o mal quanto praticá-lo?* [LE-641.]

"Depende. Há virtude em resistir-se voluntariamente ao mal que se deseja praticar. Se, porém, faltou apenas ocasião para isso, o homem é culpado."

292. O bem e o mal são eternos?
"Só o bem é eterno, visto ser o objetivo final de todas as coisas; o mal terá um fim."

292-a. Quando terá fim o mal?
"Na vida eterna."

292-b. O mal é uma condição permanente da Humanidade na Terra?
"Não; o fim do mal começará neste mundo mesmo, quando os homens praticarem a Lei de Deus."

> Consistindo o bem na observância da Lei de Deus, a diminuição do mal na Terra será a consequência da observância dessa lei; o mal desaparecerá quando essa lei for sinceramente e universalmente praticada.

293. Basta [o homem] não fazer o mal?[114] [LE-642.]
"Não; é preciso que faça o bem no limite de suas forças, pois cada um responderá por todo o mal *que haja resultado de não haver praticado o bem*."

294. Haverá pessoas que, por sua posição, não tenham possibilidade de fazer o bem? [LE-643.]
"Não há quem não possa fazer o bem. Somente o egoísta nunca encontra oportunidade de o praticar."

> Basta que se esteja em relação com outros homens para se ter ocasião de fazer o bem, e cada dia da existência oferece essa possibilidade a quem não estiver cego pelo egoísmo. Porque fazer o bem não consiste apenas em ser caridoso, mas em ser útil, na medida do possível, toda vez que o auxílio se fizer necessário.

295. O mérito do bem que se faça está subordinado a certas condições? Em outras palavras: será de diferentes graus o mérito que resulta da prática do bem? [LE-646.]

---

[114] N.T.: na edição definitiva de *O livro dos espíritos*, esta pergunta é mais categórica e muito mais objetiva: "Para agradar a Deus e assegurar sua posição futura, bastará que o homem não pratique o mal?".

"O mérito do bem está na dificuldade em praticá-lo. Não há mérito algum em fazer o bem sem esforço e quando nada custa."

> Não há mérito algum em fazer o bem sem sacrifício. Deus leva mais em conta o pobre que reparte seu único pedaço de pão, do que o rico que apenas dá do que lhe sobra. Jesus já disse isso a propósito do óbolo da viúva.

296. *Antes de se unir ao corpo, a alma compreende melhor a Lei de Deus do que após a sua encarnação?* [LE-620.]

"Sim; compreende-a de acordo com o grau de perfeição a que tenha chegado e dela guarda a intuição quando unida ao corpo. Mas os maus instintos do homem fazem frequentemente que ele a esqueça."

297. *Já que tudo vem de Deus, os maus instintos não serão também obra sua? E o homem deverá ser responsabilizado por eles?*

"O homem não é um animal. Deus lhe deixa a escolha dos caminhos; tanto pior para ele se tornar um mau: sua peregrinação será mais longa."

298. *Que se deve entender por revelação?*

"É o dom de saber e compreender as verdades que não se veem."

298-a. *Uma vez que o homem traz em sua consciência a Lei de Deus, que necessidade havia de lhe ser ela revelada?* [LE-621.a.]

"Ele a tinha esquecido e desprezado: Deus quis que ela lhe fosse revelada."

299. *Deus confiou a alguns homens a missão de revelar sua lei?* [LE-622.]

"Sim, certamente. Em todos os tempos houve homens que receberam essa missão. São Espíritos superiores, encarnados com o objetivo de fazer a Humanidade progredir."

299-a. *Por que sinais se podem reconhecer os homens que hajam recebido tal missão?*

"São homens de bem e de gênio que mereceram uma recompensa em outra existência. Reconhecê-los-eis por suas ações."

300. *Os que têm pretendido instruir os homens na Lei de Deus não se enganaram algumas vezes, fazendo-os frequentemente transviar-se por meio de falsos caminhos?* [LE-623.]

"Sim, os que não eram inspirados por Deus e que, por ambição, se atribuíram uma missão que não lhes fora confiada. Entretanto, como eram, afinal, homens geniais, mesmo entre os erros que ensinaram, muitas vezes se encontram grandes verdades."

300-a. *Qual o caráter do verdadeiro profeta?* [LE-624.]

"Eu disse que o profeta é um homem de bem inspirado por Deus. Podeis reconhecê-lo por suas palavras e atos. Deus não pode servir-se da boca do mentiroso para ensinar a verdade."[115]

> Se alguns dos que pretenderam instruir o homem na Lei de Deus o têm algumas vezes desviado por meio de falsos princípios, é porque se deixaram dominar, eles mesmos, por sentimentos demasiado terrenos e por terem confundido as leis que regem as condições da vida da alma com as que governam a vida do corpo. Muitos deles têm dado como Leis divinas o que não passava de leis humanas, criadas para servir às paixões e dominar os homens.

301. *Qual o tipo mais perfeito que Deus já ofereceu ao homem para lhe servir de guia e modelo?* [LE-625.]

"Jesus."[116]

> Para o homem, Jesus representa o tipo da perfeição moral a que a Humanidade pode aspirar na Terra. Deus no-lo oferece como o mais perfeito modelo, e a Doutrina que ensinou é a mais pura expressão da lei do Senhor, porque o espírito divino o animava, e porque foi o ser mais puro de quantos já apareceram na Terra.

---

[115] N.T.: ver *O evangelho segundo o espiritismo*, cap. XXI, it. 9.
[116] N.T.: literalmente, "Vide Jesus", conforme consta no original.

302. *As Leis divinas e naturais só foram reveladas aos homens por Jesus? Antes dele, as pessoas só as conheciam por intuição?* [LE-626.]

"Já não dissemos que elas estão escritas por toda parte? Todos os homens que meditaram sobre a sabedoria hão podido compreendê-las e ensiná-las, desde os tempos mais remotos. Por meio de seus ensinos, mesmo incompletos, prepararam o terreno para receber a semente."

> Estando as Leis divinas escritas no livro da Natureza, foi possível ao homem conhecê-las quando quis procurá-las. É por isso que os preceitos que elas consagram têm sido proclamados em todos os tempos pelos homens de bem, e é também por isso que encontramos seus elementos na doutrina moral de todos os povos que já saíram da barbárie, se bem que incompletos ou desfigurados pela ignorância e pela superstição.

303. *Já que Jesus ensinou as verdadeiras leis de Deus, qual a utilidade do ensino dado pelos Espíritos? Terão eles mais alguma coisa a nos ensinar?* [LE-627.]

"Muitas vezes as palavras de Jesus eram alegóricas e em forma de parábolas, porque Ele falava de acordo com a época e os lugares. Agora, é preciso que a verdade seja inteligível para todos. Nossa missão é abrir os olhos e os ouvidos de todos para confundir os orgulhosos e desmascarar os hipócritas, que da religião e da virtude só guardam a aparência, a fim de ocultarem suas torpezas."

303-a. *Por que nem sempre a verdade foi colocada ao alcance de todos?*

"É necessário que cada coisa venha a seu tempo. A verdade é como a luz: é preciso habituar-se a ela pouco a pouco, senão ofusca."

304. *Por que as comunicações com o mundo espiritual, que têm ocorrido em todos os tempos, se tornaram hoje mais generalizadas?*

"Os tempos marcados para essa manifestação universal acabam de chegar. Essas comunicações se tornarão cada vez mais comuns; afetarão os olhos dos mais incrédulos, e não está longe o dia em que a dúvida não será mais permitida. Então a face do mundo moral mudará, e pouco a pouco desaparecerão os vícios e os prejuízos que fazem a desgraça do gênero humano."

A manifestação universal dos Espíritos constitui uma Nova Era que começa para a Humanidade e prepara sua regeneração, desvendando-lhe de alguma sorte os segredos do mundo espiritual, que é sua verdadeira pátria. Só não verão os que quiserem permanecer cegos.

305. *Toda a Lei de Deus se acha contida na máxima do amor ao próximo, ensinada por Jesus?* [LE-647.]

"Certamente essa máxima encerra todos os deveres dos homens uns para com os outros. Mas é preciso mostrar a eles sua aplicação, pois, do contrário, deixarão de praticá-la, como o fazem até hoje. Ademais, a lei natural abrange todas as circunstâncias da vida, e essa máxima é apenas uma parte da lei."

305-a. *A divisão da lei natural em dez partes, compreendendo as leis de adoração, trabalho, reprodução, conservação, destruição, sociedade, progresso, igualdade, liberdade e, por fim, a de justiça, amor e caridade, abrange todas as fases da vida individual e social do homem?* [LE-648.]

"Sim; essa divisão da Lei de Deus em dez partes é a de Moisés. A última lei é a mais importante; é por meio dela que o homem pode adiantar-se mais na vida espiritual, visto como resume todas as outras."

CAPÍTULO II

Lei de adoração

Objetivo e forma da adoração – Vida contemplativa – Efeitos da prece

306. *Em que consiste a adoração?* [LE-649.]
"Na elevação do pensamento a Deus."

307. *A adoração resulta de um sentimento inato ou é fruto de um ensino?* [LE-650.]
"Sentimento inato, como o da Divindade. A consciência de sua fraqueza leva o homem a se curvar diante daquele que o pode proteger."

307-a. *Terá havido povos destituídos de todo sentimento de adoração?* [LE-651.]
"Não, porque jamais houve povos ateus. Todos compreendem que acima deles há um Ser supremo."

307-b. *Qual o objetivo da adoração?*
"Agradar a Deus, aproximando dele nossa alma."

> A adoração da Divindade é um ato espontâneo do homem e o resultado de sua crença intuitiva na existência do Ser supremo. Encontra-se, sob diversas formas, em todas as épocas e entre todos os povos, porque é um sentimento natural ou, melhor dito, uma lei da *Natureza*.

308. *A adoração necessita de manifestações exteriores?* [LE-653.]

"Não; a verdadeira adoração é a do coração. Em todas as vossas ações, lembrai-vos sempre de que o Senhor vos observa."

308-a. *A adoração exterior é útil?* [LE-653.a.]

"Sim, se não consistir num vão simulacro. É sempre útil dar um bom exemplo. Porém, os que somente o fazem por afetação e amor-próprio, mas cuja conduta desmente sua aparente piedade, dão mau exemplo e fazem mais mal do que supõem."

308-b. *Deus tem preferência pelos que o adoram desta ou daquela maneira?* [LE-654.]

"Deus prefere os que o adoram do fundo do coração, com sinceridade, fazendo o bem e evitando o mal, aos que julgam honrá-lo com cerimônias que não os tornam melhores para com seus semelhantes."

308-c. *Pergunto se existe uma forma exterior mais conveniente do que outra.*

"É como se perguntasses se é mais agradável a Deus ser adorado numa língua do que em outra. Todos os homens são irmãos e filhos de Deus. Ele chama a si todos os que seguem suas leis." [LE-654.]

> A adoração independe da forma; é sempre agradável a Deus quando procede de um coração sincero e fiel observador da justiça. A adoração que consiste somente na forma é um ato de hipocrisia pelo qual se pode abusar dos homens, mas que não poderia enganar a Deus, que vê o fundo dos corações. Quanta gente finge humilhar-se a Deus para atrair a aprovação dos homens!

309. *A adoração em comum é preferível à adoração individual?* [LE-656.]

"Como já dissemos, os homens, reunidos pela comunhão de pensamentos e sentimentos, têm mais força para atrair a si os Espíritos bons. Pois bem! O mesmo se dá quando se reúnem para adorar a Deus. Mas, não penseis que, em razão disso, a adoração particular seja menos valiosa, já que cada um pode adorar a Deus pensando nele."

310. *Qual o objetivo da prece?*
"Atrair a si graças particulares."

310-a. *Não poderíamos merecer essas graças a não ser pela prece?*
"Não; Deus sabe o que vos é preciso. Entretanto, pela prece atraís mais particularmente sua atenção, porque orar é pensar em Deus e adorá-lo."

311. *Pode-se orar aos Espíritos?* [LE-666.]
"Sim, aos bons. Orar a eles é como os evocar; e quando a prece for sincera não deixarão de vir até vós e vos assistir tanto quanto lhes seja permitido: essa é a missão deles. São vossos intérpretes perante Deus."

312. *A prece é agradável a Deus?* [LE-658.]
"Sim, quando parte de um coração sincero, pois, para Ele, a intenção é tudo e a prece do coração é preferível à que podes ler, por mais bela que seja."

> A prece, na qual a inteligência e o pensamento não tomam parte, não é uma prece: são palavras que não têm mérito algum aos olhos de Deus.

313. *A prece torna melhor o homem?* [LE-660.]
"Sim, a do coração; mas a dos lábios gera hipócritas."

313-a. *De que maneira a prece pode tornar melhor o homem?*
"Deus lhe envia Espíritos bondosos, a fim de lhe sugerirem bons pensamentos. O homem se torna assim mais forte para suportar *sem queixume* os sofrimentos da vida."

314. *Poderemos utilmente pedir a Deus que perdoe nossas faltas?* [LE-661.]
"Deus sabe discernir o bem do mal; a prece não esconde as faltas. Aquele que pede a Deus o perdão de suas faltas só o obtém se mudar de conduta. As boas ações são a melhor prece, porque os atos valem mais do que as palavras."

315. *Os homens que se consagram à vida contemplativa têm algum mérito perante Deus, já que só pensam nele e não fazem mal a ninguém?* [LE-657.]

"Não, porque se não fazem o mal, também não fazem o bem e são inúteis. Ademais, não fazer o bem já é um mal."

> Deus quer que se pense Nele, mas não quer que se pense apenas Nele, pois deu ao homem deveres a cumprir na Terra. Aquele que se consome na meditação e na contemplação nada faz de meritório aos olhos de Deus, porque sua vida é inútil à Humanidade, e Deus lhe pedirá contas do bem que não houver feito.

316. *É possível orar utilmente pelos outros?* [LE-662.]
"O Espírito de quem ora atua pela vontade de fazer o bem. Pela prece, atrai a si os Espíritos bons e estes se associam ao bem que deseje fazer."

> Possuímos em nós mesmos, pelo pensamento e pela vontade, um poder de ação que se estende muito além dos limites de nossa esfera corpórea. A prece pelos outros é um ato dessa vontade. Se for ardente e sincera, pode chamar os Espíritos bons em auxílio daquele por quem oramos, a fim de lhe sugerirem bons pensamentos e lhe darem a força de que precisam seu corpo e sua alma. Mas, ainda aqui, a prece do coração é tudo, a dos lábios nada vale.

317. *As preces alheias, feitas em nossa intenção, poderiam resultar no perdão de nossas faltas?*
"Disse Jesus: a cada um segundo suas obras. Ninguém, senão vós, pode reparar o mal que houverdes feito. A prece de outrem pode fortalecer-vos; não, porém, fazer que consigais obter um perdão que não tenhais merecido por algum esforço."

318. *Haverá algum mérito da parte de certas pessoas em consagrar a vida à prece?*
"Perguntai antes o sacrifício que elas se impõem em favor do próximo; depois, julgareis seu mérito."

> Consagrar a vida à prece em benefício próprio é puro egoísmo; fazer isso pelos outros é ociosidade disfarçada. É mais meritório, para socorrer o próximo, nos impormos privações efetivas e sacrifícios

voluntários do que assisti-los com preces que não custam senão o esforço de proferi-las.

319. *Podemos rogar a Deus que desvie os males que nos afligem?*
"Dissemos que a prece nunca é inútil, quando bem feita, porque fortalece aquele que ora, o que já constitui grande resultado. Ajuda-te a ti mesmo e o céu te ajudará, bem o sabes. Ademais, Deus não pode mudar a ordem da Natureza ao sabor de cada um e, depois, de quantos males o homem não é o próprio autor, por sua imprevidência e por suas faltas! Ele é punido naquilo em que pecou." [LE-663.]

> Esses males muitas vezes estão nos decretos da Providência e para um bem que não podemos compreender. Frequentemente, também, Deus nos sugere, por intermédio dos Espíritos, pensamentos pelos quais podemos, nós mesmos, afastá-los de nós ou minorar-lhes os efeitos.

CAPÍTULO III

Lei do trabalho

Objetivo e obrigação do trabalho – Limite do trabalho – Repouso

320. *A necessidade do trabalho é uma lei da Natureza?* [LE-674.]
"Sim, e a civilização te obriga mais ao trabalho."

320-a. *Por que a Natureza se encarrega, por si mesma, de prover a todas as necessidades dos animais?* [LE-677.]
"Tudo na Natureza trabalha. Como tu, trabalham os animais."

> O homem não deve sua nutrição, segurança e bem estar senão ao trabalho e atividade pessoais. Ao que é demasiado fraco de corpo, Deus deu inteligência para suprir a fraqueza.

321. *Por que o trabalho é imposto ao homem?* [LE-676.]
"Por ser uma consequência da rudeza de sua natureza corpórea. É expiação e, ao mesmo tempo, meio de aperfeiçoar sua inteligência. Sem o trabalho, o homem permaneceria na infância intelectual."

321-a. *Nos mundos mais aperfeiçoados, o homem é submetido à mesma necessidade de trabalhar?* [LE-678.]
"Não, porque não tem as mesmas necessidades. Mas, não julgueis daí que o homem se conserve inativo e inútil."

322. *Só devemos entender por trabalho as ocupações materiais?* [LE-675.]

"Não; o Espírito trabalha, assim como o corpo. Toda ocupação útil é trabalho."

323. *Não há homens que se encontram impossibilitados de trabalhar e cuja existência é, portanto, inútil?* [LE-680.]

"Deus é justo; só condena aquele que voluntariamente tornou inútil sua existência, pois esse vive à custa do trabalho dos outros. Ele quer que cada um seja útil, de acordo com suas faculdades."

324. *O homem que possui bens suficientes para garantirem sua subsistência estará isento da lei do trabalho?* [LE-679.]

"Não, porque tem mais meios de tornar-se útil."

324-a. *Por que Deus favorece com os dons da fortuna certos homens, que não parecem tê-los merecido?*

"É um favor aos olhos dos que só veem o presente; mas, sabei-o bem, a fortuna é uma prova tão grande quanto a miséria, não raro mais perigosa."

> Embora o homem a quem Deus concedeu a posse de bens suficientes para assegurar a existência não seja obrigado a alimentar-se com o suor de seu rosto, o dever de ser útil aos semelhantes é tanto maior para ele quanto maior tenha sido a cota de tempo livre que lhe coube adiantadamente para fazer o bem. [LE-679.]

325. *Sendo uma necessidade para quem trabalha, o repouso não é também uma lei da Natureza?* [LE-682.]

"Sim, e é também necessário para dar um pouco mais de liberdade à inteligência, a fim de que se eleve acima da matéria."

325-a. *Qual o limite do trabalho?* [LE-683.]

"O limite das forças; quanto ao resto, Deus deixa livre o homem."

326. *Que pensar dos que abusam de sua autoridade, impondo a seus inferiores excessivo trabalho?* [LE-684.]

"Isso é uma das piores ações."

> Todo homem que tem o poder de mandar é responsável pelo excesso de trabalho que impõe a seus inferiores, porque transgride a Lei de Deus.

327. *O homem tem o direito de repousar na velhice?* [LE-685.]
"Sim, pois a nada é obrigado, senão de acordo com suas forças."

327-a. *No entanto, que há de fazer o velho que precisa trabalhar para viver, mas está incapacitado para o trabalho?* [LE-685.a.]
"O forte deve trabalhar para o fraco: é a lei de caridade."

327-b. *A lei da Natureza impõe aos filhos a obrigação de trabalharem para seus pais?* [LE-681.]
"Sim, como os pais devem trabalhar para seus filhos. Isto é ignorado na vossa sociedade atual."

> Não é sem motivo que Deus fez do amor filial e do amor paterno um sentimento natural, a fim de que, por essa afeição recíproca, os membros de uma mesma família fossem levados a se ajudarem mutuamente.

CAPÍTULO IV

Lei de reprodução

Obstáculos à reprodução – Aperfeiçoamento das raças – Celibato – Casamento – Poligamia

328. *A reprodução dos seres vivos é uma lei da Natureza?* [LE-686.]
"Evidentemente. Sem a reprodução o mundo corpóreo pereceria."

329. *Se a população seguir sempre a progressão crescente que vemos, chegará um momento em que se tornará excessiva na Terra?* [LE-687.]
"Não; Deus a isso provê e mantém sempre o equilíbrio."

330. *Há, neste momento, raças humanas que evidentemente diminuem. Chegará o momento em que terão desaparecido da Terra?*[117] [LE-688.]
"Sim, é verdade. É que outras lhes estão tomando o lugar, assim como um dia outras raças tomarão o lugar da vossa."

330-a. *Os homens atuais formam uma criação nova, ou são descendentes aperfeiçoados dos seres primitivos?*[118] [LE-689.]
"São os mesmos Espíritos que *voltaram*, para se aperfeiçoar em novos corpos, mas que ainda estão longe da perfeição."

Assim, a atual raça humana que, por seu crescimento, tende a invadir toda a Terra e a substituir as raças que se extinguem, terá sua fase de decréscimo e de desaparição. Será substituída por outras

---
[117] N.E.: ver "Nota explicativa", p. 551.
[118] N.E.: ver "Nota explicativa", p. 551.

raças mais aperfeiçoadas, que descenderão da atual, como os homens civilizados de hoje descendem dos seres brutos e selvagens dos tempos primitivos.

331. *As leis e os costumes que têm por fim criar obstáculos à reprodução são contrários à lei da Natureza?* [LE-693.]
"Sim."

331-a. *Entretanto, há espécies de seres vivos, animais e plantas, cuja reprodução indefinida seria nociva a outras espécies, e das quais o próprio homem acabaria por ser vítima. Cometeria ele ato repreensível, impedindo essa reprodução?* [LE-693.a.]
"Não; Deus concedeu ao homem, sobre todos os seres vivos, um poder de que ele deve usar para o bem, mas não abusar. Pode, pois, regular a reprodução de acordo com as necessidades, mas não deve opor-se a ela desnecessariamente."

332. *Que pensar dos usos que têm por efeito impedir a reprodução, com vistas à satisfação da sensualidade?* [LE-694.]
"Isso prova a predominância do corpo sobre a alma e quanto o homem está apegado à matéria."

333. *O aperfeiçoamento das raças pela Ciência é contrário à lei natural?*[119] [LE-692.]
"Não; tudo se deve fazer para chegar à perfeição e o próprio homem é um instrumento de que Deus se serve para atingir seus propósitos."

> Sendo a perfeição o objetivo para o qual tende a Natureza, favorecer essa perfeição é corresponder aos desígnios de Deus. O homem age conforme à Lei de Deus quando solicita à Arte ou à Ciência o aperfeiçoamento das raças.

334. *O celibato voluntário é um estado de perfeição meritório aos olhos de Deus?* [LE-698.]

---
[119] N.E.: ver "Nota explicativa", p. 551.

"Não, e os que assim vivem por egoísmo desagradam a Deus e enganam a todos."

334-a. *O celibato não representa um sacrifício que fazem certas pessoas com o fim de se dedicarem mais inteiramente ao serviço da Humanidade?* [LE-699.]

"Isso é muito diferente. Todo sacrifício pessoal é meritório, quando feito para o bem. Quanto maior o sacrifício, tanto maior o mérito."

> Deus não pode contradizer-se, nem achar ruim o que Ele próprio fez; não pode, pois, ver mérito algum na violação de sua lei. Mas se o celibato, em si mesmo, não é um estado meritório, o mesmo não sucede quando constitui, pela renúncia às alegrias da família, um sacrifício praticado em favor da Humanidade. Todo sacrifício pessoal com vistas ao bem *e sem qualquer ideia egoísta*, eleva o homem acima de sua condição material.

335. *O casamento, isto é, a união permanente de dois seres, é conforme ou contrário à lei da Natureza?* [LE-695.]

"É um progresso na marcha da Humanidade."

335-a. *Qual seria o efeito da abolição do casamento sobre a sociedade humana?* [LE-696.]

"Seria uma regressão à vida dos animais."

> O casamento constitui um dos primeiros atos de progresso nas sociedades humanas e se encontra entre todos os povos, ainda que em condições diversas, visto que a união livre e casual dos sexos pertence ao estado de natureza. A abolição do casamento seria, pois, o retorno à infância da Humanidade, e colocaria o homem abaixo mesmo de certos animais, que lhe dão o exemplo de uniões constantes.

336. *A indissolubilidade absoluta do casamento está na lei da Natureza, ou somente na lei humana?* [LE-697.]

"É uma lei humana muito contrária à lei da Natureza. Mas os homens podem modificar suas leis; só as leis da Natureza são imutáveis."

337. *A igualdade numérica aproximada entre os sexos é um indício da proporção em que devam unir-se?* [LE-700.]
"Sim."

337-a. *Qual das duas, a poligamia ou a monogamia, é mais conforme à lei da Natureza?* [LE-701.]
"A poligamia é lei humana cuja abolição marca um progresso social."

337-b. *De que modo a abolição da poligamia marca um progresso social?*
"O casamento, segundo as vistas de Deus, deve fundar-se na afeição dos seres que se unem. Na poligamia não há afeição real, mas apenas sensualidade." [LE-701.]

> Se a poligamia fosse conforme à lei da Natureza, deveria poder tornar-se universal, o que seria materialmente impossível, considerando-se a igualdade numérica dos sexos. A poligamia deve ser considerada como um uso ou legislação particular apropriada a certos costumes, e que o aperfeiçoamento social faz desaparecer pouco a pouco. [LE-701.]

CAPÍTULO V

Lei de conservação

Instinto de conservação – Gozo dos bens terrenos – Necessário e supérfluo – Limite das necessidades e prazeres do homem – Excesso e abuso – Privações voluntárias – Mortificações ascéticas – Mutilações – Suicídio

338. *O instinto de conservação é uma lei da Natureza?* [LE-702.]
"Sem dúvida. Todos os seres vivos o possuem."

338-a. *Com que objetivo Deus concedeu a todos os seres vivos o instinto de conservação?* [LE-703.]
"Porque todos têm que concorrer para o cumprimento dos desígnios da Providência. Foi por isso que Deus lhes deu a necessidade de viver."

> Até o momento fixado pela Natureza para o término da vida corpórea, o homem sente temor da morte e faz tudo para se apegar à existência. Deus quer que ele viva o bastante para cumprir sua missão na Terra.

339. *Tendo dado ao homem a necessidade de viver, Deus sempre lhe facultou os meios para isso?* [LE-704.]
"Sim, e se o homem não os encontra é porque não os compreende."

> Deus não haveria de dar ao homem a necessidade de viver sem lhe fornecer os meios. É por isso que faz a Terra produzir bens que abasteçam com o necessário todos os seus habitantes, porquanto somente o necessário é útil: o supérfluo jamais o é.

340. *Por que nem sempre a Terra produz bastante para fornecer ao homem o necessário?* [LE-705.]

"É que, por ser ingrato, o homem a despreza! A Terra, no entanto, é excelente mãe."

> A Terra produziria sempre o necessário se o homem soubesse contentar-se com o necessário. Se ela não lhe basta a todas as necessidades, é que ele emprega no supérfluo o que poderia ser aplicado no necessário.

341. *O uso dos bens da Terra é um direito de todos os homens?*

"Sim, pois sem esse direito eles não poderiam viver."

341-a. *Que se deve pensar dos que se apropriam dos bens da Terra para se proporcionarem o supérfluo, com prejuízo daqueles a quem falta o necessário?* [LE-717.]

"Desprezam a Lei de Deus."

> Deus concedeu ao homem a faculdade de gozar dos bens da Terra na medida de suas necessidades. O uso desses bens é, portanto, uma lei da Natureza, dependente da lei de conservação; assim, aqueles que se apropriam de tais bens para ter o supérfluo e privar os semelhantes do necessário terão de responder pelas privações que lhes impuseram.

342. *Por bens da Terra só se devem entender os produtos do solo?* [LE-706.]

"Não; mas tudo quanto o homem pode desfrutar neste mundo."

343. *Como pode o homem conhecer o limite do necessário?* [LE-715.]

"Somente o sábio o conhece."

343-a. *A Natureza não traçou os limites de nossas necessidades por meio da própria organização física que nos concedeu?* [LE-716.]

"Sim, mas o homem é insaciável e criou para si necessidades artificiais."

> A Natureza traçou limites às necessidades do homem por meio da própria organização física que lhe deu, mas os vícios alteraram sua constituição e lhe criaram necessidades que não são reais.

344. *Com que finalidade Deus pôs atrativos no gozo dos bens terrenos?* [LE-712.]

"Para estimular o homem ao cumprimento de sua missão e também para experimentá-lo por meio da tentação."

344-a. *Qual o objetivo dessa tentação?* [LE-712.a.]

"Desenvolver-lhe a razão, que o deve preservar dos excessos."

> Se o homem só fosse estimulado ao uso dos bens terrenos pela utilidade que têm, sua indiferença teria talvez comprometido a harmonia do Universo. Deus lhe deu o atrativo do prazer, que o impele ao cumprimento dos desígnios da Providência. Além disso, por meio desse próprio atrativo, quis Deus experimentar o homem pela tentação, que o arrasta ao abuso, do qual a razão deve defendê-lo.

345. *A Natureza traçou limites aos gozos?* [LE-713.]

"Sim."

345-a. *Por que Deus impôs limites aos prazeres?*

"Para vos indicar o limite do necessário. Mas, por vossos excessos, chegais à saciedade e com isso vos punis a vós mesmos." [LE-713.]

> As doenças, as enfermidades e a própria morte, que resultam do abuso, são, ao mesmo tempo, o castigo à transgressão da Lei de Deus. [LE-714.a.]

346. *Que se deve pensar do homem que procura nos excessos de todo gênero o requinte de seus prazeres?* [LE-714.]

"Pobre criatura, que devemos lastimar e não invejar, porque está bem perto da morte!"

346-a. *Perto da morte física, ou da morte moral?* [LE-714.a.]

"De ambas."

> O homem que procura nos excessos de todo gênero o requinte do gozo coloca-se abaixo do animal, pois que este se detém quando satisfeita sua necessidade. Tal homem abdica da razão que Deus

lhe deu por guia, e quanto maiores forem seus excessos, tanto maior preponderância confere ele à sua natureza animal sobre a sua natureza espiritual.

347. *A lei de conservação obriga o homem a prover às necessidades do corpo?* [LE-718.]
"Sim; sem força e sem saúde o trabalho é impossível."

347-a. *O homem deve ser censurado por procurar o bem-estar?* [LE-719.]
"O bem-estar é um desejo natural. Deus só proíbe o abuso, por ser contrário à conservação."

348. *As privações voluntárias, que objetivam uma expiação igualmente voluntária, têm algum mérito aos olhos de Deus?* [LE-720.]
"Fazei o bem aos outros e mais mérito tereis."

348-a. *Haverá privações voluntárias que sejam meritórias?* [LE-720.a.]
"Sim, a privação dos prazeres inúteis, porque liberta o homem da matéria e eleva sua alma."

> As privações meritórias consistem em resistir o homem à tentação que o arrasta aos excessos e aos gozos das coisas inúteis, ou, ainda, em tirar ele do que lhe é necessário para dar aos que não têm o suficiente. Se a privação não passar de vão simulacro, será um escárnio.

349. *A vida de mortificações ascéticas é meritória?* [LE-721.]
"Procurai saber a quem ela aproveita e tereis a resposta. Se somente serve para quem a pratica e o impede de fazer o bem, é egoísmo. A verdadeira mortificação consiste em privar-se a si mesmo e trabalhar para os outros."

350. *Que se deve pensar das mutilações operadas no corpo do homem ou dos animais?* [LE-725.]
"Qual o propósito de semelhante questão? Perguntai sempre se uma coisa é útil. O que é inútil não pode agradar a Deus e o que é prejudicial

sempre lhe é desagradável. Porque, ficai sabendo, Deus só é sensível aos sentimentos que elevam a alma até Ele, e é praticando suas leis que podereis sacudir o jugo de vossa matéria terrestre."

351. *O homem tem o direito de dispor de sua própria vida?* [LE-944.]
"Não; somente Deus tem esse direito. O suicídio voluntário é uma transgressão à lei divina."

351-a. *Nem sempre o suicídio é voluntário?* [LE-944.a.]
"Não; o louco que se mata não sabe o que faz."

352. *Que se deve pensar do suicídio que tem como causa o desgosto da vida?* [LE-945.]
"Insensatos! Por que não trabalhavam? A existência não lhes teria sido tão pesada."

353. *E do suicídio cujo fim é escapar às misérias e decepções deste mundo?* [LE-946.]
"Pobres Espíritos, que não têm a coragem de suportar as misérias da existência! Deus ajuda aos que sofrem, e não aos que não têm força nem coragem. As tribulações da vida são provas ou expiações. Felizes os que as suportam sem se queixar, porque serão recompensados!"

353-a. *Que pensar dos que hajam conduzido o infeliz a esse ato de desespero?* [LE-946.a.]
"Oh! Ai deles! Serão punidos por Deus. *Responderão como por um assassínio.*"

354. *E do suicídio que tem por fim escapar à vergonha de uma ação má?* [LE-948.]
"Não o absolvo, pois o suicídio não apaga a falta. Ao contrário, em vez de uma, haverá duas. Quando se teve a coragem de praticar o mal, é preciso tê-la também para lhe sofrer as consequências. Deus é quem julga e, algumas vezes, conforme a causa, pode abrandar os rigores de sua justiça."

354-a. *Será desculpável o suicídio quando tenha por fim impedir que a vergonha recaia sobre os filhos, ou sobre a família?* [LE-949.]

"Aquele que assim procede não age bem, embora acredite fazê-lo, e Deus lhe levará em conta esse gesto; mas é uma expiação que o suicida se impõe a si mesmo. A intenção lhe atenua a falta, mas nem por isso deixa de haver falta. Além disso, se abolirdes de vossa sociedade os abusos e os preconceitos, não mais tereis suicídios."

> Aquele que tira a si mesmo a vida para fugir à vergonha de uma ação má prova que dá mais valor à estima dos homens do que à de Deus, visto como retorna à vida espiritual carregado de suas iniquidades, tendo-se privado dos meios de repará-las durante a vida na Terra. Deus muitas vezes é menos inexorável do que os homens; perdoa o arrependimento sincero e leva em conta a reparação.

355. *Que pensar daquele que se mata na esperança de chegar mais depressa a uma vida melhor?* [LE-950.]

"Outra loucura! Que faça o bem e estará mais certo de lá chegar, pois, suicidando-se, retarda sua entrada num mundo melhor e ele mesmo pedirá para *vir concluir a vida* que interrompeu, movido por uma ideia falsa. Uma falta, não importa sua natureza, nunca abre o santuário dos eleitos."

356. *Não é, algumas vezes, meritório o sacrifício da vida, quando tem por objetivo salvar a vida de outrem, ou ser útil aos semelhantes?* [LE-951.]

"Isso é sublime, conforme a intenção. Deus, porém, se opõe a todo sacrifício inútil, e não pode vê-lo com prazer se estiver manchado pelo orgulho. O sacrifício só é meritório quando feito com desinteresse e, algumas vezes, quem o faz é movido por segundas intenções, o que lhe diminui o valor aos olhos de Deus."

> Todo sacrifício feito à custa da própria felicidade é um ato soberanamente meritório aos olhos de Deus, porque é a prática da lei de caridade. Ora, sendo a vida o bem terreno a que o homem dá maior apreço, aquele que a ela renuncia pelo bem de seus semelhantes não comete nenhum atentado: faz um sacrifício. Mas, antes de o cumprir, deve refletir se sua vida não será mais útil que sua morte.

CAPÍTULO VI

⁓⧸⧹⁓

Lei de destruição

Destruição necessária e destruição abusiva – Alimentação – Assassínio – Duelo – Pena de morte – Flagelos destruidores – Guerras

357. *Por que razão, ao lado de todos os meios de conservação e preservação com os quais a Natureza envolveu os seres orgânicos, haja ela igualmente colocado seus agentes destruidores?* [LE-731.]
"É o remédio ao lado do mal."

357-a. *O princípio de destruição é uma lei da Natureza?* [LE-728.]
"Sim; é preciso que tudo se destrua para renascer e se regenerar."

  O princípio de destruição é assim uma lei da Natureza, cujo objetivo é a renovação e a melhoria dos seres vivos da Criação.

358. *A destruição dos seres vivos uns pelos outros é uma lei da Natureza?*
"Sim; a fim de se nutrirem, os homens e os animais se destroem entre si. Quando, porém, o fazem por vingança, ou malvadez, a lei é humana, ou, então, são seus maus instintos que os dominam."

359. *A necessidade de destruição sempre existirá entre os homens?* [LE-733.]
"Não; ela cessará com um estado físico e moral mais apurado."

359-a. *Nos mundos em que a organização fisiológica é mais apurada, os seres vivos têm necessidade de alimentar-se?* [LE-710.]

"Sim, mas seus alimentos guardam relação com sua natureza. Tais alimentos não seriam bastante substanciais para vossos estômagos grosseiros, assim como os deles não poderiam digerir vossos alimentos."

A necessidade de destruição se enfraquece no homem à medida que o Espírito domina a matéria. Mesmo aqui na Terra já podemos ver que o horror à destruição cresce com o desenvolvimento intelectual e moral.

360. *A abstenção voluntária de alimentação animal é contrária à lei da Natureza?*

"Dada a vossa constituição material, a carne alimenta a carne, pois, do contrário, o homem perece. A lei de conservação impõe ao homem o dever de conservar suas energias e sua saúde, para cumprir a lei do trabalho." [LE-723.]

360-a. *A abstenção de certos alimentos, prescrita na tradição de diversos povos, tem algum fundamento racional?* [LE-722.]

"É permitido ao homem alimentar-se de tudo o que não lhe prejudique a saúde. Alguns legisladores, no entanto, com fim útil, resolveram proibir o uso de certos alimentos e, para darem maior autoridade às suas leis, apresentaram-nas como emanadas do próprio Deus."

361. *Em virtude da lei de conservação, terá Deus concedido ao homem o direito de destruição sobre os animais?*

"Sim, sobre aqueles que possam servir à sua nutrição ou pôr em risco sua segurança; aí acaba o direito de destruição dado ao homem. Quando ele viver pelo menos tanto para o Espírito quanto para a matéria, não mais terá necessidade de destruir, sobretudo seu semelhante."

361-a. *Que se deve pensar da destruição que ultrapassa os limites das necessidades e da segurança? Da caça, por exemplo, quando só tem por objetivo o prazer de destruir sem utilidade?* [LE-735.]

"Predominância da bestialidade sobre a natureza espiritual. Toda destruição que excede os limites da necessidade é uma violação da Lei de Deus."

362. O instinto de destruição teria sido dado aos homens com fins providenciais? [LE-728.a.]

"Tudo deve ser destruído para ser regenerado, e as criaturas de Deus são os instrumentos de que Ele se serve. Os animais só destroem com vistas às suas necessidades; mas o homem, que tem o livre-arbítrio, destrói sem precisão; deverá dar conta do abuso da liberdade que lhe foi concedida."

363. O direito de destruição dá ao homem o de dispor da vida de seu semelhante?

"Não; só Deus tem esse direito."

363-a. O assassínio é um crime aos olhos de Deus? [LE-746.]

"Sim, um grande crime; porque, como o homem tem seu livre-arbítrio, é senhor de matar seu semelhante; mas, ao fazê-lo, cortará *uma vida de expiação ou de missão*, e nisto está o crime."

364. O assassínio tem sempre o mesmo grau de culpabilidade? [LE-747.]

"Como já dissemos, Deus é justo e julga mais a intenção do que o fato."

364-a. Deus desculpa o assassínio em caso de legítima defesa? [LE-748.]

"Sim; deve-se, porém, evitá-lo, se possível; só a necessidade pode desculpá-lo. Mas se o agredido puder preservar sua vida sem atentar contra a do agressor, deverá fazê-lo."

365. O duelo pode ser considerado como um caso de legítima defesa? [LE-757.]

"Não; é um assassínio e um costume absurdo, digno dos bárbaros. Com uma civilização mais adiantada e *mais moralizada*, o homem compreenderá que o duelo é tão ridículo quanto os combates que antigamente se consideravam como o juízo de Deus."

365-a. O duelo pode ser considerado como um assassínio por parte daquele que, conhecendo sua própria fraqueza, tem quase certeza de que sucumbirá? [LE-758.]

"É um suicídio."

365-b. *E quando as possibilidades são as mesmas, é um assassínio ou um suicídio?* [LE-758.a.]
"Ambos."

> Em todos os casos, mesmo naqueles em que as probabilidades são iguais, o duelista é culpado. Primeiro, porque atenta friamente e de propósito deliberado contra a vida de seu semelhante; depois, porque expõe inutilmente sua própria vida, sem proveito para ninguém.

366. *Qual o valor daquilo que se chama* ponto de honra *em matéria de duelo?* [LE-759.]
"Orgulho e vaidade: duas chagas da Humanidade."

366-a. *Mas não há casos em que a honra se acha verdadeiramente empenhada e em que uma recusa seria covardia?* [LE-759.a.]
"Isso depende dos usos e costumes. Cada país e cada século tem a esse respeito um modo de ver diferente. Quando os homens forem melhores e mais adiantados em moral, compreenderão que o verdadeiro ponto de honra está acima das paixões terrenas e que não é matando que repararão uma falta."

> Há mais grandeza e verdadeira honra em confessar-se culpado, quando se cometeu alguma falta, em perdoar, quando se tem razão e, qualquer que seja o caso, em desprezar os insultos que não nos podem atingir.

367. *Que pensais da pena de morte? Poderá desaparecer algum dia da legislação humana?* [LE-760.]
"Sim, a pena de morte haverá de desaparecer. Sua supressão assinalará um progresso na Humanidade."

> Sem dúvida, o progresso social ainda deixa muito a desejar. Mas seríamos injustos para com a sociedade moderna se não víssemos progresso nas restrições impostas à pena de morte entre os povos mais adiantados, e na natureza dos crimes aos quais se limita sua aplicação. Se compararmos as garantias de que a justiça, entre

esses mesmos povos, procura cercar o acusado, a humanidade de que usa para com ele, mesmo quando o reconhece culpado, com o que se praticava em tempos que ainda não estão muito distantes, não poderemos ignorar a marcha progressiva em que caminha a Humanidade.

368. *Por que razão a crueldade forma o caráter dominante dos povos primitivos?* [LE-753.]

"Nos povos primitivos, como os chamais, a matéria predomina sobre o Espírito. Eles se entregam aos instintos animais e, como não têm outras necessidades além das da vida do corpo, só cuidam da conservação pessoal, o que geralmente os torna cruéis. Além disso, os povos de desenvolvimento imperfeito estão sob o domínio de Espíritos igualmente imperfeitos, que lhes são simpáticos, até que povos mais adiantados venham destruir ou enfraquecer essa influência."

369. *A crueldade não resultará da ausência de senso moral?* [LE-754.]

"Dize que o senso moral não está desenvolvido, mas não digas que esteja ausente, porque ele existe, como princípio, em todos os homens. Mais tarde, esse senso moral fará com que os homens cruéis se tornem seres bons e humanos. O senso moral, portanto, existe no selvagem, mas nele está como o princípio do perfume no gérmen da flor que ainda não desabrochou."

Todas as faculdades existem no homem, em estado rudimentar ou de latência. Elas se desenvolvem conforme lhes sejam as circunstâncias mais ou menos favoráveis.

370. *Como se explica que no seio da mais adiantada civilização se encontrem às vezes seres tão cruéis quanto os selvagens?*[120] [LE-755.]

"Do mesmo modo que numa árvore carregada de bons frutos podem encontrar-se alguns defeituosos. São, se quiseres, selvagens que da civilização só têm a aparência, lobos extraviados em meio de cordeiros."

---

[120] N.E.: ver "Nota explicativa", p. 551.

371. A sociedade dos homens de bem se verá algum dia expurgada dos seres malfazejos? [LE-756.]

"A Humanidade progride. Esses homens, em quem o instinto do mal predomina e que se acham deslocados entre pessoas de bem, desaparecerão gradualmente, como o mau grão se separa do bom, depois que este é peneirado, só que para renascer sob outro envoltório. Como então terão mais experiência, compreenderão melhor o bem e o mal. Tens disso um exemplo nas plantas e nos animais que o homem tem conseguido aperfeiçoar, desenvolvendo neles qualidades novas. Pois bem! Só depois de muitas gerações o aperfeiçoamento se torna completo. É a imagem das diversas existências do homem."

372. Com que fim Deus fere a Humanidade por meio de flagelos destruidores? [LE-737.]

"Para fazê-la progredir mais depressa. A destruição é necessária para a regeneração moral dos Espíritos, que em cada nova existência sobem mais um degrau na escala da perfeição."

373. E não podia Deus empregar, para a melhoria da Humanidade, outros meios que não os flagelos destruidores? [LE-738.]

"Sim, e diariamente os emprega, pois deu a cada um os meios de progredir pelo conhecimento do bem e do mal. É o homem que não se aproveita desses meios. É preciso, pois, que seja castigado no seu orgulho e sinta a própria fraqueza."

373-a. Mas, nesses flagelos, tanto sucumbe o homem de bem como o perverso. Será justo isso? [LE-738.a.]

"Durante a vida, o homem refere tudo ao seu corpo; após a morte, porém, outra é sua maneira de pensar. Como já dissemos, a vida do corpo é bem pouca coisa. Um século de vosso mundo é *um relâmpago na eternidade*. Logo, os sofrimentos de alguns meses, ou de alguns dias, nada representam; é um ensinamento que vos é dado e que vos servirá no futuro."

Os flagelos só nos parecem tão grandes desgraças porque julgamos tudo pelo ângulo restrito da vida material. Esses flagelos só ferem o corpo, e aos olhos de Deus os Espíritos são tudo, *os corpos pouco representam.*

Quer a morte nos venha por um flagelo, ou por uma causa comum, ninguém deixa de morrer quando houver soado a hora da partida. A única diferença, em caso de flagelo, é que parte ao mesmo tempo maior número de pessoas.

Se pudéssemos nos elevar pelo pensamento de maneira a dominar a Humanidade e abrangê-la completamente, esses flagelos tão terríveis não nos pareceriam mais que tempestades passageiras no destino do mundo.

374. *Os flagelos destruidores têm utilidade do ponto de vista físico, não obstante os males que ocasionam?* [LE-739.]

"Sim; algumas vezes mudam as condições de uma região, embora o bem que deles resulte só seja sentido pelas gerações futuras."

375. *Para o homem, os flagelos não seriam também provas morais, ao fazerem que ele se defronte com as mais aflitivas necessidades?* [LE-740.]

"Sim, e que lhe proporcionam o ensejo de desenvolver todas as faculdades da alma. Feliz dele se souber aproveitá-lo!"

Os flagelos são provas que dão ao homem oportunidade de demonstrar paciência e resignação ante a vontade de Deus, permitindo-lhe manifestar seus sentimentos de abnegação, desinteresse e amor ao próximo, caso o egoísmo não o domine.

376. *É permitido ao homem conjurar os flagelos que o torturam?* [LE-741.]

"Em parte, sim; não, porém, como geralmente o entendem. Muitos flagelos resultam da imprevidência do homem. À medida que adquire conhecimentos e experiência, ele os vai podendo conjurar, isto é, prevenir, se souber pesquisar suas causas."

377. *Qual a causa que leva o homem à guerra?* [LE-742.]

"Predominância da natureza animal sobre a natureza espiritual e satisfação das paixões."

378. *O homem é culpado pelos assassínios que comete durante a guerra?* [LE-749.]

"Não, quando constrangido pela força; mas é culpado pelas crueldades que cometa, assim como será levado em conta seu sentimento humanitário."

379. *Qual é o fim providencial da guerra?* [LE-744.]

"A liberdade e o progresso."

379-a. *Se a guerra deve ter por efeito conduzir à liberdade, como se explica que frequentemente tenha por objetivo e resultado a subjugação?* [LE-744.a.]

"Subjugação temporária, para *pressionar* os povos, a fim de fazê-los progredir mais depressa."

379-b. *A guerra desaparecerá algum dia da face da Terra?* [LE-743.]

"Sim, quando os homens compreenderem a justiça e praticarem a Lei de Deus. Nessa época, todos os povos serão irmãos."

> No estado de barbárie, os povos só conhecem o direito do mais forte; é por isso que a guerra é para eles um estado normal. À medida que o homem progride, ela se torna menos frequente, porque ele lhe evita as causas; e quando é necessária,[121] sabe adicionar-lhe humanidade.

---

[121] N.T.: aqui a expressão "quando necessária" deve ser entendida por "quando inevitável", visto que a guerra nunca é necessária.

CAPÍTULO VII

Lei de sociedade

Necessidade da vida social – Vida de isolamento – Voto de silêncio – Condições de melhoria social – Caráter das leis humanas

380. *A vida social está na Natureza?* [LE-766.]
"Certamente. Deus fez o homem para viver em sociedade."

Deus não teria dado inutilmente ao homem a palavra e todas as outras faculdades necessárias à vida de relação. A vida social é, assim, uma lei da Natureza.

381. *O isolamento absoluto é contrário à lei da Natureza?* [LE-767.]
"Sim, pois os homens buscam instintivamente a sociedade e todos devem concorrer para o progresso, ajudando-se mutuamente."

381-a. *Ao buscar a sociedade, o homem não faz mais que obedecer a um sentimento pessoal, ou há nesse sentimento um objetivo providencial de ordem mais geral?* [LE-768.]
"O homem tem que progredir. Sozinho, isso não lhe é possível, por não dispor de todas as faculdades; falta-lhe o contato com os outros homens. No isolamento ele se embrutece e definha."

Nenhum homem dispõe de faculdades completas. Mediante a união social eles se completam mutuamente, para assegurarem seu bem-estar e progredirem. É por isso que, precisando uns dos outros, os homens foram feitos para viver em sociedade e não isolados.

382. Concebe-se que, como princípio geral, a vida social esteja na Natureza. Mas, como todos os gostos também estão na Natureza, por que o gosto do isolamento absoluto seria condenável, se nele o homem encontra satisfação? [LE-769.]

"Satisfação egoísta. Também há homens que encontram satisfação na embriaguez. Aprovas isso? Não pode agradar a Deus uma vida pela qual o homem se condena a não ser útil a ninguém."

383. Que se deve pensar dos que vivem em absoluta reclusão, para fugirem ao contato pernicioso do mundo? [LE-770.]

"Duplo egoísmo."

383-a. Mas, não será meritório esse retraimento se tiver por fim uma expiação, impondo-se aquele que o busca dolorosa privação? [LE-770.a.]

"A melhor expiação consiste em se fazer maior soma de bem que de mal. Evitando um mal, o homem cai em outro, pois esquece a lei de amor e de caridade."

384. Que pensar dos que fogem do mundo para se dedicarem a socorrer os infelizes? [LE-771.]

"Esses se elevam, rebaixando-se. Têm o duplo mérito de se colocarem acima dos prazeres materiais e de fazerem o bem pelo cumprimento da lei do trabalho."

384-a. E dos que buscam no retraimento a tranquilidade que certos trabalhos reclamam? [LE-771.a.]

"Isso não é o retraimento absoluto do egoísta. Tais homens não se isolam da sociedade, visto que trabalham para ela."

385. Que pensar do voto de silêncio prescrito por algumas seitas, desde a mais remota antiguidade? [LE-772.]

"Perguntai antes, a vós mesmos, se a palavra é faculdade natural e por que Deus a concedeu ao homem. Deus condena o abuso e não o uso das faculdades que lhe outorgou. Entretanto, o silêncio é útil, pois no silêncio te recolhes, teu espírito se torna mais livre e pode entrar em comunicação conosco. Mas o *voto* de silêncio é uma tolice. Sem dúvida, estão bem-intencionados os que consideram essas privações voluntárias como atos de virtude. Enganam-se, no entanto, pois não compreendem suficientemente as verdadeiras leis de Deus."

> O voto de silêncio absoluto, do mesmo modo que o voto de isolamento, priva o homem das relações sociais que lhe podem facultar ocasiões de fazer o bem e de cumprir a lei do progresso.

386. *A sociedade poderia reger-se unicamente pelas leis naturais, sem o concurso das leis humanas?* [LE-794.]

"Poderia, se todos as compreendessem bem e quisessem praticá-las; então, elas bastariam. Mas a sociedade tem suas exigências e precisa de leis especiais."

386-a. *Qual a causa da imperfeição das leis humanas?*[122] [LE-795.]

"O egoísmo e o orgulho. Nas épocas de barbárie, eram os mais fortes que faziam as leis, e eles as fizeram para si. Contudo, à proporção que os homens foram compreendendo melhor a justiça, foi preciso modificá-las."

> A civilização criou necessidades novas para o homem e essas necessidades são relativas à posição social que ele ocupe. Foi preciso regular os direitos e deveres dessa posição, por meio de leis humanas. Mas, influenciado pelas paixões, muitas vezes o homem tem criado direitos e deveres imaginários, que a lei natural condena e que os povos suprimem de seus códigos à medida que progridem.

387. *Certamente, a instabilidade das leis humanas está ligada à sua imperfeição. Chegará o momento em que serão menos variáveis?*

"Sim; essa hora não se acha tão longe quanto pensas; *o homem marcha a passos de gigante*, pelo progresso que se faz todos os dias nas ideias. As leis humanas serão mais estáveis à medida que se aproximarem da

---

[122] N.T.: na edição definitiva de 1860, Kardec substituiu o termo "imperfeição" por "instabilidade", mais adequado e que se aplica melhor ao contexto da frase.

verdadeira justiça, isto é, quando forem feitas para todos, sem distinção de seitas, de classes, nem de raças." [LE-795.]

387-a. *Dizeis que marchamos a passos de gigante para um estado mais perfeito; contudo, é muito grande a perversidade do homem. Não parece que ele vai de marcha à ré, em vez de avançar, ao menos do ponto de vista moral?*

"Enganas-te; observa bem o conjunto e verás que ele avança, visto que compreende melhor o que é mal, e cada dia que passa vai reprimindo os abusos. É preciso que o mal chegue ao excesso para tornar compreensível a necessidade do bem e das reformas." [LE-784.]

388. *No estado atual da sociedade, a severidade das leis penais não constitui uma necessidade?* [LE-796.]

"Uma sociedade depravada certamente precisa de leis mais severas. Infelizmente, essas leis não atacam as paixões que constituem a raiz do mal. Só a educação poderá reformar os homens, que assim não precisarão mais de leis tão rigorosas."

389. *Ao tornar rude o caráter, a infelicidade não desenvolve os maus instintos?*

"Desenvolve alguns instintos maus, assim como o excesso de prazeres desenvolve outros; mas quando o homem é feliz, sem dúvida cuida menos do mal."

389-a. *Por que, então, se veem homens a cometer crimes, embora nada lhes falte e tenham todas as satisfações da vida material?*

"Efeito da má-educação, que desenvolve e mantém neles instintos maus, sobretudo o orgulho e o egoísmo. Ademais, falamos da Humanidade em geral: é a regra; os indivíduos são as exceções."

390. *O meio em que certos homens se acham colocados não constitui para eles a fonte principal de muitos vícios e crimes?* [LE-644.]

"Sim, mas ainda aí há uma prova que o Espírito escolheu, quando em liberdade. Ele quis expor-se à tentação para ter o mérito da resistência."

390-a. *Quando o homem se acha, de certo modo, mergulhado na atmosfera do vício, o mal não se torna para ele um arrastamento quase irresistível?* [LE-645.]

"Arrastamento, sim; irresistível, não; porque mesmo dentro dessa atmosfera de vício podes encontrar, algumas vezes, grandes virtudes. São Espíritos que tiveram a força de resistir e que, ao mesmo tempo, receberam a missão de exercer boa influência sobre seus semelhantes."

CAPÍTULO VIII

Lei do progresso

Estado de natureza – Caráter do progresso – Povos degenerados
– Civilização – Raças rebeldes ao progresso

391. *O homem colhe em si mesmo a força para progredir, ou o progresso é apenas fruto de um ensinamento?* [LE-779.]
"O homem se desenvolve por si mesmo, naturalmente; mas nem todos progridem ao mesmo tempo e do mesmo modo. É então que os mais adiantados auxiliam o progresso dos outros."

> A inteligência do homem se desenvolve espontaneamente pelo exercício e pela observação. Tal desenvolvimento, *favorecido e aumentado por meio do contato social*, constitui o progresso que é assim uma condição inerente ao espírito humano e uma lei da Natureza.

392. *O progresso moral acompanha sempre o progresso intelectual?* [LE-780.]
"Decorre deste, mas nem sempre o segue *imediatamente*."

392-a. *Como o progresso intelectual pode levar ao progresso moral?* [LE-780.a.]
"Fazendo que se compreenda o bem e o mal; o homem, então, pode escolher."

> É assim que o desenvolvimento do livre-arbítrio acompanha o da inteligência e aumenta a responsabilidade dos atos.

393. O estado de natureza não será o da mais perfeita felicidade para o homem, porque, tendo este menos necessidades, não sofre todas as tribulações que cria para si num estado mais adiantado? [LE-777.]

"Sim, se ele tivesse de viver como os animais. As crianças também são mais felizes do que os adultos."

394. O homem pode retroceder para o estado de natureza? [LE-778.]

"Não; o homem tem que progredir incessantemente."

> O estado de natureza é a infância da Humanidade, e o homem não foi destinado a viver perpetuamente na infância. Se ele progride, é porque Deus assim o quer; pretender fazê-lo retroceder à sua primitiva condição será negar a lei do progresso.

395. É permitido ao homem deter a marcha do progresso? [LE-781.]

"Não, mas pode embaraçá-la algumas vezes."

395-a. Que pensar dos homens que tentam deter a marcha do progresso e fazer que a Humanidade retroceda? [LE-781.a.]

"Pobres seres, que Deus castigará. Serão arrastados pela torrente que procuram deter."

> Sendo o progresso uma condição da natureza humana, ninguém tem o poder de opor-se a ele. É uma *força viva* que as más leis podem retardar mas não anular. Quando essas leis se tornam incompatíveis com o progresso, são aniquiladas juntamente com os que se esforçam por mantê-las. E assim será, até que o homem tenha posto suas leis em conformidade com a justiça divina, que quer o bem para todos e não a imposição de leis feitas pelo forte em detrimento do fraco.

396. Não há homens de boa-fé que entravam o progresso, acreditando favorecê-lo, porque, do ponto de vista em que se colocam, muitas vezes o veem onde ele não existe? [LE-782.]

"Assemelham-se a pequenas pedras que, colocadas debaixo da roda de uma grande viatura, não a impedem de avançar."

397. O aperfeiçoamento da Humanidade segue sempre uma marcha progressiva e lenta? [LE-783.]

"Há o progresso regular e lento que resulta da força das coisas. Quando, porém, um povo não progride tão depressa quanto deveria, Deus o sujeita, de tempos em tempos, a um abalo físico ou moral que o transforma."

398. A História nos mostra que muitos povos, depois de abalos que lhes causaram fortes comoções, recaíram na barbárie. Neste caso, onde está o progresso? [LE-786.]

"Quando tua casa ameaça desabar, mandas demoli-la e constróis outra mais sólida e mais cômoda. Mas, até que seja reconstruída, há perturbação e confusão na tua morada.

"Compreende também isto: eras pobre e habitavas um casebre; torna-te rico e o deixas para morar num palácio. Mais tarde, um pobre coitado, como eras antes, vem tomar teu lugar no casebre e fica muito contente, pois antes não tinha abrigo. Pois bem! Aprende que os Espíritos que estão encarnados nesse povo degenerado não são os que o constituíam ao tempo de seu esplendor. Os de então, tendo-se adiantado, mudaram-se para habitações mais perfeitas e progrediram, enquanto os outros, menos adiantados, tomaram-lhes o lugar, que também deixarão um dia, quando chegar a vez deles."

> Nessas comoções, o homem muitas vezes não percebe senão desordem e confusão momentâneas que o ferem nos seus interesses materiais. Aquele que eleva o pensamento acima de sua própria personalidade admira os desígnios da Providência, que do mal faz sair o bem. São a tempestade e o furacão que saneiam a atmosfera, depois de a terem agitado com violência.

399. Por que a civilização não realiza imediatamente todo o bem que poderia produzir? [LE-792.]

"Porque os homens ainda não estão prontos nem dispostos a alcançar esse bem."

399-a. Não será também porque, criando novas necessidades, a civilização desperta paixões novas? [LE-792.a.]

"Sim, e também porque nem todas as faculdades do Espírito progridem simultaneamente. É preciso tempo para tudo."

400. *A civilização é um progresso, ou, segundo alguns filósofos, uma decadência da Humanidade?* [LE-790.]
"Progresso incompleto. O homem não passa subitamente da infância à maturidade."

400-a. *Será racional condenar-se a civilização?* [LE-790.a.]
"Condenai antes os que dela abusam e não a obra de Deus."

400-b. *A civilização se depurará um dia, de modo a fazer que desapareçam os males que haja produzido?* [LE-791.]
"Sim, quando o moral estiver tão desenvolvido quanto a inteligência. O fruto não pode surgir antes da flor."

> Como todas as coisas, a civilização apresenta gradações diversas. Uma civilização incompleta é um estado transitório que gera males especiais, desconhecidos do homem no estado primitivo; mas nem por isso deixa de constituir um progresso natural e necessário, que traz consigo o remédio para o mal que causa. À medida que a civilização se aperfeiçoa, faz cessar alguns dos males que gerou, e esses males desaparecerão com o progresso moral.

401. *Além do progresso social, a civilização constitui também um progresso moral?*
"Sim; este é o progresso preferível. Já dissemos: compreendendo melhor, o homem civilizado será mais censurável se praticar o mal."

402. *Não há raças que, por sua própria natureza, são rebeldes ao progresso?*[123] [LE-787.]
"Sim, mas vão se aniquilando *corporeamente*, todos os dias."

402-a. *Qual será a sorte futura das almas que animam essas raças?* [LE-787.a.]

---
[123] N.E.: ver "Nota explicativa", p. 551.

"Chegarão à perfeição, como todas as outras, passando por várias existências. Deus não deserda a ninguém."

402-b. *Assim, os homens mais civilizados podem ter sido selvagens e antropófagos?*[124] [LE-787.b.]
"Tu mesmo o foste mais de uma vez, antes de seres o que és."

---
[124] N.E.: ver "Nota explicativa", p. 551.

CAPÍTULO IX

Lei de igualdade

Igualdade natural – Desigualdade das aptidões – Desigualdades sociais – Desigualdade das riquezas – Provas da riqueza e da miséria – Pompas fúnebres – Condição social da mulher

403. *Todos os homens são iguais perante Deus?* [LE-803.]

"Sim, todos tendem para o mesmo fim e Deus fez suas leis para todos. Frequentemente, dizeis: o Sol brilha para todos, e com isso enunciais uma verdade maior e mais geral do que pensais."

> Todos os homens estão submetidos às mesmas leis da Natureza. Todos nascem igualmente fracos, acham-se sujeitos às mesmas dores e o corpo do rico se destrói como o do pobre. Assim, Deus não concedeu superioridade natural a nenhum homem, nem pelo nascimento, nem pela morte; diante dele, todos são iguais.

404. *A diversidade das aptidões entre os homens deriva do corpo ou do Espírito?*

"De ambos. Muitas vezes a falta de aptidão é devida à imperfeição dos órgãos; pode ser também um Espírito inferior, ignorante, que ainda não se depurou."

> É pela diversidade das aptidões que cada um concorre para os desígnios da Providência, nos limites das forças físicas e intelectuais que lhe foram conferidas.

405. *Por que Deus não concedeu as mesmas aptidões a todos os homens?* [LE-804.]

"Deus criou iguais todos os homens; a diferença entre eles está na boa ou má vontade com que agem, que é o livre-arbítrio; daí por que uns se aperfeiçoam mais depressa do que outros. Ademais, sendo todos os mundos *solidários entre si*, importa que os habitantes dos mundos superiores, que, na sua maioria, foram criados antes do vosso, venham habitá-lo, para vos dar o exemplo."

405-a. *Passando de um mundo superior para um mundo inferior, o Espírito conserva integralmente as faculdades adquiridas?* [LE-805.]

"Sim, já dissemos que o Espírito que progrediu nunca retrocede. Poderá escolher, no estado de Espírito livre, um envoltório mais embotado ou uma posição mais precária do que a que teve, mas tudo isso para lhe servir de ensinamento e ajudá-lo a progredir."

> Assim, a diversidade de aptidões entre os homens não provém da natureza íntima de sua criação, mas do grau de aperfeiçoamento a que tenham chegado os Espíritos encarnados neles. Deus, portanto, não criou faculdades desiguais, mas permitiu que Espíritos em graus diversos de desenvolvimento estivessem em contato, a fim de que os mais adiantados pudessem auxiliar o progresso dos mais atrasados e também para que os homens, necessitando uns dos outros, compreendessem a lei de caridade que os deve unir.

406. *A desigualdade das condições sociais é uma lei da Natureza?* [LE-806.]

"Não; é obra do homem e não de Deus."

406-a. *Essa desigualdade desaparecerá algum dia?* [LE-806.a.]

"Sim; só as leis de Deus são eternas. Não vês a desigualdade diminuir pouco a pouco a cada dia? Desaparecerá quando o egoísmo e o orgulho deixarem de predominar, restando apenas a desigualdade do merecimento."

407. *Que pensar dos que abusam de sua superioridade para oprimir os fracos em benefício próprio?* [LE-807.]

"Merecem anátema. Ai deles! Serão oprimidos por sua vez e *renascerão* numa existência em que sofrerão tudo o que tiverem feito sofrer aos outros."

408. *A desigualdade das riquezas não tem sua origem na desigualdade das faculdades, em virtude da qual uns dispõem de mais meios de adquirir bens do que outros?* [LE-808.]

"Sim e não. Que dizes da astúcia e do roubo?"

408-a. Entretanto, a riqueza herdada não é fruto de paixões más. [LE-808.a.]

"Que sabes a respeito? Busca a fonte de tal riqueza e verás."

409. *A igualdade absoluta das riquezas é possível? E já terá existido alguma vez?* [LE-811.]

"Não; não é possível."

409-a. *Que é que se opõe a isso?*

"A diversidade das faculdades."

409-b. *No entanto, há homens que creem ser esse o remédio aos males da sociedade. Que pensais a respeito?* [LE-811.a.]

"São cultores de sistemas, ou ambiciosos e invejosos. Não compreendem que a igualdade com que sonham logo seria desfeita pela força das coisas. Combatei o egoísmo, que é a vossa chaga social, e não corrais atrás de quimeras."

410. *Se a igualdade das riquezas não é possível, sucederá o mesmo com o bem-estar?* [LE-812.]

"Não, mas o bem-estar é relativo; todos poderiam desfrutá-lo, se se entendessem convenientemente. O verdadeiro bem-estar consiste em cada qual empregar seu tempo naquilo que lhe seja agradável, e não na execução de trabalhos pelos quais não sinta prazer algum. Como cada um tem aptidões diferentes, nenhum trabalho útil ficaria por fazer. Em tudo existe o equilíbrio; o homem é quem o perturba."

410-a. *Será possível que todos se entendam?* [LE-812.a.]
"Sim."

410-b. *Como?*
"Praticando a lei de justiça."

410-c. *Por que há pessoas a quem falta o necessário?*
"Porque o homem em geral foi sempre egoísta; e o preguiçoso, não podendo viver em completa ociosidade, busca e emprega todos os meios que lhe pareçam vantajosos para despojar o homem que trabalha. Este, por certo, não lhe recusaria o necessário, mas se revolta contra quem, sem nada fazer, açambarca todo o fruto de seu labor e o deixa morrer de fome, juntamente com a família."

410-d. *Há pessoas que, por culpa sua, caem na privação e na miséria. A sociedade pode ser responsabilizada por isso?* [LE-813.]
"Sim. Como já dissemos, muitas vezes a sociedade é a causa principal dessas faltas. Ademais, não lhe cabe velar pela educação moral de seus membros? Frequentemente, é a má-educação que falseia o julgamento das pessoas, em vez de sufocar suas tendências perniciosas."

411. *Por que Deus concedeu a uns a riqueza e o poder, e a outros a miséria?* [LE-814.]
"Para experimentá-los de modos diferentes. Além disso, como sabeis, essas provas foram escolhidas pelos próprios Espíritos, que, no entanto, nelas sucumbem com frequência."

411-a. *Qual das duas provas é mais perigosa para o homem, a da miséria ou a da riqueza?* [LE-815.]
"Ambas o são igualmente. A miséria provoca as *queixas* contra a Providência; a riqueza leva a todos os excessos."

411-b. *Se o rico está sujeito a maiores tentações, também não dispõe de mais meios para fazer o bem?* [LE-816.]

"Sim, mas é justamente o que nem sempre faz. Torna-se egoísta, orgulhoso e insaciável. Suas necessidades aumentam com a riqueza, e nunca julga ter o bastante para si mesmo."

> A alta posição do homem neste mundo e a autoridade sobre os semelhantes são provas tão grandes e tão arriscadas quanto a miséria, porque, quanto mais rico e poderoso é o homem, *tanto mais obrigações tem a cumprir* e tanto maiores são os meios de que dispõe para fazer o bem e o mal. Deus experimenta o pobre pela resignação e o rico pelo emprego que dá aos seus bens e ao seu poder.
>
> A riqueza e o poder geram todas as paixões que nos prendem à matéria e nos afastam da perfeição espiritual. Foi por isso que Jesus disse: "Em verdade vos digo que é mais fácil um camelo passar pelo buraco de uma agulha do que um rico entrar no reino dos céus."

412. *De onde nasce o desejo que o homem sente de perpetuar sua memória por meio de monumentos fúnebres?* [LE-823.]

"Derradeiro ato de orgulho."

412-a. *Entretanto, na maioria das vezes a suntuosidade dos monumentos fúnebres não se deve mais aos parentes do defunto, que lhe querem honrar a memória, do que ao próprio defunto?* [LE-823.a.]

"Orgulho dos parentes, desejosos de se glorificarem a si mesmos. Oh! sim, nem sempre é pelo morto que se fazem todas essas demonstrações, mas por amor-próprio e para o mundo."

412-b. *Reprovais, então, de maneira absoluta, as pompas fúnebres?* [LE-824.]

"Não; quando têm em vista honrar a memória de um homem de bem, são justas e dão bom exemplo."

> O túmulo é o ponto de reunião de todos os homens. Aí terminam implacavelmente todas as distinções humanas. É em vão que o rico tenta perpetuar sua memória por meio de faustosos monumentos: o tempo os destruirá, como ao seu próprio corpo; assim o quer a

Natureza. A lembrança de suas boas e más ações será menos perecível do que seu túmulo. A pompa dos funerais não o limpará de suas torpezas, nem o fará subir um único degrau na hierarquia espiritual.

413. *O homem e a mulher são iguais perante Deus e têm os mesmos direitos?* [LE-817.]

"Sim, foram criados para se amarem; contudo, foram os homens que fizeram as leis. Deus não deu a ambos o conhecimento do bem e do mal e a faculdade de progredir?"

413-a. *De onde provém a inferioridade moral da mulher em certas regiões?* [LE-818.]

"Do domínio injusto e cruel que o homem assumiu sobre ela. É o resultado das instituições sociais e do abuso da força sobre a fraqueza."

414. *Com que fim a mulher, do ponto de vista físico, é mais fraca do que o homem?* [LE-819.]

"Para lhe determinar funções especiais. Cabe ao homem, por ser o mais forte, os trabalhos rudes; à mulher, os trabalhos leves; a ambos o dever de se ajudarem mutuamente a suportar as provas de uma vida cheia de amargor."

414-a. *A fraqueza física da mulher não a coloca naturalmente sob a dependência do homem?* [LE-820.]

"Como já dissemos, Deus deu a uns a força para protegerem o fraco, e não para o escravizarem."

> Deus apropriou o organismo de cada ser às funções que lhe cumpre desempenhar. Se deu à mulher menor força física, deu-lhe ao mesmo tempo maior sensibilidade, em relação com a delicadeza das funções maternais e com a fraqueza dos seres confiados aos seus cuidados.

415. *As funções a que a mulher é destinada pela Natureza terão importância tão grande quanto as conferidas ao homem?* [LE-821.]

"Sim, e até maiores. É ela quem lhe dá as primeiras noções da vida."

415-a. *Por que a mulher, mesmo no estado de selvageria, é considerada como um ser inferior ao homem?*[125]
"Por causa de sua fraqueza física."

416. *Sendo os homens iguais perante a Lei de Deus, deverão sê-lo igualmente perante as leis humanas?* [LE-822.]
"O primeiro princípio de justiça é este: não façais aos outros o que não gostaríeis que vos fizessem."

416-a. *Sendo assim, uma legislação, para ser perfeitamente justa, deve consagrar a igualdade dos direitos do homem e da mulher?* [LE-822.a.]
"De direitos, sim; de funções, não. É preciso que cada um tenha um lugar determinado; que o homem se ocupe do exterior e a mulher do interior, cada um de acordo com sua aptidão."

> Para ser justa, a lei humana deve consagrar a igualdade dos direitos do homem e da mulher. Qualquer privilégio concedido a um ou a outro é contrário à justiça. *A emancipação da mulher acompanha o progresso da civilização;* sua escravização marcha de par com a barbárie.

417. *Qual a origem dos privilégios consagrados pelas leis humanas?*
"O egoísmo e o orgulho."

417-a. *Como poderá o homem ser levado a reformar suas leis?* [LE-797.]
"Isso ocorre naturalmente, pela força das coisas e pela influência das pessoas de bem que o guiam no caminho do progresso. O homem já reformou muitas leis, e ainda reformará muitas outras. Espera!"

---

[125] N.E.: ver "Nota explicativa", p. 551.

CAPÍTULO X

Lei de liberdade

Liberdade natural – Escravidão – Liberdade de pensar – Liberdade de consciência – Livre-arbítrio – Fatalidade

418. *Haverá posições no mundo em que o homem possa vangloriar-se de gozar de absoluta liberdade?* [LE-825.]
"Não."

418-a. *Por quê?*
"Porque todos precisais uns dos outros, tanto os pequenos como os grandes." [LE-825.]

418-b. *Em que condições o homem poderia gozar de absoluta liberdade?* [LE-826.]
"Nas do eremita no deserto."

Só haveria liberdade absoluta para o homem que vivesse sozinho, numa terra sem dono. *Desde que dois homens estejam juntos, há entre eles direitos a serem respeitados e, portanto, nenhum deles gozará de liberdade absoluta.*

419. *A obrigação de respeitar os direitos alheios tira ao homem o direito de ser senhor de si mesmo?* [LE-827.]
"Não."

419-a. *Haverá homens que estejam, naturalmente, destinados a ser propriedade de outros homens?* [LE-829.]

"Não; a escravidão é um abuso da força. Desaparece com o progresso, como gradativamente desaparecerão todos os abusos."

> Ninguém tem o direito natural de apropriar-se de outro homem. Toda sujeição absoluta de um homem a outro homem é contrária à Lei de Deus. A lei humana que consagra a escravidão é contrária à Natureza, pois equipara o homem ao animal e o degrada moral e fisicamente.

420. *Quando a escravidão faz parte dos costumes de um povo, os que dela se aproveitam merecem ser condenados, embora só o façam conformando-se com um uso que lhes parece natural?* [LE-830.]

"Já dissemos várias vezes: o mal é sempre o mal e nenhum de vossos sofismas fará que uma má ação se torne boa. Mas a responsabilidade do mal é relativa aos meios de que o homem disponha para compreendê-lo."

> Aquele que tira proveito da lei da escravidão é sempre culpado de violação da lei da Natureza. Mas aí, como em tudo, a culpabilidade é relativa. Tendo a escravidão feito parte dos costumes de certos povos, foi possível ao homem aproveitar-se dela, ainda que de boa-fé, como de uma coisa que lhe parecia natural. Desde, porém, que sua razão, mais desenvolvida e, sobretudo, esclarecida pelas luzes do Cristianismo, lhe mostrou que o escravo era um seu igual perante Deus, não tem mais ele nenhuma desculpa.

421. *A desigualdade natural das aptidões não coloca certas raças humanas sob a dependência de raças mais inteligentes?*[126] [LE-831.]

"Sim, para as elevar, e não para embrutecê-las ainda mais pela servidão."

422. *Há homens que tratam seus escravos com humanidade, que não lhes deixam faltar coisa alguma e acreditam que a liberdade os exporia a maiores privações. Que dizeis disso?* [LE-832.]

---

[126] N.E.: ver "Nota explicativa", p. 551.

"Digo que esses compreendem melhor seus interesses. Também dispensam muito cuidado aos seus bois e cavalos, para que obtenham bom preço no mercado."

> Tais homens não são tão culpados como os que maltratam os escravos, mas nem por isso deixam de dispor deles como de uma mercadoria, privando-os do direito de serem donos de si mesmos.

423. *Haverá no homem alguma coisa que escape a todo constrangimento e pela qual ele goze de absoluta liberdade?* [LE-833.]
"Sim, a liberdade de pensar."

423-a. *Pode-se impedir a manifestação do pensamento?*
"Sim, mas o pensamento não. É pelo pensamento que o homem goza de liberdade sem limites."

424. *O homem é responsável por seu pensamento?* [LE-834.]
"Perante Deus, sim. Como, porém, somente Deus é capaz de conhecê-lo, Ele o condena ou absolve, segundo sua justiça."

425. *A liberdade de consciência é uma consequência da liberdade de pensar?* [LE-835.]
"Sim, pois a consciência é um pensamento íntimo."

425-a. *O homem tem direito de pôr obstáculos à liberdade de consciência?* [LE-836.]
"Não, assim como não o tem com referência à liberdade de pensar."

425-b. *Qual o resultado dos obstáculos interpostos à liberdade de consciência?* [LE-837.]
"Fazer hipócritas."

> Só a Deus cabe o direito de julgar o bem e o mal absoluto. Assim como os homens, mediante suas leis, regulam as relações de homem para homem, Deus, pelas leis da Natureza, regula as relações entre Ele e os homens.

426. *O homem deve manter-se preso a uma crença que foi escolhida por terceiros, quando ainda não tinha consciência de si mesmo?*
"O bom senso responde a esta questão. Por que fazer perguntas inúteis?"

427. *Todas as crenças são respeitáveis?* [LE-838.]
"Sim, desde que sinceras e quando conduzem à prática do bem."

427-a. *Há crenças condenáveis?*
"Sim; as que conduzem à prática do mal."

428. *Será repreensível quem escandalize, em razão de sua crença, um outro que não pense como ele?* [LE-839.]
"Isso é faltar com a caridade e atentar contra a liberdade de pensamento."

429. *Será atentar contra a liberdade de consciência interpor obstáculos a crenças capazes de causar perturbações à sociedade?* [LE-840.]
"*Podem reprimir-se os atos, mas a crença íntima é inacessível.*"

> Reprimir os atos exteriores de uma crença, quando acarretem qualquer prejuízo a terceiros, não é atentar contra a liberdade de consciência, pois essa repressão deixa à crença sua inteira liberdade.

430. *Por respeito à liberdade de consciência, devemos deixar que se propaguem doutrinas perniciosas, ou podemos, sem atentar contra aquela liberdade, procurar trazer ao caminho da verdade os que se transviaram obedecendo a falsos princípios?* [LE-841.]
"Certamente que podeis e até deveis. Mas ensinai, a exemplo de Jesus, *pela persuasão e pela brandura*, e não pela força, o que seria pior do que a crença daquele a quem desejaríeis convencer. Se alguma coisa se pode impor, é o bem e a fraternidade; mas não cremos que o melhor meio de fazê-los admitidos seja agir com violência. Pela força e pela perseguição só se fazem hipócritas. A convicção não se impõe."

431. Considerando-se que todas as doutrinas têm a pretensão de ser a única expressão da verdade, por que sinais podemos reconhecer a que tem o direito de se apresentar como tal? [LE-842.]

"Será a que fizer mais homens de bem e menos hipócritas, isto é, homens que pratiquem a Lei de Deus *para com os semelhantes* na sua maior pureza."[127]

432. *O homem tem o livre-arbítrio de seus atos?* [LE-843.]
"Sim, pois que tem a liberdade de pensar."

> Negar ao homem o livre-arbítrio seria negar nele a existência de uma alma inteligente e identificá-lo com o animal, tanto do ponto de vista moral como físico.

433. *O homem traz consigo ao nascer, por meio de sua organização física, a predisposição para tais ou quais atos?*
"Sim."

433-a. *A predisposição natural que impele o homem à prática de certos atos anula seu livre-arbítrio?* [LE-845.]
"Não, pois foi ele mesmo quem pediu para ter esta ou aquela predisposição. Se pediste para ter as inclinações do assassínio, foi para teres que lutar contra esta propensão."

433-b. *O homem pode domar todas as suas inclinações, por mais fortes que sejam?*
"Sim; querer é poder."

---

[127] N.T.: esta questão é muito mais abrangente, conforme se depreende do texto abaixo transcrito: "Deus é bom e justo; não quer senão o bem; a melhor de todas as religiões é aquela que só ensina o que é conforme à bondade e à Justiça de Deus; que dá de Deus a maior e a mais sublime ideia e não o rebaixa atribuindo-lhe as fraquezas e as paixões da Humanidade; que torna os homens bons e virtuosos e lhes ensina a se amarem todos como irmãos; que condena todo mal feito ao próximo; que não permite a injustiça sob qualquer forma ou pretexto que seja; que nada prescreve de contrário às Leis imutáveis da Natureza, porque Deus não se pode contradizer; aquela cujos ministros dão o melhor exemplo de bondade, caridade e moralidade; a que procura melhor combater o egoísmo e satisfazer menos o orgulho e a vaidade dos homens; aquela, finalmente, em nome da qual se comete menos mal, porque uma boa religião não pode servir de pretexto a nenhum mal; não lhe deve deixar porta alguma aberta, nem diretamente, nem por interpretação. Vede, julgai e escolhei" (KARDEC, Allan. *O que é o espiritismo*, cap. I, p. 118).

A organização física do homem o predispõe a tais e quais atos aos quais é impelido por uma força a bem dizer instintiva. Se este pendor natural o conduzir ao mal, poderá tornar-lhe mais difícil o bem, mas não lhe tirará a liberdade de fazer ou deixar de fazer. Com vontade firme e ajuda de Deus, e desde que ore com fervor e sinceridade, não haverá pendores que não possa vencer, por mais fortes que sejam. Assim, o homem não poderia buscar desculpas na sua organização física, sem abdicar da razão e da condição de ser humano, que ele é, para assemelhar-se ao animal.

434. *A aberração das faculdades tira ao homem a responsabilidade de seus atos?* [LE-847.]

"Sim; mas como já te dissemos, essa aberração constitui muitas vezes uma punição para o Espírito que, em outra existência, tenha sido fútil e orgulhoso, e haja utilizado mal suas faculdades. Em tal caso, esse Espírito pode renascer no corpo de um idiota, como o déspota no corpo de um escravo e o mau rico no de um mendigo."

435. *A aberração das faculdades intelectuais pela embriaguez servirá de desculpa aos atos reprováveis?* [LE-848.]

"Não, porque foi voluntariamente que o ébrio se privou de sua razão para satisfazer a paixões brutais. Em vez de uma falta, comete duas."

436. *Os animais gozam de livre-arbítrio para a prática de seus atos?* [LE-595.]

"Os animais não são simples máquinas, como supondes. Contudo, a liberdade de ação de que desfrutam é limitada às suas necessidades, não podendo ser comparada à do homem. Sendo bem inferiores a este, não têm os mesmos deveres."

Os animais seguem mais cegamente a impulsão do instinto que a Natureza lhes deu para sua própria conservação, o que não significa que sejam de todo privados da liberdade de agir. Mas a liberdade de que gozam é restrita aos atos da vida material.

437. *Visto que os animais têm uma inteligência que lhes faculta certa liberdade de ação, haverá neles algum princípio independente da matéria?* [LE-597.]
"Sim, e que sobrevive ao corpo."

437-a. *Esse princípio conserva sua individualidade?*
"Sim."

437-b. *Será uma alma semelhante à do homem?* [LE-597.a.]
"Não; a alma do homem é um Espírito encarnado. Mas, para os animais, é também uma alma, se quiserdes, *dependendo do sentido que se der a esta palavra;* contudo, é sempre inferior à do homem. Há tanta distância entre a alma dos animais e a do homem quanto a que existe entre a alma do homem e Deus."

437-c. *Os animais estão sujeitos a uma lei progressiva, como os homens?* [LE-601.]
"Sim, e é por isso que nos mundos superiores, onde os homens são mais adiantados, os animais também o são, embora sempre inferiores e subordinados ao homem."

437-d. *Nos mundos superiores os animais conhecem a Deus?* [LE-603.]
"Não; para eles o homem é um Deus."

437-e. *Os animais seriam a encarnação de uma ordem inferior de Espíritos, constituindo categoria à parte no mundo espiritual?*
"Sim, e que não podem ultrapassar certo grau de perfeição."

437-f. *Os animais progridem, como o homem, por ato da própria vontade, ou pela força das coisas?* [LE-602.]
"Pela força das coisas, razão por que não há expiação para eles."

438. *Qual a faculdade predominante no homem em estado de selvageria: o instinto ou o livre-arbítrio?* [LE-849.]
"O instinto."

438-a. *O desenvolvimento da inteligência aumenta a liberdade dos atos?*

"Certamente, e é por isso que és mais esclarecido do que o selvagem, e também mais responsável do que ele."

439. *A posição social não constitui às vezes, para o homem, um obstáculo à inteira liberdade de seus atos?* [LE-850.]

"Sim, algumas vezes; o mundo tem suas exigências."

439-a. *A responsabilidade, neste caso, também é grande?*

"Deus é justo. Ele leva tudo em conta, mas vos deixa a responsabilidade pelos esforços que façais para superar os obstáculos, por mais insignificantes que sejam."

440. *O livre-arbítrio não está também subordinado à organização física, e não pode ser entravado em alguns casos pela predominância da matéria?*

"O livre-arbítrio pode ser entravado, mas não anulado. Quem aniquila a mente para só se ocupar da matéria torna-se semelhante ao animal; pior ainda, pois não cuida mais de se premunir contra o mal, e é nisto que é culpado."

> Desprendido da matéria, o Espírito escolhe suas existências corpóreas futuras de acordo com o grau de perfeição a que tenha chegado. Como já dissemos, é principalmente nessa escolha que consiste seu livre-arbítrio. Essa liberdade não é anulada de modo algum pela encarnação; se cede à influência da matéria, é porque sucumbe ao peso das próprias provas que escolheu. Para o auxiliar a vencê-las, ele pode invocar a assistência dos Espíritos bons.

441. *Haverá fatalidade nos acontecimentos da vida, de acordo com o sentido atribuído a este vocábulo? Em outras palavras, todos os acontecimentos são predeterminados? Neste caso, que vem a ser do livre-arbítrio?* [LE-851.]

"A fatalidade só existe pela escolha que o Espírito fez, ao encarnar, de sofrer esta ou aquela prova; depois, se juntam a esta escolha de tais provas os conhecimentos que deves adquirir, estando de tal modo ligado um ao outro que constitui o que tu chamas fatalidade. Como dizíamos há pouco, o homem, por dispor de mais liberdade de ação, entrega-se excessivamente à matéria, atraindo sobre os que o cercam uma porção de dissabores. Mas isto diminuirá quando forem extirpados os vícios de vossa sociedade."

441-a. *O instante da morte está invariavelmente fixado?*
"Sim, a hora está marcada."

441-b. *Assim sendo, seja qual for o perigo que nos ameace, não morreremos se a hora da morte ainda não chegou?* [LE-853.a.]
"Não; não perecerás e tens disso milhares de exemplos. Quando, porém, chegar a hora de tua partida, nada poderá impedir que partas. Deus sabe de antemão qual o gênero de morte que te levará da Terra e muitas vezes teu Espírito também o sabe, visto que isso lhe foi revelado ao fazer a escolha desta ou daquela existência."

441-c. *Se a morte não pode ser evitada quando tem de ocorrer, dar-se-á o mesmo com todos os acidentes que nos sobrevêm no curso da vida?* [LE-859.]
"Não; trata-se, amiúde, de coisas demasiadamente pequenas para que vos possamos prevenir a seu respeito, e algumas vezes fazer que as eviteis, dirigindo vosso pensamento, pois nos desagrada o sofrimento material. Mas isso tem pouca importância para a vida que escolhestes. A fatalidade, verdadeiramente, só existe quanto ao momento em que deveis aparecer e desaparecer deste mundo. Como deveis revestir vosso envoltório para poder suportar vossas provas e receber nossos ensinamentos, razão pela qual vos apegais à vida, considerais isso como uma fatalidade, quando é uma felicidade."

> Tal como vulgarmente é entendida, a fatalidade supõe a decisão prévia e irrevogável de todos os acontecimentos da vida, seja qual for sua importância. Se fosse esta a ordem das coisas, o homem seria qual máquina sem vontade própria. Para que lhe serviria a inteligência, se estivesse invariavelmente dominado, em todos os seus atos, pela força do destino? Se verdadeira, semelhante doutrina seria a destruição de toda liberdade moral; não haveria mais responsabilidade para

o homem e, por conseguinte, nem bem, nem mal, nem crimes, nem virtudes. Sendo Deus soberanamente justo, não poderia castigar suas criaturas por faltas que não dependiam delas cometer, nem recompensá-las por virtudes de que não tivessem mérito algum. Tal lei seria, além disso, a negação da lei do progresso, considerando-se que o homem, por esperar tudo da sorte, não tentaria fazer coisa alguma para melhorar sua posição, visto que não conseguiria ser melhor nem pior.

Apesar disso, a fatalidade não é uma palavra sem valor. Existe na posição que o homem ocupa na Terra e nas funções que aí desempenha, em consequência do gênero de existência que seu Espírito escolheu como *prova, expiação* ou *missão*. Ele sofre fatalmente todas as vicissitudes dessa existência e todas as *tendências* boas ou más que lhe são inerentes. Aí, porém, acaba a fatalidade, pois depende de sua vontade ceder ou não ceder a essas tendências. *Os detalhes dos acontecimentos estão subordinados às circunstâncias que ele próprio cria por seus atos*, e sobre os quais os Espíritos podem influir pelos pensamentos que lhe sugerem.

Há fatalidade, portanto, nos acontecimentos que se apresentam, por serem consequência da escolha feita pelo Espírito antes de encarnar. Pode deixar de haver fatalidade no resultado de tais acontecimentos, visto depender do homem, por sua prudência, modificar o curso das coisas.[128]

É na morte que o homem se acha submetido de maneira absoluta e inexorável à lei da fatalidade, pois não pode escapar à sentença que marca o termo de sua existência, nem ao gênero de morte que deve interromper o seu curso (*Nota* 15). [LE-872.]

---

[128] N.T.: na edição definitiva de 1860, Allan Kardec conclui este parágrafo com a seguinte afirmação: "Nunca há fatalidade nos atos da vida moral".

CAPÍTULO XI

Lei de justiça, amor e caridade

Justiça e direitos naturais – Amor ao próximo – Direito de propriedade

442. *A necessidade que tem o homem de viver em sociedade acarreta para ele obrigações particulares?* [LE-877.]
"Sim, e a primeira de todas é a de respeitar os direitos de seus semelhantes. Aquele que respeitar esses direitos sempre agirá com justiça. No vosso mundo, onde tantos homens não praticam a lei de justiça, cada um usa de represálias, e é isso que causa perturbação e confusão na vossa sociedade."

442-a. *Em que consiste a justiça?* [LE-875.]
"A justiça consiste no respeito aos direitos de cada um. A vida social estabelece direitos e impõe deveres recíprocos."

443. *Podendo o homem iludir-se quanto à extensão de seu direito, que deve fazer para conhecer o limite desse direito?* [LE-878.]
"O limite do direito que reconhecer ao seu semelhante, em idênticas circunstâncias e reciprocamente."

443-a. *Mas se cada um atribuir a si mesmo direitos iguais aos de seu semelhante, que virá a ser da subordinação aos superiores? Não seria a anarquia de todos os poderes?* [LE-878.a.]

"Os direitos naturais são os mesmos para todos os homens, desde o menor até o maior. Deus não fez uns de limo mais puro que outros, e todos são iguais perante Ele. Esses direitos são eternos. Os que o homem estabeleceu perecem com suas instituições. Além disso, cada um sente bem sua força ou sua fraqueza e saberá sempre ter certa deferência para com os que o mereçam por suas virtudes e sabedoria. É importante destacar isto, para que os que se julgam superiores conheçam seus deveres, a fim de merecer essas deferências. A subordinação não estará comprometida, quando a autoridade for conferida à sabedoria."

> Deus imprimiu no coração do homem a regra da verdadeira justiça, fazendo que cada um veja respeitados seus direitos. Jesus vos deu esta regra: *Fazei aos outros o que gostaríeis que os outros vos fizessem*.
>
> Na incerteza de como proceder em relação ao semelhante, em dada circunstância, o homem deve indagar a si mesmo como gostaria que os outros procedessem para com ele, em idêntica circunstância. Deus não lhe podia ter dado guia mais seguro do que a própria consciência.

444. *Qual seria o caráter do homem que praticasse a justiça em toda sua pureza?* [LE-879.]

"O do verdadeiro justo, a exemplo de Jesus, porque praticaria também o amor ao próximo e a caridade, sem os quais não há verdadeira justiça."

444-a. *Qual o verdadeiro sentido da palavra* caridade, *tal como a entendia Jesus?* [LE-886.]

"Benevolência para com todos, indulgência para as imperfeições dos outros, perdão das ofensas."

> O amor e a caridade são o complemento da lei de justiça, pois amar o próximo é fazer-lhe todo o bem que nos seja possível e que desejaríamos que nos fosse feito. Tal o sentido destas palavras de Jesus: *Amai-vos uns aos outros como irmãos*.

445. *Jesus também disse:* Amai até os vossos inimigos. *Ora, o amor aos inimigos não será contrário às nossas tendências naturais, e a inimizade não provirá da falta de simpatia entre os Espíritos?* [LE-887.]

"Sem dúvida não se pode ter pelos inimigos um amor terno e apaixonado. Não foi isso que Jesus quis dizer. Amar os inimigos é perdoar-lhes e retribuir-lhes o mal com o bem. Aquele que assim procede se torna superior aos seus inimigos, ao passo que, pela vingança, se coloca abaixo deles."[129]

446. *Qual o primeiro de todos os direitos naturais do homem?* [LE-880.]

"O de viver. Por isso ninguém tem o direito de atentar contra a vida de seu semelhante, nem de fazer o que quer que possa comprometer-lhe a existência."

447. *Que se deve pensar da esmola?* [LE-888.]

"O homem condenado a pedir esmola se degrada moral e fisicamente; embrutece-se."

447-a. *Então reprovais a esmola?* [LE-888.a.]

"Não; não é a esmola que é reprovável, mas a maneira por que habitualmente é dada. O homem de bem, que compreende a caridade segundo Jesus, vai ao encontro do infeliz, sem esperar que este lhe estenda a mão."

447-b. *Não haverá homens reduzidos à mendicância por sua própria culpa?* [LE-889.]

"Sem dúvida; mas se uma boa educação moral lhes tivesse ensinado a praticar a Lei de Deus, não teriam caído nos excessos que ocasionaram sua perdição. É disso, sobretudo, que depende a melhoria de vosso globo."

> Deve-se distinguir a esmola, propriamente dita, da beneficência. Nem sempre o que pede é o mais necessitado. O temor de uma humilhação detém o verdadeiro pobre que, muitas vezes, sofre sem se queixar. É a esse que o homem verdadeiramente humano sabe ir procurar, sem ostentação.

---

[129] N.T.: para maiores detalhes sobre o assunto, ver *O evangelho segundo o espiritismo*, cap. XII, it. 3 e 4.

448. *O direito de viver confere ao homem o direito de acumular bens que lhe garantam o repouso quando não mais puder trabalhar?* [LE-881.]
"Sim, mas deve fazê-lo em família, como a abelha, por meio de trabalho honesto, e não acumular, como o egoísta. Até mesmo alguns animais lhe dão o exemplo da previdência."

449. *O homem tem o direito de defender os bens que acumulou por seu trabalho?* [LE-882.]
"Não disse Deus: *Não roubarás?* E Jesus: *Dai a César o que é de César?*"

> Aquilo que o homem acumula por meio do trabalho *honesto* constitui legítima propriedade sua, que ele tem o direito de defender, porque a propriedade que resulta do trabalho é um direito natural tão sagrado quanto o de trabalhar e viver.

450. *É natural o desejo de possuir?* [LE-883.]
"Sim, mas quando o homem só deseja para si e para sua satisfação pessoal, é puro egoísmo."

450-a. *Entretanto, não será legítimo o desejo de possuir, visto que aquele que tem de que viver não se torna pesado a ninguém?* [LE-883.a.]
"Sim, para o que impõe limites aos seus desejos. Há, porém, homens insaciáveis, que acumulam bens sem utilidade para ninguém, ou apenas para saciar suas paixões, porque receberam educação deficiente e se deixaram arrastar pelo mau exemplo. Julgas que Deus aprova isso? Aquele, ao contrário, que junta pelo trabalho, tendo em vista socorrer os semelhantes, pratica a lei de amor e caridade, e Deus abençoa seu trabalho."

451. *Qual o caráter da legítima propriedade?* [LE-884.]
"Só é legítima a propriedade que foi adquirida sem prejuízo de outrem."

> A lei de amor e de justiça proíbe que façamos aos outros o que não desejaríamos que nos fizessem, condenando, por isso mesmo, a aquisição de bens por quaisquer meios que lhe sejam contrários.

452. *Será ilimitado o direito de propriedade?* [LE-885.]

"Sem dúvida, tudo o que é legitimamente adquirido constitui uma propriedade. Mas, como já dissemos, a legislação humana é imperfeita e consagra muitos direitos convencionais que a justiça natural reprova. É por isso que os homens reformam suas leis, à medida que o progresso se efetua e que melhor compreendem a justiça. O que num século parece perfeito afigura-se bárbaro no século seguinte."

LIVRO TERCEIRO

Esperanças e consolações

CAPÍTULO I
Perfeição moral do homem

CAPÍTULO II
Felicidade e infelicidade na terra

CAPÍTULO III
Penas e recompensas futuras

CAPÍTULO I

Perfeição moral do homem

453. *Será intrinsecamente mau o princípio originário das paixões, embora esteja na Natureza?* [LE-907.]

"Não; a paixão está no excesso aliado à vontade, visto que o princípio que lhe dá origem foi posto no homem para o bem. O abuso que delas se faz é que causa o mal."

> Todas as paixões têm seu princípio num sentimento ou necessidade natural. O princípio das paixões não é, portanto, um mal, já que repousa sobre uma das condições providenciais de nossa existência. A paixão propriamente dita é o exagero de uma necessidade ou de um sentimento; está no excesso e não na causa, e este excesso se torna um mal quando tem como consequência um mal qualquer.
>
> Toda paixão que aproxima o homem da natureza animal afasta-o da natureza espiritual. Todo sentimento que eleva o homem acima da natureza animal denota predominância do Espírito sobre a matéria e o aproxima da perfeição.

454. *O homem sempre poderia, por seus esforços, vencer suas más inclinações?* [LE-909.]

"Sim, e por vezes fazendo esforços bem pequenos. O que lhe falta é a vontade. Ah! como são poucos os que fazem esforços entre vós! Creio que o espírito do século vos domina em demasia."

454-a. *O homem pode achar nos Espíritos assistência eficaz para dominar suas paixões?* [LE-910.]

"Sim; se pedir a Deus e ao seu gênio bom, com sinceridade, por certo os Espíritos bons lhe virão em auxílio, porque essa é a missão deles."

454-b. *Não haverá paixões tão vivas e irresistíveis que a vontade seja impotente para vencê-las?* [LE-911.]

"Há muitas pessoas que dizem: *Quero*, mas sua vontade está apenas nos lábios. Querem, mas ficam muito satisfeitas que assim não seja. Quando o homem crê que não pode vencer suas paixões, é que seu Espírito nelas se compraz, em consequência de sua inferioridade. Aquele que procura reprimi-las compreende sua natureza espiritual. Vencê-las, para ele, é um triunfo do Espírito sobre a matéria."

455. *Qual a fonte primeira dos vícios do homem?*

"Já o dissemos inúmeras vezes: o egoísmo; dele deriva todo o mal. O próprio egoísmo tem sua fonte na predominância da natureza animal sobre a natureza espiritual." [LE-913.]

> O egoísmo gera o orgulho, a ambição, a cupidez, o ciúme, o ódio, a sensualidade e todas as paixões que degradam o homem e o afastam da perfeição moral.

456. *Fundando-se o egoísmo no sentimento do interesse pessoal, parece bem difícil extirpá-lo inteiramente do coração do homem. Chegar-se-á a consegui-lo?* [LE-914.]

"Mais cedo do que imaginais; estamos trabalhando para isso."

456-a. *No entanto, longe de diminuir, o egoísmo cresce com a civilização, que, parece, o excita e o mantém. Como poderá a causa destruir o efeito?* [LE-916.]

"Quanto maior o mal, mais hediondo se torna. Era preciso que o egoísmo produzisse muito mal, para que se tornasse compreensível a necessidade de extirpá-lo."

Livro Terceiro – Capítulo I
Perfeição moral do homem

456-b. *De que maneira se conseguirá extirpá-lo?*

"À medida que se forem esclarecendo sobre as coisas espirituais, os homens darão menos apreço às coisas materiais; isso depende da educação. E, depois, é preciso que se reformem as instituições humanas que o mantêm e o excitam."

456-c. *Quais são, com esse objetivo, as reformas mais importantes que seriam convenientes introduzir nas instituições humanas?*

"Trata-se de um ensinamento novo *que te daremos;* mas, repetimos, a Humanidade marcha para o progresso moral, a despeito das aparências, e o bem nascerá do excesso do mal. Deus olha por vós."

> Quando se houverem despojado do egoísmo que os domina, os homens viverão como irmãos, sem se fazerem mal algum, auxiliando-se reciprocamente pelo sentimento da *solidariedade*. Então o forte será o amparo e não o opressor do fraco, e não mais se verão homens a quem falte o necessário, porque todos praticarão a lei de justiça. Esse o reinado do bem, que os Espíritos estão encarregados de preparar. [LE-916.]

456-d. *Que devemos fazer, enquanto esperamos por essas reformas?*

"Cada um deve concorrer para isso na medida de suas forças. Quem quiser, desde esta vida, aproximar-se da perfeição moral, tem que expulsar do coração todo sentimento de egoísmo, pois o egoísmo é incompatível com a justiça, o amor e a caridade."

457. *Por que sinais se pode reconhecer num homem o progresso real que deve elevar seu Espírito na hierarquia espiritual?* [LE-918.]

"O Espírito prova sua elevação quando todos os atos de sua vida corpórea representam a prática da Lei de Deus, e quando sai da esfera das coisas materiais para penetrar na vida espiritual, que ele compreende antecipadamente."

> O verdadeiro homem de bem é o que pratica a lei de justiça, amor e caridade na sua maior pureza. Se interroga a própria consciência sobre os atos que praticou, perguntará se não transgrediu essa lei, se

não fez o mal, se fez todo o bem *que podia*, se ninguém tem motivo para se queixar de seu egoísmo e de seu orgulho, enfim, se fez aos outros tudo quanto gostaria que os outros lhe fizessem.

Imbuído do sentimento de caridade e amor ao próximo, faz o bem pelo bem, sem esperar recompensa, e sacrifica seus interesses à justiça.

É bondoso, humanitário e benevolente para com todos, porque vê irmãos seus em todos os homens, sem distinção de raças nem de crenças.

Se Deus lhe concedeu o poder e a riqueza, considera essas coisas como *um depósito*, de que deve usar para o bem, e disso não se envaidece, por saber que Deus, que lhe deu tudo isso, também poderá retirá-los.

Se a ordem social colocou outros homens sob sua dependência, trata-os com bondade e benevolência, porque são seus iguais perante Deus. Usa de sua autoridade para lhes levantar o moral e não para os esmagar com seu orgulho.

É indulgente para com as fraquezas alheias, porque sabe que ele mesmo precisa da indulgência dos outros, lembrando-se destas palavras do Cristo: *Aquele que estiver sem pecado atire a primeira pedra.*

Não é vingativo; a exemplo de Jesus, perdoa as ofensas, para só se lembrar dos benefícios, pois sabe que *será perdoado na medida em que houver perdoado.*

Respeita, enfim, em seus semelhantes, todos os direitos que as leis da Natureza lhes concedem, como gostaria que respeitassem os seus.[130]

458. *Podemos, em qualquer tempo, resgatar nossas faltas?* [LE-1000.]
"Sim, reparando-as. Mas não creiais que as resgateis por meio de algumas privações pueris, ou mediante doações póstumas, quando de nada mais precisais."

---

[130] N.T.: mais desenvolvida e com ligeiras modificações, esta passagem foi inserida mais tarde em *O evangelho segundo o espiritismo*, cap. XVII, it. 3, sob o título "O homem de bem".

458-a. *Então não haverá nenhum mérito em assegurarmos, para depois de nossa morte, o emprego útil dos bens que possuímos?* [LE-1001.]
"Nenhum mérito não é bem o termo, pois isso sempre é melhor do que nada. O mal, porém, é que aquele que só faz doações depois de morto é quase sempre mais egoísta que generoso. Quer ter as honras do bem, sem o trabalho de praticá-lo."

> Só se repara o mal pela prática do bem, e a reparação não tem mérito algum se não nos atingir *em nosso orgulho e em nossos interesses materiais.*
>
> De que serve, em nossa justificação, restituir após a morte bens mal adquiridos, quando não nos são mais úteis e deles já aproveitamos? De que serve a privação de alguns prazeres fúteis ou de algumas superfluidades, se o mal que fizemos aos outros permanece de pé? De que serve enfim nos humilharmos perante Deus, se conservamos nosso orgulho diante dos homens?

CAPÍTULO II

Felicidade e infelicidade na Terra

459. *O homem pode gozar de completa felicidade na Terra?* [LE-920.]

"Não, pois a vida lhe foi dada como prova ou expiação. Mas depende dele amenizar seus males e ser tão feliz quanto possível na Terra."

460. *Concebe-se que o homem será feliz na Terra quando a Humanidade estiver transformada. Mas, enquanto isso não acontece, poderá conseguir uma felicidade relativa?* [LE-921.]

"O homem é quase sempre o artífice de sua própria infelicidade. Pela prática da Lei de Deus, pode furtar-se a muitos males e alcançar felicidade tão grande quanto o comporte sua existência grosseira."

O homem que se acha bem compenetrado de seu destino futuro não vê na vida corpórea mais que uma estação temporária, como que uma parada momentânea numa hospedaria de má qualidade. Facilmente se console de alguns aborrecimentos de uma viagem que o levará a uma posição tanto melhor, quanto melhor tenha cuidado dos preparativos para realizá-la.

Somos punidos já nesta vida pelas infrações que cometemos às leis que regem a existência corpórea, por meio dos males decorrentes dessas mesmas infrações e de nossos próprios excessos. Se remontarmos pouco a pouco à origem do que chamamos nossas desgraças terrenas, veremos que, na maioria dos casos, são a consequência de um primeiro afastamento do caminho reto. Em virtude desse desvio, enveredamos por outro, mau, e, de consequência em consequência, caímos na desgraça.

461. *A felicidade terrestre é relativa à posição de cada um. O que basta para a felicidade de um, constitui a desgraça de outro. Haverá, contudo, algum critério de felicidade comum para todos os homens?* [LE-922.]

"Para a vida material, é a posse do necessário; com relação à vida moral, é a consciência tranquila e a fé no futuro."

461-a. *Contudo, aquilo que para um é supérfluo não representará, para outro, o necessário, e vice-versa, conforme as respectivas posições?* [LE-923.]

"Sim, de acordo com vossas ideias materiais, vosso preconceito, vossa ambição e todos os vossos caprichos ridículos, para os quais o futuro fará justiça, quando compreenderdes a verdade. Sem dúvida, aquele que tinha cinquenta mil libras de renda e a vê reduzida a dez mil, se considera muito infeliz, por não mais poder fazer a mesma figura, conservar o que chama sua posição, ter cavalos, lacaios, fazer suas orgias, etc. Julga que lhe falta o necessário. Mas, francamente, achas que seja digno de lástima, quando, ao seu lado, há muitas pessoas que morrem de fome e de frio, sem um abrigo onde repousem a cabeça? O homem sensato, para ser feliz, olha para baixo, e jamais para cima, a não ser para elevar sua alma ao infinito."

462. *Há males que independem da maneira de agir e que atingem o homem mais justo. Haverá algum meio de se preservar deles?* [LE-924.]

"Não; o homem deve resignar-se e sofrê-los *sem murmurar*, se quer progredir. Entretanto, sempre encontra consolação na própria consciência, que lhe dá a esperança de um futuro melhor, desde que faça o que é preciso para obtê-lo."

463. *As vicissitudes da vida são sempre a punição das faltas atuais?* [LE-984.]

"Não; como já dissemos, são provas impostas por Deus ou que vós mesmos escolhestes como Espíritos, antes de encarnardes, para expiação das faltas cometidas em outra existência, porque jamais fica impune a infração das leis de Deus e, sobretudo, da lei de justiça. Se não for nesta existência, será necessariamente em outra. Eis por que, aquele que vos parece justo, muitas vezes sofre. É o passado que o pune."

464. *Criando novas necessidades, a civilização não constitui uma fonte de novas aflições?* [LE-926.]

"Sim, os males deste mundo guardam relação com as necessidades *artificiais* que criais para vós mesmos. Aquele que sabe limitar seus desejos e olha sem inveja o que esteja acima de si, poupa-se a muitos desenganos nesta vida."

> Muitas vezes o homem só é infeliz pela importância que atribui às coisas deste mundo. A vaidade, a ambição e a cupidez, quando frustradas, fazem-no infeliz. Se ele se colocar acima do círculo acanhado da vida material, se elevar os pensamentos para o infinito, que é seu destino, as vicissitudes da Humanidade lhe parecerão mesquinhas e pueris, como a tristeza da criança que se aflige pela perda de um brinquedo que faria sua felicidade suprema.
>
> Aquele que só vê felicidade na satisfação do orgulho, da vaidade e dos apetites grosseiros é infeliz, quando não pode satisfazê-los, ao passo que aquele que nada pede ao supérfluo é feliz com aquilo que outros consideram calamidades.

465. *Sem dúvida o supérfluo não é indispensável à felicidade, porém o mesmo não se dá com o necessário. Ora, não será real a infelicidade daqueles a quem falta o necessário?* [LE-927.]

"Sim; o homem só é verdadeiramente infeliz quando sofre a falta do necessário à vida e à saúde do corpo. Essa privação talvez se deva à sua própria culpa, caso em que só tem de queixar-se de si mesmo. Se a culpa for de outrem, a responsabilidade recairá sobre quem lhe houver dado causa."

> Com uma organização social criteriosa e previdente, só por culpa do homem pode faltar-lhe o necessário. Muitas vezes, no entanto, suas

próprias faltas resultam do meio onde se acha colocado. Quando o homem praticar a Lei de Deus, terá uma ordem social fundada na justiça e na solidariedade, e ele próprio também será melhor. A Terra será o paraíso terrestre quando os homens forem bons. [LE-930.]

466. *Evidentemente, pelas características de nossas aptidões naturais, Deus indica nossa vocação neste mundo. Muitos males não provêm do fato de não seguirmos essa vocação?* [LE-928.]

"Sim, e muitas vezes são os pais que, por orgulho ou avareza, desviam seus filhos do caminho que a Natureza lhes traçou, comprometendo-lhes, desse modo, a felicidade. Serão responsabilizados por isto."

466-a. *Então considerais justo que o filho de um homem altamente colocado no mundo fabrique tamancos, por exemplo, desde que tenha aptidão para tanto?* [LE-928.a.]

"Não se precisa cair no absurdo, nem exagerar coisa alguma: a civilização tem suas necessidades. Por que o filho de um homem altamente colocado, como dizes, haveria de fabricar tamancos, se não tem necessidade disso para viver? Isto, porém, não o impede de tornar-se útil na medida de suas faculdades, desde que não as aplique às avessas. Assim, por exemplo, em vez de mau advogado, talvez pudesse ser excelente mecânico, etc."

O afastamento dos homens de sua esfera intelectual é, seguramente, uma das causas mais frequentes de decepção. A falta de aptidão para a carreira abraçada é uma fonte inesgotável de reveses. Depois, o amor-próprio, aliando-se a tudo isso, impede que o homem que fracassou procure recursos numa profissão mais humilde, mostrando-lhe o suicídio como remédio extremo para escapar ao que ele julga ser humilhação. *Se uma educação moral o tivesse colocado acima dos tolos preconceitos do orgulho, jamais teria sido apanhado desprevenido.*

467. *De onde vem o desgosto da vida que se apodera de certos indivíduos, sem motivos plausíveis?* [LE-943.]

"Efeito da ociosidade, da falta de fé e, muitas vezes, da saciedade."

Para aquele que exerce suas faculdades com fim útil e *de acordo com suas aptidões naturais*, o trabalho nada tem de árido e a vida se escoa com mais rapidez. Suporta suas vicissitudes com tanto mais paciência e resignação, quanto mais age tendo em vista a felicidade mais sólida e mais durável que o espera.

468. *Além das penas materiais da vida, o homem fica exposto às penas morais, que não são menos intensas. A perda dos entes que nos são caros não nos causa dor tanto mais legítima porque é irreparável e independente de nossa vontade?* [LE-934.]

"Sim, e atinge tanto o rico quanto o pobre: é uma prova ou uma expiação, e constitui lei para todos. Mas já é um consolo poderdes comunicar-vos com vossos amigos pelos meios que vos estão ao alcance e que se propagam cada vez mais, *enquanto não dispondes de outros mais diretos e mais acessíveis aos vossos sentidos.*"

468-a. *Que se deve pensar da opinião dos que consideram profanação essas espécies de evocação?* [LE-935.]

"Não pode haver profanação quando há recolhimento e quando a evocação é praticada com respeito e conveniência. O que o prova é que os Espíritos que vos consagram afeição atendem com prazer ao vosso chamado. Sentem-se felizes por vos lembrardes deles e por se comunicarem convosco."

A possibilidade de nos pormos em comunicação com os Espíritos é uma dulcíssima consolação, pois nos proporciona meio de conversarmos com nossos parentes e amigos que deixaram a Terra antes de nós. Pela evocação, eles se aproximam de nós; vêm colocar-se ao nosso lado, nos ouvem e respondem. Desse modo, cessa, por assim dizer, toda separação entre eles e nós. Auxiliam-nos com seus conselhos e nos dão provas do afeto que nos guardam e da alegria que experimentam por nos lembrarmos deles. Para nós é uma satisfação sabê-los felizes e tomar conhecimento, *através deles mesmos*, dos detalhes de sua nova existência, adquirindo a certeza de que um dia, quando chegar nossa vez, a eles nos iremos juntar.

469. *As decepções oriundas da ingratidão e da fragilidade dos laços da amizade não constituem também, para o homem de coração, uma fonte de amarguras?* [LE-937.]

"Sim, mas já vos ensinamos também a lastimar os ingratos e os amigos infiéis: serão mais infelizes do que vós. A ingratidão é filha do egoísmo e o egoísta encontrará mais tarde corações insensíveis, como ele mesmo o foi."

469-a. *Tais decepções não contribuem para endurecer o coração e fechá-lo à sensibilidade?* [LE-938.]

"Seria um erro, pois, como dizes, o homem de coração se sente sempre feliz pelo bem que faz. Sabe que se esse bem não for lembrado nesta vida sê-lo-á em outra, e que o ingrato se envergonhará e terá remorsos de sua ingratidão."

469-b. *Porém, tal raciocínio não impede que seu coração se ulcere. Ora, daí não poderá surgir-lhe a ideia de que seria mais feliz se fosse menos sensível?* [LE-938.a.]

"Sim, se preferir a felicidade do egoísta. Triste felicidade, essa! Saiba ele, pois, que os amigos ingratos que o abandonam não são dignos de sua amizade, e que se enganou a respeito deles; por isso, não deve lamentá-los. Mais tarde encontrará outros amigos que saberão compreendê-lo melhor."

> A Natureza deu ao homem a necessidade de amar e de ser amado. Um dos maiores prazeres que lhe são concedidos na Terra é o de encontrar corações que simpatizem com o seu; dá-lhe ela, assim, as primícias da felicidade que lhe está reservada no mundo dos Espíritos perfeitos, onde tudo é amor e benevolência. Tal ventura é desconhecida do egoísta.

470. *Uma vez que os Espíritos simpáticos são levados a unir-se, como é que, entre os encarnados, muitas vezes a afeição existe apenas de um dos lados e o amor mais sincero seja acolhido com indiferença e até com repulsa? Como é, além disso, que a mais viva afeição entre dois seres pode transformar-se em antipatia e, algumas vezes, mesmo em ódio?* [LE-939.]

"Então não compreendes que se trata de punição, embora passageira? Depois, quantos não são os que acreditam amar perdidamente, porque apenas julgam pelas aparências, mas que, quando obrigados a viver com as pessoas, não tardam a reconhecer que não passava de um entusiasmo material! Não basta uma pessoa estar enamorada de outra que lhe agrada e em quem supõe belas qualidades; é vivendo realmente com ela que poderá apreciá-la. Por outro lado, quantas uniões, que a princípio parecem destinadas à antipatia, acabam se transformando em amor terno e duradouro, porque baseado na estima, quando o casal passa a conhecer-se melhor e a analisar-se mais de perto! Cumpre não esquecer que é o Espírito quem ama, e não o corpo, de modo que, dissipada a ilusão material, o Espírito vê a realidade."

471. *A falta de simpatia entre seres destinados a viver juntos não constitui igualmente fonte de dissabores, tanto mais amargos porque envenenam toda a existência?* [LE-940.]

"Muito amargos, realmente. Trata-se, porém, de uma dessas infelicidades de que sois, na maioria das vezes, a causa principal. Em primeiro lugar, são vossas leis que estão erradas; acreditais, porventura, que Deus vos obrigue a permanecer junto dos que vos desagradam? Depois, nessas uniões, geralmente buscais a satisfação do orgulho e da ambição, mais do que a felicidade de uma afeição mútua. Então sofreis as consequências de vossos preconceitos."

471-a. *Mas, nesse caso, não há quase sempre uma vítima inocente?* [LE-940.a.]

"Sim, e para ela constitui dura expiação. Mas a responsabilidade de sua desgraça recairá sobre aqueles que a causaram. Se a luz da verdade já houver penetrado sua alma, a vítima buscará consolação em sua fé no futuro. Ademais, à medida que os preconceitos diminuírem, as causas dessas desgraças íntimas também desaparecerão."

472. *Para muitas pessoas o temor da morte é uma causa de perplexidade. De onde lhes vêm esse temor, já que têm o futuro diante de si?* [LE-941.]

"Sim, é um erro nutrirem semelhante temor. Mas, que queres! Desde a infância procuram convencê-las de que há um inferno e um paraíso, e que mais certo é irem para o inferno, visto como também lhes disseram que o que está na Natureza constitui pecado mortal para a alma. Assim, quando essas pessoas se tornam adultas, se tiverem um pouco de discernimento não poderão admitir tais coisas e se tornam ateias e materialistas. É dessa maneira que são levadas a crer que nada mais existe além da vida presente. Quanto aos que persistirem em suas crenças da infância, esses temem o fogo eterno que os queimará sem os consumir.

"A morte não inspira ao justo nenhum temor, porque, com a *fé*, ele tem a certeza do futuro; a *esperança* o faz esperar por uma vida melhor; e a *caridade*, a cuja lei obedeceu, lhe dá a segurança de que não encontrará, no mundo para onde terá de ir, nenhum ser cujo olhar lhe seja de temer."

O homem carnal, mais preso à vida corpórea do que à vida espiritual, tem, na Terra, penas e gozos materiais. Sua felicidade consiste na satisfação fugaz de todos os seus desejos. Sua alma, constantemente preocupada e angustiada pelas vicissitudes da vida, mantém-se num estado de ansiedade e tortura perpétuas. A morte o assusta, porque duvida do futuro e tem de deixar no mundo todas as suas afeições e esperanças.

O homem moral que se colocou acima das necessidades artificiais criadas pelas paixões, experimenta, já neste mundo, prazeres que o homem material desconhece. A moderação dos desejos dá calma e serenidade ao seu Espírito. Feliz pelo bem que faz, não há decepções para ele, e as contrariedades lhe deslizam por sobre a alma sem deixarem nenhuma impressão dolorosa.

473. *Algumas pessoas não acharão um tanto banais esses conselhos para serem felizes na Terra? Que neles vejam o que consideram lugares-comuns, antigas verdades? E que digam, afinal, que o segredo da felicidade consiste em saber cada um suportar sua desgraça?* [LE-942.]

"Sim, há as que dizem isso, e em grande número. Mas, que queres! Muitas procedem como certos doentes a quem o médico prescreve a dieta: gostariam de ser curadas sem remédios e continuando sujeitas a apanhar indigestões."

CAPÍTULO III

Penas e recompensas futuras

474. *Por que o homem tem, instintivamente, horror ao nada?* [LE-958.]
"Porque o nada não existe."

A ideia do nada tem qualquer coisa que repugna à razão. Por mais despreocupado que seja o homem nesta vida, chegado o momento supremo pergunta a si mesmo o que vai ser dele, e involuntariamente espera.

475. *De onde vem para o homem o sentimento instintivo da vida futura?* [LE-959.]
"Já dissemos: antes de encarnar o Espírito conhece todas essas coisas, e a alma guarda vaga lembrança do que sabe e do que viu no estado espiritual."

Crer em Deus sem admitir a vida futura seria um contrassenso. O sentimento de uma vida melhor reside no foro íntimo de todos os homens e não é possível que Deus o tenha colocado aí inutilmente.

A vida futura implica a conservação de nossa individualidade após a morte. Se conosco tudo acabasse na Terra, ou se em nós só operasse uma transformação que não nos deixasse nenhuma consciência dos atos passados, não haveria nem bem nem mal reais, nem necessidade de sofrear nossas paixões; a moral seria uma vã palavra; o homem só teria por móvel a satisfação de seus desejos, sem escrúpulo do agravo que pudesse causar aos semelhantes.

A consequência da vida futura decorre da responsabilidade de nossos atos. A razão e a justiça nos dizem que, na partilha da felicidade a que todos aspiram, os bons e os maus não podem estar confundidos. Não é possível que Deus queira que uns gozem, sem trabalho, de bens que outros só alcançam com esforço e perseverança.

476. *Qual a origem da crença nas penas e recompensas futuras, que se encontra no seio de todos os povos?* [LE-960.]

"É sempre a mesma coisa: pressentimento da realidade, trazido ao homem pelo Espírito nele encarnado. Porque, sabei-o bem, não é em vão que uma voz interior vos fala, e vosso erro consiste em não ouvi-la com bastante atenção. Se nisso pensásseis bem, e com mais frequência, tornar-vos-íeis melhores."

477. *Qual o sentimento que domina a maioria dos homens no momento da morte: a dúvida, o temor, ou a esperança?* [LE-961.]

"A dúvida, nos céticos endurecidos; o temor, nos culpados; a esperança, nos homens de bem."

477-a. *Por que existem céticos, visto que a alma traz ao homem o sentimento das coisas espirituais?* [LE-962.]

"Eles são em número muito menor do que julgais. Muitos se fazem de espíritos fortes, durante a vida, somente por orgulho; mas, no momento da morte, deixam de ser tão fanfarrões."

A ideia que Deus nos dá de sua justiça e de sua bondade, mediante a sabedoria de suas leis, não nos permite acreditar que o justo e o mau estejam na mesma categoria aos seus olhos, nem duvidar de que recebam, algum dia, um a recompensa, o outro o castigo, pelo bem ou pelo mal que tenham feito.

478. *Deus se ocupa com cada homem, individualmente? Não é Ele muito grande e nós pequenos demais para que cada criatura em particular tenha, aos seus olhos, alguma importância?* [LE-963.]

"Deus se ocupa de todos os seres que criou, por menores que sejam. Nada é demasiado pequeno para sua bondade."

478-a. *Mas será necessário que Deus se ocupe de cada um de nossos atos, para nos recompensar ou punir? Esses atos não são, na sua maioria, insignificantes para Ele?* [LE-964.]

"Deus tem suas leis, que regulam todas as vossas ações. Se as violais, a culpa é vossa. Sem dúvida, quando um homem comete um excesso qualquer, Deus não profere contra ele uma sentença, dizendo-lhe, por exemplo: Foste guloso, vou punir-te. Ele traçou um limite: as doenças e muitas vezes a morte são a consequência dos excessos. Eis a punição; ela resulta da infração da lei, como, aliás, sucede em tudo."

> Todas as nossas ações estão submetidas às leis de Deus. Não há nenhum ato, *por mais insignificante que nos pareça*, que não possa ser uma transgressão daquelas leis. Se sofremos as consequências dessa transgressão, só nos devemos queixar de nós mesmos, que, desse modo, nos tornamos artífices de nossa felicidade ou infelicidade futuras (*Nota*).[131]

479. *Tem alguma coisa de material as penas e gozos depois da morte, ou são de natureza puramente espiritual?* [LE-965.]

"Diz o bom senso que não podem ser materiais, visto que a alma não é matéria."

479-a. *Por que, em geral, o homem faz ideias tão grosseiras e absurdas das penas e gozos da vida futura?* [LE-966.]

"Inteligência que ainda não se desenvolveu suficientemente. A criança compreende da mesma forma que o adulto? Ademais, isso depende também do que lhe ensinaram: é aí que há necessidade de uma reforma.

"Vossa linguagem é incompleta demais para expressar o que está fora de vós. Foi preciso, então, que se recorresse a comparações e tomastes essas imagens e figuras como a própria realidade. No entanto, à

---

[131] N.T.: esta *Nota* ficou em aberto na edição original. Pelo assunto tratado, corresponde à de nº XV, desenvolvida na página 358.

medida que o homem se esclarece, vai compreendendo melhor as coisas que sua linguagem não pode exprimir."

A ideia que os homens fazem das penas e gozos da alma após a morte será mais ou menos elevada, conforme o estado de sua inteligência. Quanto mais ele se desenvolve, mais essa ideia se depura e se liberta da matéria; compreende as coisas de um ponto de vista mais racional, deixando de tomar ao pé da letra as imagens de uma linguagem figurada. Ensinando-nos que a alma é um ser todo espiritual, a razão, mais esclarecida, nos diz, por isso mesmo, que ela não pode ser afetada pelas impressões que atuam apenas sobre a matéria, o que não significa que esteja isenta de sofrimentos, nem que não receba o castigo de suas faltas.

480. *Os Espíritos apenas compreendem a felicidade infinita, ou começam a experimentá-la?*

"Experimentam a felicidade ou a desventura, segundo a posição que ocupam."

As penas e gozos dos Espíritos são inerentes ao estado de perfeição a que hajam chegado. São mais ou menos felizes, segundo o grau de depuração que sofreram nas provas da vida corpórea, nas quais a alma se depura pela prática da Lei de Deus.

Podendo o homem apressar ou retardar essa perfeição conforme sua vontade, essas penas e gozos constituem a punição de sua negligência ou o prêmio de seus esforços para o atingir. Foi por isso que Jesus disse que cada um seria recompensado segundo suas obras.

481. *Tornando-se Espírito após a morte, o homem reconhece sempre suas faltas?*

"Sim, para o Espírito errante já não há véus; *é como se tivesse saído de um nevoeiro* e visse o que o afasta da felicidade. Então sofre ainda mais, porque compreende quanto foi culpado. Para ele *não há mais ilusão:* vê as coisas na sua realidade." [LE-975.]

Na erraticidade o Espírito descortina, de um lado, todas as suas existências passadas e, de outro, o futuro que lhe está prometido, compreendendo o que lhe falta para alcançá-lo. É como o viajante que, ao chegar ao cume de uma montanha, vê o caminho que percorreu e o que lhe resta percorrer para chegar ao seu destino.

482. *A visão dos Espíritos que sofrem não constitui, para os bons, uma causa de aflição? Nesse caso, em que se transforma a felicidade deles assim perturbada?* [LE-976.]

"Isto não constitui uma causa de aflição, pois eles sabem que o mal terá um fim. Auxiliam os outros a se melhorarem e lhes estendem as mãos: essa é a ocupação deles, e que se lhes torna um prazer quando bem sucedidos."

483. *Todos os Espíritos veem a Deus?* [LE-244.]

"Todos veem o infinito, mas só os Espíritos perfeitos podem aproximar-se de Deus."

483-a. *Que é que impede os Espíritos imperfeitos de se aproximarem de Deus?*

"A impureza deles."

484. *Os Espíritos inferiores compreendem a felicidade do justo?* [LE-975.]

"Sim, e isso lhes é um suplício, porque compreendem que estão privados dela por sua culpa. Daí por que o Espírito, liberto da matéria, aspira a uma nova existência corpórea, pois cada existência, *se for bem empregada*, pode abreviar a duração desse suplício. É então que escolhe provas por meio das quais possa expiar suas faltas. Porque, ficai sabendo, o Espírito sofre por todo o mal que praticou, ou de que foi causa voluntária, por todo o bem que poderia ter feito e não fez, *e por todo o mal que resulte de não haver feito o bem.*"

485. *Não podendo os Espíritos ocultar um dos outros seus pensamentos, e sendo conhecidos todos os atos da vida, dever-se-á concluir que o culpado está perpetuamente em presença de sua vítima?* [LE-977.]

"Diz o bom senso que não pode ser de outro modo."

485-a. *Essa divulgação de todos os nossos atos reprováveis e a presença constante dos que foram vítimas de tais atos não serão um castigo para os culpados?* [LE-977.a.]

"Maior do que se pensa, mas somente até que o culpado tenha expiado suas faltas. Se o homem soubesse quanto custa fazer o mal!"

> Quando nos acharmos no mundo dos Espíritos, estando patente todo nosso passado, o bem e o mal que houvermos feito serão igualmente conhecidos. Em vão aquele que haja praticado o mal tentará escapar ao olhar de suas vítimas: a presença inevitável delas lhe será um castigo e um remorso incessante, até que tenha expiado seus erros, ao passo que o homem de bem só encontrará em toda parte olhares amigos e benevolentes.
>
> Para o mau, não há maior tormento, na Terra, do que a presença de suas vítimas, razão pela qual ele as evita sem cessar. Que será dele, quando a ilusão das paixões se dissipar e compreender o mal que fez, vendo revelados seus atos mais secretos, desmascarada sua hipocrisia e não puder subtrair-se à visão delas? Enquanto a alma do homem perverso é presa de vergonha, pesar e remorso, a do justo goza de perfeita serenidade.

486. *Ao deixar seus despojos mortais, a alma vê imediatamente os parentes e amigos que a precederam no mundo dos Espíritos?* [LE-286.]

"Imediatamente nem sempre é o termo próprio. Como já dissemos, ela precisa de algum tempo para reconhecer-se e desembaraçar-se do véu material. Muitas vezes, também, os parentes e amigos vêm ao seu encontro para felicitá-la, o que constitui para ela uma recompensa."

486-a. *A duração desse primeiro momento de perturbação que se segue à morte é a mesma para todos os Espíritos?*

"Não; depende da elevação de cada um. Aquele que já está purificado se reconhece quase imediatamente, pois já se libertou da matéria durante a vida do corpo, enquanto o homem carnal, aquele cuja consciência não é pura, guarda por muito mais tempo a impressão da matéria." [LE-164.]

487. A lembrança das faltas que a alma tenha cometido, quando imperfeita, não lhe turba a felicidade, mesmo depois de se haver purificado? [LE-978.]

"Não, porque resgatou suas faltas e saiu vitoriosa das provas a que se submetera *para esse fim*."

487-a. As provas que a alma ainda tenha de sofrer para concluir sua purificação não lhe serão uma causa de penosa apreensão, que perturba sua felicidade? [LE-979.]

"Para a alma ainda maculada, sim. É por isso que ela não pode gozar de perfeita felicidade senão quando estiver completamente pura. Mas, para a alma que já se elevou, nada tem de penoso o pensar nas provas que ainda haja de sofrer."

> A alma que chegou a certo grau de pureza já experimenta a felicidade. Um sentimento de doce satisfação a invade. Sente-se feliz por tudo o que vê, por tudo o que a cerca. Levanta-se para ela o véu que encobria os mistérios e as maravilhas da Criação e as perfeições divinas lhe aparecem em todo seu esplendor.

488. O laço de simpatia que une os Espíritos da mesma ordem constitui para eles uma fonte de felicidade? [LE-980.]

"Sim; a união dos Espíritos comprometidos *com o bem* é, para eles, um dos maiores prazeres, porque não temem ver essa união turbada pelo egoísmo."

> Na Terra, o homem goza das primícias dessa felicidade quando encontra almas com as quais pode confundir-se numa união pura e santa. Em uma vida mais purificada, esse prazer será inefável e ilimitado, pois aí ele só encontrará almas simpáticas, *que o egoísmo não arrefece*. Tudo é amor na Natureza: o egoísmo é que o mata.

489. O Espírito que expia suas faltas em nova existência não experimenta sofrimentos materiais? Será então exato dizer-se que, depois da morte, só há para a alma sofrimentos morais? [LE-983.]

"É bem verdade que, quando a alma está reencarnada, as tribulações da vida representam um sofrimento para ela; mas só o corpo sofre materialmente.

"Muitas vezes, falando de alguém que morreu, costumais dizer que não mais sofrerá. Nem sempre isto exprime a realidade. Como Espírito, está isento de dores físicas; dependendo, porém, das faltas que haja cometido, pode estar sujeito a dores morais mais agudas; pode mesmo vir a ser ainda mais infeliz em nova existência. O mau rico pedirá esmola e estará sujeito a todas as privações da miséria; o orgulhoso, a todas as humilhações; o que abusa de sua autoridade e trata com desprezo e crueldade os subordinados se verá forçado a obedecer a um patrão mais duro do que ele o foi. Todas as penas e tribulações da vida são expiação das faltas de outra existência, quando não resultam de faltas da vida atual. Logo que houverdes saído daqui, compreendereis isso."

> O homem que se considera feliz na Terra porque pode satisfazer às suas paixões é o que emprega menos esforços para se melhorar. Se muitas vezes começa a expiar esses prazeres efêmeros já mesmo nesta vida, com certeza os expiará em outra existência tão material quanto aquela.

490. *A reencarnação da alma num mundo menos grosseiro é uma recompensa?* [LE-985.]

"É a consequência de sua depuração, porquanto, à medida que se depuram, os Espíritos passam a encarnar em mundos cada vez mais perfeitos, até que se tenham despojado totalmente da matéria e se lavado de todas as impurezas, para então gozarem eternamente da felicidade dos Espíritos puros no seio de Deus."

> Nos mundos onde a existência é menos material que na Terra, as necessidades são menos grosseiras e menos intensos os sofrimentos físicos. Lá os homens não mais conhecem as paixões más que, nos mundos inferiores, os fazem inimigos uns dos outros. Não tendo nenhum motivo de ódio nem de ciúme, vivem em paz, porque praticam a lei de justiça, amor e caridade. Não conhecem os aborrecimentos e os cuidados oriundos da inveja, do orgulho e do egoísmo, causas do tormento de nossa existência terrestre.

491. *O Espírito que progrediu em sua existência terrena pode reencarnar algumas vezes no mesmo mundo?* [LE-986.]

"Sim, desde que não tenha logrado concluir sua missão, ele próprio pode pedir para completá-la em nova existência. Mas, então, já não constituirá para ele uma expiação."

491-a. *Em tal caso, terá ele de sofrer as mesmas vicissitudes?*

"Não; quanto menos tiver de que se censurar, menos terá a expiar."

492. *O que acontece ao homem que, embora não fazendo o mal, também nada faz para libertar-se da influência da matéria?* [LE-987.]

"Desde que não dá nenhum passo rumo à perfeição, tem que recomeçar uma existência de mesma natureza que a precedente. Fica estacionário, podendo assim prolongar os sofrimentos da expiação."

493. *Há pessoas cuja vida transcorre em perfeita calma; que, nada precisando fazer por si mesmas, estão livres de preocupações. Essa existência feliz é uma prova de que nada têm a expiar de existência anterior?* [LE-988.]

"Conheces muitas dessas pessoas? Se acreditas que sim, enganaste. Muitas vezes, a calma é apenas aparente. Podem ter escolhido essa existência, mas, quando a deixam, percebem que não lhes serviu para progredirem. Então, tal como o preguiçoso, lamentam o tempo perdido. Sabei que o Espírito não pode adquirir conhecimentos e elevar-se senão pela atividade. Se adormece na indolência, não se adianta. Assemelha-se àquele que, segundo vossos costumes, precisa trabalhar e vai passear ou deitar-se, com a intenção de nada fazer."

494. *Haverá no Universo lugares circunscritos para as penas e gozos dos Espíritos, segundo seu merecimento?* [LE-1012.]

"Já respondemos a esta pergunta. As penas e os gozos são inerentes ao grau de perfeição dos Espíritos. Cada um tira de si mesmo o princípio de sua felicidade ou de sua desventura. E como eles estão por toda parte, não existe nenhum lugar circunscrito ou fechado especialmente destinado a uns ou a outros. Quanto aos Espíritos encarnados, esses são mais ou menos felizes ou infelizes, conforme seja mais ou menos adiantado o mundo em que habitam."

495. *De acordo com isso, o inferno e o paraíso não existem, tais como o homem os imagina?* [LE-1012.a.]
"São simples alegorias: por toda parte há Espíritos felizes e infelizes. Entretanto, conforme também já dissemos, os Espíritos de uma mesma ordem se reúnem por simpatia; mas, quando são perfeitos, podem reunir-se onde queiram."

> A localização absoluta das regiões de penas e recompensas só existe na imaginação do homem. Provém de sua tendência a *materializar e circunscrever* as coisas, cuja essência infinita é incapaz de compreender.

496. *De onde procede a doutrina do fogo eterno?* [LE-974.]
"Imagem tomada como realidade, como tantas outras. É exatamente como quando se faz medo do bicho papão às criancinhas."

496-a. *Mas o temor desse fogo não produzirá bom resultado?* [LE-974.a.]
"Vede se serve de freio, mesmo entre os que o ensinam. Se só ensinásseis coisas que a razão não rejeitasse mais tarde, causaríeis uma impressão durável e salutar."

496-b. *Será que o remorso das faltas e o prazer das boas ações não nos darão uma ideia justa das penas e gozos da vida espiritual?*
"Sim, mas as penas e alegrias que experimentais se acham sempre mescladas à vossa vida terrestre."

> Incapaz de expressar, por sua linguagem, a natureza daqueles sofrimentos, o homem não encontrou comparação mais enérgica do que a do fogo, porque, para ele, o fogo simboliza o tipo de suplício mais cruel, de ação mais violenta. É por isso que a crença no fogo eterno remonta à mais alta antiguidade, tendo-a os povos modernos herdado dos mais antigos. É pela mesma razão que se diz, em sua linguagem figurada: o fogo das paixões; queimar de amor, de ciúme, etc. [LE-974.a.]

497. *Que se deve entender por purgatório?* [LE-1013.]

"Dores físicas e morais: o tempo da expiação. É quase sempre na Terra que fazeis o vosso purgatório e que Deus vos obriga a expiar vossas faltas."

> O que o homem chama *purgatório* é igualmente uma alegoria, pela qual se deve entender não um local determinado, mas o estado dos Espíritos imperfeitos que estão em expiação até alcançarem a purificação completa, que os elevará à categoria dos Espíritos bem-aventurados. Operando-se essa purificação por meio das diversas encarnações, o purgatório consiste nas provas da vida corpórea.

498. *Serão úteis as preces dirigidas a Deus pelas almas em expiação?*

"Depende da intenção. Como já dissemos, as preces banais são palavras vazias de sentido. *Para que uma prece seja ouvida, é preciso que parta de um coração profundamente imbuído do que diz;* neste caso, é uma comunicação de vosso Espírito com os demais Espíritos. Uni-vos a eles com vistas a lhes secundar os esforços para ampararem os Espíritos encarnados nas provas que tenham de sofrer."

498-a. *Uma vez que são os Espíritos que atuam diretamente, a quem se deve orar de preferência, a Deus ou aos Espíritos?*

"Os Espíritos ouvem as preces feitas a Deus e cumprem suas ordens. Somos seus ministros."

498-b. *Por que, quando oramos com fervor, nos sentimos aliviados?*

"Porque um Espírito vem ajudar aquele que ora com fervor, e é essa assistência que lhe dá forças e confiança."

499. *Devendo todos os Espíritos atingir a perfeição, segue-se que não há penas eternas?*

"Já temos dito que somente o bem é eterno e que o mal terá fim. No entanto, até que o Espírito adquira todos os conhecimentos que deve possuir e passe por todas as provas necessárias, na Terra ou em outros mundos semelhantes, o caminho que deverá percorrer para se purificar completamente é por vezes bem longo; para vós, é como se fosse uma eternidade."

500. *Como se explica que Espíritos, cuja superioridade se revela por sua linguagem, tenham respondido a pessoas muito sérias, a respeito do inferno e do purgatório, segundo a ideia que deles fazemos vulgarmente?* [LE-1014.]

"Como já te dissemos, é preciso que nos tornemos compreensíveis, e para isso nos servimos de vossos termos, o que vos leva a crer que algumas vezes cedemos aos vossos preconceitos. Além disso, não convém chocar tão bruscamente os prejuízos, porque seria a maneira de não sermos ouvidos. Essa a razão por que às vezes os Espíritos falam de acordo com a opinião daqueles que os escutam, de modo a levá-los pouco a pouco à verdade. Apropriam assim a linguagem aos interlocutores, como tu mesmo o fazes, se fores um orador um tanto hábil; *não falarão, portanto, a um chinês ou a um maometano, como o fariam a um francês ou a um cristão, pois serão muito mal acolhidos*.[132] Alguns Espíritos, pois, usaram dos termos *inferno, purgatório* e outros semelhantes, quando se dirigiram a pessoas imbuídas de tais ideias, sem por isso se contradizerem. É frequente, também que utilizemos os termos inferno e purgatório em nossas respostas, quando se empregam meios incômodos e demorados de comunicação, como sucede com as mesas falantes, etc., que nos aborrecem; então, não podendo desenvolver nosso pensamento, respondemos sim ou não, quando esse fato não tem grande importância e quando não desnatura o verdadeiro sentido de nossos ensinos."

500-a. *Compreende-se que assim procedam os Espíritos que desejam instruir-nos. Como, porém, se explica que alguns Espíritos, quando interrogados acerca de sua situação, tenham respondido que sofriam as torturas do inferno ou do purgatório?* [LE-1014.a.]

---

[132] N.T.: aqui, a parte grifada tem conotação mais genérica, sendo, portanto, mais facilmente assimilável pelos adeptos de Maomé, em comparação ao texto correspondente da questão 1014 da edição definitiva de 1860, pelas falsas especulações a que esta última poderá dar margem entre os muçulmanos do Oriente Médio, do Norte da África e do Sudeste asiático, dificultando, de certa forma, a penetração e a aceitação da Doutrina Espírita em vastas regiões do Velho Mundo (grifos nossos).

"Quando são inferiores e ainda não completamente desmaterializados, os Espíritos conservam em parte suas ideias terrenas e, para dar suas impressões, se servem dos termos que lhes são familiares. *Inferno* pode traduzir-se por uma vida de privações extremamente dolorosa, com a incerteza de haver outra melhor; *purgatório*, por uma vida também de privações, mas com a consciência de um futuro melhor. Quando sentes uma grande dor, não dizes que sofres como um condenado? Tudo isso não passa de palavras, e sempre ditas em sentido figurado."

501. *Alguns Espíritos disseram estar habitando o quarto, o quinto céus, etc. Que queriam dizer com isso?* [LE-1017.]
"Se lhes perguntais que céu habitam, é que formais ideia de muitos céus superpostos, como os andares de uma casa; eles, então, vos respondem de acordo com vossa linguagem. Mas, para eles, as palavras quarto e quinto céus exprimem diferentes graus de purificação e, por conseguinte, de felicidade. É exatamente como quando se pergunta a um Espírito se está no inferno. Se for infeliz, dirá que sim, porque *inferno*, para ele, é sinônimo de sofrimento; mas sabe perfeitamente que não se trata de uma fornalha. Um pagão diria estar no *Tártaro* ou nos *Campos Elíseos*."

FIM

Epílogo[133]

O ceticismo, no tocante à Doutrina Espírita, quando não resulta de uma oposição sistemática e interesseira, origina-se quase sempre do conhecimento incompleto dos fatos, o que não impede algumas pessoas de darem a questão por encerrada, como se a conhecessem perfeitamente. Pode-se ser muito espirituoso, ter muita instrução mesmo, e carecer-se de bom senso. Ora, o primeiro indício da falta de bom senso é a crença de alguém na própria infalibilidade. Muitas pessoas também só veem nas manifestações espíritas um objeto de curiosidade. Esperamos que, pela leitura deste livro, encontrem nesses fenômenos estranhos algo mais do um que simples passatempo.

A ciência espírita compreende duas partes: uma experimental, sobre as manifestações em geral, outra filosófica, sobre as manifestações inteligentes. Aquele que observou apenas a primeira está na condição de quem só conhece a Física pelas experiências recreativas, sem haver penetrado a filosofia da ciência. A verdadeira Doutrina Espírita está no ensino que os Espíritos deram, e os conhecimentos que esse ensino comporta são muito graves para serem adquiridos de outro modo que não seja por um estudo sério e perseverante, feito no silêncio e no recolhimento; somente nessa condição se pode observar um número infinito de fatos e particularidades que escapam ao observador superficial e permitem firmar uma opinião.

Se este livro não tivesse como resultado senão mostrar o lado sério da questão e provocar estudos nesse sentido, isso já seria muito, e nos

---

[133] N.T.: muito mais resumido e com ligeiras modificações na sua redação, este *epílogo* corresponde, na edição definitiva de 1860, ao § XVII da "Introdução" de *O livro dos espíritos*.

sentiríamos felizes por haver sido escolhido para realizar uma obra sobre a qual, aliás, não pretendemos ter nenhum mérito pessoal. Esperamos que ele dê outro resultado, o de guiar os homens que desejam esclarecer-se, mostrando-lhes, em tais estudos, um fim grande e sublime: o do progresso individual e social e o de lhes indicar o caminho a seguir para o alcançar. Associar-nos-emos de todo coração a seus trabalhos e nos rejubilaremos com todas as comunicações que eles houverem por bem nos enviar a respeito.

O ensino dado pelos Espíritos prossegue, neste momento, sobre várias partes, cuja publicação eles adiaram a fim de disporem de mais tempo para os elaborar e completar. A próxima publicação, que será continuação dos três livros contidos nesta primeira obra, compreenderá, entre outras coisas, os meios práticos pelos quais o homem pode conseguir neutralizar o egoísmo, fonte da maioria dos males que afligem a sociedade. Este assunto diz respeito a todas as questões de sua posição no mundo e de seu futuro terrestre.[134]

Nota – Esta segunda parte será publicada mediante subscrição, e destinada às pessoas que se inscreverem com esse objetivo, fazendo-nos seu pedido por escrito (sem qualquer ônus).

---

[134] N.T.: tudo indica que Allan Kardec está se referindo a *O livro dos médiuns*, publicado em 1861, e não, como pensam alguns, ao opúsculo *Instrução prática sobre as manifestações espíritas*, publicado em 1858.

Notas

Nota I – (Nº 20)

A Química nos mostra as moléculas dos corpos inorgânicos unindo-se para formar cristais de uma regularidade constante, segundo cada espécie, desde que estejam nas condições requeridas. A menor perturbação nessas condições é suficiente para impedir a reunião dos elementos ou, pelo menos, a disposição regular que constitui o cristal. Por que não se daria a mesma coisa com os elementos orgânicos? Conservam-se durante anos sementes de plantas e de animais que só se desenvolvem em certa temperatura e no meio propício; viram-se germinar grãos de trigo após vários séculos. Há, pois, nessas sementes um princípio latente de vitalidade que só aguarda uma circunstância favorável para desenvolver-se. O que se passa diariamente sob nossos olhos não pode ter existido desde a origem do globo? A formação dos seres vivos, saindo do caos pela própria força da Natureza, tira alguma coisa à grandeza de Deus? Longe disso, corresponde melhor à ideia que fazemos de seu poder, que se exerce nos mundos infinitos por meio de leis eternas. Esta teoria não resolve, é verdade, a questão da origem dos elementos vitais; mas Deus tem seus mistérios e impôs limites às nossas investigações. [LE-45.]

Nota II – (Nº 23)

Várias questões sobre as propriedades da matéria foram resolvidas da maneira mais lógica e mais precisa possível; como, porém, não caberiam nesta obra, bem assim a série metódica de vários problemas científicos, farão parte mais tarde de uma coletânea especial.

Nota III – (Nº 134)

Segundo os Espíritos, de todos os globos que compõem o nosso sistema planetário, a Terra é daqueles cujos habitantes são menos adiantados, física e moralmente. Marte lhe seria ainda inferior. Poderiam ser classificados na ordem seguinte, começando pelo último grau: *Marte* e vários globos menores; *Terra;* (*Mercúrio, Saturno*); (*Lua, Vênus*); (*Juno, Urano*); *Júpiter;* sem contar, naturalmente, os milhares de mundos desconhecidos que compõem outros turbilhões, em meio aos quais existem outros ainda bem mais superiores.

Muitos Espíritos, que na Terra animaram personalidades conhecidas, disseram estar reencarnados em Júpiter, um dos mundos que mais se aproximam da perfeição, tendo sido admirável encontrar-se, nesse mundo tão adiantado, homens que a opinião geral não colocaria, aqui, na mesma linha. Isso, porém, nada tem de surpreendente, se considerarmos que certos Espíritos, habitantes daquele planeta, podiam ter sido enviados à Terra para nela desempenharem uma missão que, aos nossos olhos, não os colocaria no primeiro plano. Em segundo lugar, que entre a existência que tiveram na Terra e a que passaram a ter em Júpiter, bem podiam ter tido outras, intermediárias, nas quais se melhoraram. Em terceiro lugar, finalmente, que, naquele mundo, como no nosso, há diferentes graus de desenvolvimento e que, entre esses graus, pode haver a distância que separa, entre nós, o selvagem do homem civilizado. Assim, pelo fato de um Espírito habitar Júpiter, não se segue que esteja no nível dos seres mais adiantados, do mesmo modo que ninguém estará no mesmo nível de um membro do Instituto, só porque reside em Paris.

As condições de longevidade também não são, em toda parte, as mesmas que na Terra, e a idade não se pode comparar. Evocado, o Espírito de uma pessoa que havia desencarnado há alguns anos, disse estar encarnado há seis meses num mundo desconhecido. Interrogado sobre a idade que tinha em tal mundo, respondeu:

> "Não posso avaliá-la, porque não contamos o tempo como vós; além disso, os modos de existência não são os mesmos; ali nos desenvolvemos muito mais rapidamente. Assim, embora haja apenas seis dos vossos meses que lá me encontro, posso dizer que, quanto à inteligência, tenho trinta anos da idade que tive na Terra."

Muitas respostas análogas foram dadas por outros Espíritos e nada há nisso de inverossímil. Não vemos na Terra uma porção de animais que adquirem em alguns meses seu desenvolvimento normal? Por que não se poderia dar o mesmo com o homem em outras esferas? Notemos, além disso, que o desenvolvimento que o homem alcança na Terra aos 30 anos talvez não passe de uma espécie de infância, comparado com o que deve atingir. É ter uma visão bem curta quem nos toma em tudo por modelos da Criação, assim como é rebaixar a Divindade acreditar que, fora o homem, nada mais seja possível a Deus.

As crenças mitológicas baseavam-se na existência de seres superiores à Humanidade, mas tendo ainda algumas de suas paixões. Eram figurados com os dons da presciência e da penetração do pensamento e com corpos menos densos que os nossos, transportando-se através do espaço e nutrindo-se de néctar e ambrosia, isto é, de alimentos menos substanciais e menos grosseiros que os dos mortais. Tais seres sobrenaturais, que haviam vivido entre nós e que ainda se ocupavam com a felicidade ou a desventura dos homens, seriam meros produto da imaginação? Não; nós os encontramos nos habitantes dos mundos superiores; os Antigos, apenas, faziam deles divindades, que adoravam, como o selvagem adora tudo o que está acima de si. Os Espíritos no-los mostram como simples criaturas que alcançaram certo grau de perfeição física, moral e intelectual. Eles se manifestavam na Terra, como os Espíritos se manifestam hoje a nós; os oráculos e sibilas eram médiuns que lhes serviam de intérpretes. A intuição desses seres superiores à nossa Humanidade não se extinguiu com o paganismo; encontramo-los mais tarde sob os nomes de fadas, gênios, silfos, *willis*, huris, gnomos, Espíritos familiares (Ver *Nota de rodapé* de Allan Kardec à questão 188 da edição definitiva de *O livro dos espíritos*).

Nota IV – (N° 139)

Algumas pessoas veem, na necessidade de sofrer novamente as tribulações da vida, algo de penoso, e pensam que Deus, em sua justiça, houve por bem encher delas sua medida aqui. Assim, creem que nosso destino é fixado de modo irrevogável após nossa partida da Terra. Parece-nos mais racional, ao contrário, que Deus, em sua justiça, haja deixado aos homens os meios de realizar noutra existência o que nem sempre dependeu deles fazer nesta vida.

Convidamos os que não partilham esta opinião a se dignarem, em alma e consciência, de responder às seguintes questões:

Suponhamos que um homem tenha três operários, um trabalhando bem e muito, porque é laborioso e tem experiência de seu ofício; o segundo, pouco e mediocremente, porque ainda não é bastante hábil; o terceiro, quase nada ou mal, porque não passa de um aprendiz. Esse homem deve remunerar os três operários da mesma forma? — Suponhamos que sejais um dos obreiros e que fostes impedido de fazer vossa tarefa por moléstia ou outra causa independente de vossa vontade; acharíeis justo, então, que o patrão vos pusesse na rua? — Que pensaríeis desse patrão se, ao contrário, vos dissesse: Meu amigo, o que não pudestes fazer hoje fa-lo-eis amanhã e reparareis o tempo perdido; não vos demito pelo fato de não haverdes trabalhado tão bem quanto vosso camarada, que tem mais experiência; trabalhai, instrui-vos, recomeçai o que fizestes mal feito e, quando fordes tão hábil quanto ele, eu vos pagarei como a ele?

Credes ter atingido toda a perfeição moral de que o homem é suscetível na Terra? Em outras palavras, acreditais haver pessoas que valham mais que vós, e outras valendo menos? — Entre todos os homens que têm vivido na Terra desde que é habitada, haverá muitos que tenham alcançado a perfeição? — Outros tantos que não puderam alcançar a perfeição por causas independentes de sua vontade, isto é, por lhes ter faltado as condições para serem esclarecidos sobre o bem e o mal? — Se a condição dos homens após a morte é a mesma para todos, qual a necessidade de se fazer o bem, em vez do mal? – Se, ao contrário, essa condição é relativa ao mérito adquirido, acharíeis justo que as criaturas, cuja perfeição não dependeu da vontade delas, fossem privadas para sempre da felicidade futura? — Se admitis que há homens melhores que vós, julgaríeis justo serdes recompensados como eles, sem ter feito igual bem? — Se Deus vos propusesse a seguinte alternativa: ou ver vossa sorte irrevogavelmente fixada após a existência atual, privando-vos assim para sempre da bem-aventurança dos que valem mais que vós, ou poder gozar da felicidade, facultando-vos para isso meios de aprimorar-vos em novas existências, qual das duas escolheríeis? — Se, em presença da eternidade, vísseis diante de vós seres mais bem aquinhoados, não seríeis o primeiro a pedir a Deus que se dignasse de vos permitir recomeçar, a fim de agir melhor?

E assim, por dedução lógica, chegaremos a reconhecer que o dogma da reencarnação é, ao mesmo tempo, mais justo e mais consolador, pois deixa ao homem a esperança. Acha-se, além disso, explicitamente expresso no Evangelho:

> Quando desciam da montanha (depois da transfiguração) Jesus lhes ordenou: Não faleis a ninguém do que acabastes de ver, até que o Filho do homem tenha ressuscitado dentre os mortos. Perguntaram-lhe então seus discípulos: Por que dizem os escribas ser necessário que Elias venha primeiro? E Jesus lhes respondeu: É verdade que Elias há de vir e que restabelecerá todas as coisas. Mas, eu vos declaro que Elias já veio, e não o reconheceram; antes fizeram com ele tudo quanto quiseram. Assim também o Filho do homem há de padecer nas mãos deles. Então os discípulos compreenderam que era de João Batista que Ele lhes falava (MATEUS, 17: 9 a 13).

Se João Batista era Elias, houve portanto a reencarnação do Espírito ou da alma de Elias no corpo de João Batista.

O progresso que nos cabe realizar compreende o desenvolvimento de todas as faculdades. Em cada existência nova, seja neste mundo, seja em outro, damos um passo a mais no aperfeiçoamento de algumas dessas faculdades. Precisamos de todos os conhecimentos e de todas as virtudes morais para atingirmos a perfeição, razão pela qual devemos percorrer sucessivamente todas as fases da vida para ganhar experiência em todas as coisas. A vida corpórea não passa de um instante na vida espiritual, que é a vida normal, e nesse breve tempo bem pouco podemos fazer por nosso melhoramento; por isso Deus permitiu que tais instantes se repetissem como os dias na vida terrena. Para os Espíritos, os diferentes mundos são como os diferentes países para o homem terreno; eles os percorrem todos, fixando residência neste ou naquele, conforme lhes permita seu estado, a fim de se instruírem em tudo.

Um homem cuja vida fosse bastante longa para poder passar por todos os graus da escala social, exercer todas as profissões, viver entre todos os povos da Terra, aprofundar todas as artes e todas as ciências, teria, sem sombra de dúvida, conhecimentos e experiência inigualáveis. Pois bem! O que o homem não pode fazer em uma só existência, realizará em tantas existências quantas forem necessárias para isso. É nessas existências que ele aprende o que ignora, que pouco a pouco se aperfeiçoa, se depura e, quando houver percorrido todo o ciclo, gozará a vida eterna e a suprema felicidade no seio de Deus. [LE-222.]

Nota V – (Nº 145)

A doutrina da liberdade na escolha de nossas existências e das provas que devamos sofrer deixa de ser extraordinária se considerarmos que os Espíritos, desprendidos da matéria, apreciam as coisas de maneira diferente da que fazemos como homens. Percebem a meta, muito mais séria para eles do que os prazeres fugazes do mundo; após cada existência, tomam consciência do passo que deram e compreendem o que lhes falta ainda em pureza para atingir o alvo; eis por que se sujeitam voluntariamente a todas as vicissitudes da vida corpórea, pedindo, eles mesmos, as que possam fazê-los chegar mais depressa. É, pois, sem razão que nos admiramos de não ver o Espírito dar preferência a uma vida mais tranquila. No Estado de imperfeição em que se acha, ele não pode gozar uma vida isenta de amarguras; apenas a entrevê, e é para alcançá-la que cuida de aprimorar-se.

Aliás, não temos diariamente sob os olhos alguns exemplos de tais escolhas? Que faz o homem que trabalha uma parte da vida sem trégua nem descanso para garantir seu bem-estar, senão impor-se uma pena com vistas a um futuro melhor? O militar que se oferece para uma missão perigosa, o viajante que afronta não menores perigos no interesse da Ciência ou da fortuna, que será isso ainda senão provas voluntárias que lhes proporcionarão honra e proveito, se triunfarem? A quanta coisa o homem não se submete e não se expõe por interesse ou para sua própria glória? Não serão os concursos provas voluntárias às quais ele se sujeita visando elevar-se na carreira que haja escolhido? Não se chega a uma posição social transcendente nas Ciências, nas Artes e na indústria senão passando pela fieira das posições inferiores, que são outras tantas provas. A vida humana é assim um decalque da vida espiritual; na Terra encontramos em pequena escala as mesmíssimas peripécias do espaço. Se, pois, nesta vida escolhemos por vezes as mais rudes provas com vistas a um alvo mais elevado, por que o Espírito, que vê mais longe que o corpo, e para quem a vida corpórea não passa de fugaz incidente, não escolheria uma existência penosa e laboriosa, desde que o conduza à eterna felicidade? Os que dizem que se o homem pudesse escolher a própria existência, iria pedir para ser príncipe ou milionário, são como cegos, que só veem o que apalpam, ou como crianças gulosas que, indagadas sobre o que querem ser na vida adulta, respondem: pasteleiros ou confeiteiros. [LE-266.]

Nota VI – (N° 156)

Não é estranho que os cientistas, que analisam a matéria até em seus elementos moleculares e lhe estudam todas as transformações, tenham considerado indigno deles o estudo desses fenômenos tão vulgares e, não obstante, tão dignos de atenção? Os sonhos, dizem, não passam de produto da imaginação e da memória e, assim sendo, por que nos ocuparmos com eles? Todavia, mesmo admitindo essa explicação, que nada explica, restaria ainda saber onde e como se formam tais imagens, amiúde tão claras e precisas, que nos aparecem quando sonhamos; a tela dessas coisas de que a memória não guarda a menor lembrança, como de localidades que jamais vimos e que encontramos mais tarde na vida? Quanto ao sonambulismo natural, cuja existência ninguém pode contestar, oferece fenômenos deveras notáveis; entretanto, jamais fez parte das investigações sérias da ciência oficial.

Nota VII – (N° 171)

A Doutrina Espírita lança nova luz sobre o magnetismo e o sonambulismo. O fenômeno tão singular da clarividência, que por não menos singular contradição certas pessoas contestam aos sonâmbulos magnéticos, embora se vejam forçadas a admiti-lo nos sonâmbulos naturais, já se encontra claramente definido. Mas à questão da causa se liga uma porção de outras da mais alta importância do ponto de vista filosófico, psicológico, moral e mesmo social, que ainda não foram elucidadas de forma completa e que, por isso mesmo, constituem fonte de muitos erros e prejuízos. Não cabendo aqui o exame dessas questões, o autor tratará delas em obra especial que aparecerá brevemente.

Nota VIII – (N° 230)

Se numerosos imigrantes entrassem em país estrangeiro, haveria entre eles toda classe de gente, todas as capacidades, todos os caracteres, todos os graus de saber e moralidade. Se lhes pedirmos informações sobre as leis e os costumes de seu país, eles no-las darão com maior ou menor exatidão, segundo seus conhecimentos e a posição social de cada um. Seguramente faríamos bem falsa ideia do estado físico e moral do país, se nos reportássemos ao primeiro que surgisse, só porque veio de tal país. Dá-se a mesma coisa no mundo espiritual; os Espíritos só nos falam do que sabem, e é pela linguagem de que se servem que podemos julgar da aptidão deles para no-lo descrever.

Nota IX – (Nº 235)

Nunca seria demais insistir na importância da maneira de fazer as perguntas e, talvez mais ainda, na natureza das perguntas. Algumas há que os Espíritos não podem ou não devem responder por motivos que nos são desconhecidos, sendo, pois, inútil insistir. Mas o que se deve evitar acima de tudo são as perguntas que têm o fim de pôr em prova a perspicácia deles. Quando a coisa existe, diz-se, devem sabê-la; ora, é precisamente porque tal coisa já é conhecida de vós, ou porque tendes meios de verificá-la vós mesmos, que eles não se dão ao trabalho de responder; a suspeição os irrita e nada se obtém de satisfatório; afasta sempre os Espíritos *sérios* que só falam de bom grado às pessoas que se dirigem a eles com confiança e sem segundas intenções. Na Terra não se lhes teria falado senão com deferência; com mais forte razão devemos fazê-lo agora que estão bem acima do que estavam aqui. Não temos disso exemplo todos os dias entre nós? Homens superiores, que têm consciência de seu valor, se divertiriam em responder a todas as perguntas tolas que visassem submetê-los a exame, tal como se faz a simples escolares? O desejo de fazer um adepto de tal ou qual pessoa não é para os Espíritos motivo de satisfazer a vã curiosidade; eles sabem que, cedo ou tarde, a convicção virá, e os meios que empregam para convencer nem sempre são os que imaginamos.

A ordem e a maneira de nos conduzirmos nas sessões de evocação devem corresponder à gravidade da intenção das pessoas reunidas. Os Espíritos de ordem elevada não podem considerar sérias reuniões em que não há silêncio nem recolhimento; onde as perguntas pessoais mais fúteis e amiúde mais ridículas cruzam incessantemente com as questões mais graves; em que cada um vem pôr na corbelha seu segredinho em cédula dobrada, como na urna do destino. Seria o mesmo que tirar a sorte com o adivinho da praça pública.

Suponde um homem grave, ocupado com coisas úteis e sérias, importunado a toda hora com as perguntas pueris de uma criança, e tereis uma ideia justa do que devem pensar os Espíritos superiores de todas as parvoíces que lhes vão contar. Não se conclua daí que não possamos obter, da parte dos Espíritos, instruções úteis e, sobretudo, bons conselhos, relativos a interesses privados; respondem, porém, de acordo com os conhecimento que eles próprios possuem, o interesse que deles mereçamos, a afeição que nos dediquem, enfim, segundo nosso propósito e a utilidade que vejam na coisa; porém, se nos limitamos a imaginá-los como feiticeiros, não poderão ter por nós profunda simpatia; a partir de então suas aparições são breves, e muitas vezes manifestam mau humor por serem incomodados à toa (Ver *O livro dos médiuns*, 2ª parte, cap. XXVI, "Perguntas que se podem fazer aos Espíritos").

Nota X – (Nº 245)

Entre os Espíritos que, por uma espécie de predileção, se ocupam do alívio da Humanidade, de preferência a qualquer outra questão, muitos animaram na Terra ilustres médicos da Antiguidade e dos tempos modernos, e entre estes últimos citaremos, fora outros, Hahnemann e Dupuytren que, embora pouco de acordo entre si quando viviam neste mundo, se entendem às maravilhas no mundo dos Espíritos e se unem de bom grado quando há bem a fazer. A bondade, que foi a essência do caráter de Hahnemann, não se desmente em sua nova situação; é sempre a mesma benevolência, a mesma solicitude pelos que tenta curar, e os resultados que obtém muita vez tocam as raias do prodígio.

Nota XI – (257)

Algumas vezes os Espíritos se apropriam de nomes mitológicos, tais como os de Júpiter, Saturno, Flora, Zéfiro, Bóreas, Baco, deus Marte, de modo que nos enganaríamos singularmente se tomássemos esses nomes a sério. Dá-se a mesma coisa com os nomes de Belzebu, Satã, anjo Gabriel. São qualificações emblemáticas que especificam a natureza ou as inclinações deles; tais são, ainda, os nomes seguintes: Verdade, Discórdia, Prudência, Loucura, Tempestade, Sol Brilhante, Zoricoco, etc. Certos nomes dizem suficientemente de quem se trata, e a atenção que merecem as comunicações de seus portadores. Todavia, sob os nomes mais grotescos, e a par de um gracejo, não raro dizem coisas de grande significação e profunda verdade. Quando lançam seus rasgos satíricos contra alguém, picam ao vivo e quase sempre lhe alcançam o ponto vulnerável; pequenos defeitos, conhecidos ou ocultos, assim como o que a pessoa tenha de ridículo são apanhados com finura, e quem lhes excita a verve nem sempre ri por último. São, em suma, os pasquins do mundo espiritual. Os Espíritos mais elevados se servem deles algumas vezes, conforme as circunstâncias.

Nota XII – (Nº 268)

Como prova do que foi dito sobre a confusão de ideias que acompanham o primeiro momento da morte, e como confirmação de vários pontos essenciais da Doutrina Espírita, julgamos por bem citar aqui a evocação de um assassino por vingança e ciúme, e que até o derradeiro instante não havia manifestado arrependimento nem sensibilidade. Os sentimentos que ele exprime serão um ensino útil para os que duvidam do futuro da alma.

(O supliciado, após a evocação, responde): — Ainda estou preso ao corpo.

Tua alma ainda não se desligou completamente do corpo? — Não... tenho medo... não sei... Esperai que me reconheça... Não estou morto, não é mesmo?

Estás arrependido do que fizeste? — Fiz mal em matar, mas a isso fui levado por meu caráter, que não podia tolerar humilhações... Evocar-me-eis de outra vez.

Por que já queres ir embora? — Ficaria aterrorizado se o visse, pelo receio de que ele (sua vítima) me fizesse a mesma coisa.

Mas nada tens a temer, uma vez que tua alma está separada do corpo. Afasta toda inquietação, que não é razoável agora. — Que quereis? Acaso sois senhor de vossas impressões?... Não sei onde estou... Estarei louco?

Procura te acalmar. — Não posso, porque estou louco... Esperai!... Vou recobrar toda minha lucidez.

Se orasses, talvez pudesses concentrar teus pensamentos. — Tenho medo... não me atrevo a orar.

Ora, pois é grande a misericórdia de Deus! Oraremos contigo. — Sim, a misericórdia de Deus é infinita; sempre acreditei nela.

Agora compreendes melhor tua situação? — Ela é tão extraordinária que ainda não posso compreendê-la.

Vês tua vítima? — Parece-me ouvir uma voz semelhante à sua, dizendo-me: Não mais te quero. Será, talvez, efeito de minha imaginação? Estou louco, vo-lo asseguro, pois vejo meu corpo de um lado e a cabeça de outro... E, contudo, vejo-me no espaço, entre a Terra e o que denominais céu... Sinto como o frio de uma lâmina, prestes a me decepar o pescoço... Mas isso é o medo da morte... Também me parece ver uma multidão de Espíritos à minha volta, olhando-me compadecidos... *Falam comigo*, mas não os compreendo.

Haverá, porventura, entre esses Espíritos um cuja presença te humilhe por causa de teu crime? — Apenas um me apavora: o daquele a quem matei.

Lembras-te de tuas existências anteriores? — Não; tudo é vago... Creio sonhar. Ainda uma vez, preciso tornar a mim.

(Três dias mais tarde) — *Tu te reconheces agora?* — Sei que já não pertenço a esse mundo, e não o deploro. Lamento o que fiz, porém meu Espírito está mais livre. Sei, além disso, que há uma série de existências que nos dão conhecimentos úteis, a fim de nos tornarmos tão perfeitos quanto possível à criatura humana.

És punido pelo crime que cometeste? — Sim; é lamentável o que fiz e isso me faz sofrer.

De que maneira és punido? — Sou punido porque tenho consciência de minha falta, e para ela peço perdão a Deus; sou punido porque reconheço minha descrença em Deus, e porque sei que não devemos abreviar os dias de vida de nossos irmãos; sou punido pelo remorso de ter adiado meu progresso, enveredando por caminho errado, sem ouvir o grito da própria consciência que me dizia não ser pelo assassínio que alcançaria meu objetivo. Deixei-me dominar pela inveja e pelo orgulho; enganei-me e me arrependo, pois o homem deve esforçar-se sempre por dominar as más paixões, o que deixei de fazer.

Que sensação experimentas quando te evocamos? — De prazer e de temor, visto que não sou mau.

Em que consiste esse prazer e esse temor? — Prazer de conversar com os homens e poder em parte reparar minhas faltas, confessando-as; um temor que não posso definir, uma espécie de vergonha por ter sido assassino.

Desejas reencarnar na Terra? — Sim, eu o peço; desejo achar-me constantemente exposto ao assassínio, provando-lhe o temor.[135]

---

[135] N.T.: trata-se do padre Verger, assassino do monsenhor Sibour, arcebispo de Paris, crime cometido quando este saía da Igreja de Saint-Étienne du Mont, após um ofício religioso. Condenado à morte e guilhotinado em 30 de janeiro de 1857, Verger foi evocado no mesmo dia da execução. Embora nessa época Allan Kardec ainda não tivesse plena consciência da real extensão de seus trabalhos ulteriores na Codificação do Espiritismo, julgou por bem conservar esses registros, obtidos antes e depois da publicação da 1ª edição de *O livro dos espíritos* e que, mais tarde, se mostraram de grande valia, como o prova esta evocação, inserida em 1865 em *O céu e o inferno*, 2ª parte, cap. VI, ilustrando o tema "Criminosos arrependidos".

Nota XIII – (271)

Evocada por um de seus parentes, uma pessoa respondeu que habitava o planeta Juno.[136] Após alguns instantes de conversa, cujos detalhes sobre coisas privadas não permitem duvidar de sua identidade, ela se despediu, acrescentando: Preciso te deixar; tenho quatro filhos e eles necessitam de meus cuidados.

Outro Espírito evocado respondeu que estava reencarnado na Terra, mas, naquele momento, seu corpo estava doente e acamado, e provavelmente não viveria muito. Adeus, diz ele, meu corpo está acordando e precisa tomar o remédio.

Nota XIV – (Nº 275)

Para muitas pessoas, o temor da revelação de segredos íntimos é uma causa de apreensão e repulsa contra o sonambulismo e o Espiritismo. Segundo tal gente, há nessa revelação um perigo social e, sendo assim, é preciso proscrever o que alguns chamam de práticas supersticiosas, e outros de práticas diabólicas. Tais indivíduos não se dão conta de que reconhecer o perigo de uma coisa equivale a reconhecer essa coisa. Ou o fato existe ou não existe; se não existe, por que se preocupar com ele? Cairá por si mesmo; se existe, fosse ele mil vezes perigoso, e devesse mesmo estremecer o mundo, não haveria proscrição capaz de o aniquilar. Se alguma vez a Natureza fornecer ao homem um meio de desnudar seus pensamentos mais íntimos, será uma nova ordem de coisas e uma transformação nos costumes, nos hábitos e no caráter; com ela precisamos nos acostumar, como aceitamos a transformação social produzida pela imprensa, pelas novas doutrinas políticas, pelo vapor, pelo trem, etc. Será, é preciso convir nisto, o aniquilamento da hipocrisia, e somente aqueles que tiverem interesse em ficar na sombra é que poderão lastimar isso; não, porém, quem puder dizer como o sábio: gostaria que minha casa fosse de vidro, a fim de que todo mundo visse o que faço.

Nota XV – (Nº 441)

Como explanação da doutrina do livre-arbítrio e de várias outras questões tratadas neste livro, transcrevemos textualmente a evocação de um homem

---

[136] N.T.: hoje catalogado como asteroide, Juno era considerado um planeta na época de Allan Kardec.

eminente pelo saber, há pouco falecido. A elevação dos pensamentos que ele exprime é um indício da superioridade de seu Espírito.

Em nome de Deus Todo-Poderoso, nós te pedimos, Espírito Théophile Z, que venhas até nós e te dignes, com a permissão de Deus, de responder às nossas perguntas. — Estou aqui; que queres de mim?

Poderias dar-nos tuas impressões depois que deixaste o corpo? — Dir-te-ei que não esperava ter nenhuma, e que o espanto foi por isso maior em mim do que em muitos outros, pois, confesso, estava longe de pensar em impressões sentidas em tal momento, acreditando mesmo que esta parcela de vida que nos anima retornava ao grande todo.

Então não acreditavas na imortalidade da alma? — Hás de compreender o quanto é difícil a um homem que tem um pouco de raciocínio crer no inferno e em seres pouco adiantados; achei melhor acreditar que a alma não passava de uma centelha elétrica que retornava ao seu foco de origem.

Teu modo de ver a alma continua o mesmo de antes da morte? — Não; eu tinha muitas dúvidas; agora não tenho mais nenhuma. Sei que nem tudo se acaba quando tomba o envoltório material; ao contrário, só então somos nós mesmos.

Por onde andas agora? — Vagando neste globo, contribuindo para a felicidade dos homens.

Em que podes contribuir para a felicidade dos homens? — Ajudando-os nas reformas que são necessárias.

Ficarás vagando por muito tempo? — Minha missão, como Espírito errante, está, a bem dizer, apenas começando. Vou tentar inspirar os homens em várias questões graves.

Terás êxito em tua missão? — Não tão facilmente como gostaria; como sabes, custamos a abandonar velhos hábitos e os homens são cabeçudos.

És feliz no estado em que te encontras agora? — Sou muito feliz no estado atual em que me encontro; sei que minha tarefa é bela, embora difícil, e também sei que vou nascer num mundo superior quando minha missão terminar.

Confirmas, então, a doutrina da reencarnação? — Sim; por que não? Crês que nesta existência terás adquirido todos os conhecimentos? Certamente, se praticares o mal, serás punido, mas por intermédio de uma vida de provas na qual não terás consciência do que é mal.

Antes de tua última existência estavas encarnado na Terra? — Não, em Saturno.

Quando habitavas Saturno chegaste a reconhecer algum mal em ti? — Sim, como vês algum em ti; ousarias, porventura, dizer que és perfeito? Digo-te que sentia em mim o mal da ignorância, e que, estando em Saturno, onde o habitante é um pouco mais perfeito que na Terra, eu me sentia um tanto deslocado, pois bem sabia que não tinha adquirido, pelas provas dos mundos inferiores, a felicidade que usufruía por me encontrar num mundo tão humano e tão fraterno. Eu era exatamente como um camponês ignorante e grosseiro posto de repente no seio da mais ilustre corte.

Como se explica que hajas estado em Saturno antes de adquirires suficiente perfeição para lá ficares à vontade? — Um estímulo para me instruir em outros planetas, a fim de poder ir a mundos superiores até mesmo a Saturno, que ainda é muito imperfeito.

Sob que forma te achas entre nós e que ideia poderíamos fazer de tua presença? — Uma forma semimaterial.

Essa forma semimaterial tem a aparência que tinhas quando vivias? — Sim.

Estás contente por te termos evocado? — Sim; porque, ao ser evocado, posso vos falar das impressões que temos após deixar esta vida, e isso é grande ensinamento para os homens.

Quando vivias na Terra, qual era tua opinião sobre o livre-arbítrio do homem e qual ela é agora? — Acreditava que o homem era livre de bem ou mal se conduzir; agora, porém, defino isso melhor; na Terra eu admitia essa liberdade porque só via a vida presente. Agora creio nela firmemente, pois já sei que o homem, no estado de Espírito, é quem escolhe sua carreira. Isto que faço agora, eu o pedi; é apenas a continuação da existência que eu levava aí. A liberdade é relativa à prova que escolhemos. Há liberdade do bem e do mal sempre que isso dependa da vontade; mas, ainda uma vez: a liberdade é relativa à prova que escolhemos.

Sim, o livre-arbítrio do homem existe; não há fatalidade como o entendeis. O livre-arbítrio consiste na escolha de nossa vida futura, nos instantes de desprendimento do Espírito, e na aceitação de todas as consequências que lhe são decorrentes. Assim, se cada um examinar sua posição anterior e a posição presente nesta vida, verá que teve sempre de lutar contra o mal e que muitas vezes foi o mais forte. Consequência da posição que aceitastes.

O mal é uma necessidade? — Sim; sem o mal seríamos incapazes de discernir o bem. Foi por ter consciência do mal que havia em mim que escolhi esta existência. Fazer o bem é extirpar o mal; como o progresso é uma constante, é preciso que o mal desapareça. O livre-arbítrio do homem consiste principalmente em nos aprimorarmos em cada uma das fases de nossa existência.

O homem, por força de sua vontade e de seus atos, poderá impedir que os acontecimentos que deviam dar-se não se deem, e vice-versa? — Poderá, se esse aparente desvio puder caber na vida que escolheu. Depois, para fazer o bem como deve ser feito, como único fim da vida, ele pode impedir o mal, sobretudo o que possa contribuir para que não aconteça um mal maior; porque aqui, como em todos os outros mundos, o progresso é contínuo: não sofre interrupções.

Há fatos que devam acontecer forçosamente? — Sim, mas que, no estado de Espírito, viste e pressentiste ao fazer tua escolha. Se queimas o dedo, isso tem pouca importância: é consequência da matéria. Só as grandes dores que influem sobre o moral são previstas por Deus, porque são úteis à tua depuração e instrução. [LE-859.a.]

Escuta! Quando escolhemos uma existência, a hora, como tu a chamas, é-nos desconhecida. Sabemos que, escolhendo tal caminho, adquiriremos conhecimentos que nos são necessários; mas, como te diziam há pouco, não calculamos o tempo como vós outros, principalmente no estado de Espírito, quando temos perfeita consciência de que um século, tal como o consideras, não passa de um segundo na eternidade, pouco nos importando as épocas.

Aquele que morre assassinado já sabia previamente de que gênero de morte iria sucumbir, e pode evitá-lo? — Já sabemos que vamos morrer assassinado, mas não sabemos por quem... Espera! Sabemos que vamos morrer assassinado, como também sabemos, se escolhermos essa vida, das lutas que temos de travar para evitar que isso aconteça, e que, se Deus o permitir, não seremos assassinado.

O homem que comete um assassínio já sabia, ao escolher tal existência, que se tornaria assassino? — Não; escolhendo uma vida de lutas, sabe que terá *chance* de matar um de seus semelhantes, mas ignora se o fará, visto que quase sempre se acha em luta consigo mesmo. [LE-861.]

Por que não devemos conhecer a natureza e a época dos acontecimentos futuros? — A fim de que estes se deem quando Deus quiser, e que, ignorando-os, trabalhes com zelo, já que todos devem concorrer para eles, mesmo para os prejudiciais. Se souberes que algo deve acontecer em seis meses, por exemplo, dirás: Nada posso fazer, vai acontecer mesmo em seis meses. Isso não deve ser assim.

***

A questão do livre-arbítrio e da fatalidade não podia ser mais bem elucidada do que o foi por essa comunicação. Ela pode ser resumida assim: o homem não é fatalmente levado ao mal; os atos que pratica não estão escritos antes; os crimes que comete não resultam de uma sentença do destino. Ele pode, como prova ou expiação, escolher uma existência em que seja arrastado ao crime, quer pelo meio em que se ache colocado, quer pelas circunstâncias que sobrevenham, quer mesmo pela própria organização do corpo, ao lhe dar tal ou qual predisposição; contudo, terá sempre a liberdade de agir ou não agir. Assim, o livre-arbítrio existe na escolha da existência e das provas que o Espírito elegeu na erraticidade e, na condição de encarnado, na faculdade de ceder ou de resistir aos arrastamentos a que todos estamos voluntariamente submetidos. Cabe à educação combater estas más tendências, e ela o fará de maneira eficiente quando se basear no estudo aprofundado da natureza moral do homem. Pelo conhecimento das leis que regem essa natureza moral, chegar-se-á a modificá-la, como se modifica a inteligência pela instrução e o temperamento pela higiene. [LE-872.]

Nota XVI – (Nº 478)

Esta verdade se torna evidente por meio do seguinte apólogo:

> Um pai deu a seu filho educação e instrução, isto é, os meios para saber conduzir-se. Cede-lhe um campo para que o cultive e lhe diz: eis a regra a seguir para tornares fértil este campo e assegurares tua existência. Dei-te instrução para compreenderes esta regra. Se a seguires, teu campo produzirá muito e te proporcionará repouso na velhice; se não a seguires, nada produzirá e morrerás de fome. Dito isto, deixa-o agir à vontade.

Não é verdade que esse campo produzirá na razão dos cuidados que forem dispensados à sua cultura e que toda negligência redundará em prejuízo da colheita? Na velhice, portanto, o filho será feliz ou infeliz, conforme haja seguido ou não a regra que seu pai lhe traçou. Deus é ainda mais previdente, pois nos adverte a cada instante se estamos procedendo bem ou mal. Envia-nos os Espíritos para nos inspirarem, mas não os escutamos. Há mais esta diferença: ao conceder ao homem novas existências, Deus sempre lhe faculta recursos para reparar os erros do passado, enquanto o filho de quem falamos, se empregar mal seu tempo, não mais disporá de nenhum recurso. [LE-964.]

Nota XVII - (Nº 500)

Com base no que dizem os próprios Espíritos, quer da tendência deles a apropriar a linguagem às pessoas a quem se dirigem, quer da influência do meio sobre a natureza das comunicações, poder-se-ia perguntar se este livro não é o reflexo do pensamento daquele que o escreveu sob ditado. Algumas palavras responderão a esta questão.

Durante muito tempo o autor foi incrédulo no tocante às comunicações espíritas; teve, porém, que ceder diante da evidência dos fatos. Em segundo lugar, e antes de escrever este livro, ele tinha, sobre numerosos pontos importantes, opiniões diametralmente opostas às que nele se acham expostas, não havendo modificado suas convicções senão em face do ensino que lhe deram os Espíritos. Esse ensino lhe foi ministrado por meio de vários médiuns escreventes e falantes, que diferiam bastante entre si quanto ao caráter e cujos conhecimentos, a respeito de muitas questões, não lhes permitiam ter uma opinião preconcebida. A despeito disso, houve sempre perfeita identidade na teoria que eles transmitiram, completando um deles, muitas vezes e com vários meses de intervalo, a ideia expressa por outro.

Aquilo em que o autor pôde exercer real influência foi o desejo e a vontade de esclarecer-se, a ordem e a sequência metódicas que imprimiu ao trabalho, permitindo assim que os Espíritos lhe dessem um ensinamento completo e regular, como o faria um professor a ensinar uma ciência, seguindo o encadeamento das ideias. Com efeito, são verdadeiras lições que os Espíritos lhe deram durante quase dois anos, marcando-lhe, eles mesmos, dias e horas para as entrevistas. Sobretudo nas comunicações íntimas e seguidas é que se evidenciam a inteligência e a força oculta que se manifesta, sua individualidade, sua superioridade ou inferioridade.

Vários Espíritos concorreram simultaneamente para estas instruções, às quais assistiam, tomando alternadamente a palavra, falando um em nome de todos. Entre os que animaram personagens conhecidas, citaremos: *João Evangelista, Sócrates, Fénelon, São Vicente de Paulo, Hahnemann, Franklin, Swedenborg, Napoleão I;* outros habitam esferas mais elevadas e, ou nunca viveram na Terra, ou aqui só apareceram em tempos imemoriais. Concebe-se que de tal reunião só podiam sair palavras graves, cheias de sabedoria; e esta sabedoria jamais se desmentiu um só momento, e nunca uma palavra equívoca e inconveniente lhe maculou a pureza.

Allan Kardec

Reproduction numérisée de la 1ʳᵉ édition française

⁓⦿⁓

[18 avril 1857]

LE LIVRE
DES ESPRITS

CONTENANT

LES PRINCIPES DE LA DOCTRINE SPIRITE

SUR LA NATURE DES ESPRITS, LEUR MANIFESTATION ET LEURS RAPPORTS AVEC LES HOMMES ; LES LOIS MORALES, LA VIE PRÉSENTE, LA VIE FUTURE, ET L'AVENIR DE L'HUMANITÉ ;

ÉCRIT SOUS LA DICTÉE ET PUBLIÉ PAR L'ORDRE D'ESPRITS SUPÉRIEURS

PAR ALLAN KARDEC.

PARIS,
E. DENTU, LIBRAIRE,
PALAIS ROYAL, GALERIE D'ORLÉANS, 13.
1857

LE LIVRE
DES ESPRITS.

Nota. — Les personnes qui auraient des communications à faire à l'auteur du *Livre des Esprits*, sont priées de vouloir bien les lui adresser (par lettres affranchies) sous le couvert de M. Dentu, libraire.

Imprimerie de BEAU, à Saint-Germain-en-Laye.

REPRODUCTION
numérisée de la 1ʳᵉ édition française

LE LIVRE
DES ESPRITS

CONTENANT

LES PRINCIPES DE LA DOCTRINE SPIRITE

SUR LA NATURE DES ESPRITS, LEUR MANIFESTATION ET LEURS RAPPORTS AVEC LES HOMMES ; LES LOIS MORALES, LA VIE PRÉSENTE, LA VIE FUTURE, ET L'AVENIR DE L'HUMANITÉ ;

ÉCRIT SOUS LA DICTÉE ET PUBLIÉ PAR L'ORDRE D'ESPRITS SUPÉRIEURS

PAR ALLAN KARDEC.

PARIS,
E. DENTU, LIBRAIRE,
PALAIS ROYAL, GALERIE D'ORLÉANS, 13,
1857

INTRODUCTION

A L'ÉTUDE

DE LA DOCTRINE SPIRITE.

RÉPONSE A PLUSIEURS OBJECTIONS.

Pour les choses nouvelles il faut des mots nouveaux, ainsi le veut la clarté du langage, pour éviter la confusion inséparable du sens multiple des mêmes termes. Les mots *spirituel, spiritualiste, spiritualisme*, ont déjà une acception bien définie ; leur en donner une nouvelle pour les appliquer à la doctrine des esprits, serait multiplier les causes déjà si nombreuses d'amphibologie. En effet, le spiritualisme est l'opposé du matérialisme ; quiconque croit avoir en soi autre chose que la matière est spiritualiste ; mais il ne s'ensuit pas qu'il croie à l'existence des esprits ou à leurs communications avec le monde visible. Au lieu des mots SPIRITUEL, SPIRITUALISME, nous employons, pour désigner cette dernière croyance, ceux de *spirite* et de *spiritisme* dont la forme rappelle l'origine et le sens radical, et qui par cela même ont l'avantage d'être parfaitement intelligibles. Nous dirons donc que la doctrine *spirite* ou le *spiritisme* consiste dans la croyance aux relations du monde matériel avec les esprits ou êtres du monde invisible. Les adeptes du spiritisme seront *les spirites*, ou si l'on veut *les spiritains*.

Il est un autre mot sur lequel il importe également de s'entendre, parce que c'est une des clefs de voûte de toute doctrine morale, et qu'il est le sujet de nombreuses controverses, faute d'une acception bien déterminée, c'est le mot *âme*. La divergence d'opinions sur la nature de l'âme vient de l'application particulière que chacun fait de ce mot. Une langue parfaite, où chaque idée aurait sa représentation par un terme propre, éviterait bien des discussions ; avec un mot pour chaque chose, tout le monde s'entendrait.

Selon les uns, l'âme est le principe de la vie matérielle organique ; elle n'a point d'existence propre et cesse avec la vie ; c'est le matérialisme pur. Dans ce sens, et par comparaison, ils disent d'un instrument fêlé qui ne

— 2 —

rend plus de son qu'il n'a plus d'âme. D'après cette opinion, tout ce qui vit aurait une âme, les plantes aussi bien que les animaux et l'homme.

D'autres pensent que l'âme est le principe de l'intelligence ; agent universel dont chaque être absorbe une portion. Selon eux, il n'y aurait pour tout l'univers qu'une seule âme qui distribue des étincelles entre les divers êtres intelligents pendant leur vie ; après la mort chaque étincelle retourne à la source commune où elle se confond dans le tout, comme les ruisseaux et les fleuves retournent à la mer d'où ils sont sortis. Cette opinion diffère de la précédente en ce que, dans cette hypothèse, il y a en nous plus que la matière, et qu'il reste quelque chose après la mort ; mais c'est à peu près comme s'il ne restait rien, puisque n'ayant plus d'individualité nous n'aurions plus conscience de nous-mêmes. Dans cette opinion l'âme universelle serait Dieu, et chaque être une portion de la divinité ; c'est la doctrine du *panthéisme*.

Selon d'autres enfin, l'âme est un être moral, distinct, indépendant de la matière et qui conserve son individualité après la mort. Cette acception est sans contredit la plus générale, parce que, sous un nom ou sous un autre, l'idée de cet être qui survit au corps, se trouve à l'état de croyance instinctive et indépendante de tout enseignement chez tous les peuples, quel que soit le degré de leur civilisation. Cette doctrine est celle des spiritualistes.

Sans discuter ici le mérite de ces opinions, et nous plaçant pour un moment sur un terrain neutre, nous dirons que ces trois applications du mot *âme* constituent trois idées distinctes qui demanderaient chacune un terme différent. Ce mot a donc une triple acception, et chacun a raison à son point de vue dans la définition qu'il en donne ; le tort est à la langue de n'avoir qu'un mot pour trois idées. Pour éviter toute équivoque, il faudrait restreindre l'acception du mot *âme* à l'une des trois choses que nous avons définies ; le choix est indifférent, le tout est de s'entendre, c'est une affaire de convention. Nous croyons plus logique de le prendre dans son acception la plus vulgaire ; c'est pourquoi nous appelons AME, *l'être immatériel et individuel qui réside en nous et qui survit au corps*.

A défaut d'un mot spécial pour chacun des deux autres points, nous appelons :

Principe vital le principe de la vie matérielle et organique, quelle qu'en soit la source, et qui est commun à tous les êtres vivants, depuis les plantes jusqu'à l'homme. La vie pouvant exister abstraction faite de la faculté de penser, le principe vital est une chose distincte et indépendante. Le mot *vitalité* ne rendrait pas la même idée. Pour les uns le principe vital est une propriété de la matière, un effet qui se produit lorsque la matière se trouve dans

— 3 —

certaines circonstances données ; selon d'autres, et c'est l'idée la plus commune, il réside dans un fluide spécial, universellement répandu et dont chaque être absorbe et s'assimile une partie pendant la vie, comme nous voyons les corps inertes absorber la lumière ; ce serait alors *le fluide vital* qui, selon certaines opinions, ne serait autre que le fluide électrique animalisé, désigné aussi sous les noms de *fluide magnétique*, *fluide nerveux*, etc.

Quoi qu'il en soit, il est un fait que l'on ne saurait contester, car c'est un résultat d'observation, c'est que les êtres organiques ont en eux une force intime qui produit le phénomène de la vie, tant que cette force existe ; que la vie matérielle est commune à tous les êtres organiques, et qu'elle est indépendante de l'intelligence et de la pensée ; que l'intelligence et la pensée sont des facultés propres à certaines espèces organiques ; enfin que parmi les espèces organiques douées de l'intelligence et de la pensée, il en est une douée d'un sens moral spécial qui lui donne une incontestable supériorité sur les autres, c'est l'espèce humaine.

Nous appelons enfin *intelligence animale* le principe intellectuel commun à divers degrés aux hommes et aux animaux, indépendant du principe vital et dont la source nous est inconnue.

L'*âme*, dans l'acception exclusive que nous adoptons, est l'attribut spécial de l'homme.

On conçoit qu'avec une acception multiple, l'âme n'exclut ni le matérialisme, ni le panthéisme. Le spiritualiste lui-même peut très bien entendre l'âme selon l'une ou l'autre des deux premières définitions, sans préjudice de l'être immatériel distinct auquel il donnera alors un nom quelconque. Ainsi ce mot n'est point le représentant d'une opinion : c'est un protée que chacun accommode à sa guise ; de là la source de tant d'interminables disputes.

On éviterait également la confusion, tout en se servant du mot *âme* dans les trois cas, en y ajoutant un qualificatif qui spécifierait le point de vue sous lequel on l'envisage, ou l'application qu'on en fait. Ce serait alors un mot générique comme *gaz*, par exemple, que l'on distingue en y ajoutant les mots *hydrogène*, *oxygène*, *azote*, etc. On pourrait donc dire, et ce serait peut-être le mieux, l'*âme vitale* pour le principe de la vie matérielle, l'*âme intellectuelle* pour le principe de l'intelligence, et l'*âme spirite* pour le principe de notre individualité après la mort ; comme on le voit, tout cela est une question de mots, mais une question très importante pour s'entendre. D'après cela l'*âme vitale* serait commune à tous les êtres organiques : plantes, animaux et hommes ; l'*âme intellectuelle* serait le propre

— 4 —

des animaux et des hommes, et l'*âme spirite* appartiendrait à l'homme seul.

Nous avons cru devoir insister d'autant plus sur ces explications que la doctrine spirite repose naturellement sur l'existence en nous d'un être indépendant de la matière et survivant au corps. Le mot *âme* devant se reproduire fréquemment dans le cours de cet ouvrage, il importait d'être fixé sur le sens que nous y attachons afin d'éviter toute méprise.

Venons maintenant à l'objet principal de cette instruction préliminaire.

La doctrine spirite, comme toute chose nouvelle, a ses adeptes et ses contradicteurs. Nous allons essayer de répondre à quelques-unes des objections de ces derniers, en examinant la valeur des motifs sur lesquels ils s'appuient, sans avoir toutefois la prétention de convaincre tout le monde, car il est des gens qui croient que la lumière a été faite pour eux seuls. Nous nous adressons aux personnes de bonne foi, sans idées préconçues ou arrêtées quand même, mais sincèrement désireuses de s'instruire, et nous leur démontrerons que la plupart des objections que l'on oppose à la doctrine, proviennent d'une observation incomplète des faits et d'un jugement porté avec trop de légèreté et de précipitation.

Rappelons d'abord en peu de mots la série progressive des phénomènes qui ont donné naissance à cette doctrine.

Le premier fait observé a été celui d'objets divers mis en mouvement; on l'a désigné en dernier lieu sous le nom de *tables tournantes* ou *danse des tables*. Ce phénomène, qui paraît avoir été observé d'abord en Amérique, ou plutôt qui s'est renouvelé dans cette contrée, car l'histoire prouve qu'il remonte à la plus haute antiquité, s'est produit accompagné de circonstances étranges, tels que bruits insolites, coups frappés sans cause ostensible connue. De là, il s'est rapidement propagé en Europe et dans les autres parties du monde ; il a d'abord soulevé beaucoup d'incrédulité, mais la multiplicité des expériences n'a bientôt plus permis de douter de la réalité.

Si ce phénomène eût été borné au mouvement des objets matériels, il pourrait s'expliquer par une cause purement physique. Nous sommes loin de connaître tous les agents occultes de la nature, ni toutes les propriétés de ceux que nous connaissons ; l'électricité, d'ailleurs, multiplie chaque jour à l'infini les ressources qu'elle procure à l'homme, et semble devoir éclairer la science d'une lumière nouvelle. Il n'y avait donc rien d'impossible à ce que l'électricité, modifiée par certaines circonstances, ou tout autre agent inconnu, fût la cause de ce mouvement. La réunion de plusieurs personnes augmentant la puissance d'action, semblait appuyer cette théorie, car on pouvait considérer cet ensemble comme une pile dont la puissance est en raison du nombre des éléments.

Le mouvement circulaire n'avait rien d'extraordinaire : il est dans la nature ; tous les astres se meuvent circulairement ; nous pourrions donc avoir en petit un reflet du mouvement général de l'univers, ou, pour mieux dire, une cause jusqu'alors inconnue pouvait produire accidentellement pour les petits objets, et dans des circonstances données, un courant analogue à celui qui entraîne les mondes.

Mais le mouvement n'était pas toujours circulaire ; il était souvent saccadé, désordonné, l'objet violemment secoué, renversé, emporté dans une direction quelconque, et, contrairement à toutes les lois de la statique, soulevé de terre et maintenu dans l'espace. Rien encore dans ces faits qui ne puisse s'expliquer par la puissance d'un agent physique invisible. Ne voyons-nous pas l'électricité renverser les édifices, déraciner les arbres, lancer au loin les corps les plus lourds, les attirer ou les repousser?

Les bruits insolites, les coups frappés, en supposant qu'ils ne fussent pas un des effets ordinaires de la dilatation du bois, ou de toute autre cause accidentelle, pouvaient encore très bien être produits par l'accumulation du fluide occulte : l'électricité ne produit-elle pas les bruits les plus violents?

Jusque là, comme on le voit, tout peut rentrer dans le domaine des faits purement physiques et physiologiques. Sans sortir de ce cercle d'idées, il y avait là la matière d'études sérieuses et dignes de fixer l'attention des savants. Pourquoi n'en a-t-il pas été ainsi? Il est pénible de le dire, mais cela tient à des causes qui prouvent entre mille faits semblables la légèreté de l'esprit humain. D'abord la vulgarité de l'objet principal qui a servi de base aux premières expérimentations n'y est peut-être pas étrangère. Quelle influence un mot n'a-t-il pas souvent eue sur les choses les plus graves! Sans considérer que le mouvement pouvait être imprimé à un objet quelconque, l'idée des tables a prévalu, sans doute parce que c'était l'objet le plus commode, et qu'on s'assied plus naturellement autour d'une table qu'autour de tout autre meuble. Or, les hommes supérieurs sont quelquefois si puérils qu'il n'y aurait rien d'impossible à ce que certains esprits d'élite aient cru au-dessous d'eux de s'occuper de ce que l'on était convenu d'appeler *la danse des tables*. Il est même probable que si le phénomène observé par Galvani l'eût été par des hommes vulgaires et fût resté caractérisé par un nom burlesque, il serait encore relégué à côté de la baguette divinatoire. Quel est en effet le savant qui n'aurait pas cru déroger en s'occupant de la *danse des grenouilles*?

— 6 —

Quelques-uns cependant, assez modestes pour convenir que la nature pourrait bien n'avoir pas dit son dernier mot pour eux, ont voulu voir, pour l'acquit de leur conscience ; mais il est arrivé que le phénomène n'a pas toujours répondu à leur attente, et de ce qu'il ne s'était pas constamment produit à leur volonté, et selon leur mode d'expérimentation, ils ont conclu à la négative ; malgré leur arrêt, les tables, puisque tables il y a, continuent à tourner, et nous pouvons dire avec Galilée : *et pourtant elles se meuvent !* Nous dirons plus, c'est que les faits se sont tellement multipliés qu'ils ont aujourd'hui droit de cité, et qu'il ne s'agit plus que d'en trouver une explication rationnelle. Peut-on induire quelque chose contre la réalité du phénomène de ce qu'il ne se produit pas d'une manière toujours identique selon la volonté et les exigences de l'observateur ? Est-ce que les phénomènes d'électricité et de chimie ne sont pas subordonnés à certaines conditions, et doit-on les nier parce qu'ils ne se produisent pas en dehors de ces conditions ? Y a-t-il donc rien d'étonnant que le phénomène du mouvement des objets par le fluide humain ait aussi ses conditions d'être, et cesse de se produire lorsque l'observateur, se plaçant à son propre point de vue, prétend le faire marcher au gré de son caprice, ou l'assujettir aux lois des phénomènes connus, sans considérer que pour des faits nouveaux il peut et doit y avoir des lois nouvelles ? Or, pour connaître ces lois, il faut étudier les circonstances dans lesquelles les faits se produisent, et cette étude ne peut être que le fruit d'une observation soutenue, attentive et souvent fort longue.

Mais, objectent certaines personnes, il y a souvent supercherie évidente. Nous leur demanderons d'abord si elles sont bien certaines qu'il y ait supercherie, et si elles n'ont pas pris pour telle des effets dont elles ne pouvaient se rendre compte, à peu près comme ce paysan qui prenait un savant professeur de physique, faisant des expériences, pour un adroit escamoteur ? En supposant même que cela ait pu avoir lieu quelquefois, serait-ce une raison pour nier le fait ? Faut-il nier la physique, parce qu'il y a des prestidigitateurs qui se décorent du titre de physiciens ? Il faut d'ailleurs tenir compte du caractère des personnes et de l'intérêt qu'elles pourraient avoir à tromper. Ce serait donc une plaisanterie ? On peut bien s'amuser un instant ; mais une plaisanterie indéfiniment prolongée serait aussi fastidieuse pour le mystificateur que pour le mystifié. Il y aurait d'ailleurs dans une mystification qui se propage d'un bout du monde à l'autre, et parmi les personnes les plus graves, les plus honorables et les plus éclairées, quelque chose d'au moins aussi extraordinaire que le phénomène lui-même.

— 7 —

Si les phénomènes qui nous occupent se fussent bornés au mouvement des objets, ils seraient restés, comme nous l'avons dit, dans le domaine des sciences physiques ; mais il n'en est point ainsi ; il leur était donné de nous mettre sur la voie de faits d'un ordre étrange. On crut découvrir, nous ne savons par quelle initiative, que l'impulsion donnée aux objets n'était pas seulement le produit d'une force mécanique aveugle, mais qu'il y avait dans ce mouvement l'intervention d'une cause intelligente. Cette voie une fois ouverte, c'était un champ tout nouveau d'observations ; c'était le voile levé sur bien des mystères. Y a-t-il en effet une puissance intelligente ? Telle est la question. Si cette puissance existe, quelle est-elle, quelle est sa nature, son origine ? Est-elle au-dessus de l'humanité ? Telles sont les autres questions qui découlent de la première.

Les premières manifestations intelligentes eurent lieu au moyen de tables se levant et frappant avec un pied un nombre déterminé de coups, et répondant ainsi par *oui* ou par *non*, suivant la convention, à une question posée. Jusque là rien de convaincant assurément pour les sceptiques, car on pouvait croire à un effet du hasard. On obtint ensuite des réponses plus développées par les lettres de l'alphabet : l'objet mobile frappant un nombre de coups correspondant au numéro d'ordre de chaque lettre, on arrivait ainsi à formuler des mots et des phrases, répondant à des questions posées. La justesse des réponses, leur corrélation avec la question excitèrent l'étonnement. L'être mystérieux qui répondait ainsi, interrogé sur sa nature, déclara qu'il était *esprit* ou *génie*, se donna un nom, et fournit divers renseignements sur son compte.

Ce moyen de correspondance était long et incommode. L'esprit, et ceci est une circonstance digne de remarque, en indiqua un autre. C'est l'un de ces êtres invisibles qui donna le conseil d'adapter un crayon à une corbeille ou à un autre objet. Cette corbeille, posée sur une feuille de papier, est mise en mouvement par la même puissance occulte qui fait mouvoir les tables ; mais, au lieu d'un simple mouvement régulier, le crayon trace de lui-même des caractères formant des mots, des phrases, et des discours entiers de plusieurs pages, traitant les plus hautes questions de philosophie, de morale, de métaphysique, de psycologie, etc., et cela avec autant de rapidité que si l'on écrivait avec la main.

Ce conseil fut donné simultanément en Amérique, en France et dans diverses contrées. Voici les termes dans lesquels il fut donné à Paris, le 10 juin 1853, à l'un des plus fervents adeptes de la doctrine, qui déjà depuis plusieurs années, et dès 1849, s'occupait de l'évocation des esprits : « Va
» prendre, dans la chambre à côté, la petite corbeille ; attaches-y un crayon ;

— 8 —

» place-le sur le papier; mets les doigts sur le bord. » Puis, quelques instants après, la corbeille s'est mise en mouvement et le crayon a écrit très lisiblement cette phrase : « Ce que je vous dis là, je vous défends
» expressément de le dire à personne ; la première fois que j'écrirai, j'é-
» crirai mieux. »

L'objet auquel on adapte le crayon n'étant qu'un instrument, sa nature et sa forme sont complétement indifférentes ; on a cherché la disposition la plus commode ; c'est ainsi que beaucoup de personnes font usage d'une petite planchette.

La corbeille ou la planchette ne peut être mise en mouvement que sous l'influence de certaines personnes douées à cet égard d'une puissance spéciale et que l'on désigne sous le nom de *médiums*, c'est-à-dire milieu, ou intermédiaires entre les esprits et les hommes. Les conditions qui donnent cette puissance tiennent à des causes tout à la fois physiques et morales encore imparfaitement connues, car on trouve des médiums de tout âge, de tout sexe et dans tous les degrés de développement intellectuel. Cette faculté, du reste, se développe par l'exercice.

Le fait obtenu, un point essentiel restait à constater, c'est le rôle du médium dans les réponses, et la part qu'il peut y prendre mécaniquement et moralement. Deux circonstances capitales qui ne sauraient échapper à un observateur attentif, peuvent résoudre la question. La première est la manière dont la corbeille se meut sous son influence, par la seule imposition des doigts sur le bord ; l'examen démontre l'impossibilité d'une direction quelconque. Cette impossibilité devient surtout patente lorsque deux ou trois personnes se placent en même temps à la même corbeille ; il faudrait entre elles une concordance de mouvement vraiment phénoménale ; il faudrait de plus concordance de pensées pour qu'elles pussent s'entendre sur la réponse à faire à la question posée. Un autre fait, non moins singulier, vient encore ajouter à la difficulté, c'est le changement radical de l'écriture selon l'esprit qui se manifeste, et chaque fois que le même esprit revient, son écriture se reproduit. Il faudrait donc que le médium se fût appliqué à changer sa propre écriture de vingt manières différentes, et surtout qu'il pût se souvenir de celle qui appartient à tel ou tel esprit.

La seconde circonstance résulte de la nature même des réponses qui sont, la plupart du temps, surtout lorsqu'il s'agit de questions abstraites ou scientifiques, notoirement en dehors des connaissances et quelquefois de la portée intellectuelle du médium, qui, du reste, le plus ordinairement, n'a point conscience de ce qui s'écrit sous son influence, qui très souvent même n'entend pas ou ne comprend pas la question posée, puisqu'elle peut l'être dans une langue qui lui est étrangère, et que la réponse peut être faite dans cette langue. Il arrive souvent enfin que la corbeille écrit spontanément, sans question préalable, sur un sujet quelconque et tout à fait inattendu.

Ces réponses, dans certains cas, ont un tel cachet de sagesse, de profondeur et d'à-propos; elles révèlent des pensées si élevées, si sublimes, qu'elles ne peuvent émaner que d'une intelligence supérieure, empreinte de la moralité la plus pure; d'autres fois elles sont si légères, si frivoles, si triviales même, que la raison se refuse à croire qu'elles puissent procéder de la même source. Cette diversité de langage ne peut s'expliquer que par la diversité des intelligences qui se manifestent. Ces intelligences sont-elles dans l'humanité ou hors de l'humanité? Tel est le point à éclaircir, et dont on trouvera l'explication complète dans cet ouvrage telle qu'elle est donnée par les esprits eux-mêmes.

Voilà donc des effets patents qui se produisent en dehors du cercle habituel de nos observations, qui ne se passent point avec mystère, mais au grand jour, que tout le monde peut voir et constater, qui ne sont pas le privilége d'un seul individu, mais que des milliers de personnes répètent tous les jours à volonté. Ces effets ont nécessairement une cause, et du moment qu'ils révèlent l'action d'une intelligence et d'une volonté, ils sortent du domaine purement physique.

Plusieurs théories ont été émises à ce sujet; nous les examinerons tout à l'heure, et nous verrons si elles peuvent rendre raison de tous les faits qui se produisent. Admettons, en attendant, l'existence d'êtres distincts de l'humanité, puisque telle est l'explication fournie par les intelligences qui se révèlent, et voyons ce qu'ils nous disent.

Les êtres qui se communiquent ainsi se désignent eux-mêmes, comme nous l'avons dit, sous le nom d'esprits ou de génies, et comme ayant appartenu, pour quelques-uns du moins, aux hommes qui ont vécu sur la terre. Ils constituent le monde spirituel, comme nous constituons pendant notre vie le monde corporel.

Nous résumons ici en peu de mots les points les plus saillants de la doctrine qu'ils nous ont transmise afin de répondre plus facilement à certaines objections.

« Dieu est éternel, immuable, immatériel, unique, tout-puissant, souve-
» rainement juste et bon.

» Il a créé l'univers qui comprend tous les êtres animés et inanimés,
» matériels et immatériels.

» Les êtres matériels constituent le monde visible ou corporel, et les
» êtres immatériels le monde invisible ou spirite, c'est-à-dire des esprits.

— 10 —

» Le monde spirite est le monde normal, primitif, éternel, préexistant
» et survivant à tout.

» Le monde corporel n'est que secondaire; il pourrait cesser d'exister,
» ou n'avoir jamais existé, sans altérer l'essence du monde spirite.

» Les êtres corporels habitent les différents globes de l'univers.

» Les êtres immatériels ou esprits sont partout : l'espace est leur do-
» maine.

» Les esprits revêtent temporairement une enveloppe matérielle péris-
» sable dont la destruction, par la mort, les rend à la liberté.

» Parmi les différentes espèces d'êtres corporels, Dieu a choisi l'espèce
» humaine pour l'incarnation des esprits, c'est ce qui lui donne la supé-
» riorité morale et intellectuelle sur toutes les autres.

» L'âme est un esprit incarné dont le corps n'est que l'enveloppe.

» Il y a dans l'homme trois choses : 1° le corps ou être matériel analo-
» gue aux animaux, et animé par le même principe vital; 2° l'âme ou être
» immatériel, esprit incarné dans le corps; 3° le lien qui unit l'âme et
» le corps, principe intermédiaire entre la matière et l'esprit.

» L'homme a ainsi deux natures : par son corps il participe de la na-
» ture des animaux dont il a les instincts; par son âme il participe de la
» nature des esprits.

» Les esprits appartiennent à différentes classes et ne sont égaux ni en
» puissance, ni en intelligence, ni en savoir, ni en moralité. Ceux du
» premier ordre sont les esprits supérieurs qui se distinguent des autres par
» leur perfection, leurs connaissances, leur rapprochement de Dieu, la pu-
» reté de leurs sentiments et leur amour du bien : ce sont les anges ou
» purs esprits. Les autres classes s'éloignent de plus en plus de cette per-
» fection; ceux des rangs inférieurs sont enclins à la plupart de nos pas-
» sions : la haine, l'envie, la jalousie, l'orgueil, etc.; ils se plaisent au mal.
» Dans le nombre il en est qui ne sont ni très bons, ni très mauvais; plus
» brouillons et tracassiers que méchants, la malice et les inconséquences
» semblent être leur partage : ce sont les esprits follets.

» Les esprits n'appartiennent pas perpétuellement au même ordre. Tous
» s'améliorent en passant par les différents degrés de la hiérarchie spirite.
» Cette amélioration a lieu par l'incarnation qui est imposée aux uns
» comme expiation, et aux autres comme mission. La vie matérielle est
» une épreuve qu'ils doivent subir à plusieurs reprises jusqu'à ce qu'ils
» aient atteint la perfection absolue; c'est une sorte d'étamine ou d'épura-
» toire d'où ils sortent plus ou moins purifiés.

» En quittant le corps l'âme rentre dans le monde des esprits d'où elle

» était sortie, pour reprendre une nouvelle existence matérielle après un
» laps de temps plus ou moins long pendant lequel elle est à l'état d'esprit
» errant (1).

» L'esprit devant passer par plusieurs incarnations, il en résulte que
» nous tous avons eu plusieurs existences, et que nous en aurons encore
» d'autres plus ou moins perfectionnées, soit sur cette terre, soit dans d'au-
» tres mondes.

» L'incarnation des esprits a toujours lieu dans l'espèce humaine ; ce
» serait une erreur de croire que l'âme ou esprit peut s'incarner dans le
» corps d'un animal.

» Les différentes existences corporelles de l'esprit sont toujours progres-
» sives et jamais rétrogrades ; mais la rapidité du progrès dépend des
» efforts que nous faisons pour arriver à la perfection.

» Les qualités de l'âme sont celles de l'esprit qui est incarné en nous ;
» ainsi l'homme de bien est l'incarnation d'un bon esprit, et l'homme per-
» vers celle d'un esprit impur.

» L'âme avait son individualité avant son incarnation ; elle la conserve
» après sa séparation du corps.

» A sa rentrée dans le monde des esprits, l'âme y retrouve tous ceux
» qu'elle a connus sur terre, et toutes ses existences antérieures se retracent
» à sa mémoire avec le souvenir de tout le bien et de tout le mal qu'elle a
» fait.

» L'esprit incarné est sous l'influence de la matière ; l'homme qui sur-
» monte cette influence par l'élévation et l'épuration de son âme se rap-
» proche des bons esprits avec lesquels il sera un jour. Celui qui se laisse
» dominer par les mauvaises passions, et place toutes ses joies dans la satis-
» faction des appétits grossiers, se rapproche des esprits impurs en donnant
» la prépondérance à la nature animale.

» Les relations des esprits avec les hommes sont constantes. Les bons
» esprits nous sollicitent au bien, nous soutiennent dans les épreuves de la
» vie, et nous aident à les supporter avec courage et résignation ; les mauvais
» nous sollicitent au mal : c'est pour eux une jouissance de nous voir suc-
» comber et de nous assimiler à eux.

» Les communications des esprits avec les hommes sont occultes ou os-
» tensibles. Les communications occultes ont lieu par l'influence bonne
» ou mauvaise qu'ils exercent sur nous à notre insu ; c'est à notre jugement

(1) Il y a entre cette doctrine de la réincarnation et celle de la métempsycose, telle que l'admettent certaines sectes, une différence caractéristique qui est expliquée dans la suite de l'ouvrage.

— 12 —

» de discerner les bonnes et les mauvaises inspirations. Les communications
» ostensibles ont lieu au moyen de l'écriture, de la parole ou autres mani-
» festations matérielles, le plus souvent par l'intermédiaire des médiums
» qui leur servent d'instruments.

» Les esprits se manifestent spontanément ou sur évocation. On peut
» évoquer tous les esprits ; ceux qui ont animé des hommes obscurs, comme
» ceux des personnages les plus illustres, quelle que soit l'époque à laquelle
» ils ont vécu : ceux de nos parents, de nos amis ou de nos ennemis, et en
» obtenir, par des communications écrites ou verbales, des conseils, des ren-
» seignements sur leur situation d'outre-tombe, sur leurs pensées à notre
» égard, ainsi que les révélations qu'il leur est permis de nous faire.

» Les esprits sont attirés en raison de leur sympathie pour la nature
» morale du milieu qui les évoque. Les esprits supérieurs se plaisent dans
» les réunions sérieuses où dominent l'amour du bien et le désir sincère de
» s'instruire et de s'améliorer. Leur présence en écarte les esprits inférieurs
» qui trouvent au contraire un libre accès, et peuvent agir en toute liberté,
» parmi les personnes frivoles ou guidées par la seule curiosité, et partout
» où se rencontrent de mauvais instincts. Loin d'en obtenir ni bons avis,
» ni renseignements utiles, on ne doit en attendre que des futilités, des
» mensonges, de mauvaises plaisanteries ou des mystifications, car ils em-
» pruntent souvent des noms vénérés pour mieux induire en erreur.

» La distinction des bons et des mauvais esprits est extrêmement facile ;
» le langage des esprits supérieurs est constamment digne, noble, em-
» preint de la plus haute moralité, dégagé de toute basse passion ; leurs
» conseils respirent la sagesse la plus pure, et ont toujours pour but notre
» amélioration et le bien de l'humanité. Celui des esprits inférieurs, au
» contraire, est inconséquent, souvent trivial et même grossier ; s'ils disent
» parfois des choses bonnes et vraies, ils en disent plus souvent de fausses
» et d'absurdes par malice ou par ignorance ; ils se jouent de la crédu-
» lité, et s'amusent aux dépens de ceux qui les interrogent en flattant leur
» vanité, en berçant leurs désirs de fausses espérances. En résumé, les
» communications sérieuses, dans toute l'acception du mot, n'ont lieu que
» dans les centres sérieux, dans ceux dont les membres sont unis par une
» communion intime de pensées en vue du bien.

» La morale des esprits supérieurs se résume comme celle du Christ en
» cette maxime évangélique : Agir envers les autres comme nous voudrions
» que les autres agissent envers nous-mêmes ; c'est-à-dire faire le bien et ne
» point faire le mal. L'homme trouve dans ce principe la règle universelle
» de conduite pour ses moindres actions.

» Ils nous enseignent que l'égoïsme, l'orgueil, la sensualité sont des
» passions qui nous rapprochent de la nature animale en nous attachan
» à la matière ; que l'homme qui, dès ici-bas, se détache de la matière par
» le mépris des futilités mondaines et l'amour du prochain, se rapproche
» de la nature spirituelle ; que chacun de nous doit se rendre utile selon
» les facultés et les moyens que Dieu a mis entre ses mains pour l'éprou-
» ver ; que le Fort et le Puissant doivent appui et protection au Faible, car
» celui qui abuse de sa force et de sa puissance pour opprimer son sembla-
» ble viole la loi de Dieu. Ils enseignent enfin que dans le monde des esprits
» rien ne pouvant être caché, l'hypocrite sera démasqué et toutes les turpi-
» tudes dévoilées ; que la présence inévitable et de tous les instants de ceux
» envers lesquels nous aurons mal agi est un des châtiments qui nous sont
» réservés ; qu'à l'état d'infériorité et de supériorité des esprits, sont attachées
» des peines et des jouissances qui nous sont inconnues sur la terre.

» Mais ils nous enseignent aussi qu'il n'est pas de fautes irrémissibles et
» qui ne puissent être effacées par un repentir sincère et une meilleure
» conduite. L'homme en trouve le moyen dans les différentes existences
» qui lui permettent d'avancer selon son désir et ses efforts dans la voie du
» progrès et vers la perfection qui est son but final. »

Tel est le résumé de la doctrine spirite, ainsi qu'elle résulte de l'enseignement donné par les esprits supérieurs. Voyons maintenant les objections qu'on y oppose.

Parmi les antagonistes, il faut distinguer ceux chez lesquels l'incrédulité est un parti pris, et parmi ceux-ci il faut encore remarquer ceux qui repoussent les choses nouvelles par des motifs d'intérêt personnel ; nous n'avons nécessairement point à nous en occuper. Chez d'autres l'amour-propre est un mobile non moins puissant ; ils croient que la nature leur a dit son dernier mot, qu'elle n'a plus de mystères en réserve pour eux, et que tout ce qui dépasse la haute idée qu'ils se font de leur intelligence n'est qu'absurdité. Ce serait également perdre son temps que de discuter avec eux ; nous leur dirons seulement de vouloir bien se transporter à quelques années en arrière, et de voir ce que pensaient alors des nouvelles conquêtes de l'homme ceux qui, comme eux, prétendaient poser des bornes à la nature, et semblaient lui dire : Tu n'iras pas au delà. Les sarcasmes et les persécutions n'ont pas empêché le progrès, et nous demandons ce que leur réputation a gagné à s'inscrire en faux contre des faits qui sont venus plus tard donner un si éclatant démenti à leur perspicacité. L'homme qui croit sa raison infaillible est bien près de l'erreur ; ceux-même qui ont les idées les plus fausses s'appuient sur leur raison, et c'est

— 14 —

en vertu de cela qu'ils rejettent tout ce qui leur semble impossible. Ceux qui ont jadis repoussé les admirables découvertes dont l'humanité s'honore faisaient tous appel à ce juge pour les rejeter ; ce que l'on appelle raison n'est souvent que de l'orgueil déguisé, et quiconque se croit infaillible se pose comme l'égal de Dieu, et doute de la puissance infinie du créateur.

Nous nous adressons donc aux antagonistes de bonne foi, assez sages pour douter de ce qu'ils n'ont pas vu, et qui, jugeant l'avenir par le passé, ne croient pas que l'homme soit arrivé à son apogée, ni que la nature ait tourné pour lui la dernière page de son livre.

Pour beaucoup de gens, l'opposition des corps savants est, sinon une preuve, du moins une forte présomption contraire. Nous ne sommes pas de ceux qui crient haro! sur les savants, car nous ne voulons pas faire dire de nous que nous donnons le coup de pied de l'âne; nous les tenons au contraire en grande estime et nous serions fort honoré de compter parmi eux ; mais leur opinion ne saurait être en toutes circonstances un jugement irrévocable.

Dès que la science sort de l'observation matérielle des faits , qu'il s'agit d'apprécier et d'expliquer ces faits, le champ est ouvert aux conjectures ; chacun apporte son petit système qu'il veut faire prévaloir et soutient avec acharnement. Ne voyons-nous pas tous les jours les opinions les plus divergentes tour à tour préconisées et rejetées? tantôt repoussées comme erreurs absurdes, puis proclamées comme vérités incontestables? Les faits, voilà le véritable critérium de nos jugements, l'argument sans réplique; en l'absence de faits, le doute est l'opinion du sage.

Pour les choses de notoriété, l'opinion des savants fait foi à juste titre, parce qu'il savent plus et mieux que le vulgaire ; mais en fait de principes nouveaux, de choses inconnues, leur manière de voir n'est toujours qu'hypothétique, parce qu'ils ne sont pas plus que d'autres exempts de préjugés; je dirai même que le savant a peut-être plus de préjugés qu'un autre , parce qu'une propension naturelle le porte à tout subordonner au point de vue qu'il a approfondi : le mathématicien ne voit de preuve que dans une démonstration algébrique , le chimiste rapporte tout à l'action des éléments, etc. Tout homme qui s'est fait une spécialité y cramponne toutes ses idées ; sortez-le de là, souvent il déraisonne, parce qu'il veut tout soumettre au même creuset : c'est une conséquence de la faiblesse humaine. Je consulterai donc volontiers et en toute confiance un chimiste sur une question d'analyse, un physicien sur la puissance électrique, un mécanicien sur une force motrice ; mais ils me permettront, et sans que cela porte atteinte à l'estime que commande leur savoir spécial, de ne pas tenir le même compte de leur opinion négative en fait de spiritisme, pas plus que du jugement d'un architecte sur une question de musique.

Est-il d'ailleurs besoin d'un diplôme officiel pour avoir du bon sens, et ne compte-t-on en dehors des fauteuils académiques que des sots et des imbéciles? Qu'on veuille bien jeter les yeux sur les adeptes de la doctrine spirite, et l'on verra si l'on n'y rencontre que des ignorants, et si le nombre immense d'hommes de mérite qui l'ont embrassée permet de la reléguer au rang des croyances de bonnes femmes. Leur caractère et leur savoir vaut bien la peine qu'on dise : Puisque de tels hommes affirment, il faut au moins qu'il y ait quelque chose.

Nous répétons encore que si les faits qui nous occupent se fussent renfermés dans le mouvement mécanique des corps, la recherche de la cause physique de ce phénomène rentrait dans le domaine de la science ; mais dès qu'il s'agit d'une manifestation en dehors des lois de l'humanité, elle sort de la compétence de la science matérielle, car elle ne peut s'expliquer ni par les chiffres, ni par la puissance mécanique. Malheureusement le tort de beaucoup de personnes est de vouloir soumettre ces faits aux mêmes épreuves que les faits ordinaires, sans songer qu'un phénomène qui sort du cercle des connaissances usuelles doit avoir sa raison d'être en dehors de ces mêmes connaissances et ne peut se prouver par les mêmes expériences. Lorsque surgit un fait nouveau qui ne ressort d'aucune science connue, le savant, pour l'étudier, doit faire abstraction de sa science et se dire que c'est pour lui une étude nouvelle qui ne peut se faire avec des idées préconçues.

Ajoutons que l'étude d'une doctrine, telle que la doctrine spirite, qui nous lance tout à coup dans un ordre de choses si nouveau et si grand, ne peut être faite avec fruit que par des hommes sérieux, persévérants, exempts de préventions, et animés d'une ferme et sincère volonté d'arriver à un résultat. Nous ne saurions donner cette qualification à ceux qui jugent à *priori*, légèrement et sans avoir tout vu ; qui n'apportent à leurs études ni la suite, ni la régularité, ni le recueillement nécessaires; nous saurions encore moins la donner à certaines personnes qui, pour ne pas faillir à leur réputation de gens d'esprit, s'évertuent à trouver un côté burlesque aux choses les plus vraies, ou jugées telles par des personnes dont le savoir, le caractère et les convictions ont droit aux égards de quiconque se pique de savoir vivre. Que ceux donc qui ne jugent pas les faits dignes d'eux et de leur attention s'abstiennent ; personne ne songe à violenter leur croyance, mais qu'ils veuillent bien respecter celle des autres.

— 16 —

Ce qui caractérise une étude sérieuse, c'est la suite que l'on y apporte. Doit-on s'étonner de n'obtenir souvent aucune réponse sensée à des questions, graves par elles-mêmes, alors qu'elles sont faites au hasard et jetées à brûle-pourpoint au milieu d'une foule de questions saugrenues? Une question d'ailleurs est souvent complexe et demande, pour être éclaircie, des questions préliminaires ou complémentaires. Quiconque veut acquérir une science doit en faire une étude méthodique, commencer par le commencement, et suivre l'enchaînement et le développement des idées. Celui qui adresse par hasard à un savant une question sur une science dont il ne sait pas le premier mot, sera-t-il plus avancé? Le savant lui-même pourra-t-il, avec la meilleure volonté, lui donner une réponse satisfaisante? Cette réponse isolée sera forcément incomplète, et souvent par cela même inintelligible, ou pourra paraître absurde et contradictoire. Il en est exactement de même dans les rapports que nous établissons avec les esprits. Si l'on veut s'instruire à leur école, c'est un cours qu'il faut faire avec eux; mais, comme parmi nous, il faut choisir ses professeurs et travailler avec assiduité.

Nous avons dit que les esprits supérieurs ne viennent que dans les réunions sérieuses, et dans celles surtout où règne une parfaite communion de pensées et de sentiments pour le bien. La légèreté et les questions oiseuses les éloignent, comme, chez les hommes,- elles éloignent les gens raisonnables; le champ reste alors libre à la tourbe des esprits menteurs et frivoles, toujours à l'affût des occasions de se railler et de s'amuser à nos dépens. Que devient dans une telle réunion une question sérieuse? Il y sera répondu; mais par qui? C'est comme si au milieu d'une troupe de joyeux vivants vous alliez jeter ces questions : Qu'est-ce que l'âme? Qu'est-ce que la mort? et autres choses d'aussi récréatif. Si vous voulez des réponses sérieuses, soyez sérieux vous-mêmes dans toute l'acception du mot, et placez-vous dans toutes les conditions voulues : alors seulement vous obtiendrez de grandes choses ; soyez de plus laborieux et persévérants dans vos études, sans cela les esprits supérieurs vous délaissent, comme le fait un professeur pour ses écoliers négligents.

Revenons à notre sujet.

Le mouvement des objets est un fait acquis; la question est de savoir si, dans ce mouvement, il y a ou non une manifestation intelligente, et en cas d'affirmative, quelle est la source de cette manifestation.

Nous ne parlons pas du mouvement intelligent de certains objets, ni des communications verbales, ni même de celles qui sont écrites directement par le médium ; ce genre de manifestations, évident pour ceux qui ont vu et approfondi la chose, n'est point, au premier aspect, assez indépendant de la volonté pour asseoir la conviction d'un observateur novice. Nous ne parlerons donc que de l'écriture obtenue à l'aide d'un objet quelconque muni d'un crayon, tel que corbeille, planchette, etc.; la manière dont les doigts du médium sont posés sur l'objet défie, comme nous l'avons dit, l'adresse la plus consommée de pouvoir participer en quoi que ce soit au tracé des caractères. Mais admettons encore que, par une adresse merveilleuse, il puisse tromper l'œil le plus scrutateur, comment expliquer la nature des réponses, alors qu'elles sont en dehors de toutes les idées et de toutes les connaissances du médium? et qu'on veuille bien remarquer qu'il ne s'agit pas de réponses monosyllabiques, mais souvent de plusieurs pages écrites avec la plus étonnante rapidité, soit spontanément, soit sur un sujet déterminé; sous la main du médium le plus étranger à la littérature, naissent quelquefois des poésies d'une sublimité et d'une pureté irréprochables, et que ne désavoueraient pas les meilleurs poètes humains; ce qui ajoute encore à l'étrangeté de ces faits, c'est qu'ils se produisent partout, et que les médiums se multiplient à l'infini. Ces faits sont-ils réels ou non? A cela nous n'avons qu'une chose à répondre : Voyez et observez; les occasions ne vous manqueront pas; mais surtout observez souvent, longtemps et selon les conditions voulues.

A l'évidence que répondent les antagonistes? Vous êtes, disent-ils, dupe du charlatanisme ou le jouet d'une illusion. Nous dirons d'abord qu'il faut écarter le mot *charlatanisme* là où il n'y a pas de profit; les charlatans ne font pas leur métier gratis. Ce serait donc tout au plus une mystification. Mais par quelle étrange coïncidence ces mystificateurs se seraient-ils entendus d'un bout du monde à l'autre pour agir de même, produire les mêmes effets, et donner sur les mêmes sujets et dans des langues diverses, des réponses identiques, sinon quant aux mots, du moins quant au sens? Comment des personnes graves, sérieuses, honorables, instruites se prêteraient-elles à de pareilles manœuvres, et dans quel but? Comment trouverait-on chez des enfants, la patience et l'habileté nécessaires? car si les médiums ne sont pas des instruments passifs, il leur faut une habileté et des connaissances incompatibles avec un certain âge et certaines positions sociales.

Alors on ajoute que s'il n'y a pas supercherie, des deux côtés on peut être dupe d'une illusion. En bonne logique la qualité des témoins est d'un certain poids; or c'est ici le cas de demander si la doctrine spirite, qui compte aujourd'hui ses adhérents par millions, ne les recrute que parmi les ignorants? Les phénomènes sur lesquels elle s'appuie sont si extraor-

— 18 —

dinaires que nous concevons le doute; mais ce que l'on ne saurait admettre, c'est la prétention de certains incrédules au monopole du bon sens, et qui, sans respect pour les convenances ou la valeur morale de leurs adversaires, taxent sans façon d'ineptie tous ceux qui ne sont pas de leur avis. Aux yeux de toute personne judicieuse, l'opinion de gens éclairés qui ont longtemps vu, étudié et médité une chose, sera toujours, sinon une preuve, du moins une présomption en sa faveur, puisqu'elle a pu fixer l'attention d'hommes érieux, n'ayant ni un intérêt à propager une erreur, ni du temps à perdre ɛà des futilités.

Parmi les objections il en est de plus spécieuses, du moins en apparence, parce qu'elles sont tirées de l'observation, et qu'elles sont faites par des personnes graves.

Une de ces objections est tirée du langage de certains esprits qui ne paraît pas digne de l'élévation qu'on suppose à des êtres surnaturels. Si l'on veut bien se reporter au résumé de la doctrine que nous avons présenté ci-dessus, on y verra que les esprits eux-mêmes nous apprennent qu'ils ne sont égaux ni en connaissances, ni en qualités morales, et que l'on ne doit point prendre au pied de la lettre tout ce qu'ils disent. C'est aux gens sensés à faire la part du bon et du mauvais. Assurément ceux qui tirent de ce fait la conséquence que nous n'avons affaire qu'à des êtres malfaisants, dont l'unique occupation est de nous mystifier, n'ont pas connaissance des communications qui ont lieu dans les réunions où ne se manifestent que des esprits supérieurs, autrement ils ne penseraient pas ainsi. Il est fâcheux que le hasard les ait assez mal servis pour ne leur montrer que le mauvais côté du monde spirite, car nous voulons bien ne pas supposer qu'une tendance sympathique attire vers eux les mauvais esprits plutôt que les bons, les esprits menteurs, ou ceux dont le langage est révoltant de grossièreté. On pourrait tout au plus en conclure que la solidité de leurs principes n'est pas assez puissante pour écarter le mal, et que, trouvant un certain plaisir à satisfaire leur curiosité à cet égard, les mauvais esprits en profitent pour se glisser parmi eux, tandis que les bons s'éloignent. En méditant les principes contenus dans ce livre, ils y trouveront les conditions nécessaires pour n'avoir que des communications d'un ordre élevé, et pour s'affranchir de l'obsession des esprits inférieurs.

Juger la question des esprits sur ces faits, serait aussi peu logique que de juger le caractère d'un peuple par ce qui se dit et se fait dans l'assemblée de quelques étourdis ou de gens mal famés que ne fréquentent ni les sages, ni les gens sensés. Ces personnes se trouvent dans la situation d'un étranger qui, arrivant dans une grande capitale par le plus vilain faubourg, jugerait tous les habitants par les mœurs et le langage de ce quartier infime. Dans le monde des esprits, il y a aussi une bonne et une mauvaise société; que ces personnes veuillent bien étudier ce qui se passe parmi les esprits d'élite, et elles seront convaincues que la cité céleste renferme autre chose que la lie du peuple. Mais, disent-elles, les esprits d'élite viennent-ils parmi nous ? A cela nous leur répondrons : Ne restez pas dans le faubourg; voyez, observez et vous jugerez; les faits sont là pour tout le monde; à moins que ce ne soit à elles que s'appliquent ces paroles de Jésus : *Ils ont des yeux et ils ne voient point; des oreilles et ils n'entendent point.*

Une variante de cette opinion consiste à ne voir dans les communications spirites, et dans tous les faits matériels auxquels elles donnent lieu, que l'intervention d'une puissance diabolique, nouveau Protée qui revêtirait toutes les formes pour mieux nous abuser. Nous ne la croyons pas susceptible d'un examen sérieux, c'est pourquoi nous ne nous y arrêterons pas; elle se trouve réfutée par ce que nous venons de dire; nous ajouterons seulement que, s'il en était ainsi, il faudrait convenir que le diable est quelquefois bien sage, bien raisonnable et surtout bien moral, ou bien qu'il y a aussi de bons diables.

Une chose bizarre, ajoute-t-on, c'est qu'on ne parle que des esprits de personnages connus, et l'on se demande pourquoi ils sont seuls à se manifester. C'est là une erreur provenant, comme beaucoup d'autres, d'une observation superficielle. Parmi les esprits qui viennent spontanément, il en est plus encore d'inconnus pour nous que d'illustres, qui se désignent par un nom quelconque et souvent par un nom allégorique et caractéristique. Quant à ceux que l'on évoque, à moins que ce ne soit un parent ou un ami, il est assez naturel de s'adresser à ceux que l'on connaît plutôt qu'à ceux que l'on ne connaît pas; le nom des personnages illustres frappe davantage, c'est pour cela qu'ils sont plus remarqués.

On trouve encore singulier que les esprits d'hommes éminents viennent familièrement à notre appel et s'occupent quelquefois d'intérêts futiles en comparaison des grandes choses qu'ils ont accomplies pendant leur vie. A cela il n'est rien d'étonnant pour ceux qui savent que la puissance ou la considération dont ces hommes ont joui ici-bas ne leur donne aucune suprématie dans le monde spirite; les esprits confirment en ceci ces paroles de l'Evangile : Les grands seront abaissés et les petits élevés; ce qui doit s'entendre du rang que chacun de nous occupera parmi eux; c'est ainsi que celui qui a été le premier sur la terre peut s'y trouver l'un des derniers; celui devant lequel nous courbions la tête pendant sa vie, peut donc venir parmi nous comme le plus humble artisan, car en quittant la vie il a laissé

— 20 —

toute sa grandeur, et le plus puissant monarque y est peut-être au-dessous du dernier de ses soldats.

Un fait démontré par l'observation, et confirmé par les esprits eux-mêmes, c'est que les esprits inférieurs empruntent souvent des noms connus et révérés. Qui donc peut nous assurer que ceux qui disent avoir été, par exemple, Socrate, Jules César, Charlemagne, Fénelon, Napoléon, Washington, etc., aient réellement animé ces personnages? Ce doute existe parmi certains adeptes très fervents de la doctrine spirite; ils admettent l'intervention et la manifestation des esprits, mais ils se demandent quel contrôle on peut avoir de leur identité. Ce contrôle est en effet assez difficile à établir; s'il ne peut l'être d'une manière aussi authentique que par un acte d'état civil, on le peut au moins par présomption, d'après certains indices.

Lorsque l'esprit de quelqu'un qui nous est personnellement connu se manifeste, d'un parent ou d'un ami, par exemple, surtout s'il est mort depuis peu de temps, il arrive en général que son langage est en rapport parfait avec le caractère que nous lui connaissions; c'est déjà un indice d'identité; mais le doute n'est presque plus permis quand cet esprit parle de choses privées, rappelle des circonstances de famille qui ne sont connues que de l'interlocuteur. Un fils ne se méprendra pas assurément au langage de son père et de sa mère, ni des parents sur celui de leur enfant. Il se passe quelquefois dans ces sortes d'évocations intimes des choses saisissantes de nature à convaincre le plus incrédule. Le sceptique le plus endurci est souvent terrifié des révélations inattendues qui lui sont faites.

Une autre circonstance très caractéristique vient à l'appui de l'identité. Nous avons dit que l'écriture du médium change généralement avec l'esprit évoqué, et que cette écriture se reproduit exactement la même chaque fois que le même esprit se présente; on a constaté maintes fois que, pour les personnes mortes depuis peu surtout, cette écriture a une ressemblance frappante avec celle de la personne en son vivant; on a vu des signatures d'une exactitude parfaite. Nous sommes, du reste, loin de donner ce fait comme une règle et surtout comme constant; nous le mentionnons comme une chose digne de remarque.

Les esprits arrivés à un certain degré d'épuration sont seuls dégagés de toute influence corporelle; mais lorsqu'ils ne sont pas complétement dématérialisés (c'est l'expression dont ils se servent), ils conservent la plupart des idées, des penchants et même des *manies* qu'ils avaient sur la terre, et c'est encore là un moyen de reconnaissance; mais on en trouve surtout dans une foule de faits de détail que peut seule révéler une observation attentive et soutenue. On voit des écrivains discuter leurs propres ouvrages ou leurs doctrines, en approuver ou condamner certaines parties ; d'autres esprits rappeler des circonstances ignorées ou peu connues de leur vie ou de leur mort, toutes choses enfin qui sont tout au moins une des preuves morales d'identité, les seules que l'on puisse invoquer en fait de choses abstraites.

Si donc l'identité de l'esprit évoqué peut être jusqu'à un certain point établie dans quelques cas, il n'y a pas de raison pour qu'elle ne le soit pas dans d'autres, et si l'on n'a pas, pour les personnes dont la mort est plus ancienne, les mêmes moyens de contrôle, on a toujours celui du langage et du caractère ; car assurément l'esprit d'un homme de bien ne parlera pas comme celui d'un homme pervers ou d'un débauché. Quant aux esprits qui se parent de noms respectables, ils se trahissent bientôt par leur langage et leurs maximes ; celui qui se dirait Fénelon, par exemple, et qui blesserait, ne fût-ce qu'accidentellement, le bon sens et la morale, montrerait par cela même la supercherie. Si, au contraire, les pensées qu'il exprime sont toujours pures, sans contradictions et constamment à la hauteur du caractère de Fénelon, il n'y a pas de motifs pour douter de son identité ; autrement il faudrait supposer qu'un esprit qui ne prêche que le bien peut sciemment employer le mensonge, et cela sans utilité. D'ailleurs qu'importe, en définitive, qu'un esprit soit réellement ou non celui de Fénelon ; du moment qu'il ne dit que de bonnes choses, c'est un bon esprit ; le nom sous lequel il se fait connaître est indifférent.

Les observations ci-dessus nous conduisent à dire quelques mots des contradictions que l'on peut rencontrer dans la solution donnée par les esprits à certaines questions, et dont les adversaires essaient de tirer un argument contre la doctrine.

Les esprits étant très différents les uns des autres au point de vue des connaissances et de la moralité, il est évident que la même question peut être résolue dans un sens opposé, selon le rang qu'ils occupent, absolument comme si elle était posée parmi les hommes alternativement à un savant, à un ignorant ou à un mauvais plaisant. Le point essentiel, nous l'avons dit, est de savoir à qui l'on s'adresse.

Mais, ajoute-t-on, comment se fait-il que des esprits reconnus pour être supérieurs ne soient pas toujours d'accord? Nous dirons d'abord qu'indépendamment de la cause que nous venons de signaler, il en est d'autres qui peuvent exercer une certaine influence sur la nature des réponses, abstraction faite de la qualité des esprits ; ceci est un point capital dont on trou-

— 22 —

vera l'explication dans le cours de cet ouvrage, et que nous nous abstenons de reproduire ici. C'est en cela surtout que consiste la difficulté des études spirites; aussi disons-nous que ces études requièrent une attention soutenue, une observation profonde, et surtout, comme du reste toutes les sciences humaines, de la suite et de la persévérance. Il faut des années pour faire un médiocre médecin, et les trois quarts de la vie pour faire un savant, et l'on voudrait en quelques heures acquérir la science de l'infini! Qu'on ne s'y trompe donc pas; l'étude du spiritisme est immense; elle touche à toutes les questions de la métaphysique et de l'ordre social; c'est tout un monde qui s'ouvre devant nous; doit-on s'étonner qu'il faille du temps, et beaucoup de temps, pour l'acquérir?

Il faut remarquer cependant que souvent aussi la contradiction est plus apparente que réelle, et tient plus à la forme du langage qu'au sens intime. Ne voyons-nous pas tous les jours des hommes professant la même science varier dans la définition qu'ils donnent d'une chose, soit qu'ils emploient des termes différents, soit qu'ils l'envisagent sous un autre point de vue, quoique l'idée fondamentale soit toujours la même? Ajoutons encore que la forme de la réponse dépend souvent de la forme de la question. Il y aurait donc de la puérilité à trouver une contradiction là où il n'y a le plus souvent qu'une différence de mots. Les esprits supérieurs ne tiennent nullement à la forme; pour eux le fond de la pensée est tout.

Prenons pour exemple la définition de l'âme. Ce mot n'ayant pas d'acception fixe, les esprits peuvent donc, ainsi que nous, différer dans la définition qu'ils en donnent: l'un pourra dire qu'elle est le principe de la vie, un autre l'appeler étincelle animique, un troisième dire qu'elle est interne, un quatrième qu'elle est externe, etc., et tous auront raison à leur point de vue. On pourrait même croire que certains d'entre eux professent des théories matérialistes, et pourtant il n'en est rien. Il en est de même de *Dieu*; ce sera: le principe de toutes choses, le Créateur de l'univers, la souveraine intelligence, l'infini, le grand Esprit, etc., etc., et en définitive ce sera toujours Dieu. Citons enfin la classification des esprits. Ils forment une suite non interrompue depuis le degré inférieur jusqu'au degré supérieur; la classification est donc arbitraire; l'un pourra en faire trois classes, un autre cinq, dix ou vingt à volonté, sans être pour cela dans l'erreur; toutes les sciences humaines nous en offrent l'exemple; chaque savant a son système; les systèmes changent; mais la science ne change pas. Qu'on apprenne la botanique par le système de Linnée, de Jussieu, ou de Tournefort, on n'en saura pas moins la botanique. Cessons donc de donner aux choses de pure convention plus d'importance qu'elles n'en méritent, pour nous attacher à

— 23 —

ce qui seul est véritablement sérieux, et souvent la réflexion fera découvrir dans ce qui semble le plus disparate une similitude qui avait échappé à une première inspection.

Nous passerions légèrement sur l'objection de certains sceptiques au sujet des fautes d'orthographe commises par quelques esprits, si elle ne devait donner lieu à une remarque essentielle. Leur orthographe, il faut le dire, n'est pas toujours irréprochable ; mais il faut être bien à court de raisons pour en faire l'objet d'une critique sérieuse, en disant que puisque les esprits savent tout, ils doivent savoir l'orthographe. Nous pourrions leur opposer les nombreux péchés de ce genre commis par plus d'un savant de la terre, ce qui n'ôte rien à leur science ; mais il y a dans ce fait une question plus grave. Pour les esprits, et surtout pour les esprits supérieurs, l'idée est tout, la forme n'est rien. Dégagés de la matière, leur langage entre eux est rapide comme la pensée, puisque c'est la pensée même qui se communique sans intermédiaire ; ils doivent donc se trouver mal à l'aise quand ils sont obligés, pour se communiquer à nous, de se servir des formes longues et embarrassées du langage humain, et surtout de l'insuffisance et de l'imperfection de ce langage pour rendre toutes les idées ; c'est ce qu'ils disent eux-mêmes ; aussi est-il curieux de voir les moyens qu'ils emploient souvent pour atténuer cet inconvénient. Il en serait ainsi de nous si nous avions à nous exprimer dans une langue plus longue dans ses mots et dans ses tournures, et plus pauvre dans ses expressions, que celle dont nous faisons usage. C'est l'embarras qu'éprouve l'homme de génie s'impatientant de la lenteur de sa plume qui est toujours en arrière de sa pensée. On conçoit d'après cela que les esprits attachent peu d'importance à la puérilité de l'orthographe, lorsqu'il s'agit surtout d'un enseignement grave et sérieux ; n'est-il pas déjà merveilleux d'ailleurs qu'ils s'expriment indifféremment dans toutes les langues et qu'ils les comprennent toutes ? Il ne faut pas en conclure de là pourtant que la correction conventionnelle du langage leur soit inconnue ; ils l'observent quand cela est nécessaire : c'est ainsi, par exemple, que la poésie dictée par eux défierait souvent la critique du plus méticuleux puriste et cela *malgré l'ignorance du médium*.

Il y a ensuite des gens qui trouvent du danger partout, et à tout ce qu'ils ne connaissent pas ; aussi ne manquent-ils pas de tirer une conséquence défavorable de ce que certaines personnes, en s'adonnant à ces études, ont perdu la raison. Comment des hommes sensés peuvent-ils voir dans ce fait une objection sérieuse ? N'en n'est-il pas de même de toutes les préoccupations intellectuelles sur un cerveau faible ? Sait-on le nombre des fous et des maniaques produit par les études mathématiques, médicales, musicales, philosophiques, et autres? Faut-il pour cela bannir ces études? Qu'est-ce que cela prouve? Par les travaux corporels on s'estropie les bras et les jambes, qui sont les instruments de l'action matérielle ; par les travaux de l'intelligence on s'estropie le cerveau, qui est l'instrument de la pensée. Mais si l'instrument est brisé, l'esprit ne l'est pas pour cela : il est intact ; et lorsqu'il est dégagé de la matière, il n'en jouit pas moins de la plénitude de ses facultés. C'est dans son genre, comme homme, un martyr du travail.

Il nous reste à examiner deux objections, les seules qui méritent véritablement ce nom, parce qu'elles sont basées sur des théories raisonnées. L'une et l'autre admettent la réalité de tous les phénomènes matériels et moraux, mais elles excluent l'intervention des esprits.

Selon la première de ces théories, toutes les manifestations attribuées aux esprits ne seraient autre chose que des effets magnétiques. Les médiums seraient dans un état qu'on pourrait appeler somnambulisme éveillé, phénomène dont toute personne qui a étudié le magnétisme a pu être témoin. Dans cet état les facultés intellectuelles acquièrent un développement anormal ; le cercle des perceptions intuitives s'étend hors des limites de notre conception ordinaire. Dès lors le médium puiserait en lui-même et par le fait de sa lucidité, tout ce qu'il dit et toutes les notions qu'il transmet, même sur les choses qui lui sont le plus étrangères dans son état habituel.

Ce n'est pas nous qui contesterons la puissance du somnambulisme dont nous avons vu les prodiges et étudié toutes les phases ; nous convenons qu'en effet beaucoup de manifestations spirites peuvent s'expliquer par ce moyen ; mais une observation soutenue et attentive montre une foule de faits où l'intervention du médium, autrement que comme instrument passif, est matériellement impossible. A ceux qui partagent cette opinion, nous dirons comme aux autres : « Voyez et observez, car assurément vous n'avez pas tout vu. » Nous leur opposerons ensuite deux considérations tirées de leur propre doctrine. D'où est venue la théorie spirite? Est-ce un système imaginé par quelques hommes pour expliquer les faits? Nullement. Qui donc l'a révélée? Précisément ces mêmes médiums dont vous exaltez la lucidité. Si donc cette lucidité est telle que vous la supposez, pourquoi auraient-ils attribué à des esprits ce qu'ils auraient puisé en eux-mêmes? Comment auraient-ils donné ces renseignements si précis, si logiques, si sublimes sur la nature de ces intelligences extra-humaines? De deux choses l'une, ou ils sont lucides ou ils ne le sont pas : s'ils le sont et si l'on a confiance en leur véracité, on ne saurait sans contradiction admettre qu'ils ne sont pas dans le vrai. En second lieu, si tous les phénomènes avaient leur source dans le médium, ils seraient identiques chez le même individu, et l'on ne verrait pas la même personne tenir un langage disparate, ni exprimer tour à tour les choses les plus contradictoires. Ce défaut d'unité dans les manifestations obtenues par le médium prouve la diversité des sources; si donc on ne peut les trouver toutes dans le médium, il faut bien les chercher hors de lui.

Selon une autre opinion, le médium est également la source des manifestations, mais au lieu de les puiser en lui-même, ainsi que le prétendent les partisans de la théorie somnambulique, il les puise dans le milieu ambiant. Le médium serait ainsi une sorte de miroir reflétant toutes les idées, toutes les pensées et toutes les connaissances des personnes qui l'entourent; il ne dirait rien qui ne soit connu au moins de quelques-unes. On ne saurait nier, et c'est même là un principe de la doctrine, l'influence exercée par les assistants sur la nature des manifestations; mais cette influence est tout autre que celle qu'on suppose exister, et de là à ce que le médium soit l'écho de leurs pensées, il y a fort loin, car des milliers de faits établissent péremptoirement le contraire. C'est donc là une erreur grave qui prouve une fois de plus le danger des conclusions prématurées. Ces personnes ne pouvant nier l'existence d'un phénomène dont la science vulgaire ne peut rendre compte, et ne voulant pas admettre la présence des esprits, l'expliquent à leur manière. Leur théorie serait spécieuse si elle pouvait embrasser tous les faits; mais il n'en est point ainsi. Lorsqu'on leur démontre jusqu'à l'évidence que certaines communications du médium sont complétement étrangères aux pensées, aux connaissances, aux opinions mêmes de tous les assistants, que ces communications sont souvent spontanées et contredisent toutes les idées préconçues, elles ne sont pas arrêtées pour si peu de chose. Le rayonnement, disent-elles, s'étend bien au delà du cercle immédiat qui nous entoure; le médium est le reflet de l'humanité tout entière, de telle sorte que s'il ne puise pas ses inspirations à côté de lui, il va les chercher au dehors, dans la ville, dans la contrée, dans tout le globe, et même dans les autres sphères.

Je ne pense pas que l'on trouve dans cette théorie une explication plus simple et plus probable que celle du spiritisme, car elle suppose une cause bien autrement merveilleuse. L'idée que des êtres peuplant les espaces, et qui, étant en contact permanent avec nous, nous communiquent leurs pensées, n'a rien qui choque plus la raison que la supposition de ce

— 26 —

rayonnement universel venant de tous les points de l'univers se concentrer dans le cerveau d'un individu.

Encore une fois, et c'est là un point capital sur lequel nous ne saurions trop insister, la théorie somnambulique, et celle qu'on pourrait appeler *réflective*, ont été imaginées par quelques hommes; ce sont des opinions individuelles créées pour expliquer un fait, tandis que la doctrine des esprits n'est point de conception humaine; elle a été dictée par les intelligences mêmes qui se manifestent alors que nul n'y songeait, que l'opinion générale même la repoussait; nous demandons alors où les médium ont été puiser une doctrine qui n'existait dans la pensée de personne sur la terre; nous demandons en outre par quelle étrange coïncidence des milliers de médiums disséminés sur tous les points du globe, qui ne se sont jamais vus, s'accordent pour dire la même chose? Si le premier médium qui parut en France a subi l'influence d'opinions déjà accréditées en Amérique, par quelle bizarrerie a-t-il été puiser ses idées à 2,000 lieues au delà des mers, chez un peuple étranger de mœurs et de langage, au lieu de les prendre autour de lui?

Mais il est une autre circonstance à laquelle on n'a point assez songé. Les premières manifestations, en France comme en Amérique, n'ont eu lieu ni par l'écriture, ni par la parole, mais par des coups frappés concordant avec les lettres de l'alphabet et formant des mots et des phrases. C'est par ce moyen que les intelligences qui se sont révélées ont déclaré être des esprits. Or, si l'on pouvait supposer l'intervention de la pensée des médiums dans les communications verbales ou écrites, il ne saurait en être ainsi des coups frappés dont la signification ne pouvait être connue d'avance.

Nous pourrions citer nombre de faits qui démontrent, dans l'intelligence qui se manifeste, une individualité évidente et une indépendance absolue de volonté. Nous renvoyons donc les dissidents à une observation plus attentive, et s'ils veulent bien étudier sans préventions et ne pas conclure avant d'avoir tout vu, ils reconnaîtront l'impuissance de leur théorie pour rendre raison de tout. Nous nous bornerons à poser les deux questions suivantes : Pourquoi l'intelligence qui se manifeste, quelle qu'elle soit, refuse-t-elle de répondre à certaines questions sur des sujets parfaitement connus, comme par exemple sur le nom ou l'âge de l'interrogateur, sur ce qu'il a dans la main, ce qu'il a fait la veille, son projet du lendemain, etc. Si le médium est le miroir de la pensée des assistants, rien ne lui serait plus aisé que de répondre.

Les adversaires rétorquent l'argument en demandant à leur tour pourquoi des esprits qui doivent tout savoir ne peuvent dire des choses aussi simples, selon l'axiome : *Qui peut le plus peut le moins;* d'où ils concluent que ce ne sont pas des esprits. Si un ignorant ou un mauvais plaisant, se présentant devant une docte assemblée, demandait, par exemple, pourquoi il fait jour en plein midi, croit-on qu'elle se donnât la peine de répondre sérieusement, et serait-il logique de conclure de son silence, ou des railleries dont elle gratifierait le questionneur, que ses membres ne sont que des ânes ? Or, c'est précisément parce que les esprits sont supérieurs qu'ils ne répondent pas à des questions oiseuses et ridicules, et ne veulent pas être mis à l'épreuve; c'est pourquoi ils se taisent ou disent de s'occuper de choses plus sérieuses.

Nous demanderons enfin pourquoi les esprits viennent et s'en vont souvent à un moment donné, et pourquoi, ce moment passé, il n'y a ni prières, ni supplications qui puissent les ramener ? Si le médium n'agissait que par l'impulsion mentale des assistants, il est évident que dans cette circonstance le concours de toutes les volontés réunies devrait stimuler sa clairvoyance. Si donc, il ne cède pas au désir de l'assemblée, corroborée par sa propre volonté, c'est qu'il obéit à une influence étrangère à lui-même et à ceux qui l'entourent, et que cette influence accuse par là son indépendance et son individualité.

Les phénomènes étranges dont nous sommes témoins ne sont point le résultat d'une découverte due au hasard. Les esprits nous disent qu'il y a dans ce fait, qui a pris en peu de temps des proportions si considérables, quelque chose de providentiel. Ils déclarent que ce sont eux qui sont chargés désormais d'instruire les hommes et de renverser les erreurs et les préjugés, non plus par des allégories et des figures symboliques, mais dans un langage clair et intelligible pour tous; non plus sur un point isolé du globe, mais sur sa surface tout entière. Selon eux, ces manifestations sont le prélude de la transformation de l'humanité.

Quoi qu'il en soit, il est incontestable que nous trouvons dans l'enseignement des esprits supérieurs les préceptes d'une morale sublime qui n'est autre que le développement et l'explication de celle du Christ, et dont l'effet doit être de rendre les hommes meilleurs. Il est des personnes qui trouvent cette morale insuffisante; il n'y a là, disent-elles, rien de nouveau; c'est la morale vulgaire; on devait s'attendre de la part des esprits à quelque chose de plus grand, de plus extraordinaire; à quelque chose, en un mot, qui sortît du sentier battu.

Nous aurons peu de choses à leur répondre. Nous leur dirons d'abord que nous ne présentons ici qu'un résumé, et que si elles veulent connaître

— 28 —

la doctrine complète, il faut qu'elles se donnent la peine de l'étudier, et surtout d'en méditer les applications. La base sur laquelle repose cette morale est simple, il est vrai ; mais c'est par sa simplicité même qu'elle est sublime : Dieu a fait son code en quelques mots. Elle est connue, c'est encore vrai : c'est la morale que l'on enseigne partout ; pourquoi donc la pratique-t-on si peu ? Plus d'un parmi ceux qui la trouvent mesquine seraient peut-être quelque peu désappointés s'ils étaient contraints de pratiquer, dans la rigueur du mot, ce simple précepte, si puéril à leurs yeux : *Ne fais à personne ce que tu ne voudrais pas qu'on te fît*, et surtout de réparer tout ce qu'ils ont pu faire en violation de ce précepte.

De deux choses l'une : ou ils trouvent ce précepte trop rigoureux, ou ils le trouvent trop doux. Dans le premier cas, on pourrait croire qu'ils seraient enchantés de le voir remplacé par quelque chose qui les affranchît d'une obligation très gênante, nous en convenons, pour beaucoup de gens ; dans le second, c'est qu'apparemment ils le pratiquent déjà scrupuleusement, et qu'ils sont plus sévères pour eux que Dieu lui-même. Eh bien ! quelque douce que soit cette obligation, Dieu s'en contente, et quand l'homme le voudra, avec ces quelques mots, il fera de son globe une terre promise. Nous trouvons, quant à nous, que les esprits prouvent leur supériorité, précisément en confirmant les paroles du Christ, et en annonçant qu'ils sont chargés de hâter la fin du règne de l'égoïsme pour le remplacer par celui de la justice. Nous ne croyons pas qu'il soit possible d'être sincèrement convaincu de l'existence et de la manifestation des esprits, sans faire un retour sérieux sur soi-même, et sans voir l'avenir avec confiance. Cette croyance ne peut donc que conduire l'homme dans la voie du bien, car elle nous montre le néant des choses terrestres auprès de l'infini qui nous attend ; elle place au premier rang des conditions de notre bonheur futur l'amour et la charité envers nos semblables, en flétrissant les passions qui nous assimilent à la brute.

LES LIVRES DES ESPRITS.

PROLÉGOMÈNES.

Des phénomènes qui sortent des lois de la science vulgaire se manifestent de toutes parts, et révèlent dans leur cause l'action d'une volonté libre et intelligente.

La raison dit qu'un effet intelligent doit avoir pour cause une puissance intelligente, et les faits ont prouvé que cette puissance peut entrer en communication avec les hommes par des signes matériels.

Cette puissance, interrogée sur sa nature, a déclaré appartenir au monde des êtres spirituels qui ont dépouillé l'enveloppe corporelle de l'homme. C'est ainsi que fut révélée la doctrine des esprits.

Les communications entre le monde spirite et le monde corporel sont dans la nature des choses, et ne constituent aucun fait surnaturel; c'est pourquoi on en trouve la trace chez tous les peuples et à toutes les époques, aujourd'hui elles sont générales et patentes pour tout le monde.

Les esprits annoncent que les temps marqués par la Providence pour une manifestation universelle sont arrivés, et qu'étant les ministres de Dieu et les agents de sa volonté, leur mission est d'instruire et d'éclairer les hommes en ouvrant une nouvelle ère pour la régénération de l'humanité.

Ce livre est le recueil de leurs enseignements; il a été écrit par l'ordre et

— 30 —

sous la dictée d'esprits supérieurs pour établir les fondements de la véritable doctrine spirite, dégagée des erreurs et des préjugés; il ne renferme rien qui ne soit l'expression de leur pensée et qui n'ait subi leur contrôle. L'ordre et la distribution méthodique des matières, ainsi que la forme matérielle de quelques parties de la rédaction, sont seuls l'œuvre de celui qui a reçu mission de le publier.

Parmi les esprits qui ont bien voulu se manifester à lui pour l'accomplissement de cette œuvre, plusieurs ont vécu à diverses époques sur la terre où ils ont prêché et pratiqué la vertu et la sagesse; d'autres n'appartiennent par leur nom à aucun personnage dont l'histoire ait gardé le souvenir, mais leur élévation est attestée par la pureté de leur doctrine, et leur union avec ceux qui portent des noms vénérés.

Voici les termes dans lesquels ils ont donné par écrit, et par l'intermédiaire de plusieurs médiums, la mission d'écrire ce livre :

« Occupe-toi avec zèle et persévérance du travail que tu as entrepris
» avec notre concours; ce travail est aussi le nôtre. Nous le reverrons
» ensemble afin qu'il ne renferme rien qui ne soit l'expression de notre pen-
» sée et de la vérité; mais, surtout quand l'œuvre sera terminée, rappelle-toi
» que nous t'ordonnons de l'imprimer et de la propager; c'est une chose
» d'utilité universelle.

» Tu as bien compris ta mission; nous sommes contents de toi. Con-
» tinue et nous ne te quitterons jamais. Crois en Dieu et marche avec con-
» fiance !

» Nous serons avec toi toutes les fois que tu le demanderas, et tu seras à
» nos ordres chaque fois que nous t'appellerons; car ce n'est là qu'une partie
» de la mission qui t'est confiée et qui t'a déjà été révélée par l'un de nous.

» Dans le nombre des enseignements qui te sont donnés, il en est que tu
» dois garder pour toi seul jusqu'à nouvel ordre : nous t'indiquerons quand
» le moment de les publier sera venu; en attendant, médite-les afin d'être
» prêt quand nous te le dirons.

» Tu mettras en tête du livre le cep de vigne que nous t'avons dessiné (1),
» parce qu'il est l'emblème du travail du Créateur; tous les principes ma-
» tériels qui peuvent le mieux représenter le corps et l'esprit s'y trouvent
» réunis : le corps c'est le cep; l'âme c'est le grain; l'esprit c'est la liqueur;
» c'est l'homme qui quintessencie l'esprit par le travail, et tu sais que ce
» n'est que par le travail du corps que l'esprit acquiert des connaissances.

» Ne te laisse pas décourager par la critique. Tu trouveras des contradic-

(1) Le cep ci-dessus est le fac-simile de celui qui a été dessiné par les esprits.

» teurs acharnés, surtout parmi les gens intéressés aux abus. Tu en trouve-
» ras même parmi les esprits, car ceux qui ne sont pas complétement déma-
» térialisés cherchent souvent à semer le doute par malice ou par igno-
» rance ; mais va toujours ; nous serons là pour te soutenir, et le temps
» est proche où la vérité éclatera de toutes parts.

» La vanité de certains hommes qui croient tout savoir et veulent tout
» expliquer à leur manière, fera naître des opinions dissidentes ; mais tous
» ceux qui auront en vue le grand principe de Jésus se confondront dans
» le même sentiment de l'amour du bien, et s'uniront par un lien frater-
» nel qui embrassera le monde entier ; ils laisseront de côté les miséra-
» bles disputes de mots pour ne s'occuper que des choses essentielles, et la
» doctrine sera toujours la même quant au fond pour tous ceux qui re-
» cevront les communications des esprits supérieurs. »

Nota. — Les principes contenus dans ce livre résultent, soit des réponses faites par les esprits aux questions directes qui leur ont été proposées, soit des instructions données par eux spontanément sur les matières qu'il renferme. Le tout a été coordonné de manière à présenter un ensemble régulier et méthodique, et n'a été livré à la publicité qu'après avoir été soigneusement revu à plusieurs reprises et corrigé par les esprits eux-mêmes.

La première colonne contient les questions proposées suivies des réponses textuelles. La seconde renferme l'énoncé de la doctrine sous une forme courante. Ce sont à proprement parler deux rédactions sur un même sujet sous deux formes différentes : l'une a l'avantage de présenter en quelque sorte la physionomie des entretiens spirites, l'autre de permettre une lecture suivie.

Bien que le sujet traité dans chaque colonne soit le même, elles renferment souvent l'une et l'autre des pensées spéciales qui, lorsqu'elles ne sont pas le résultat de questions directes, n'en sont pas moins le produit des instructions données par les esprits, car il n'en est aucune qui ne soit l'expression de leur pensée.

LIVRE PREMIER.

DOCTRINE SPIRITE.

CHAPITRE PREMIER.

DIEU.

Preuves de l'existence de Dieu. — Dieu est un être individuel. — Attributs de la divinité.

1 — Qu'est-ce que Dieu ?
(Définition ci-à-côté.)

2 — Où peut-on trouver la preuve de l'existence de Dieu ?

« Dans un axiome que vous appliquez à vos sciences : Il n'y a pas d'effet sans cause. Cherchez la cause de tout ce qui n'est pas l'œuvre de l'homme, et votre raison vous répondra. »

3 — Quelle conséquence peut-on tirer du sentiment intuitif que tous les hommes portent en eux-mêmes de l'existence de Dieu ?

« Que Dieu existe. »
— Le sentiment intime que nous avons en nous-mêmes de l'existence de Dieu ne serait-il pas le fait de l'éducation et le produit d'idées acquises ?

« Si cela était, pourquoi vos sauvages auraient-ils ce sentiment ? »

4 — Pourrait-on trouver la cause première de la formation des choses dans les propriétés intimes de la matière ?

« Mais alors quelle serait la cause de ces propriétés ? Il faut toujours une cause première. »

5 — Que penser de l'opinion qui at-

1 — Dieu est l'intelligence suprême, cause première de toutes choses.

2 — Pour croire en Dieu il suffit de jeter les yeux sur les œuvres de la création.

L'univers existe, il a donc une cause. Douter de l'existence de Dieu, serait nier que tout effet a une cause, et avancer que rien peut faire quelque chose.

3 — Dieu a mis en nous-mêmes la preuve de son existence par le sentiment instinctif qui se trouve chez tous les peuples, dans tous les siècles et à tous les degrés de l'échelle sociale.

Si le sentiment de l'existence d'un être suprême n'était que le produit d'un enseignement, il ne serait pas universel, et n'existerait, comme les notions des sciences, que chez ceux qui auraient pu recevoir cet enseignement.

4 — Attribuer la formation première des choses aux propriétés intimes de la matière, serait prendre l'effet pour la cause, car ces propriétés sont elles-mêmes un effet qui doit avoir une cause.

5 — L'harmonie qui règle les ressorts

CHAPITRE PREMIER.

tribue la formation première à une combinaison fortuite de la matière, autrement dit au hasard?

« Autre absurdité! quel homme de bon sens peut regarder le hasard comme un être intelligent? Et puis, qu'est-ce que le hasard? Rien. »

6 — Où voit-on dans la cause première une intelligence suprême et supérieure à toutes les intelligences?

« Vous avez un proverbe qui dit ceci : A l'œuvre on reconnaît l'ouvrier. Eh bien ! regardez l'œuvre et cherchez l'ouvrier. »

« C'est l'orgueil qui engendre l'incrédulité. L'homme orgueilleux ne veut rien au-dessus de lui, c'est pourquoi il s'appelle esprit fort. Pauvre être qu'un souffle de Dieu peut abattre! »

7 — Des philosophes ont dit que Dieu c'est l'infini ; des esprits même l'ont ainsi désigné. Que doit-on penser de cette explication?

« Définition incomplète. Pauvreté de la langue des hommes qui est insuffisante pour définir les choses qui sont au-dessus de leur intelligence. »

— Que doit-on entendre par l'infini?

« Ce qui n'a ni commencement ni fin. »

8 — Dieu est-il un être distinct, ou bien serait-il, selon l'opinion de quelques-uns, la résultante de toutes les forces et de toutes les intelligences de l'univers réunies, ce qui ferait de chaque être une portion de la divinité?

« Orgueil de la créature qui veut se croire Dieu. Fils ingrat qui renie son père. »

9 — L'homme peut-il comprendre la nature intime de Dieu?

« Non. »

— Pourquoi n'est il pas donné à l'homme de comprendre l'essence de la divinité?

de l'univers décèle des combinaisons et des vues déterminées, et par cela même révèle une puissance intelligente. Attribuer la formation première au hasard serait un non-sens, car le hasard est aveugle et ne peut produire les effets de l'intelligence.

6 — On juge la puissance d'une intelligence par ses œuvres; nul être humain ne pouvant créer ce que produit la nature, la cause première est donc une intelligence supérieure à l'humanité.

Quels que soient les prodiges accomplis par l'intelligence humaine, cette intelligence a elle-même une cause, et plus ce qu'elle accomplit est grand, plus la cause première doit être grande. C'est cette intelligence qui est la cause première de toutes choses, quel que soit le nom sous lequel l'homme l'a désignée.

7 — Dieu est infini dans ses perfections; mais l'infini est une abstraction ; dire que Dieu c'est l'*infini*, c'est prendre l'attribut pour la chose même, et définir une chose qui n'est pas connue, par une chose qui ne l'est pas davantage. C'est ainsi qu'en voulant pénétrer ce qu'il n'est pas donné à l'homme de connaître, on s'engage dans une voie sans issue, et l'on ouvre la porte aux discussions.

8 — Dieu est un être distinct de tous les autres êtres. Voir Dieu dans le produit de toutes les forces réunies de l'univers serait nier son existence, car il serait ainsi l'effet et non la cause.

L'intelligence de Dieu se révèle dans ses œuvres comme celle d'un peintre dans son tableau; mais les œuvres de Dieu ne sont pas plus Dieu lui-même que le tableau n'est le peintre qui l'a conçu et exécuté. Ce serait encore là prendre l'effet pour la cause.

9 — L'infériorité des facultés de l'homme ne lui permet pas de comprendre la nature intime de Dieu. Dans l'enfance de l'humanité, l'homme le confond souvent avec la créature dont il lui attribue les imperfections;

« C'est un sens qui lui manque. »
— Sera-t-il un jour donné à l'homme de comprendre le mystère de la divinité ?

« Quand son esprit ne sera plus obscurci par la matière et que, par sa perfection, il se sera rapproché de lui, alors il le verra et il le comprendra. »

10 — Si nous ne pouvons comprendre la nature intime de Dieu, pouvons-nous avoir une idée de quelques-unes de ses perfections ?

« Oui, de quelques-unes. L'homme les comprend mieux à mesure qu'il s'élève au-dessus de la matière ; il les entrevoit par la pensée. »

— Lorsque nous disons que Dieu est éternel, infini, immuable, immatériel, unique, tout-puissant, souverainement juste et bon, n'avons-nous pas une idée complète de ses attributs ?

« A votre point de vue, oui, parce que vous croyez tout embrasser ; mais sachez bien qu'il est des choses au-dessus de l'intelligence de l'homme le plus intelligent, et pour lesquelles votre langage, borné à vos idées et à vos sensations, n'a point d'expressions. »

« La raison vous dit en effet que Dieu doit avoir ces perfections au suprême degré, car s'il en avait une seule de moins, ou bien qui ne fût pas à un degré infini, il ne serait pas supérieur à tout, et par conséquent ne serait pas Dieu. Pour être au-dessus de toutes choses Dieu ne doit subir aucune vicissitude, et n'avoir aucune des imperfections que l'imagination peut concevoir » (*note* 1).

mais à mesure que le sens moral se développe en lui, sa pensée pénètre mieux le fond des choses, et il s'en fait une idée plus juste et plus conforme à la saine raison, quoique toujours incomplète.

10 — La raison nous dit que Dieu est éternel, immuable, immatériel, unique, tout-puissant, souverainement juste et bon, et *infini* dans toutes ses perfections.

Dieu est *éternel* ; s'il avait eu un commencement il serait sorti du néant, ou bien il aurait été créé lui-même par un être antérieur. C'est ainsi que de proche en proche nous remontons à l'infini et à l'éternité.

Il est *immuable* ; s'il était sujet à des changements, les lois qui régissent l'univers n'auraient aucune stabilité.

Il est *immatériel* ; c'est-à-dire que sa nature diffère de tout ce que nous appelons matière, autrement il ne serait pas immuable, car il serait sujet aux transformations de la matière.

Il est *unique* ; s'il y avait plusieurs Dieux il n'y aurait ni unité de vues, ni unité de puissance dans l'ordonnance de l'univers.

Il est *tout-puissant*, parce qu'il est unique. S'il n'avait pas la souveraine puissance, il y aurait quelque chose de plus puissant ou d'aussi puissant que lui ; il n'eût pas fait toutes choses, et celles qu'il n'aurait pas faites seraient l'œuvre d'un autre Dieu.

Il est *souverainement juste et bon*. La sagesse providentielle des lois divines se révèle dans les plus petites choses comme dans les plus grandes, et cette sagesse ne permet de douter ni de sa justice, ni de sa bonté.

CHAPITRE II.

CRÉATION.

Principe des choses. — Investigations de la science sur le principe des choses. — Infini de l'espace. — Tous les mondes de l'univers sont peuplés d'êtres vivants. — Formation des êtres vivants sur la terre. — Adam. — Diversité des races sur la terre.

11 — L'univers a-t-il été créé, ou bien est-il de toute éternité comme Dieu ?
« Sans doute il n'a pu se faire tout seul, et s'il était de toute éternité comme Dieu, il ne pourrait pas être l'œuvre de Dieu. »
— Comment Dieu a-t-il créé l'univers ?
« Pour me servir d'une expression : Volonté. »
12 — Est-il donné à l'homme de connaître le principe des choses ?
« Non, Dieu le défend. »
— Pouvons-nous connaître la durée de la formation des mondes : de la terre, par exemple ?
« Je ne peux pas te le dire, car le créateur seul le sait; et bien fou qui prétendrait le savoir, ou connaître le nombre des siècles de cette formation. »
13 — L'homme pénétrera-t-il un jour le mystère des choses qui lui sont cachées ici-bas ?
« Oui ; alors le voile sera levé. »
— Les esprits connaissent-ils le principe des choses ?
« Plus ou moins, selon leur élévation et leur pureté ; mais les esprits inférieurs n'en savent pas plus que les hommes. »
14 — L'homme ne peut-il pas, par les investigations de la science, pénétrer quelques-uns des secrets de la nature ?
« Oui ; mais il ne peut dépasser les limites fixées par Dieu. »

11 — L'univers comprend l'infinité des mondes que nous voyons et ceux que nous ne voyons pas, tous les êtres animés et inanimés, tous les astres qui se meuvent dans l'espace ainsi que les fluides qui le remplissent.
La raison nous dit que l'univers n'a pu se faire lui-même, et que, ne pouvant être l'œuvre du hasard, il doit être l'œuvre de Dieu.

12 — Le principe des choses est un mystère qu'il n'est pas donné à l'homme de pénétrer en cette vie et qu'il cherche inutilement à connaître. C'est ainsi que l'origine des mondes, l'époque, le mode et la durée de leur formation restent dans le secret de Dieu.

13 — Le voile qui cache à l'homme le principe des choses ici-bas, sera levé pour lui dans une existence plus épurée; alors il comprendra tout : le passé et l'avenir se dérouleront à ses yeux à mesure qu'il s'élèvera dans la perfection spirituelle, et la nature n'aura plus de secrets pour lui.

14 — L'homme, par son intelligence, peut pénétrer quelques-uns des mystères de la nature jusqu'aux limites qu'il a plu à Dieu d'assigner aux investigations de la science. Plus il lui est donné

CRÉATION.

— Pourquoi les hommes qui approfondissent les sciences de la nature sont-ils si souvent portés au scepticisme ?

« Orgueil ! toujours orgueil ! l'enfant qui croit savoir plus que son père le méprise et le renie ; mais l'orgueil sera confondu. »

— L'orgueil sera-t-il confondu en ce monde ou dans l'autre ?

« Dans ce monde et dans l'autre. »

15 — En dehors des investigations de la science, est-il donné à l'homme de recevoir des communications d'un ordre plus élevé sur ce qui échappe au témoignage de ses sens ?

« Oui, si Dieu le juge utile, il peut révéler ce que la science ne peut apprendre. »

16 — L'espace universel est-il infini ou limité ?

« Infini. Suppose-lui des bornes, qu'y aurait-il au-delà ? Cela confond ta raison, je le sais bien, et pourtant ta raison te dit qu'il n'en peut être autrement. Il en est de même de l'infini en toutes choses ; ce n'est pas dans votre petite sphère que vous pouvez le comprendre. »

17 — Tous les globes qui circulent dans l'espace sont-ils habités ?

« Oui. »

— Les autres mondes sont-ils habités par des êtres intelligents comme l'homme ?

« Oui, et l'homme de la terre est loin d'être, comme il le croit, le premier en intelligence, en bonté et en perfection. »

« Il y a pourtant des hommes qui se croient bien forts, qui s'imaginent que ce petit globe a seul le privilége d'avoir des êtres raisonnables. Orgueil et vanité ! Ils croient que Dieu a créé l'univers pour eux seuls. »

18 — La constitution physique des différents globes est-elle la même ?

« Non ; ils ne se ressemblent nullement. »

— De ce que la constitution physique des mondes n'est pas la même, s'ensuit-il pour les êtres qui les habitent une organisation différente ?

de pénétrer avant dans ces mystères, plus son admiration doit être grande pour la puissance et la sagesse du créateur ; mais, soit par orgueil, soit par faiblesse, son intelligence même le rend souvent le jouet de l'illusion, et chaque jour lui montre combien d'erreurs il a prises pour des vérités, et combien de vérités il a repoussées comme des erreurs.

15 — La science vulgaire de l'homme s'arrête au témoignage des sens ; mais il lui est donné de recevoir en quelques circonstances des communications d'un ordre plus élevé. C'est par ces communications qu'il puise, dans certaines limites, la connaissance de son passé et de sa destinée future.

16 — L'espace universel est infini, c'est-à-dire sans bornes. Si l'on suppose une limite à l'espace, quelque éloignée que la pensée puisse la concevoir, la raison dit qu'au-delà de cette limite il y a quelque chose, et ainsi de proche en proche jusqu'à l'infini ; car ce quelque chose, fût-il le vide absolu, serait encore de l'espace.

17 — Dieu a peuplé les mondes d'êtres vivants, qui tous concourent au but final de la Providence.

Croire les êtres vivants limités au seul point que nous habitons dans l'univers, serait mettre en doute la sagesse de Dieu qui n'a rien fait d'inutile ; il a dû assigner à ces mondes un but plus sérieux que celui de récréer notre vue. Rien d'ailleurs, ni dans la position, ni dans le volume, ni dans la constitution physique de la terre, ne peut raisonnablement faire supposer qu'elle a seule le privilége d'être habitée à l'exclusion de tant de milliers de mondes semblables.

18 — La constitution physique des différents globes n'est point identique ; les conditions d'existence des êtres qui les habitent doivent être appropriées au milieu dans lequel ils sont appelés à vivre. De même, ici-bas, nous voyons les êtres destinés à vivre dans l'eau, dans l'air et sur la terre, différer dans

CHAPITRE II.

« Sans doute, comme chez vous les poissons sont faits pour vivre dans l'eau et les oiseaux dans l'air. »
— Pouvons-nous avoir des données sur l'état des différents mondes ?
« Oui, mais vous ne pouvez le constater ; à quoi cela vous servirait-il d'ailleurs ? Occupez-vous de votre monde ; il y a assez à faire. »

19 — L'homme a-t-il toujours existé sur la terre ?
« Non, mais dans d'autres planètes. »
— Pouvons-nous connaître l'époque de l'apparition de l'homme et des autres êtres vivants sur la terre ?
« Non, tous vos calculs sont des chimères. »

20 — A-t-il été un temps, où la terre était inhabitable ?
« Oui, lorsqu'elle était en fusion. »
— D'où sont venus les êtres vivants sur la terre ?
« La terre en renfermait les germes qui attendaient le moment favorable pour se développer. »
— Y a-t-il encore des êtres qui naissent spontanément ?
« Oui, mais le germe primitif existait déjà à l'état latent. Vous êtes tous les jours témoins de ce phénomène. »
« Les tissus de l'homme et des animaux ne renferment-ils pas les germes d'une multitude de vers qui attendent pour éclore la fermentation putride nécessaire à leur existence. C'est un petit monde qui sommeille et qui se crée. »

21 — L'espèce humaine se trouvait-elle parmi les éléments organiques contenus dans le globe terrestre ?
« Oui. »
— L'espèce humaine a-t-elle commencé par un seul homme ?
« Non. »
— Adam est-il un être imaginaire ?
« Non ; mais il ne fut ni le premier ni le seul qui peupla la terre. »
— A-t-il paru plusieurs hommes à la fois sur la terre ?
« On te l'a déjà dit, oui ; et longtemps

leur structure et leur organisation, car la puissance de Dieu est infinie, et sa providence pourvoit à tous les besoins.
Si nous n'avions jamais vu de poissons, nous ne comprendrions pas que des êtres puissent vivre dans l'eau. Il en est ainsi des autres mondes qui renferment sans doute des éléments qui nous sont inconnus.

19 — L'homme et les divers animaux n'ont point toujours existé sur la terre ; c'est un fait démontré par la science et confirmé par la révélation. L'époque de l'apparition des êtres vivants sur la terre se perd dans la nuit des temps et nous est inconnue.

20 — Au commencement, tout était chaos. La terre était inhabitable, les éléments étaient confondus ; et rien de ce qui vit ne pouvait exister ; mais elle renfermait dans son sein le principe organique de tous les êtres.
Peu à peu chaque chose prit la place assignée par la nature, les principes organiques se rassemblèrent dès que cessa la force qui les tenait écartés, et ils formèrent les germes de tous les êtres vivants. Les germes restèrent à l'état latent et inerte, comme la chrysalide et les graines de nos plantes, jusqu'au moment propice pour l'éclosion de chaque espèce : alors les êtres de chaque espèce se rassemblèrent et se multiplièrent (*note* 2).

21 — L'espèce humaine se trouvait parmi les éléments organiques contenus dans le globe terrestre ; elle est venue en son temps, et c'est ce qui a fait dire que l'homme avait été formé du limon de la terre.
Elle n'a point commencé par un seul homme ; celui dont la tradition s'est conservée sous le nom d'Adam, fut un de ceux qui survécurent dans une contrée après quelques-uns des grands cataclysmes qui ont à diverses époques bouleversé la surface du globe ; mais il ne fut

avant Adam, qui était le moins mauvais. »

— Pouvons-nous savoir à quelle époque vivait Adam ?

« A peu près celle que vous lui assignez ; environ 4,000 ans avant le Christ. »

22 — D'où viennent les différences physiques et morales qui distinguent les différentes races d'hommes sur la terre ?

« Le climat, la vie et les habitudes. Et puis de même que deux enfants de la même mère, élevés loin l'un de l'autre et différemment ne se ressembleront en rien au moral. »

— Ces différences constituent-elles des espèces distinctes ?

« Certainement non, tous sont de la même famille : les différentes variétés du même fruit l'empêchent-elles d'appartenir à la même espèce ? »

— Si l'espèce humaine ne procède pas d'un seul, les hommes doivent-ils cesser pour cela de se regarder comme frères ?

« Tous les hommes sont frères en Dieu, parce qu'ils sont animés par l'esprit et qu'ils tendent au même but. Vous voulez toujours prendre les mots à la lettre. »

ni le premier ni le seul qui peupla la terre.

Les lois de la nature s'opposent à ce que les progrès de l'humanité, constatés longtemps avant le Christ, aient pu s'accomplir en quelques siècles, si l'homme n'était sur la terre que depuis l'époque assignée à l'existence d'Adam.

22 — La variété des climats sous lesquels les hommes se sont formés, la diversité des habitudes et des besoins, ont produit chez eux des différences physiques et morales plus ou moins prononcées. Ces différences n'altèrent point le caractère distinctif de l'espèce humaine, et n'empêchent pas les hommes d'appartenir à la même famille, et d'être tous frères comme tendant au même but qui leur est assigné par la Providence.

Les peuples se sont fait des idées très divergentes sur la création, selon le degré de leurs lumières. La raison appuyée sur la science a reconnu l'invraisemblance de certaines théories. Celle qui est donnée par les esprits confirme l'opinion depuis longtemps admise par les hommes les plus éclairés. Loin d'amoindrir l'œuvre divine, elle nous la montre sous un aspect plus grandiose et plus conforme aux notions que nous avons de la puissance et de la majesté de Dieu.

CHAPITRE III.

MONDE CORPOREL.

Êtres organiques. — Principe vital. — Instinct et intelligence. — Différence entre les plantes, les animaux et l'homme.

23 — Le monde corporel est-il limité à la terre que nous habitons ?

« Non, puisque tous les mondes de l'univers sont peuplés d'êtres vivants. »

23 — Le monde corporel se compose de tous les êtres organiques considérés comme formés de matière, qui existent sur la terre et dans les autres globes de l'univers.

CHAPITRE III.

24 — Est-ce la même loi qui unit les éléments de la matière dans les êtres organiques et dans les êtres inorganiques ?

« Oui. »

— La matière inerte ne subit-elle aucune modification dans les êtres organiques ?

« C'est toujours la même matière, mais animalisée. »

— Quelle est la cause de l'animalisation de la matière ?

« Son union avec le principe vital. »

25 — Le principe vital est-il le même pour tous les êtres organiques ?

« Oui, modifié selon les espèces. C'est ce qui leur donne le mouvement et l'activité, et les distingue de la matière inerte ; car le mouvement de la matière n'est pas la vie ; elle reçoit ce mouvement ; elle ne le donne pas. »

26 — La vitalité est-elle un attribut permanent du principe vital, ou bien cette vitalité ne se développe-t-elle que par le jeu des organes !

« Elle ne se développe qu'avec le corps. »

— Peut-on dire que la vitalité est à l'état latent, lorsque le principe vital n'est pas uni au corps ?

« Oui, c'est bien cela. »

27 — Quelle est la cause de la mort chez les êtres organiques ?

« Epuisement des organes. »

— Pourrait-on comparer la mort à la cessation du mouvement dans une machine désorganisée ?

« Oui ; si la machine est mal montée, le ressort casse ; si le corps est malade, la vie s'en va. »

28 — Que devient la matière des êtres organiques à leur mort ?

« Elle se décompose et en forme de nouveaux. »

— Que devient le principe vital de chaque être vivant après sa mort ?

« Il retourne à la masse. »

— Le principe vital serait-il ce que

24 — Les êtres organiques sont formés, comme tous les autres corps, par l'agrégation de la matière ; mais il y a de plus en eux une cause spéciale d'activité intime due au principe vital. Ils naissent, croissent, vivent, se reproduisent par eux-mêmes et meurent ; ils accomplissent des actes qui varient selon la nature des organes dont ils sont pourvus et qui sont appropriés à leurs besoins (*note* 3).

25 — Le principe vital est le même pour tous les êtres organiques ; il subit, selon la nature des êtres, certaines modifications, mais qui n'en altèrent pas l'essence intime. Il donne à tous l'activité qui leur fait accomplir les actes nécessaires à leur conservation.

26 — En même temps que le principe vital donne l'impulsion aux organes, le jeu des organes entretient et développe l'activité du principe vital, à peu près comme le frottement développe la chaleur. On peut dire que la vitalité est à l'état latent, lorsqu'elle n'est pas unie au corps et développée.

27 — La mort est produite par l'épuisement ou la désagrégation des organes qui ne peuvent plus entretenir l'activité du principe vital.

Le jeu des organes venant à cesser par une cause quelconque, ce principe perd ses propriétés actives et la vie cesse.

La vie organique est ainsi l'état d'activité du principe vital, et la mort la cessation de cette activité, ou l'état latent du principe vital (*note* 4).

28 — L'être organique étant mort, la matière dont il est formé se décompose ; les éléments, par de nouvelles combinaisons, se transforment et constituent de nouveaux êtres qui puisent à la source universelle le principe de la vie et de l'activité, l'absorbent et se l'assimilent, pour le rendre à cette

certains philosophes appellent l'*âme universelle?*
« C'est un système. »

29 — L'intelligence est-elle un attribut du principe vital ?
« Non, puisque les plantes vivent et ne pensent pas : elles n'ont que la vie organique. L'intelligence et la matière sont indépendantes, puisque un corps peut vivre sans l'intelligence ; mais l'intelligence ne peut se manifester que par le moyen des organes matériels ; il faut l'union de l'esprit pour intelligenter la matière animalisée. »

30 — L'instinct est-il indépendant de l'intelligence ?
« Non, pas précisément, car c'est une espèce d'intelligence. »
— Quels sont les caractères distinctifs de l'instinct et de l'intelligence ?
« L'instinct est une intelligence non raisonnée, indépendante de la volonté. »

31 — L'instinct est-il commun à tous les êtres vivants ?
« Oui, tout ce qui vit a de l'instinct ; c'est par là que tous les êtres pourvoient à leurs besoins. »
— Peut-on assigner une limite entre l'instinct et l'intelligence, c'est-à-dire préciser où finit l'un et où commence l'autre ?
« Non, car ils se confondent souvent ; mais on peut très-bien distinguer les actes qui appartiennent à l'instinct et ceux qui appartiennent à l'intelligence. »

32 — Peut-on dire que les animaux n'agissent que par l'instinct ?
« C'est encore là un système de vos prétendus philosophes. Il est bien vrai que l'instinct domine chez la plupart des animaux ; mais n'en vois-tu pas aussi qui agissent avec une volonté déterminée ? c'est de l'intelligence ; mais elle est bornée. »

33 — Les animaux ont-ils un langage ?
« Si vous entendez un langage formé de mots et de syllabes, non ; mais un

source lorsqu'ils cesseront d'exister.
Le principe vital est ce que quelques-uns appellent l'âme universelle.

29 — La vitalité est indépendante du principe intellectuel.
L'intelligence est une faculté spéciale propre à certaines classes d'êtres organiques et qui leur donne, avec la pensée, la volonté d'agir, la conscience de leur existence et de leur individualité, ainsi que les moyens d'établir des rapports avec le monde extérieur, et de pourvoir à leurs besoins.

30 — L'instinct est une intelligence rudimentaire qui diffère de l'intelligence proprement dite, en ce que ses manifestations sont presque toujours spontanées et indépendantes de la volonté, tandis que celles de l'intelligence sont le résultat d'une combinaison et d'un acte délibéré.

31 — L'instinct est commun à tous les êtres organiques ; mais il varie dans ses manifestations selon les espèces et leurs besoins.
Il est aveugle et purement mécanique chez les êtres inférieurs privés de la vie de relation, comme dans les plantes.
Chez les êtres qui ont la conscience et la perception des choses extérieures, il s'allie à l'intelligence, c'est-à-dire à la volonté et à la liberté.

32 — Outre l'instinct on ne saurait dénier à certains animaux des actes combinés qui dénotent une volonté d'agir dans un sens déterminé et selon les circonstances. Il y a donc en eux une sorte d'intelligence, mais dont l'exercice est plus exclusivement concentré sur les moyens de satisfaire leurs besoins physiques et de pourvoir à leur conservation.

33 — Les animaux étant doués de la vie de relation ont un langage par lequel ils se communiquent entre eux, s'avertissent, et expriment les sensa-

CHAPITRE III.

moyen de communiquer entre eux, oui; et ils se disent beaucoup plus de choses que vous ne croyez; mais leur langage est borné, comme leurs idées, à leurs besoins. »

— Il y a des animaux qui n'ont point de voix; ceux-là ne paraissent pas avoir de langage?

« Ils se comprennent par d'autres moyens. Vous autres hommes, n'avez-vous que la parole pour communiquer? Et les muets, qu'en dis-tu? »

34 — Au physique l'homme est-il supérieur aux animaux?

« Au physique il est comme les animaux, et moins bien pourvu que beaucoup d'entre eux; la nature leur a donné tout ce que l'homme est obligé d'inventer avec son intelligence pour ses besoins et sa conservation. »

35 — La différence entre l'homme et les animaux est-elle plus sensible au moral qu'au physique!

« Oui; il a des facultés qui lui sont propres. Sur ce point vos philosophes ne sont guère d'accord : les uns veulent que l'homme soit un animal, et d'autres que l'animal soit un homme; ils ont tous tort; l'homme est un être à part qui s'abaisse quelquefois bien bas, ou qui peut s'élever bien haut. »

36 — Est-il exact de dire que les facultés instinctives diminuent à mesure que croissent les facultés intellectuelles?

« Non, l'instinct existe toujours, mais l'homme le néglige. »

« L'instinct peut aussi mener au bien; il nous guide presque toujours, et quelquefois plus sûrement que la raison. »

— Pourquoi la raison n'est-elle pas toujours un guide infaillible?

« Elle serait infaillible si elle n'était faussée par la mauvaise éducation, l'orgueil et l'égoïsme. »

37 — La différence entre l'homme et les animaux ne consiste-t-elle que dans le développement des facultés?

« Non, nous l'avons dit, l'homme est

tions qu'ils éprouvent. Ceux mêmes qui ne produisent pas de sons articulés ne sont pas pour cela dépourvus de moyens de communication.

L'homme n'a donc point le privilége exclusif de la parole, mais le langage des animaux est approprié à leurs besoins et limité par le cercle de leurs idées, tandis que celui de l'homme se prête à toutes les perceptions de son intelligence.

34 — Au physique l'homme est un être organique analogue aux animaux, assujetti aux mêmes besoins, et doué des mêmes instincts pour y pourvoir. Son corps est soumis aux mêmes lois de décomposition, et sa constitution même le rendrait inférieur à beaucoup d'entre eux, s'il n'y était suppléé par la supériorité de son intelligence.

35 — L'homme est doué de facultés spéciales qui le placent incontestablement, au point de vue moral, au-dessus de tous les êtres de la création qu'il sait soumettre et assujettir à ses besoins. Seul il s'améliore par lui-même et reçoit les leçons de l'expérience et de la tradition; seul il sonde les mystères de la nature, et y puise de nouvelles ressources, de nouvelles jouissances, et l'espérance de l'avenir.

36 — Les facultés instinctives ne sont point neutralisées chez l'homme par le développement de l'intelligence; seulement il les néglige pour écouter ce qu'il appelle sa raison. L'instinct est un guide intérieur qui pousse au bien comme au mal; la raison laisse le choix, et donne à l'homme le libre arbitre.

L'instinct n'est jamais égaré; la raison l'est souvent par l'orgueil, l'égoïsme et la fausse route imprimée par l'éducation.

37 — Les facultés que l'homme possède en propre, à l'exclusion de tous les autres êtres vivants, attestent en lui l'existence d'un principe supérieur à la

un être à part ; son corps se pourrit comme celui des animaux, c'est vrai, mais son esprit a une autre destinée que lui seul peut comprendre. »

vitalité, à l'instinct et à l'intelligence animale. C'est ce principe qui lui donne l'intelligence morale et le sentiment de sa destinée future.

CHAPITRE IV.

MONDE SPIRITE OU DES ESPRITS.

Création des esprits. — Nature et immatérialité des esprits. — Forme des esprits. — Périsprit. — Le monde spirite est le monde normal, primitif. — Les esprits habitent l'espace universel. — Don d'ubiquité attribué aux esprits. — Faculté de voir chez les esprits. — Communications mutuelles des esprits. — Etat primitif des esprits ; leur perfectionnement progressif. — Différents ordres d'esprits. — Tous les esprits tendent à la perfection. — Chute des anges. — Démons. — Fonctions et attributions des esprits. — Facultés intellectuelles des esprits ; leurs connaissances sur le passé et l'avenir. — Peines et jouissances des esprits. — Familles d'esprits.

38 — Les esprits ont-ils eu un commencent, ou bien sont-ils, comme Dieu, de toute éternité ?

« Si les esprits n'avaient point eu de commencement, ils seraient égaux à Dieu, tandis qu'ils sont sa création et soumis à sa volonté. Dieu est de toute éternité, cela est incontestable ; mais savoir quand et comment il nous a créés, nous n'en savons rien. Tu peux dire que nous sommes sans commencement, si tu entends par là que Dieu étant éternel, il a dû créer sans relâche ; mais quand et comment chacun de nous a été fait, je te dis encore, nul ne le sait : c'est là qu'est le mystère. »

38 — Dieu a créé des êtres intelligents qui peuplent l'univers en dehors du monde matériel, et que l'on désigne sous le nom d'*esprits*.

L'origine des esprits, comme la cause première de toutes choses, est un des secrets de Dieu.

Les esprits eux-mêmes ignorent de quelle manière ils ont été formés. Ils savent qu'ils sont une création de Dieu, parce qu'ils sont soumis à sa volonté ; mais il est pour eux des mystères comme pour toutes les créatures.

39 — Les esprits sont-ils immatériels ou formés d'une substance quelconque ? Pouvons-nous connaître leur nature intime ?

« Comment peut-on définir une chose

39 — La nature intime des esprits, comme leur origine, est un mystère qu'il ne nous est pas donné de connaître ici-bas.

Nous disons que les esprits sont im-

CHAPITRE IV.

quand on manque de termes de comparaison et avec un langage insuffisant? Un aveugle-né peut-il définir la lumière? Immatériel n'est pas le mot; incorporel serait plus exact, car tu dois bien comprendre que l'esprit étant une création doit être quelque chose; c'est une matière quintessenciée, mais sans analogue pour vous, et si éthérée qu'elle ne peut tomber sous vos sens grossiers. »

40 — Les esprits sont-ils des êtres distincts de la divinité, ou bien ne seraient-ils que des émanations ou portions de la divinité et appelés, pour cette raison, fils ou enfants de Dieu?

« Mon Dieu, c'est son œuvre, absolument comme un homme qui fait une machine; cette machine est l'œuvre de l'homme et non pas lui. Tu sais que quand l'homme fait une chose belle, utile, il l'appelle son enfant, sa création. Eh bien! il en est de même de Dieu; nous sommes ses enfants, puisque nous sommes son œuvre. »

41 — Les esprits ont-ils une forme déterminée, limitée et constante?

« A vos yeux, non; aux nôtres, oui; c'est, si vous voulez, une flamme, une lueur ou une étincelle.

— Quelle est la couleur de cette flamme?

« Cela dépend du degré de perfection. Quand l'esprit est pur, elle peut se comparer au rubis. »

42 — L'esprit proprement dit est-il à découvert, ou, comme quelques-uns l'ont dit, environné d'une substance quelconque?

« L'esprit est enveloppé d'une substance vaporeuse pour toi, mais encore bien grossière pour nous; assez vaporeuse cependant pour pouvoir s'élever dans ton atmosphère et se transporter où il veut. »

— Où l'esprit puise-t-il cette enveloppe?

« Dans le fluide universel de chaque globe. »

— Cette enveloppe est-elle perceptible, matériels, parce que leur essence diffère de tout ce que nous connaissons sous le nom de matière.

Un peuple d'aveugles de naissance n'aurait point de termes pour exprimer la lumière et ses effets; de même pour l'essence des êtres surhumains, nous sommes de véritables aveugles. Nous ne pouvons les définir que par des comparaisons toujours imparfaites.

40 — Les esprits font partie de la création, et, comme tels, sont regardés comme enfants de Dieu; mais ce sont des êtres distincts de Dieu même, comme l'ouvrage est distinct de l'ouvrier. S'ils n'étaient que les émanations ou le rayonnement de la divinité, ils participeraient de toutes ses perfections infinies.

41 — Les esprits n'ont par eux-mêmes aucune forme ni aucune étendue déterminée et constante dans le sens que nous attachons à ces mots. Une flamme, lueur ou étincelle éthérée, d'une nuance variant du sombre à l'éclat du rubis selon la pureté de l'esprit, pourrait seule nous en donner une idée faible et incomplète.

42 — Comme le germe d'un fruit est entouré du périsperme, de même l'esprit proprement dit est environné d'une enveloppe que, par comparaison, on peut appeler *périsprit*.

Le périsprit est d'une nature semi-matérielle, c'est-à-dire intermédiaire entre l'esprit et la matière. Il prend des formes déterminées à la volonté de l'esprit et peut, dans certains cas, affecter nos sens.

La substance du périsprit est puisée dans le fluide universel. Elle est plus ou moins éthérée selon l'état constitutif de chaque globe.

MONDE SPIRITE OU DES ESPRITS.

et affecte-t-elle des formes déterminées ?
« Oui, une forme au gré de l'esprit, et c'est ainsi qu'il vous apparaît quelquefois. »

43 — Les esprits ont-ils chacun leur individualité ?
« Oui, ils ne se confondent jamais. »

44 — Les esprits constituent-ils un monde à part, en dehors de celui que nous voyons ?
« Oui, le monde des esprits ou des intelligences incorporelles. »

45 — Quel est celui des deux, le monde spirite ou le monde corporel, qui est le principal dans l'ordre des choses ?
« Le monde spirite. »
— Le monde spirite est-il préexistant à tout ?
« Préexistant et survivant à tout. »
— Le monde corporel pourrait-il cesser d'exister, ou n'avoir jamais existé, sans altérer l'essence du monde spirite ?
« Oui, car ils sont indépendants. »

46 — Les esprits occupent-ils une région déterminée et circonscrite dans l'espace universel ?
« Non, ils sont partout. »
— Y en a-t-il autour de nous ; à nos côtés ?
« Oui, et qui vous observent. »

47. — Les esprits se transportent-ils instantanément d'un lieu à un autre ?
« Oui. »
— Les esprits mettent-ils un temps quelconque à franchir l'espace ?
« Oui, mais rapide comme la pensée. »
— La matière fait-elle obstacle aux esprits ?
« Non, ils pénètrent tout. »

48 — Le même esprit peut-il se diviser, ou exister sur plusieurs points à la fois ?
« Non, il ne peut y avoir division du même esprit ; chacun est un centre qui rayonne de différents côtés, et c'est pour cela qu'il paraît être en plusieurs en-

L'esprit en passant d'un monde à l'autre change d'enveloppe ou de périsprit, comme nous changeons de vêtements.

43 — Les esprits ont chacun leur individualité et leur existence propre ; ils se distinguent les uns des autres sans jamais se confondre.

44 — Les esprits constituent tout un monde incorporel, invisible pour nous dans notre état normal, tandis que les êtres corporels constituent le monde matériel et visible.

45 — Le monde spirite ou des esprits est le monde normal, primitif, préexistant et survivant à tout. Le monde corporel est secondaire, transitoire, passager et subordonné ; il est périssable, parce que la matière, en se transformant, produit incessamment de nouveaux êtres animés ou inanimés ; il pourrait cesser d'exister, ou n'avoir jamais existé sans altérer l'essence du monde spirite.

46 — Les esprits n'habitent point un lieu déterminé ; ils sont partout, l'univers est leur domaine ; les espaces infinis en sont peuplés à l'infini. Ils sont autour de nous, à nos côtés, aussi bien que dans les régions les plus éloignées, et jusque dans les entrailles de la terre.

47. — L'essence éthérénne des esprits leur permet de franchir les espaces, et de se transporter instantanément d'un lieu à un autre et d'un monde à l'autre.
La matière ne leur fait point obstacle ; ils pénètrent tout, s'introduisent partout : l'air, la terre, les eaux, le feu même leur sont également accessibles.

48 — Chaque esprit est une unité indivisible qui ne peut, par conséquent, exister à la fois sur plusieurs points différents ; mais chacun d'eux est un centre ou foyer intellectuel qui rayonne de divers côtés comme le cerveau

CHAPITRE IV.

droits à la fois. Tu vois le soleil, il n'est qu'un, et pourtant il rayonne tout à l'entour, et porte ses rayons fort loin ; mais malgré cela il ne se divise pas. »

49 — La vue, chez les esprits, est-elle circonscrite comme dans les êtres corporels ?
« Non. »
— Où réside-t-elle ?
« Dans tout leur être. »
— Les esprits peuvent-ils voir simultanément sur deux hémisphères différents ?
« Oui, ils voient partout, pour eux point de ténèbres. »

50 — Les esprits peuvent-ils se cacher les uns des autres ?
«Non, ils peuvent s'éloigner un peu ; mais ils se voient toujours. »

51 — Les esprits peuvent-ils se dissimuler leurs pensées réciproquement ?
« Non, pour eux tout est à découvert, surtout lorsqu'ils sont parfaits ? »

52 — Comment les esprits communiquent-ils entre eux ?
« Ils se voient et se comprennent entre eux ; la parole est matérielle : c'est le reflet de l'esprit. »

53 — Les esprits ont-ils été créés bons ou mauvais, ou bien y en a-t-il de bons et de mauvais ?
(Réponse ci-à côté.)
— D'après cela les esprits sembleraient être, à leur origine, comme sont les enfants, ignorants et sans expérience, mais acquièrent peu à peu les connaissances qui leur manquent en parcourant les différentes phases de la vie ?
« Oui, la comparaison est juste ; l'enfant rebelle reste ignorant et imparfait ; il profite plus ou moins selon sa docilité ; mais la vie de l'homme a un terme, et celle des esprits s'étend dans l'infini. »

rayonne la pensée, sans pour cela se diviser. C'est en ce sens seulement qu'on doit entendre le don d'ubiquité attribué aux esprits.

49 — La faculté de voir, chez les esprits, n'est point circonscrite comme dans les êtres corporels ; c'est une propriété inhérente à leur nature, et qui réside dans tout leur être comme la lumière réside dans un corps lumineux ; une sorte de lucidité universelle qui s'étend à tout, embrasse à la fois l'espace, les temps et les choses, et pour laquelle il n'y a ni ténèbres, ni obstacles matériels.

50 — La faculté de voir, pour les esprits, étant sans limite, il en résulte qu'ils ne peuvent se soustraire les uns aux autres. Ils peuvent s'éloigner, mais ils se voient toujours, et nulle retraite ne peut les dérober à la vue.

51 — De la vue et de la pénétration indéfinies des esprits découle la connaissance de leurs pensées réciproques. Rien ne saurait leur être dissimulé, surtout lorsqu'ils sont parfaits.

52 — De l'intuition de leurs pensées réciproques découle, pour les esprits, le mode de leurs communications ; ils se voient et se comprennent sans avoir besoin de la parole.

53 — Dieu a créé tous les esprits simples et ignorants, c'est-à-dire sans science. Il leur a donné à chacun une mission dans le but de les éclairer et de les faire arriver progressivement à la perfection par la connaissance de la vérité et pour les rapprocher de lui. Le bonheur éternel et sans mélange est pour eux dans cette perfection.
Les esprits acquièrent ces connaissances en passant par les épreuves que Dieu leur impose. Les uns acceptent ces épreuves avec soumission et arrivent plus promptement au but de leur destinée ; d'autres ne les subissent qu'avec murmure et restent ainsi, par leur faute, éloignés de la perfection et de la félicité promise.

MONDE SPIRITE OU DES ESPRITS.

54 — Les esprits sont-ils tous égaux entre eux ?

« Non, ils sont de différents ordres. »

— Sur quoi est fondée la différence qui existe entre les esprits ?

« Sur le degré de perfection auquel ils sont parvenus. »

— Combien y a-t-il d'ordres ou de degrés de perfection dans les esprits ?

« Le nombre est illimité, mais on peut le réduire à trois principaux. »

55 — Quels sont les esprits du premier ordre ?

« Les purs esprits, ceux qui sont arrivés à la perfection. »

— Qu'est-ce que les anges, archanges ou séraphins ?

« Les purs esprits. »

— Les anges sont-ils des êtres d'une nature différente des autres esprits ?

« Non, tous ont parcouru les différents degrés de l'échelle ; mais comme nous te l'avons dit, les uns ont accompli leur mission sans murmurer et sont arrivés plus vite. »

56 — Quels sont les esprits du second ordre ?

« Ceux qui sont arrivés au milieu de l'échelle. »

— Qu'est-ce qui caractérise les esprits du second ordre ?

« Le désir du bien qui est leur préoccupation. »

— N'ont-ils que le désir du bien ; ont-ils aussi le pouvoir de le faire ?

« Ils ont ce pouvoir suivant le degré de leur perfection ; mais tous ont encore des épreuves à subir. »

57 — Quels sont les esprits du troisième ordre ?

« Ceux qui sont encore au bas de l'échelle : les esprits imparfaits. »

— Qu'est-ce qui caractérise les esprits du troisième ordre ?

« L'ignorance et toutes les mauvaises passions qui retardent leur perfectionnement. »

— Tous les esprits du troisième ordre sont-ils essentiellement mauvais ?

« Non ; les uns ne font ni bien ni mal ; d'autres, au contraire, se plaisent

54 — Le monde spirite se compose ainsi d'esprits plus ou moins parfaits. Cette différence constitue entre eux une hiérarchie fondée sur le degré de purification auquel ils sont parvenus.

On peut les diviser en trois ordres principaux ; mais ce nombre n'a rien d'absolu, attendu que chaque ordre présente une infinité de degrés.

55 — Au premier rang de la hiérarchie spirite sont les esprits arrivés à la perfection. Ce sont les purs esprits qui n'ayant plus d'épreuves à subir sont pour l'éternité dans la gloire de Dieu.

On les désigne quelquefois sous les noms d'anges, archanges ou séraphins.

Les anges ne constituent point des êtres d'une nature spéciale ; ils ont, comme tous les esprits, parcouru les différents ordres. L'homme qui a acquis le plus de sagesse et d'expérience n'est point pour cela d'une autre nature que dans son enfance.

56 — Les esprits du second ordre sont ceux qui ont encore des épreuves à subir. Ils sont intermédiaires entre les purs esprits et les esprits inférieurs, et se rapprochent plus ou moins des uns ou des autres selon leur degré de perfection.

Ils sont assez épurés pour n'avoir *que le désir du bien*, mais pas assez élevés pour avoir la souveraine science ; car la perfection n'est acquise qu'à ceux qui ont parcouru tous les degrés de la vie spirituelle.

57 — Les esprits du troisième ordre sont les esprits imparfaits, c'est-à-dire ceux qui ont encore presque tous les échelons à parcourir. Ils sont caractérisés par l'ignorance, l'orgueil, l'égoïsme et toutes les mauvaises passions qui en sont la suite.

On peut les diviser en trois classes principales :

1º *Les esprits neutres :* ceux qui ne sont ni assez bons pour faire le bien, ni assez mauvais pour faire le mal.

2º *Les esprits impurs :* ceux qui sont

CHAPITRE IV.

au mal et sont satisfaits quand ils trouvent l'occasion de le faire. »

— Que doit-on entendre par esprits follets ?

« Follets, farfadets, lutins c'est la même chose ; ce sont des esprits légers, plus brouillons que méchants, qui se plaisent plutôt à la malice qu'à la méchanceté, et qui trouvent leur plaisir à mystifier et à causer de petites contrariétés. »

58 — Les esprits sont-ils bons ou mauvais par leur nature, ou bien sont-ce les mêmes esprits qui s'améliorent ?

« Les mêmes esprits qui s'améliorent. »

— Les esprits appartiennent-ils perpétuellement au même ordre ?

« En s'améliorant ils passent d'un ordre inférieur dans un ordre supérieur. »

59 — Y a-t-il des esprits qui resteront à perpétuité dans les rangs inférieurs ?

« Non, tous deviendront parfaits ; ils changent, mais c'est long ; car, comme nous l'avons dit une autre fois, un père juste et miséricordieux ne peut bannir éternellement ses enfants. Tu voudrais donc que Dieu si grand, si bon, si juste, soit pire que vous ne l'êtes vous-mêmes! »

— Dépend-il des esprits d'abréger le temps de leurs épreuves ?

« Certainement ; ils arrivent plus ou moins vite selon leurs désirs et leur soumission à la volonté de Dieu. Un enfant docile ne s'instruit-il pas plus vite qu'un enfant rétif? »

60 Les esprits peuvent-ils dégénérer ?

« Non ; à mesure qu'ils avancent ils comprennent ce qui les éloignait de la perfection. Quand l'esprit a fini une épreuve, il a la science et il ne l'oublie pas. »

61 — Que penser de la croyance aux esprits déchus ?

» Nous avons déjà dit que les esprits ont tous été créés ignorants et sans expérience ; ils apprennent la vérité par les épreuves auxquelles ils sont soumis et

enclins au mal et en font l'objet de leurs préoccupations.

3° *Les esprits follets :* ils sont légers, malins, inconséquents, plus brouillons que méchants ; se mêlant à tout, se plaisant à faire de petites peines et de petites joies, à induire malicieusement en erreur par des mystifications. On les désigne aussi sous les noms de *lutins* ou *farfadets.*

58 — Les esprits ne sont pas bons ou mauvais par l'essence même de leur nature, et n'appartiennent pas perpétuellement au même ordre. Ce sont tous les mêmes esprits qui s'améliorent, et qui, en se purifiant, passent d'un ordre inférieur dans un ordre supérieur.

59 — Il n'est pas d'esprits condamnés à rester perpétuellement dans les rangs inférieurs. Tous s'améliorent en passant par les épreuves auxquelles ils sont soumis, et atteindront le degré supérieur dans vie éternelle.

L'amélioration successive des esprits est dans les vues de la Providence. Tous progressent par le fait d'une puissance qui les domine, comme l'homme passe de l'enfance à l'âge mûr ; tous changent et se transforment dans un temps plus ou moins long suivant leur désir, car il dépend de leur volonté d'arriver plus ou moins vite.

60 — Les esprits arrivés à un degré supérieur ne peuvent dégénérer ni faillir de nouveau. Ils ont la connaissance du bien et du mal ; l'expérience qu'ils ont acquise les empêche de rétrograder.

61 — L'idée de la chute des esprits suppose une dégradation ; or les esprits ayant tous le même point de départ qui est celui de l'ignorance et de l'inexpérience, ils ne peuvent que s'élever ou rester stationnaires ; il ne peut donc y

MONDE SPIRITE OU DES ESPRITS.

dans les missions qui leur sont données. Ceux qui accomplissent leur mission sans murmure avancent, les autres restent en arrière. Ils ne sont donc pas déchus ; ils sont, si tu veux, rebelles ; c'est comme un enfant indocile envers son père. Mais Dieu n'est pas impitoyable ; il leur fournit sans cesse les moyens de s'améliorer ; c'est à eux d'en profiter plus ou moins promptement, *selon leur désir*, et c'est là qu'est le libre arbitre. »

62 — Y a-t-il des démons dans le sens attaché à ce mot ?

« S'il y avait des démons ils seraient l'œuvre de Dieu, et Dieu serait-il juste et bon d'avoir fait des êtres éternellement voués au mal et malheureux ? S'il y a des démons, c'est dans ton monde grossier et autres semblables qu'ils résident ; ce sont ces hommes hypocrites qui font d'un Dieu juste un Dieu méchant et vindicatif, et qui croient lui être agréables par les abominations qu'ils commettent en son nom. »

63 — Les esprits ont-ils autre chose à faire qu'à s'améliorer personnellement ?

« Ils concourent à l'harmonie de l'univers en exécutant les volontés de Dieu dont ils sont les ministres. »

— Les esprits inférieurs et imparfaits remplissent-ils aussi un rôle utile dans l'univers ?

« Tous ont leur mission utile. Est-ce que le dernier maçon ne concourt pas à bâtir l'édifice aussi bien que l'architecte ? »

64 — Les esprits ont-ils chacun des attributs spéciaux ?

« C'est-à-dire que tous nous devons habiter partout, et acquérir la connaissance de toutes choses en présidant successivement à toutes les parties de l'univers. Mais, comme il est dit dans l'Ecclésiaste, il y a un temps pour tout ; ainsi tel accomplit aujourd'hui sa destinée en ce monde, tel l'accomplira ou l'a accomplie dans un autre temps, dans avoir chute dans le sens vulgaire attaché à ce mot. Comme leur élévation dépend de leur désir, et de leur soumission à la volonté de Dieu, et que quelques-uns n'ont point accepté leur mission sans murmure, il y a plutôt rébellion de leur part, et ils en sont punis par eux-mêmes en restant plus longtemps soumis aux peines inhérentes à leur infériorité, mais non éternellement, car tôt ou tard ils comprennent leur faute et avancent peu à peu. Ce ne sont point des anges rebelles, puisque les anges sont des esprits arrivés à la perfection et qui ne peuvent dégénérer.

62 — Les démons, selon l'acception vulgaire du mot, supposent des êtres essentiellement et perpétuellement mauvais et malfaisants ; ils seraient, comme toutes choses, la création de Dieu ; or Dieu qui est souverainement juste et bon ne peut avoir créé des êtres préposés au mal par leur nature et condamnés pour l'éternité. S'ils n'étaient pas l'œuvre de Dieu, ils seraient donc comme lui de toute éternité, ou bien il y aurait plusieurs puissances souveraines.

63 — Les esprits sont les ministres de Dieu et les agents de sa volonté ; c'est par eux qu'il gouverne le monde : tous, depuis le premier jusqu'au dernier, concourent à l'harmonie de l'univers ; chacun a son rôle dans l'ordre général selon son rang ; c'est en cela que consiste leur mission, et c'est en l'accomplissant qu'ils s'améliorent et acquièrent les connaissances qui doivent un jour les rendre parfaits.

64 — Pour s'instruire de toutes choses, les esprits doivent successivement parcourir les différentes phases de l'ordre physique et de l'ordre moral de l'univers. Ainsi tandis que les uns président dans la terre aux phénomènes géologiques, d'autres président aux phénomènes de l'air, des eaux, de la végétation, de la naissance et de la mort des êtres vivants, de la production et de la destruction de toutes choses. C'est par

CHAPITRE IV.

la terre, dans l'eau, dans l'air, etc. »

65 — Les fonctions que remplissent les esprits dans l'ordre des choses sont-elles permanentes pour chacun, et sont-elles dans les attributions exclusives de certaines classes ?

« Tous doivent parcourir les différents degrés de l'échelle pour se perfectionner. Dieu qui est juste n'a pu vouloir donner aux uns la science sans travail, tandis que d'autres ne l'acquièrent qu'avec peine. »

66 — L'idée des gnomes, des sylphes et autres génies créés par l'imagination semblerait avoir sa source dans la connaissance acquise ou dans l'intuition des diverses fonctions des esprits ?

« Sans doute ; dans ce que vous appelez des fables il y a souvent de grandes vérités. La plupart ont leur source dans la révélation des choses d'en haut, mais on les a prises à la lettre ; c'est là le tort. »

67 — Les esprits ont-ils des perceptions qui nous sont inconnues ?

« Cela est certain, puisque vos facultés sont bornées par vos organes. L'intelligence est un attribut de l'esprit, mais qui se manifeste plus librement quand il n'a pas d'entraves. »

68 — Les perceptions et les connaissances des esprits sont-elles indéfinies ; en un mot, savent-ils toutes choses ?

« Non ; plus ils approchent de la perfection, plus ils savent. »

69 — Les esprits comprennent-ils la durée comme nous ?

« Non, et c'est ce qui fait que vous ne nous comprenez pas toujours quand il s'agit de fixer des dates ou des époques. »

70 — Les esprits ont-ils du présent une idée plus précise et plus juste que nous ?

« A peu près comme celui qui voit clair a une idée plus juste des choses que l'aveugle. Les esprits voient ce que leur intermédiaire que s'accomplissent les révolutions qui changent la face des mondes.

65 — Les fonctions accomplies par les esprits ne sont ni permanentes pour chacun, ni dans les attributions exclusives de certaines classes, car il faut que tous accomplissent leur destinée pour atteindre à la perfection. De même, parmi les hommes, nul n'arrive au suprême degré d'habileté dans un art quelconque, sans avoir puisé les connaissances nécessaires dans la pratique des parties les plus infimes de cet art.

66 — L'idée des fonctions que remplissent les esprits, comme la doctrine spirite elle-même, se retrouve, sous des formes diverses, dans la croyance de tous les peuples et à tous les âges, avec cette différence qu'on a fait des êtres distincts de ce qui n'est qu'un attribut temporaire. C'est ainsi que l'imagination a créé les gnomes, les sylphes, les nymphes et toute la phalange des génies.

67 — L'intelligence est un attribut essentiel de la nature spirite et ne fait qu'un avec l'esprit. La faculté de connaître est la conséquence de l'intelligence. Cette faculté n'étant point circonscrite par des organes matériels, s'exerce librement et sans entraves ; c'est pourquoi les esprits ont des perceptions qui nous sont inconnues.

68 — Les perceptions et les connaissances ne sont point illimitées pour tous les esprits ; leur étendue est en raison du degré de pureté et de perfection auquel ils sont parvenus.

69 — L'intelligence des esprits embrasse l'éternité ; la durée, pour eux, s'efface pour ainsi dire, et les siècles, si longs pour nous, ne sont à leurs yeux que de courts instants.

70 — La faculté de tout voir, jointe à l'étendue des perceptions intellectuelles et à la pénétration de la pensée, donne aux esprits une connaissance absolue du présent, leur permet d'embrasser d'un coup d'œil tous les événements

MONDE SPIRITE OU DES ESPRITS.

vous ne voyez pas ; ils jugent donc autrement que vous : mais encore une fois cela dépend de leur élévation. »

71 — Comment les esprits ont-ils la connaissance du passé ?

« Le passé, quand nous nous en occupons, est un présent, absolument comme toi tu te rappelles une chose qui t'a frappé dans le cours de ton exil. Seulement, comme nous n'avons plus le voile matériel qui obscurcit ton intelligence, nous nous rappelons des choses qui sont effacées pour toi. »

— La connaissance du passé est-elle sans limite pour les esprits ?

« Non, tout ne leur est pas connu : leur création d'abord. »

72 — Les esprits connaissent-ils l'avenir ?

« Cela dépend encore de leur perfection ; souvent ils ne font que l'entrevoir, *mais il ne leur est pas toujours permis de le révéler ;* quand ils le voient il leur semble présent. »

— Les esprits arrivés à la perfection absolue ont-ils une connaissance complète de l'avenir ?

« Complète n'est pas le mot, car Dieu seul est le souverain maître, et nul ne peut l'égaler. »

73 — Les esprits éprouvent-ils nos besoins et nos souffrances physiques, la fatigue et le besoin du repos ?

« Non ; ils sont esprits ; c'est-à-dire qu'ils les connaissent, parce qu'ils les ont subis, mais ils ne les éprouvent pas comme vous matériellement. »

74 — Les esprits sont-ils heureux ou malheureux ?

« Heureux ou malheureux selon leur perfection. »

— Y en a-t-il qui jouissent d'un bonheur inaltérable ?

« Oui, les purs esprits ; tous y arrivent ; *cela dépend d'eux.* »

75 — Pouvons-nous comprendre la nature des peines et des jouissances des esprits en les comparant à celles que nous éprouvons sur la terre ?

contemporains, et par là de juger les choses plus sainement que nous ne pouvons le faire nous-mêmes, resserrés que nous sommes par notre enveloppe terrestre.

71 — La durée en s'effaçant retrace le *passé* à la mémoire des esprits, et leur montre comme présents les événements les plus éloignés de nous. Ils connaissent donc le passé, sauf l'origine et le principe des choses qui, pour eux comme pour nous, sont enveloppés d'un voile mystérieux, jusqu'à ce qu'ils aient atteint la perfection suprême.

L'étendue des perceptions des esprits étant subordonnée à leur élévation, la connaissance qu'ils ont du passé, même pour les choses vulgaires, est en raison de cette élévation.

72 — La connaissance de l'*avenir* a, pour les esprits, des limites qu'il ne leur est pas donné de franchir ; ils ne le connaissent que suivant le degré de leur perfection. Selon ce degré ils le préjugent, avec plus ou moins d'exactitude, comme conséquence du présent ; ils l'entrevoient, et peuvent, si c'est dans les vues de la Providence, en avoir la révélation partielle. L'avenir alors se déroule devant eux : ils le voient comme ils voient le passé et le présent.

73 — En raison de leur essence spirituelle, les esprits ne peuvent être sujets aux influences qui affectent la matière. Ils n'éprouvent ni nos besoins, ni nos souffrances physiques, ni la fatigue, ni la nécessité du repos, mais ils les comprennent.

74 — Les peines et les jouissances des esprits sont inhérentes à leur nature et au degré de leur perfection.

Le bonheur suprême et sans mélange n'est le partage que des purs esprits ; jusque-là ils ne jouissent que d'un bonheur incomplet.

75 — Les peines et les jouissances des esprits n'ont rien des affections corporelles, et pourtant sont mille fois plus vives que celles que nous éprouvons

CHAPITRE IV.

« Non, leurs peines et leurs jouissances n'ont rien de charnel. »

76 — Les esprits des différents ordres sont-ils confondus ?

« Oui et non ; ils se voient, mais ils se distinguent les uns des autres. »

— Y a-t-il des esprits qui se recherchent et d'autres qui se fuient ?

« Sans doute, selon l'analogie ou l'antipathie de leurs sentiments, comme cela a lieu parmi vous. »

« Les esprits dégagés de la matière se fuient ou se rapprochent comme ceux qui sont incarnés. *C'est tout un monde dont le vôtre est le reflet obscurci.* »

77 — Qu'est-ce qui rapproche les bons esprits ?

« Le désir de faire le bien ; sympathie. Qui se ressemble s'assemble. »

— Quelles sont les occupations des bons esprits ?

« Veiller à l'accomplissement du bien ; s'entretenir sur l'humanité et sur les améliorations à y apporter. »

— Quelle est la nature des relations entre les bons et les mauvais esprits ?

« Les bons tâchent de combattre les mauvais penchants des autres *afin de les aider à monter ;* c'est une mission. »

78 — Qu'est-ce qui rapproche les mauvais esprits ?

« Le désir de faire le mal ; honte de leurs fautes et besoin de se trouver parmi des êtres semblables à eux. »

— Pourquoi les esprits inférieurs se plaisent-ils au mal ?

« Par jalousie de n'avoir pas mérité d'être parmi les bons. »

— Les esprits ont-ils des passions spéciales qui n'appartiennent pas à l'humanité ?

« Non, autrement ils vous les auraient communiquées. »

— Les esprits exercent-ils une influence les uns sur les autres ?

« Oui, les supérieurs sur les inférieurs. »

79 — Les esprits ont-ils entre eux des affections particulières ?

« Oui, comme les hommes. »

ici-bas dans le bien comme dans le mal.

76 — Bien que les esprits soient partout, les différents ordres ne sont pas confondus ; ils se voient à distance. Ceux du même rang se réunissent par une sorte d'affinité, et forment des groupes ou familles d'esprits unis par la sympathie.

Telle une grande cité où les hommes de tous rangs et de toutes conditions se voient et se rencontrent sans se confondre ; où les sociétés se forment par l'analogie des goûts ; où le vice et la vertu se coudoient sans se rien dire.

77 — Les bons esprits se rapprochent par la similitude des jouissances, la communauté de sentiments et de pensées, et le désir de faire le bien.

Les sentiments d'amour et de bienveillance sont le partage exclusif des bons esprits. Leur occupation est de veiller à l'accomplissement de tout de ce qui est bon, et de combattre les penchants des esprits inférieurs *afin de les aider à monter.*

C'est ainsi que les bons esprits se font entendre à nous par la voix de la conscience, à laquelle, trop souvent, nous fermons l'oreille.

78 — Les esprits inférieurs se rapprochent par la similitude des mauvais penchants et le désir de faire le mal.

L'envie, la jalousie, l'orgueil, l'égoïsme et toutes les mauvaises passions sont le partage des esprits imparfaits, qui se trouvent, par leur infériorité morale et leur ignorance, sous l'influence des esprits supérieurs. Ils se plaisent au mal par la jalousie qu'ils ressentent du bonheur des bons ; leur désir est d'empêcher autant qu'il est en eux les esprits encore imparfaits d'arriver au bien suprême ; ils veulent faire éprouver aux autres ce qu'ils éprouvent eux-mêmes.

79 — Outre la similitude de pensées qui unit les esprits du même ordre, il existe entre eux des affections indivi-

— Ont-ils entre eux des haines ?
« Oui, les esprits impurs. »
— Les affections des esprits sont-elles plus épurées que celles des hommes ?
« Plus l'esprit est parfait, plus l'affection est pure. »
— Les affections réciproques des esprits sont-elles susceptibles d'altérations ?
« Non, car tous les sentiments sont à découvert; *ils ne peuvent se tromper.* »

duelles fondées sur des sympathies spéciales. Plus les esprits sont parfaits, plus ces affections sont pures ; l'amour qui les unit est pour eux la source d'une suprême félicité. Il n'y a de haine que parmi les esprits impurs.

Les esprits ne pouvant se dissimuler réciproquement leurs pensées, *l'hypocrisie est impossible entre eux* ; c'est pourquoi leurs affections sont inaltérables.

CHAPITRE V.

INCARNATION DES ESPRITS.

But de l'incarnation. — De l'âme. — Trois choses en l'homme : le corps, l'âme et le périsprit. — Double nature de l'homme. — Source des passions. — Union de l'intelligence et de la perversité. — Instant de l'union de l'âme et du corps. — Rapports congéniaux entre l'enfant et les parents. — Similitudes physiques et morales. — Indivisibilité de l'âme. — Siége de l'âme. — L'âme interne ou externe. — Influence de la matière et des organes sur les manifestations de l'âme. Folie. Idiotisme. — Idées intuitives apportées à l'homme par l'esprit qui est incarné en lui.

80 — Les esprits peuvent-ils s'améliorer pendant leur existence spirituelle ?
« Ils ont la volonté et le désir de s'améliorer ; mais pour l'accomplissement de ce désir, *ils doivent subir toutes les tribulations de l'existence corporelle.* »
— Quel est le but de l'incarnation des esprits ?
« Dieu la leur impose dans le but de les faire arriver à la perfection ; pour les uns c'est une expiation, pour d'autres c'est une mission. »

81 — Qu'est-ce que l'âme ?
« Un esprit incarné. »
— Les âmes et les esprits sont-ils identiquement la même chose ?
« Oui, les âmes ne sont que les esprits. »
— Que penser de l'opinion de ceux

80 — Le passage par la vie matérielle est nécessaire à la purification des esprits. Pour s'améliorer et s'instruire, *ils doivent subir toutes les tribulations de l'existence corporelle.* L'incarnation leur est imposée, soit comme expiation pour les uns, soit comme mission pour les autres.

Tout s'enchaîne dans la nature ; en même temps que l'esprit s'épure par l'incarnation, il concourt, sous cette forme, à l'accomplissement des vues de la Providence.

81 — L'*âme* est un esprit incarné. Avant de s'unir au corps, l'âme est un esprit errant qui n'est pas pur ; c'est un des êtres qui peuplent le monde spirite, et qui revêtent temporairement une enveloppe charnelle pour se purifier et s'éclairer.

CHAPITRE V.

qui regardent l'âme comme le principe de la vie matérielle ?

« C'est une question de mots, nous n'y tenons pas ; commencez par vous entendre vous-mêmes. »

82 — Combien y a-t-il de parties essentielles dans l'homme ?

« Trois : l'âme qui est la première de toutes ; le corps, puis le lien qui unit l'âme et le corps. »

— Le lien qui unit l'âme et le corps est-il d'une nature matérielle ou spirituelle ?

« L'une et l'autre. »

« Et il le faut bien pour qu'ils puissent communiquer l'un avec l'autre. C'est par ce lien que l'esprit agit sur la matière, et réciproquement. »

83 — D'où viennent à l'homme ses qualités morales bonnes ou mauvaises ?

« Ce sont celles de l'esprit qui est incarné en lui ; plus cet esprit est pur, plus l'homme est porté au bien. »

— Il semble résulter de là que l'homme de bien est l'incarnation d'un bon esprit, et l'homme vicieux celle d'un mauvais esprit ?

« Oui ; mais ne dis pas mauvais esprits ; dis plutôt que c'est un esprit imparfait, autrement on pourrait croire à des esprits toujours mauvais : à ce que vous appelez démons. »

84 — Puisqu'il y a en l'homme un corps et une âme, et que par le corps il est semblable aux animaux, y a-t-il en lui une double nature ?

« Oui, la nature animale et la nature spirituelle. »

— Les passions de l'homme lui viennent-elles des esprits, ou tiennent-elles à son organisation ?

« De l'un et de l'autre ; nous avons dit qu'une partie est l'influence des esprits. »

85 — Est-ce le même esprit qui donne à l'homme les qualités morales et celles de l'intelligence ?

« Oui ! »

— Pourquoi des hommes très intel-

L'esprit en s'incarnant dans le corps de l'homme lui apporte le principe intellectuel et moral qui le rend supérieur aux animaux. (Voir dans l'introduction l'explication du mot *âme*.)

82 — Il y a dans l'homme trois choses :

1° Le corps, ou être matériel analogue aux animaux et animé par le même principe vital ;

2° L'âme, esprit incarné dont le corps est l'habitation ;

3° Le principe intermédiaire ou périsprit, substance semi-matérielle qui sert de première enveloppe à l'esprit et unit l'âme et le corps. Tels sont dans un fruit, le germe, le périsperme et la coquille.

83 — Les esprits étant de différents ordres, les uns déjà épurés et possédés de l'amour du bien, les autres encore impurs, dominés par les mauvaises passions, il en résulte qu'ils apportent à l'homme, en s'incarnant, les qualités bonnes ou mauvaises inhérentes au rang auquel ils appartiennent, et qu'ainsi l'homme de bien est l'incarnation d'un esprit déjà purifié, et l'homme pervers celle d'un esprit encore imparfait.

L'homme vicieux qui se repent et s'améliore est l'incarnation d'un esprit qui comprend ses erreurs et tend à une meilleure destinée.

84 — Il y a en l'homme deux natures : par son corps il participe de la nature des animaux et de leurs instincts ; par son âme il participe de la nature des esprits.

Les deux natures qui sont en l'homme donnent à ses passions deux sources différentes : les unes provenant des instincts de la nature animale, les autres des impuretés de l'esprit dont il est l'incarnation, et qui sympathise avec la grossièreté des appétits animaux.

85 — Le même esprit donne à l'homme les qualités morales et celles de l'intelligence ; mais si cet esprit n'est point assez purifié, il s'abandonne aux passions animales, ou cède à l'influence

INCARNATION DES ESPRITS.

ligents, ce qui annonce en eux un esprit supérieur, sont-ils quelquefois, en même temps, profondément vicieux ?

« C'est que l'esprit n'est pas assez pur, et que l'homme est dominé par un autre esprit plus mauvais. » d'un autre esprit également imparfait qui profite de sa faiblesse pour le dominer. De là, dans le même individu, l'union fréquente de la perversité et de l'intelligence.

86 — A quelle époque l'âme s'unit-elle au corps ?

« A la naissance. »

— Avant sa naissance l'enfant a-t-il une âme ?

« Non. »

— Comment vit-il ?

« Comme les plantes. »

86 — L'âme, ou l'esprit, s'unit au corps au moment où l'enfant voit le jour et respire.

Avant sa naissance l'enfant n'a que la vie organique sans âme. Il vit comme les plantes, n'ayant que l'instinct aveugle de conservation commun à tous les êtres vivants.

87 — Les parents transmettent-ils à leurs enfants une portion de leur âme, ou bien ne font-ils que leur donner la vie animale à laquelle une âme nouvelle vient plus tard ajouter la vie morale ?

« La vie animale seule, car l'âme est indivisible. Un père stupide peut avoir des enfants d'esprit, et *vice versâ*. »

87 — La génération s'opère chez l'homme comme chez les animaux. Les parents ne transmettent à leurs enfants que la vie organique, à laquelle plus tard une âme nouvelle, étrangère à celle du père et de la mère, vient ajouter la vie morale et intellectuelle.

88 — Les parents transmettent souvent à leurs enfants une ressemblance physique. Leur transmettent-ils aussi une ressemblance morale ?

« Non, puisqu'ils ont des âmes ou des esprits différents. »

— D'où viennent les ressemblances morales qui existent quelquefois entre les parents et leurs enfants ?

« Ce sont des esprits sympathiques attirés par la similitude de leurs penchants. »

88 — Les parents peuvent transmettre à leurs enfants une ressemblance physique, parce que le corps procède du corps ; ils ne peuvent transmettre de ressemblance morale puisque l'âme de l'enfant leur est étrangère ; mais leur âme peut attirer dans l'enfant un esprit du même ordre, et ayant avec elle une similitude de goûts et de penchants.

89 — L'esprit des parents est-il sans influence sur celui de l'enfant après sa naissance ?

« Il en a une très grande ; comme nous l'avons dit, les esprits doivent concourir au progrès les uns des autres. Eh bien ! l'esprit des parents a pour mission de développer celui de leurs enfants par l'éducation ; c'est pour lui une épreuve ; *s'il y faillit il est coupable.* »

89 — Les esprits exercent une influence les uns sur les autres ; les bons en vue de faire avancer ceux qui sont encore inférieurs ; les impurs en vue de retarder leur progrès. C'est ainsi que l'esprit incarné dans les parents transmet à celui des enfants, *par l'éducation*, les bons ou les mauvais principes dont il est lui-même animé selon le rang qu'il occupe, et cherche à se l'assimiler.

90 — L'esprit peut-il s'incarner dans deux corps différents à la fois ?

« Non, il est indivisible. »

— D'où vient la similitude de caractère qui existe souvent entre deux frères, surtout chez les jumeaux ?

90 — L'esprit étant indivisible ne peut s'incarner dans deux corps différents à la fois. L'analogie de caractère qui existe souvent entre plusieurs personnes, et surtout entre frères, provient de la similitude des esprits qui

CHAPITRE V.

« Esprits sympathiques qui se rapprochent par la similitude de leurs sentiments *et qui sont heureux d'être ensemble.* »

91 — D'où vient le caractère distinctif que l'on remarque dans chaque peuple ?

« Les esprits ont aussi des familles formées par la similitude de leurs penchants plus au moins épurés selon leur élévation. Eh bien ! un peuple est une grande famille où se rassemblent les esprits sympathiques. »

92 — Que penser de la théorie de l'âme subdivisée en autant de parties qu'il y a de muscles, et présidant ainsi à chacune des fonctions du corps ?

« Cela dépend du sens que l'on attache au mot âme ; si l'on entend le fluide vital, on a raison ; si l'on entend l'esprit incarné, on a tort. »

« Nous l'avons dit, l'esprit est indivisible ; il transmet le mouvement aux organes par le fluide intermédiaire sans pour cela se diviser. »

93 — Quel est le siége de l'âme dans le corps ? la tête ou le cœur ?

« Cela varie selon les personnes. »

— Quelles sont celles qui l'ont dans le cœur ?

« Celles dont toutes les actions se rapportent à l'humanité. »

— Et celles qui l'ont dans la tête ?

« Les grands génies, littérateurs, politiques, etc. »

— Que penser de l'opinion de ceux qui placent l'âme dans un point déterminé, et circonscrit : dans un centre vital ?

« C'est-à-dire que l'esprit habite plutôt cette partie de votre organisation, puisque c'est là où aboutissent toutes les sensations : la vue, le goût, l'odorat, l'ouïe et même le toucher ; mais ce n'est pas à dire que l'esprit y soit confiné ; ce n'est que l'organisation qui concentre tous ces sens dans un seul endroit, pour te prouver que ce n'est que par l'union et l'harmonie de la matière que l'esprit peut agir librement afin d'acquérir les connaissances dont il a besoin. »

se rapprochent par sympathie et sont heureux d'être réunis.

91 — Les esprits forment entre eux des groupes ou familles fondés sur la similitude de leurs inclinations, de leurs goûts et de leurs désirs. La tendance qu'ont les membres de ces familles à s'unir est la source de la ressemblance qui existe dans le caractère distinctif de chaque peuple.

92 — L'âme, comme l'esprit, est indivisible ; elle agit par l'intermédiaire des organes, et les organes sont animés par le fluide vital qui se répartit entre eux, et plus abondamment dans ceux qui sont les centres ou foyers du mouvement.

Ceux qui appellent *âme* le fluide vital, ont raison de la diviser en autant de parties qu'il y a de fonctions dans le corps ; mais cette explication ne peut convenir à l'âme considérée comme étant l'esprit qui habite le corps pendant la vie et le quitte à la mort.

93 — L'âme n'a point à proprement parler de siége absolu dans le corps ; car l'esprit incarné n'est point confiné dans un organe quelconque. Ceux qui la placent dans ce qu'ils considèrent comme le centre de la vitalité, la confondent avec le fluide ou principe vital. Toutefois on peut dire que le siége de l'âme est plus particulièrement dans les organes qui servent aux manifestations intellectuelles et morales, c'est-à-dire dans le cœur et dans la tête.

Elle est plus spécialement dans l'un ou dans l'autre selon les personnes, et peut aussi être à la fois dans l'un et dans l'autre.

Elle est dans le cœur chez ceux dont toutes les actions se rapportent à l'humanité, et dans la tête chez les grands génies et les hommes d'intelligence.

On peut être homme de bien sans avoir une intelligence supérieure, et homme d'intelligence sans être homme de cœur.

INCARNATION DES ESPRITS.

94 — Y a-t-il quelque chose de vrai dans l'opinion de ceux qui pensent que l'âme est extérieure et environne le corps ?

« L'âme n'est point renfermée dans le corps comme l'oiseau dans une cage ; elle rayonne et se manifeste au dehors comme la lumière à travers un globe de verre ; c'est ainsi qu'on peut dire qu'elle est extérieure. L'âme a deux enveloppes, l'une subtile et légère, c'est la première, celle que tu appelles le perisprit ; l'autre, grossière, matérielle et lourde : c'est le corps. L'âme est le centre de toutes ces enveloppes, comme le germe dans un noyau ; nous l'avons déjà dit. »

95 — L'esprit en s'unissant au corps s'identifie-t-il avec la matière ?

« Non, la matière n'est que l'enveloppe de l'esprit, comme l'habit est l'enveloppe du corps. »

96 — L'esprit en s'unissant au corps conserve-t-il les attributs de la nature spirituelle ?

« Oui. »

— Les facultés de l'esprit s'exercent-elles en toute liberté après son union avec le corps ?

« Non, elles dépendent des organes qui leur servent d'instrument, et sont affaiblies par la grossièreté de la matière. »

— D'après cela l'enveloppe matérielle serait un obstacle à la libre manifestation des facultés de l'esprit, comme un verre opaque s'oppose à la libre émission de la lumière ?

« Oui, et très opaque. »

97 — L'esprit qui anime le corps d'un enfant est-il aussi développé que celui d'un adulte ?

« Oui, ce ne sont que les organes imparfaits qui l'empêchent de se manifester. »

98 — Quelle est la cause de la nullité morale et intellectuelle de certains êtres, tels que ceux que l'on désigne sous les noms d'idiots ou de crétins ?

94 — L'âme, ou l'esprit, habite le corps, mais elle n'y est point emprisonnée ; elle rayonne tout à l'entour par ses manifestations, comme le son autour d'un centre sonore, ou la lumière autour d'un foyer lumineux. A ce point de vue elle est à la fois interne et externe, mais n'est point pour cela l'enveloppe du corps.

Pour ceux qui appellent *âme* l'enveloppe semi-matérielle de l'esprit, ou le périsprit, elle serait extérieure par rapport à l'esprit. Pour nous, l'âme étant l'esprit lui-même, c'est-à-dire le centre ou foyer intellectuel et moral, ne peut être une enveloppe quelconque.

95 — L'esprit, dans son incarnation, ne s'identifie point avec la matière. La matière n'est que l'enveloppe, et en reste toujours distincte, comme le corps lui-même est distinct de l'habit qui le recouvre.

96 — L'esprit, en s'unissant au corps, conserve les attributs de sa nature spirituelle ; mais ses facultés sont circonscrites par les organes qui servent à leur manifestation.

Les organes étant les instruments de la manifestation des facultés de l'âme, cette manifestation se trouve subordonnée au développement et au degré de perfection de ces mêmes organes.

La grossièreté de la matière qui enveloppe l'esprit lui ôte également une partie de ses facultés, à peu près comme une eau bourbeuse ôte la liberté des mouvements au corps qui s'y trouve plongé, ou comme un globe de verre opaque ternit l'éclat de la lumière.

97 — Les manifestations des facultés de l'esprit étant subordonnées au développement des organes, il en résulte que l'esprit qui anime un enfant est aussi mûr que celui d'un adulte ; mais il agit en raison de l'instrument à l'aide duquel il peut se produire.

98 — La nullité morale et intellectuelle de certains êtres, est due à l'imperfection des organes qui ne permet pas à l'âme de se manifester ; c'est sou-

CHAPITRE V.

« Imperfection des organes. »

— Si la nullité morale et intellectuelle n'est due qu'à l'imperfection des organes, s'ensuit-il que l'âme du crétin et de l'idiot soit aussi développée que celle d'un homme qui jouit de toutes ses facultés ?

« Oui, *et souvent plus.*

— Quel est le but de la Providence en créant des êtres ainsi disgraciés ?

« Ce sont des esprits *en punition* qui habitent des corps d'idiots. Il en est de même dans la folie. Ces esprits souffrent de la contrainte qu'ils éprouvent, et de l'impuissance où ils sont de se manifester par des organes non développés ou détraqués ; c'est pourquoi ils cherchent souvent dans la mort un moyen de briser leurs liens. »

99 — Pourquoi l'esprit incarné perd-il le souvenir de son passé et la connaissance de l'avenir ?

« L'homme ne peut ni ne doit tout savoir ; Dieu le veut ainsi. »

— Le passé et l'avenir sont-ils cachés à l'homme d'une manière absolue ?

« Oui, pour certaines choses, non pour toutes ; cela dépend de la volonté de Dieu. »

100 — L'esprit incarné ne conserve-t-il aucune trace des perceptions qu'il avait avant de s'unir au corps ?

« Si ; il lui en reste un vague souvenir qui lui donne ce qu'on appelle des idées innées. »

— Est-ce à ce vague souvenir que l'homme doit, même à l'état sauvage, le sentiment instinctif de l'existence de Dieu, et le pressentiment de la vie future ?

« Oui, mais l'orgueil étouffe souvent ce sentiment. »

— Est-ce à ce même souvenir que sont dues certaines croyances relatives à la doctrine spirite, et que l'on retrouve chez tous les peuples ?

« Oui, cette doctrine est aussi ancienne que le monde. »

vent une expiation pour l'esprit qui habite de tels corps. Or, comme la supériorité morale n'est point toujours en raison de la supériorité intellectuelle, les plus grands génies peuvent avoir beaucoup à expier ; de là souvent pour eux une existence inférieure à celle qu'ils ont déjà accomplie, et une cause de souffrances.

Tels sont les idiots, les crétins et les fous, quoique la cause physiologique de leur infirmité soit différente. Leur esprit est tout aussi développé que celui de l'homme de génie ; les entraves qu'il éprouve dans ses manifestations sont pour lui comme les chaînes qui compriment les mouvements d'un homme vigoureux. C'est pourquoi il cherche souvent à briser ses liens par le suicide.

99 — L'enveloppe corporelle ôte à l'esprit la mémoire du passé antérieur à son existence présente ; elle lui dérobe également l'avenir et les mystères qu'il a plu à la Providence de cacher à l'homme. Sans le voile qui couvre pour lui certaines choses, il serait ébloui comme celui qui passe sans transition de l'obscurité à la lumière.

100 — Quoique l'esprit perde sous son enveloppe corporelle la perception du monde spirite, il n'en apporte pas moins à l'homme l'intuition de ce qu'il connaissait avant son incarnation, et qui est resté dans le for intérieur de sa pensée comme un vague souvenir.

Telle est la source du sentiment inné qui porte l'homme à reconnaître l'existence d'un être suprême, qui lui donne la conscience du bien et du mal, et lui fait pressentir la vie future.

Telle est encore la source d'une foule de croyances se rattachant à la doctrine spirite, que l'on retrouve plus ou moins développée chez tous les peuples de tous les âges, mais traduites sous des formes plus ou moins grossières par l'ignorance, le fanatisme et l'ambition.

CHAPITRE VI.

RETOUR DE LA VIE CORPORELLE A LA VIE SPIRITUELLE.

Ame après la mort. — Individualité de l'âme avant et après la mort. — Le tout universel. — Indépendance de l'âme et du principe vital. — Le corps peut vivre sans âme. — Séparation de l'âme et du corps. — Sensation de l'âme en rentrant dans le monde des esprits. — Souvenir de l'existence corporelle. — Rapport des âmes de ceux qui se sont connus sur terre. — Manière dont les âmes considèrent les choses de ce monde. — Abaissement des grands et élévation des petits.

101 — Que devient l'âme à l'instant de la mort ?
« Elle redevient esprit. »

101 — L'âme qui avait quitté le monde des esprits pour revêtir l'enveloppe corporelle, quitte cette enveloppe au moment de la mort et redevient à l'instant esprit.

102. — L'âme, après la mort, conserve-t-elle son individualité ?
« Oui, elle ne la perd jamais. »

102 — L'âme ne perd jamais son individualité ; elle l'avait avant son incarnation, elle la conserve pendant et après son union avec le corps.

103 — Que penser de cette opinion qu'après la mort l'âme rentre dans le tout universel ?
« Est-ce que l'ensemble des esprits ne forme pas un tout ? N'est-ce pas tout un monde ? Quand tu es dans une assemblée, tu es partie intégrante de cette assemblée, et pourtant tu as toujours ton individualité. »

103 — Ceux qui pensent qu'à la mort l'âme rentre dans le tout universel, sont dans l'erreur s'ils entendent par là une, semblable à une goutte d'eau qui tombe dans l'Océan, elle y perd son individualité ; ils sont dans le vrai s'ils entendent par le *tout universel* l'ensemble des êtres incorporels dont chaque âme ou esprit est un élément. Tel un soldat qui fait partie d'une armée où il est soumis à la loi commune, sans cesser d'être lui-même.

104 — L'âme est-elle indépendante du principe vital ?
« Oui, le corps n'est que l'enveloppe ; nous le répétons sans cesse. »
— Le corps peut-il exister sans l'âme ?
« Oui ; et pourtant dès que le corps cesse de vivre, l'âme le quitte. Avant la naissance, l'âme n'y est pas encore ; il n'y a pas union entre l'âme et le corps ; tandis qu'après que cette union a été établie, la mort du corps rompt les liens

104 — L'âme est indépendante du principe vital.
Avant la naissance, le corps peut vivre sans âme, parce qu'il n'y a point encore eu d'union entre l'âme et le corps ; mais après que cette union s'est établie, l'âme quitte le corps dès que celui-ci cesse de vivre, parce qu'alors les liens qui existaient entre l'âme et le corps sont rompus. La vie organique peut animer un corps sans âme, mais

CHAPITRE VI.

qui l'unissent à l'âme, et l'âme le quitte. »

105 — La séparation de l'âme et du corps est-elle douloureuse ?

« Non, le corps souffre souvent plus pendant la vie qu'au moment de la mort; l'âme n'y est pour rien.

» Les souffrances que l'on éprouve quelquefois au moment de la mort sont *une jouissance pour l'esprit*, qui voit arriver le terme de son exil. »

106 — La séparation de l'âme et du corps s'opère-t-elle instantanément ?

« Oui, elle fuit comme une faible colombe poursuivie par un vautour. »

107 — La séparation de l'âme et du corps s'opère-t-elle quelquefois avant la cessation complète de la vie organique?

« Oui, comme dans l'agonie, l'âme a déjà quitté le corps. Il n'y a plus que la vie organique. »

« Le corps est une machine que le cœur fait mouvoir; il existe tant que le cœur fait circuler le sang dans les veines, et n'a pas besoin de l'âme pour cela. »

108 — L'âme, en quittant le corps, a-t-elle immédiatement la conscience d'elle-même ?

« Conscience immédiate. »

— L'exemple d'une personne qui passe de l'obscurité à la clarté peut-il nous en donner une idée ?

« Pas précisément, car il faut à l'âme quelque temps pour se reconnaître; tout est d'abord confus ; c'est plutôt comme un homme qui sort d'un profond sommeil ; jusqu'à ce qu'il soit complétement éveillé, ses idées ne lui reviennent que peu à peu. »

109 — Quelle sensation éprouve l'âme au moment où, sortie de son enveloppe corporelle, elle rentre dans le monde des esprits ?

« Cela dépend; c'est-à-dire que si tu as fait le mal avec désir de le faire, tu te trouves au premier moment tout honteux de l'avoir fait. »

l'âme ne peut habiter un corps privé de la vie organique.

105 — Les souffrances que l'on éprouve quelquefois au moment de la mort tiennent à des causes corporelles et accidentelles : l'âme n'y est pour rien ; ces souffrances même sont une *jouissance pour l'esprit* dont elles annoncent la délivrance prochaine.

Dans la mort naturelle, celle qui arrive par l'épuisement des organes à la suite de l'âge, l'homme quitte la vie sans s'en apercevoir : c'est une lampe qui s'éteint faute d'aliment.

106 — La séparation de l'âme et du corps s'opère instantanément ; les liens qui la retenaient étant rompus, elle fuit comme un prisonnier qui s'évade.

107 — La séparation de l'âme et du corps est presque toujours opérée avant la cessation complète de la vie organique. Tel est, dans l'agonie, l'homme qui n'a plus la conscience de lui-même, et chez lequel il reste encore un souffle de vie.

Dans la mort violente et accidentelle, alors que les organes n'ont point encore été affaiblis par l'âge ou les maladies, la séparation de l'âme et la cessation de la vie ont lieu simultanément.

108 — L'âme, en quittant son enveloppe, a immédiatement la conscience d'elle-même et de son individualité; mais il lui faut quelque temps pour se reconnaître ; au premier moment elle est comme étourdie, et comme un étranger subitement transporté dans une ville inconnue, ou comme un homme sortant d'un profond sommeil et qui n'est pas encore complètement éveillé. La lucidité des idées et la mémoire du passé lui reviennent à mesure que s'efface l'influence de la matière dont elle vient de se dégager.

109 — Le premier sentiment que l'âme éprouve à sa rentrée dans le monde spirite dépend de l'usage qu'elle a fait de la vie qui lui a été donnée comme épreuve. Si son temps a été mal employé, si elle a fait le mal en connaissance de cause, toutes ses actions étant alors à découvert, le sentiment

RETOUR DE LA VIE CORPORELLE A LA VIE SPIRITUELLE.

— En est-il de même de l'âme du juste ?

« Oh ! celle-là c'est bien différent ; elle est comme soulagée d'un grand poids. »

qui la domine est celui de la honte et de la confusion. Tel serait ici-bas l'homme pris en flagrant délit d'un acte qu'il croyait profondément caché.

L'âme du juste, au contraire, est comme soulagée d'un grand poids ; elle entre radieuse et heureuse de sa délivrance dans le monde des esprits, *parce qu'elle n'y craint aucun regard scrutateur.*

110 — Au moment de la mort, l'âme a-t-elle quelquefois une aspiration ou extase qui lui fait entrevoir le monde où elle va rentrer ?

« Oui. »

— Qu'éprouve-t-elle à ce moment ?

« Elle sent se briser les liens qui l'attachent au corps ; *elle fait tous ses efforts pour les rompre entièrement.* »

110 — Au moment de la mort, l'âme a quelquefois une aspiration ou extase qui lui fait entrevoir le monde où elle va rentrer. Déjà en partie dégagée de la matière, elle sent se briser les liens qui l'attachent à la terre *et qu'elle s'efforce de rompre elle-même ;* elle voit l'avenir se dérouler devant elle.

111 — L'exemple de la chenille peut-il nous donner une idée de la vie terrestre, puis du tombeau, et enfin de notre nouvelle existence ?

« Oui, une idée en petit. »

« La figure est bonne ; il ne faudrait cependant pas la prendre à la lettre comme cela vous arrive souvent. »

111 — L'exemple de la chenille qui d'abord rampe sur la terre, puis s'enferme dans sa chrysalide sous une mort apparente pour renaître d'une existence brillante, est une image, quoique bien incomplète et bien petite, de notre existence terrestre, puis du tombeau, et enfin de notre existence nouvelle.

112 — L'esprit dégagé de la matière conserve-t-il le souvenir de son existence corporelle ?

« Oui, et de tous les actes de sa vie. »

— Comment considère-t-il son corps ?

« Comme un mauvais habit dont il est débarrassé. »

112 — L'esprit dégagé de la matière conserve le souvenir de son existence corporelle dont tous les actes et les moindres détails se retracent à sa mémoire. Il voit son enveloppe se détruire, comme nous verrions pourrir un vieil habit que l'on aurait jeté.

113 — L'âme, rentrant dans la vie spirituelle, est-elle sensible aux honneurs rendus à sa dépouille mortelle ?

« Non, elle n'a plus de vanité terrestre, et comprend la futilité de ce monde, surtout quand l'esprit est arrivé déjà à un certain degré de perfection. Mais sache bien que souvent tu as des esprits qui, au premier moment de leur mort matérielle, goûtent un plaisir bien grand des honneurs qu'on leur rend, ou un ennui du délaissement de leur enveloppe ; car ils conservent quelques-unes des idées et certains préjugés d'ici-bas. »

113 — L'âme rendue à la vie spirituelle, et arrivée à un certain degré de perfection, comprend la futilité des choses humaines et voit sans plaisir et sans orgueil les honneurs rendus à sa dépouille mortelle. Le souvenir des personnes qui lui sont chères est la seule chose à laquelle elle attache du prix. Les esprits inférieurs qui sont encore sous l'influence de la matière, éprouvent seuls, au moment de leur mort matérielle, un certain plaisir des honneurs qu'on leur rend et regrettent le délaissement de leur enveloppe.

114 — Les esprits reviennent-ils de préférence vers les tombes où reposent leurs corps ?

114 — C'est une erreur et une idée superstitieuse de penser que les esprits reviennent de préférence vers les tombes

CHAPITRE VI.

« Non, le corps n'était qu'un vêtement; ils n'y tiennent pas. »

115 — Le respect instinctif que l'homme, dans tous les temps et chez tous les peuples, témoigne pour les morts, est-il un effet de l'intuition qu'il a de l'existence future?

« Oui, c'est la conséquence naturelle.

116 — Les esprits se reconnaissent-ils pour avoir co-habité la terre? Le fils reconnaît-il son père, l'ami son ami?

« Oui, et ainsi de génération en génération. »

117 — Comment les hommes qui se sont connus sur terre se reconnaissent-ils dans le monde des esprits?

« Nous voyons notre vie passée et nous y lisons comme dans un livre ; en voyant le passé de nos amis et de nos ennemis nous voyons leur passage de la vie à la mort. »

118 — Deux êtres qui auront été ennemis sur terre, conserveront-ils du ressentiment l'un contre l'autre dans le monde des esprits?

« Non, ils comprendront que leur haine était stupide et le sujet puéril. Les esprits imparfaits conservent seuls une sorte d'animosité jusqu'à ce qu'ils se soient épurés. »

— Le souvenir des mauvaises actions qu'ils ont pu commettre à l'égard l'un de l'autre est-il un obstacle à leur sympathie ?

« Oui, il les porte à s'éloigner. »

119 — Pouvons-nous dissimuler quelques-uns de nos actes aux esprits ?

« Non, ni actes ni pensées. »

— D'après cela il semblerait plus facile de cacher une chose à une personne vivante, que nous ne pouvons faire à cette même personne après sa mort ?

« Certainement, et quand vous vous croyez bien cachés, vous avez souvent une foule d'esprits à côté de vous qui vous voient.

120 — Les esprits conservent-ils quelques-unes des passions humaines ?

« Les esprits purs, en perdant leur enveloppe, laissent les mauvaises passions où reposent leurs corps. Il ne tiennent pas à l'enveloppe *qui les a fait souffrir*. »

115 — L'homme, dans tous les temps et chez tous les peuples, a témoigné d'un respect instinctif pour les morts. Ce sentiment prouve en lui l'intuition de l'existence future, car sans cela ce respect serait sans objet.

116 — L'âme, en rentrant dans la vie spirituelle, y retrouve avec le souvenir de son existence corporelle, ceux qu'elle a connus sur la terre : l'ami y reconnaît son ami, le fils y reconnaît son père, *et ainsi de génération en génération.*

117 — Les hommes qui se sont connus sur terre ne se reconnaissent point dans le monde des esprits par une forme quelconque. La vie terrestre se présente à eux ; ils y lisent comme dans un livre ouvert, et en voyant le passé de ceux qu'ils ont connus, ils voient leur passage d'une vie dans l'autre.

118 — Deux êtres qui auront été ennemis sur la terre ne conservent aucun ressentiment l'un contre l'autre une fois dans le monde des esprits, parce qu'ils comprennent combien leur haine était stupide et le sujet puéril; mais le souvenir des mauvaises actions qu'ils ont commises à l'égard l'un de l'autre les porte à s'éloigner.

Tels deux écoliers parvenus à l'âge de raison reconnaissent la puérilité des querelles qu'ils ont eues dans leur enfance et cessent de s'en vouloir.

119 — La vue indéfinie et la pénétration de la pensée étant un des attributs des esprits, il en résulte que nous ne pouvons rien leur dissimuler. Si nous avons pu cacher quelque chose à une personne pendant sa vie, nous ne le pouvons plus après sa mort, car elle connaît tous nos actes et les plus secrets mouvements de notre âme.

120 — Les esprits supérieurs, en quittant leur enveloppe matérielle, ne conservent des passions humaines que celles du bien. Les esprits inférieurs, au con-

RETOUR DE LA VIE CORPORELLE A LA VIE SPIRITUELLE.

sions et ne gardent que celles du bien ; mais les esprits inférieurs les conservent; autrement ils seraient du premier ordre. »

121 — Comment l'âme du juste est-elle accueillie à son retour dans le monde des esprits ?

« Comme un frère bien-aimé attendu depuis longtemps, *et ceux qui l'aiment viennent le recevoir.* »

— Comment l'est celle du méchant ?

« Comme un être que l'on méprise.

— Quel sentiment éprouvent les esprits impurs à la vue d'un autre mauvais esprit qui leur arrive ?

« Les méchants sont satisfaits de voir des êtres à leur image et privés comme eux du bonheur infini, comme l'est, sur la terre, un fripon parmi ses pareils. »

122 — L'homme qui a été heureux ici-bas regrette-t-il ses jouissances quand il a quitté la terre ?

« Non, car le bonheur éternel est mille fois préférable. Les esprits inférieurs seuls peuvent regretter des joies qui sympathisent avec l'impureté de leur nature et qu'ils expient par leurs souffrances. »

123 — Celui qui a commencé de grands travaux dans un but utile, et qu'il voit interrompus par la mort, regrette-t-il, dans l'autre monde, de les avoir laissés inachevés ?

« Non, parce qu'il voit que d'autres sont destinés à les terminer. Au contraire, il tâche d'influencer d'autres esprits humains à les continuer. Son but, sur la terre, était le bien de l'humanité; ce but est le même dans le monde des esprits. »

124 — La puissance et la considération dont un homme a joui sur la terre lui donnent-elles une suprématie dans le monde des esprits ?

« Non ; car là les petits seront élevés et les grands abaissés. Lis les psaumes. »

— Comment devons-nous entendre cette élévation et cet abaissement ?

« Ne sais-tu pas que les esprits sont de différents ordres selon leur mérite ? Eh bien ! le plus grand de la terre peut

traire, conservent les mauvaises, et c'est ce qui les maintient dans les rangs inférieurs jusqu'à ce qu'ils se soient épurés.

121 — A son retour dans le monde spirite l'âme du juste est accueillie par les bons esprits comme l'est un voyageur par ses amis au retour d'une excursion périlleuse, ou comme un frère bien-aimé attendu depuis longtemps. Si elle a échappé aux dangers du voyage, c'est-à-dire si elle est sortie victorieuse des tentations et des épreuves, elle s'élève dans la hiérarchie des esprits; si, au contraire, elle a succombé, elle rentre dans les rangs des esprits inférieurs, satisfaits de voir un être à leur image et privé comme eux du bonheur infini.

122 — Les jouissances terrestres sont périssables avec le corps. L'esprit ne faisant aucun cas du corps, ne regrette aucun des plaisirs grossiers dont il a joui ici-bas ; car il comprend la futilité de ces jouissances auprès du bonheur éternel.

Tel l'homme adulte qui méprise ce qui faisait les délices de son enfance.

123 — L'homme qui a commencé sur la terre de grands travaux dans un but utile, et qu'il voit interrompus par la mort, une fois dans le monde des esprits n'éprouve plus aucun regret de les avoir laissés inachevés, parce que, dégagé de tout sentiment de vanité, il voit que d'autres hommes sont destinés à les continuer. Loin de là, il tâche d'influencer d'autres esprits humains à les poursuivre.

124 — Les grandeurs d'ici-bas finissent avec la vie du corps. L'homme n'emporte avec lui que le mérite du bien qu'il a fait. La puissance et la considération dont il a joui sur la terre ne lui donnent aucune supériorité dans le monde des esprits ; *car là, les petits seront élevés et les grands abaissés.*

Cette élévation et cet abaissement doivent s'entendre des différents ordres d'esprits; c'est ainsi qu'un puissant de

64 CHAPITRE VII.

être au dernier rang parmi les esprits, tandis que son serviteur sera au premier. Comprends-tu cela ? »
— Celui qui a été grand sur la terre et qui se trouve inférieur parmi les esprits, en éprouve-t-il de l'humiliation ?
« Souvent une bien grande, surtout s'il était orgueilleux et jaloux. »

la terre peut être relégué parmi les esprits inférieurs, tandis que l'homme de la plus humble condition peut être au premier rang. De là, dans le monde des esprits, l'inégalité qui est la gloire pour les uns et l'humiliation pour les autres.
C'est là ce qu'entendait Jésus quand il a dit : Mon royaume n'est pas de ce monde.

CHAPITRE VII.

DIFFÉRENTES INCARNATIONS.

De la réincarnation des esprits. — Métempsycose. — But de la réincarnation. — La vie temporelle est une étamine ou épuratoire pour l'esprit. — De la réincarnation dans les différents mondes. — Etat progressif physique et moral des êtres qui habitent les différents mondes. — Vie éternelle. — Esprits errants. — Intervalles des existences corporelles. — Epreuves de la vie corporelle. Choix des épreuves. — Souvenir des existences antérieures. — Marche progressive des esprits. — Similitudes physiques et morales de l'homme à ses différentes existences.

125 — L'âme a-t-elle plusieurs incarnations, autrement dit plusieurs existences corporelles?
« Oui, tous nous avons plusieurs existences. Ceux qui disent le contraire veulent vous maintenir dans l'ignorance où ils sont eux-mêmes; c'est leur désir. »
— Quel est le but des différentes incarnations ?
« Expiation ; amélioration progressive de l'humanité : sans cela où serait la justice? »
126 — Sur quoi est fondé le dogme de la réincarnation?
« Sur la justice de Dieu et la révélation, car nous vous le répétons sans cesse : Un bon père laisse toujours à ses enfants une porte ouverte au repentir. La raison ne te dit-elle pas qu'il serait injuste de priver sans retour du bonheur éternel tous ceux de qui il n'a pas dépendu de s'améliorer ? Est-ce que tous les hommes ne sont pas les

125 — Tous les esprits tendent à la perfection, et Dieu leur en fournit les moyens par les épreuves de la vie corporelle ; mais dans sa justice il leur réserve d'accomplir, dans de nouvelles existences, *ce qu'ils n'ont pu faire ou achever dans une première épreuve.*
Il ne serait ni selon l'équité, ni selon la bonté de Dieu, de frapper sans rémission ceux qui ont pu rencontrer des obstacles à leur amélioration en dehors de leur volonté et dans le milieu même où ils se trouvent placés.
126 — Le dogme de la réincarnation, c'est-à-dire celui qui consiste à admettre pour l'homme plusieurs existences successives, est le seul qui réponde à l'idée que nous nous faisons de la justice de Dieu à l'égard des hommes placés dans une condition morale inférieure, le seul qui puisse nous expliquer l'avenir et asseoir nos espérances, puisqu'il nous offre le moyen de racheter nos erreurs par de nouvelles épreuves.

DIFFÉRENTES INCARNATIONS.

enfants de Dieu? Ce n'est que parmi les hommes égoïstes qu'on trouve l'iniquité, la haine implacable et les châtiments sans rémission. »

127 — L'âme de l'homme n'aurait-elle point été d'abord le principe de vie des derniers êtres vivants de la création pour arriver, par une loi progressive, jusqu'à l'homme en parcourant les divers degrés de l'échelle organique?

« Non! non! hommes nous sommes nés. »

« Chaque chose progresse dans son espèce et dans son essence; l'homme n'a jamais été autre chose qu'un homme. »

128 — La doctrine de la métempsycose a-t-elle quelque vérité?

« Non, puisque l'homme a toujours été lui-même. »

— Tout erronée que soit la doctrine de la métempsycose, ne serait-elle pas le résultat du sentiment intuitif des différentes existences de l'homme?

« Oui; mais, comme la plupart de ses idées intuitives, il l'a dénaturé. Toujours son même orgueil; son ambition! »

129 — Les esprits ne pouvant s'améliorer qu'en subissant les tribulations de l'existence corporelle, il s'ensuivrait que la vie matérielle serait une sorte d'*étamine* par où doivent passer les êtres du monde immatériel pour arriver à la perfection?

« Oui, c'est bien cela. »

— Est-ce le corps qui influe sur l'esprit pour l'améliorer, ou l'esprit qui influe sur le corps?

« Ton esprit est tout; ton corps est un vêtement qui se pourrit; voilà tout. »

130 — Nos différentes incarnations s'accomplissent-elles toutes sur la terre?

« Non, pas toutes. »

— Où s'accomplissent-elles?

« Dans les différents mondes. »

— Pouvons-nous reparaître plusieurs fois sur la terre?

La raison nous l'indique et les esprits nous l'enseignent. C'est que Jésus entendait par ces paroles qui n'ont point été comprises : *J'ai été, je suis, je serai!*

127 — Quelle que soit la diversité des existences par lesquelles passe notre esprit ou notre âme, elles appartiennent toutes à l'humanité; ce serait une erreur de croire que, par une loi progressive, l'homme a passé par les différents degrés de l'échelle organique pour arriver à son état actuel. Ainsi son âme n'a point été d'abord le principe de vie des derniers êtres animés de la création pour arriver successivement au degré supérieur : à l'homme.

128 — La doctrine de la métempsycose est doublement erronée, puisqu'au lieu d'être fondée sur la marche ascendante de la nature, elle a pour principe la dégradation des êtres qu'elle fait passer de l'humanité à l'état de brute.

Cependant tout erronée que soit cette doctrine, elle n'en est pas moins le résultat du sentiment intuitif de l'homme sur les différentes existences corporelles qu'il a parcourues, ou qu'il doit parcourir.

129 — Les vicissitudes de l'existence sont les épreuves que les esprits doivent subir pour arriver à la perfection. Ils s'améliorent dans ces épreuves en évitant le mal et en pratiquant le bien.

La vie corporelle est donc une sorte d'*étamine ou d'épuratoire* par où doivent passer les êtres du monde incorporel. Mais ce n'est qu'après plusieurs incarnations ou épurations successives qu'ils atteignent, dans un temps plus ou moins long, *selon leurs efforts*, le but auquel ils tendent.

130 — Les différentes incarnations ne s'accomplissent pas nécessairement toutes sur la terre : elles peuvent avoir lieu dans les différents mondes qui composent l'univers. Celle que nous accomplissons ici-bas n'est ni la première ni la dernière, mais c'est une des

5

CHAPITRE VII.

« Certainement. »
— Pouvons-nous y revenir après avoir vécu dans d'autres mondes?
« Oui.
— Les esprits, après avoir été incarnés dans d'autres mondes, peuvent-ils l'être dans celui-ci sans y avoir jamais paru ?
« Oui, comme vous dans d'autres. »
— Pouvons-nous savoir quand un esprit en est à sa première incarnation ?
« Non. »
131 — Les esprits sont-ils de différents sexes?
« Non ; le même esprit peut animer successivement des sexes différents. »
132 — Les êtres qui habitent les différents mondes ont-ils des corps semblables aux nôtres ?
« Sans doute ils ont des corps, parce qu'il faut bien que l'esprit soit revêtu de matière ; mais cette enveloppe est plus ou moins matérielle selon le degré de pureté où sont arrivés les esprits, et c'est ce qui fait la différence des mondes que nous devons parcourir ; car :
« Il y a plusieurs demeures chez notre Père et pour lors plusieurs degrés. Les uns le savent et en ont conscience sur cette terre, et d'autres ne sont nullement de même. »
— Pouvons-nous connaître exactement l'état physique et moral des différents mondes ?
« Nous, esprits, nous ne pouvons répondre que suivant le degré dans lequel vous êtes ; c'est-à-dire que nous ne devons pas révéler ces choses à tous, parce que tous ne sont pas en état de les comprendre, *et cela les troublerait.* »

133 — Les esprits peuvent-ils s'incarner dans un monde moins parfait que celui auquel ils appartiennent ?
« Oui. »
— Mais alors puisqu'ils sont déjà épurés, pourquoi subissent-ils les tribulations d'une existence inférieure ?
« C'est une mission pour aider au progrès. »

plus matérielles et des plus éloignées de la perfection.
Il est possible que chacun de nous ait déjà paru sur la terre, comme il est possible que nous y reparaissions un jour ; c'est ce que nous saurons quand nous aurons dépouillé l'épais vêtement qui nous comprime, car alors le souvenir du passé nous sera rendu.
La première incarnation des esprits est un mystère qu'il ne nous est pas donné de connaître.

131 — Les esprits n'ont pas de sexe, et dans leurs diverses incarnations ils peuvent animer successivement des hommes ou des femmes.

132 — Les conditions de l'incarnation, dans les différents mondes, varient selon la perfection de l'esprit ; à mesure qu'il approche de cette perfection, le corps qu'il revêt se rapproche également de la nature spirite. La matière est moins dense, il ne rampe plus péniblement à la surface du sol, les besoins physiques sont moins grossiers, les êtres vivants n'ont plus besoin de s'entre-détruire pour se nourrir. L'esprit est plus libre et a pour les choses éloignées des perceptions qui nous sont inconnues ; il voit par les yeux du corps ce que nous ne voyons que par la pensée.
L'épuration progressive des esprits amène chez les êtres dans lesquels ils sont incarnés le perfectionnement moral. Les passions animales s'affaiblissent, et l'égoïsme fait place au sentiment fraternel. C'est ainsi que dans les mondes supérieurs à la terre les guerres sont inconnues ; les haines et les discordes y sont sans objet, parce que nul ne songe à faire du tort à son semblable.

133 — Les esprits habitant un monde supérieur peuvent s'incarner dans un monde moins parfait ; mais alors ce n'est point une expiation, c'est une mission qu'ils accomplissent en aidant les hommes dans la voie du progrès, et qu'ils sont heureux de remplir, parce que c'est pour le bien.

DIFFÉRENTES INCARNATIONS.

134 — Les êtres qui habitent chaque monde sont-ils tous arrivés au même degré de perfection ?
« Non ; c'est comme sur la terre ; il y en a de plus ou de moins avancés. »

135 — L'état physique et moral des êtres vivants est-il perpétuellement le même dans chaque *Globe ?*
« Non. »
— Tous les globes ont-ils commencé par être, comme le nôtre, dans un état inférieur ?
« Oui. »
— La terre subira-t-elle la transformation qui s'est opérée dans les autres mondes ?
« Certainement. Elle deviendra un paradis terrestre lorsque vous serez devenus bons. »

136 — Y a-t-il des mondes où l'esprit cessant d'habiter un corps matériel, n'ait pour enveloppe que le périsprit ?
« Oui, et cette enveloppe même devient tellement éthérée, que pour vous c'est comme si elle n'existait pas ; c'est alors l'état des purs esprits. »

137 — Que devient l'esprit après sa dernière incarnation ?
« Esprit bienheureux ; c'est la vie éternelle. »
— Ainsi la vie éternelle serait l'état de l'âme qui a parcouru toutes les existences corporelles ?
« Oui ; elle jouit d'un bonheur parfait ; mais ce bonheur n'est pas celui de l'égoïste : elle est toujours heureuse du bien qu'elle peut faire. »

138 — Le périsprit est-il partie intégrante et inséparable de l'esprit ?
« Non ; l'esprit peut s'en dépouiller. »
— Où l'esprit puise-t-il le périsprit ?
« Dans le fluide de chaque globe. »
— La substance qui compose le périsprit est-elle la même dans tous les globes ?

134 — Les êtres qui habitent chaque monde ne sont pas tous arrivés au même degré de perfection. De même que nous voyons sur la terre des races plus ou moins avancées, chaque monde renferme aussi des êtres plus ou moins perfectionnés, quoique en somme supérieurs ou inférieurs à nous (*note* 3).

135 — L'état physique et moral des êtres vivants n'est pas perpétuellement le même dans chaque globe. Tous les mondes ont commencé à être peuplés de races inférieures qui se sont améliorées. C'est ainsi que les races qui peuplent aujourd'hui la terre disparaîtront un jour et seront remplacées par des êtres de plus en plus parfaits ; ces races transformées succéderont à la race actuelle, comme celle-ci a succédé à d'autres plus grossières encore.

136 — A mesure que les esprits s'épurent, ils dépouillent dans leurs incarnations successives, suivant le monde qu'ils habitent, l'enveloppe grossière des mondes inférieurs.
Arrivés à un certain degré de supériorité, leur enveloppe ne consiste que dans le périsprit (43). Au dernier degré d'épuration l'esprit est, pour nous, comme dégagé de toute enveloppe.

137 — Les esprits arrivés à la perfection absolue n'ont plus besoin d'incarnation ; ils sont purs esprits ; c'est pour eux la vie éternelle.
La vie éternelle est l'état des esprits arrivés au suprême degré de pureté, et qui, n'ayant plus à subir les épreuves d'une vie matérielle, jouissent d'une félicité inaltérable. C'est ce dont parlait Jésus quand il disait : Mon royaume n'est pas de ce monde.

138 — La substance semi-matérielle dont le périsprit est formé est inhérente à chaque globe, et sa nature est plus ou moins éthérée selon le monde auquel elle appartient.
Les esprits, dans leurs transmigrations d'un monde à l'autre, se dépouillent du périsprit du monde qu'ils quit-

CHAPITRE VII.

« Non ; elle est plus ou moins éthérée. »

— En passant d'un monde à l'autre l'esprit quitte-t-il un périsprit pour en prendre un autre ?

« Oui, c'est d'aussi peu de durée que l'éclair. »

139 — L'âme se réincarne-t-elle immédiatement après sa séparation du corps ?

« Quelquefois immédiatement ; le plus souvent après des intervalles plus ou moins longs. »

— Quelle peut être la durée de ces intervalles ?

« De quelques minutes à quelques siècles. Cela dépend du degré de pureté des esprits, mais généralement le juste est réincarné immédiatement dans une condition meilleure ; c'est-à-dire qu'il possède une faculté de perception plus grande sur le passé, l'avenir et le présent. »

« Quelquefois on est réincarné de suite dans une condition plus pénible que celle que l'on avait. Un malfaiteur, un assassin peut être réincarné de suite dans des conditions qui lui permettent de se repentir. Ainsi dans l'existence matérielle où il a commis son crime, il avait peut-être une position à pouvoir satisfaire tous ses besoins ; eh bien ! dans cette nouvelle incarnation il en sera privé ; il perdra tous ceux qu'il affectionne, etc. »

140 — Que devient l'âme dans l'intervalle des diverses incarnations ?

« Esprit errant qui aspire après sa nouvelle destinée. »

— Parmi les esprits errants n'y a-t-il que les esprits inférieurs ?

« Il y en a de tous les degrés. »

— Les esprits errants sont-ils heureux ou malheureux ?

« Cela dépend de leur perfection. »

141 — L'enfant qui meurt en bas âge n'ayant pu faire de mal, son esprit appartient-il aux degrés supérieurs ?

« Non ; s'il n'a point fait de mal, il n'a pas fait de bien, et Dieu ne l'affran-

tent pour revêtir instantanément celui du monde où ils entrent. C'est sous cette enveloppe qu'ils nous apparaissent quelquefois avec une forme humaine ou toute autre, soit dans les rêves, soit même à l'état de veille, mais toujours insaisissable au toucher.

139 — La réincarnation de l'âme peut avoir lieu immédiatement après la séparation du corps ; mais le plus souvent elle ne s'accomplit qu'à des intervalles plus ou moins longs. Le nombre des incarnations et la durée des intervalles ne peuvent nous être révélés ; cela dépend du degré de pureté auquel sont arrivés les esprits.

L'homme qui a la conscience de son infériorité puise dans la doctrine de la réincarnation une espérance consolante. S'il croit à la justice de Dieu il ne peut espérer être pour l'éternité l'égal de ceux qui ont mieux fait que lui. La pensée que cette infériorité ne le déshérite pas à tout jamais du bien suprême, et qu'il pourra le conquérir par de nouveaux efforts, le soutient et ranime son courage. Quel est celui qui, au terme de sa carrière, ne regrette pas d'avoir acquis trop tard une expérience dont il ne peut plus profiter ? Cette expérience tardive n'est point perdue ; il la mettra à profit dans une nouvelle vie (*note 4*).

140 — Dans les intervalles qui séparent chaque incarnation, l'âme est un esprit errant qui aspire après la nouvelle existence qu'il doit accomplir.

Les esprits errants ne sont pas forcément dans un état d'infériorité absolue ; ils sont plus ou moins élevés, et par conséquent plus ou moins heureux selon le bien ou le mal qu'ils ont fait.

141 — L'esprit de l'enfant n'arrive, comme tous les autres, au degré de pureté absolue qu'après l'avoir mérité par ses actes, et Dieu ne l'affranchit pas des épreuves qu'il doit subir.

L'âme de l'enfant qui meurt en nais-

DIFFÉRENTES INCARNATIONS.

chit pas des épreuves qu'il doit subir. »
— Que devient l'esprit d'un enfant qui meurt en bas âge ?
« il entre dans un autre corps et recommence une nouvelle existence. »
— Pourquoi la vie est-elle souvent interrompue dès l'enfance ?
« Ce peut être pour l'esprit un complément d'existence, *et souvent une expiation pour les parents.* »

142 — Le repentir a-t-il lieu à l'état corporel ou à l'état spirituel ?
« A l'état spirituel ; mais il peut aussi avoir lieu à l'état corporel quand vous comprenez bien la différence du bien et du mal. »
— Quelle est la conséquence du repentir à l'état spirituel ?
« Le désir d'une nouvelle incarnation pour se purifier. »
— Le repentir a-t-il toujours lieu à l'état corporel ?
« Plus souvent qu'on ne croit, mais aussi souvent il est trop tard. »
— Quelle est la conséquence du repentir à l'état corporel ?
« D'avancer *dès la vie présente* si l'on a le temps de réparer ses fautes. »

143 — L'homme pervers qui n'a point reconnu ses fautes pendant sa vie les reconnaît-il toujours après sa mort ?
« Oui, il les reconnaît toujours, et alors il souffre davantage, car *il ressent tout le mal qu'il a fait* et il le voit. »

144 — L'expiation s'accomplit-elle à l'état corporel ou à l'état d'esprit ?
« J'ai déjà dit que le corps n'est rien, c'est l'esprit qui est tout. L'esprit la subit ; le corps est l'instrument. »

145 — L'esprit a-t-il le choix du corps dans lequel il doit entrer ?
« Non ; il a le choix du genre d'épreuves qu'il veut subir, et c'est en cela que consiste son libre arbitre. »
— Ainsi toutes les tribulations que nous éprouvons dans la vie auraient été

sant, ou avant d'avoir la conscience et la liberté de ses actes, n'a mérité ni peines ni récompenses ; il accomplit sa mission dans une autre existence.
La durée de la vie de l'enfant est souvent pour l'esprit qui est incarné en lui le complément d'une existence interrompue avant le terme voulu, et sa mort *une épreuve ou une expiation pour les parents*.

142 — Pour l'homme qui comprend la différence qu'il y a entre le bien et le mal, le repentir commence à l'état corporel, car sa conscience lui reproche ses fautes et il peut s'améliorer. Le repentir a toujours lieu à l'état spirituel, mais alors il n'est plus temps, tout regret est superflu, car il ne peut adoucir son sort qu'en se purifiant par une nouvelle incarnation. Après sa mort il comprend les fautes qui le privent du bonheur dont jouissent les esprits supérieurs ; c'est pourquoi il aspire à une nouvelle existence où il pourra les expier ; mais elle ne lui est pas accordée au gré de ses désirs ; il doit attendre que le temps soit accompli.

143 — L'homme pervers qui n'a point reconnu ses fautes pendant sa vie, les reconnaît toujours lorsqu'il est devenu esprit ; alors il souffre davantage, car il comprend combien il a été coupable, et il souffre de tous les maux qu'il a fait endurer, ou dont il a été la cause *volontaire*.

144 — L'expiation s'accomplit pendant l'existence corporelle par les épreuves auxquelles l'esprit est soumis. L'esprit la subit, le corps est l'instrument. Le châtiment est dans les souffrances morales attachées à l'état d'infériorité dans la vie spirituelle.

145 — L'esprit n'a pas le choix du corps dans lequel il doit entrer, mais il a celui du genre d'épreuve qu'il veut subir, et c'est en cela que consiste son libre arbitre. Les uns peuvent donc s'imposer une vie de misère et de privations pour essayer de la supporter

CHAPITRE VII.

prévues par nous, et c'est nous qui les aurions choisies ?

« Oui. »

— Qu'est-ce qui dirige l'esprit dans le choix des épreuves qu'il veut subir ?

« Il choisit celles qui peuvent être pour lui une expiation, par la nature de ses fautes, et le faire avancer plus vite.»

— Pourrait-il faire son choix pendant l'état corporel ?

« Son désir peut avoir de l'influence; cela dépend de l'intention; mais quand il est esprit il voit souvent les choses bien différemment que sous l'enveloppe corporelle. Ce n'est que l'esprit qui fait ce choix; mais encore une fois il peut le faire dans cette vie matérielle, car l'esprit a toujours de ces moments où il est indépendant de la matière qu'il habite.»

146 — Dans l'intervalle des existences corporelles, l'esprit a-t-il connaissance de toutes ses existences antérieures ?

« Oui, on se souvient de toutes ses existences, mais on ne se souvient pas d'une manière absolue de tous les actes. Tu fais souvent l'évocation d'un esprit errant qui vient de quitter la terre et qui ne se rappelle pas les noms des personnes qu'il aimait, ni bien des détails qui, pour toi, paraissent importants; il s'en soucie peu et cela tombe dans l'oubli. Ce dont il se rappelle très bien, ce sont les faits principaux qui l'aident à s'améliorer. »

147 — Comment pouvons-nous nous améliorer si nous ne connaissons pas les fautes que nous avons commises dans nos existences antérieures ?

« A chaque existence nouvelle tu as plus d'intelligence et tu peux mieux distinguer le bien et le mal. Où serait le mérite, si tu te rappelais tout le passé?»

148 — Pouvons-nous avoir quelques révélations sur nos existences antérieures ?

« Pas toujours. Plusieurs savent cependant ce qu'ils ont été et ce qu'ils faisaient; s'il leur était permis de le dire hautement, ils feraient de singulières révélations sur le passé. »

avec courage ; d'autres vouloir s'éprouver par les tentations de la fortune et de la puissance, bien plus dangereuses par l'abus et le mauvais usage que l'on peut en faire, et par les mauvaises passions qu'elles développent.

L'homme, sur la terre, et placé sous l'influence des idées charnelles, ne voit dans ces épreuves que le côté pénible ; c'est pourquoi il lui semble naturel de choisir celles qui, à son point de vue, peuvent s'allier aux jouissances matérielles; mais dans la vie spirituelle il pense autrement; il compare ces jouissances fugitives et grossières avec la félicité inaltérable qu'il entrevoit, et dès lors que lui font quelques souffrances passagères (*note* 5) !

146 — La Providence, dans sa sagesse, a cru devoir cacher à l'homme le mystère de ses existences antérieures. L'esprit en s'incarnant en perd le souvenir; mais en rentrant dans la vie spirituelle, ses différentes existences se retracent à sa mémoire, ainsi que tous les actes qu'il a accomplis. Toutefois il est des détails peu importants dont il se soucie peu et qui tombent dans l'oubli. Il se rappelle surtout les fautes et tous les faits qui peuvent influer sur son amélioration.

147 — La perte du souvenir de nos existences antérieures, pendant l'incarnation, et des fautes que nous avons pu commettre n'est point un obstacle à notre amélioration, car à chaque existence nouvelle l'intelligence de l'homme est plus développée et il comprend mieux le bien et le mal.

148 — Le mystère de nos existences antérieures n'est pas toujours absolument impénétrable, et il peut être donné à certaines personnes de connaître ce qu'elles ont été et ce qu'elles ont fait, mais il ne leur est pas toujours permis de le révéler. Il en est qui ont de leur passé comme un vague souvenir, à peu

DIFFÉRENTES INCARNATIONS.

— Certaines personnes croient avoir un vague souvenir d'un passé inconnu; cette idée n'est-elle qu'une illusion?

« C'est quelquefois réel; mais souvent aussi c'est une illusion contre laquelle il faut se mettre en garde. »

— Dans les existences corporelles d'une nature plus élevée que la nôtre, le souvenir des existences antérieures est-il plus précis?

« Oui; à mesure que le corps est moins matériel on se souvient mieux. »

149 — Un homme, dans ses nouvelles existences, peut-il descendre plus bas qu'il n'était?

« Comme *position sociale*, oui; comme esprit, non. »

» L'homme peut-il reculer dans la voie du progrès?

« Non ; mais seulement ne pas avancer. »

— Nous voyons cependant des peuples retomber dans la barbarie.

« C'est un temps d'arrêt ; un pas en arrière pour avancer plus tard. Il faut voir l'humanité dans son ensemble et non dans quelques faits de détail. »

150 — L'âme d'un homme de bien peut-elle, dans une nouvelle incarnation, animer le corps d'un scélérat?

« Non, puisqu'elle ne peut dégénérer. »

— L'âme d'un homme pervers peut-elle devenir celle d'un homme de bien?

« Oui, s'il s'est repenti, et alors c'est une récompense. »

151 — L'homme conserve-t-il, dans ses nouvelles existences, des traces du caractère moral de ses existences antérieures?

« Oui, cela peut arriver ; mais en s'améliorant il change. Sa position sociale peut aussi n'être plus la même ; si de souverain il devient chiffonnier, ses goûts seront tout différents et vous auriez de la peine à le reconnaître. »

152 — L'homme, dans ses différentes incarnations, conserve-t-il des traces

près comme l'image fugitive d'un songe que l'on cherche en vain à saisir. Ce souvenir devient de plus en plus clair à mesure que l'on s'élève dans l'échelle des êtres qui habitent les mondes d'un ordre supérieur.

A moins d'une révélation directe, le souvenir que nous croyons avoir de notre passé ne doit être accepté qu'avec une grande réserve, car ce peut être le fait d'une illusion ou d'une imagination surexcitée.

149 — La marche des esprits est progressive et jamais retrograde ; ils s'élèvent graduellement dans la hiérarchie, et ne descendent point du rang auquel ils sont parvenus.

Dans leurs différentes existences corporelles ils peuvent déchoir *comme position sociale*, mais non comme esprits.

Ainsi l'âme d'un puissant de la terre peut plus tard animer le plus humble artisan et *vice versâ*; car les rangs parmi les hommes sont souvent en raison inverse de l'élévation des sentiments moraux.

Hérode était roi et Jésus charpentier.

150 — L'esprit ne pouvant déchoir de son rang, mais progressant toujours, il en résulte que l'âme d'un homme de bien ne peut, dans une existence nouvelle, animer le corps d'un scélérat; mais l'âme du pervers peut devenir celle d'un homme de bien, s'il a compris ses fautes, et alors c'est une récompense.

151 — L'esprit étant le même dans les diverses incarnations, ses manifestations peuvent avoir de l'une à l'autre certaines analogies. L'homme peut donc conserver des traces du caractère moral de ses existences antérieures ; mais les goûts, les habitudes et les tendances changent, soit par la position sociale qui peut être toute différente, soit par l'amélioration de l'esprit qui, d'orgueilleux et méchant, peut devenir humble et humain, s'il s'est repenti.

152 — Les caractères physiques de l'homme sont les attributs du corps, et

CHAPITRE VIII.

du caractère physique des existences antérieures ?

« Non, le corps est détruit et le nouveau n'a aucun rapport avec l'ancien. Cependant l'esprit se reflète sur le corps; certes que le corps n'est que matière; mais malgré cela il est modelé sur les capacités de l'esprit qui lui imprime un certain caractère, principalement sur la figure; c'est-à-dire que la figure, plus particulièrement, reflète l'âme; car telle personne excessivement laide a pourtant quelque chose qui plaît quand elle est l'enveloppe d'un esprit bon, sage, humain, tandis que tu as des figures très belles qui ne te font rien éprouver, pour lesquelles même tu as de la répulsion. Tu pourrais croire qu'il n'y a que les corps bien faits qui soient l'enveloppe des esprits les plus parfaits, tandis que tu rencontres tous les jours des hommes de bien sous des dehors difformes. »

le corps étant détruit par la décomposition, celui que revêt l'âme dans une nouvelle incarnation n'a aucun rapport *nécessaire* avec celui qu'elle a quitté. Il serait donc absurde de conclure une succession d'existences d'une ressemblance qui n'est que fortuite.

Toutefois, bien que le corps et l'esprit soient de nature différente, et ne tiennent entre eux que par des liens indirects et fragiles, le corps est en quelque sorte modelé sur l'esprit. La figure, principalement, en est le reflet, et c'est avec vérité qu'on a désigné les yeux comme le miroir de l'âme. C'est ainsi que, sans avoir une ressemblance prononcée, la physionomie, en reflétant le caractère de l'esprit, peut donner ce qu'on appelle un air de famille, et que sous l'enveloppe la plus humble on peut trouver l'expression de la grandeur et de la dignité, tandis que, sous l'habit du monarque, on voit quelquefois celle de la bassesse et de l'ignominie.

CHAPITRE VIII.

ÉMANCIPATION DE L'AME PENDANT LA VIE CORPORELLE.

Rêves. — Somnambulisme naturel. — Seconde vue. — Hallucinations; visions. — Crisiaques. — Extase. — Somnambulisme magnétique.

153 — L'esprit incarné demeure-t-il volontiers sous son enveloppe corporelle ?

« Il aspire sans cesse à sa délivrance, et plus l'enveloppe est grossière, plus il désire en être débarrassé. »

154 — Pendant le sommeil l'âme se repose-t-elle comme le corps ?

« Non, l'esprit n'est jamais inactif. »

153. — L'âme ne revêt l'enveloppe corporelle que parce qu'elle y est contrainte par la nécessité; c'est pourquoi elle aspire sans cesse à se débarrasser de ses langes jusqu'au moment où les liens qui la retiennent à la terre seront brisés sans retour.

154. — Pendant l'état de veille, c'est-à-dire dans l'état d'activité des forces vitales du corps, l'âme étant subordonnée à l'influence de la matière à

ÉMANCIPATION DE L'AME PENDANT LA VIE CORPORELLE.

— Que fait l'esprit pendant le sommeil du corps ?

« Les liens qui l'unissent au corps sont relâchés, et le corps n'ayant pas besoin de lui, il parcourt l'espace *et entre en relation plus directe avec les autres esprits.* »

155 — Comment pouvons-nous juger de la liberté de l'esprit pendant le sommeil ?

« Par les rêves. »

— Les rêves ont donc quelque chose de vrai ?

« Les rêves sont toujours vrais, mais non pas comme l'entendent les diseurs de bonne aventure. Crois bien que l'esprit ne repose jamais, et que quand le corps repose l'esprit a plus de facultés que dans la veille ; il a le souvenir du passé et quelquefois prévision de l'avenir ; il acquiert plus de puissance et peut entrer en communication avec les autres esprits, *soit dans ce monde, soit dans un autre.* Souvent tu dis : J'ai fait un rêve bizarre, un rêve affreux, mais qui n'a aucune vraisemblance ; tu te trompes ; c'est souvent un souvenir des lieux et des choses que tu as vues ou que tu verras dans une autre existence ou à un autre moment. Le corps étant engourdi, l'esprit tâche de briser sa chaîne en cherchant dans le passé ou dans l'avenir. »

156 — Le somnambulisme naturel a-t-il du rapport avec les rêves ? Comment peut-on l'expliquer ?

« C'est une indépendance de l'âme plus complète que dans le rêve, et alors ses facultés sont plus développées ; elle a des perceptions qu'elle n'a pas dans le rêve. »

157 — Le phénomène désigné sous le nom de seconde vue, a-t-il du rapport avec le rêve et le somnambulisme ?

« Tout cela n'est qu'une même chose ; ce que tu appelles seconde vue, c'est encore l'esprit qui est plus libre, quoique le corps ne soit pas endormi. »

— Celui qui est doué de la seconde vue voit-il par ses yeux ?

laquelle elle est liée, perd une partie de ses facultés, ou, pour mieux dire, ces facultés n'ayant plus la plénitude de leur liberté, deviennent en quelque sorte latentes.

Pendant le sommeil les liens corporels se relâchent, et l'âme recouvre une partie de sa liberté.

155 — La liberté de l'âme, pendant le sommeil, se manifeste par le phénomène des rêves. Les rêves sont ainsi le produit de l'émancipation de l'âme rendue plus indépendante par la suspension de la vie active et de relation. De là une sorte de clairvoyance indéfinie qui s'étend aux lieux les plus éloignés ou que l'on n'a jamais vus, et quelquefois même à d'autres mondes. De là encore le souvenir qui retrace à la mémoire les événements accomplis dans l'existence présente ou dans les existences antérieures ; de là, enfin, dans quelques cas, le pressentiment des choses futures.

Le souvenir incomplet qui nous reste au réveil de ce qui nous est apparu en songe, l'étrangeté des images de ce qui se passe ou s'est passé dans des mondes inconnus, entremêlées des choses du monde actuel, forment ces ensembles bizarres et confus qui semblent n'avoir ni sens ni liaisons.

156 — Lorsque l'indépendance de l'âme est plus complète et que ses facultés se déploient avec une plus grande énergie que dans le rêve, elle produit le phénomène désigné sous le nom de *somnambulisme naturel*, dont le rêve n'est qu'un diminutif ou une variété (*note* 6).

157 — L'émancipation de l'âme se manifeste quelquefois à l'état de veille, et produit le phénomène désigné sous le nom de *seconde vue*, qui donne à ceux qui en sont doués la faculté de voir, d'entendre et de sentir *au delà des limites de nos sens.* Ils perçoivent les choses absentes partout où l'âme étend son action ; ils les voient pour ainsi

CHAPITRE VIII.

« Non, c'est comme le somnambule, *il voit par l'âme.* »

158 — La seconde vue est-elle permanente ?

« La faculté, oui ; l'exercice, non. »

— La seconde vue se développe-t-elle spontanément ou à la volonté de celui qui en est doué ?

« Le plus souvent elle est spontanée, mais souvent aussi la volonté y joue un grand rôle. Ainsi, prenez pour exemple certaines gens que l'on appelle diseurs de bonne aventure et dont quelques-uns ont cette puissance, et tu verras que c'est la volonté qui les aide à entrer dans cette seconde vue, et dans ce que tu appelles vision. »

159 — Les personnes douées de la seconde vue, en ont-elles toujours conscience ?

«Non, c'est pour elles une chose toute naturelle ; et beaucoup croient que si tout le monde s'observait, chacun devrait posséder cette faculté. »

160 — Y a-t-il plusieurs degrés dans la faculté de la seconde vue ?

« Oui, et le même sujet peut avoir tous les degrés. »

— Pourrait-on attribuer à une sorte de seconde vue la perspicacité de certaines personnes, qui, sans rien avoir d'extraordinaire, jugent les choses avec plus de précision que d'autres ?

« Oui, c'est toujours l'âme qui rayonne plus librement. »

— Cette faculté peut-elle, dans certains cas, donner la prescience des choses ?

« Oui ; elle donne les pressentiments. »

161 — Est-il vrai que certaines circonstances développent la seconde vue ?

« Oui. »

— Quelles sont ces circonstances ?

« La maladie, l'approche d'un danger, une grande émotion. »

— D'après cela les visions ne seraient point des choses purement fantastiques ?

dire à travers la vue ordinaire et comme par une sorte de mirage.

158 — La seconde vue n'est jamais permanente ; elle se produit instantanément à des moments donnés, souvent sans être surexcitée ; d'autres fois elle est provoquée par la volonté. Dans ce moment l'état physique est sensiblement modifié ; l'œil a quelque chose de vague ; il regarde sans voir ; toute la physionomie reflète une sorte d'exaltation. Parmi les gens qui s'attribuent le don de prescience, quelques-uns doivent à cette faculté la connaissance accidentelle qu'ils ont de certaines choses.

159 — La plupart des personnes douées de la seconde vue ne s'en doutent pas ; cette faculté leur paraît naturelle comme celle de voir ; c'est pour elles un attribut de leur être qui ne leur semble pas faire exception.

L'oubli suit le plus souvent cette lucidité passagère dont le souvenir, de plus en plus vague, finit par disparaître comme celui d'un songe.

160 — Il y a des degrés infinis dans la puissance de la seconde vue, depuis la sensation confuse, jusqu'à la perception claire et nette des choses présentes ou absentes. Ces différents degrés peuvent se trouver réunis dans le même individu.

A l'état rudimentaire, elle donne à certaines gens le tact, la perspicacité, une sorte de sûreté dans leurs actes qu'on peut appeler *la justesse du coup d'œil moral*. Plus développée, elle éveille les pressentiments ; plus développée encore, elle montre les événements accomplis ou sur le point de s'accomplir.

161 — Le phénomène de la seconde vue semble se produire plus fréquemment sous l'empire de certaines circonstances. Les temps de crise, de calamités, de grandes émotions, toutes les causes enfin qui surexcitent le moral, en provoquent le développement. Il semble que la Providence, en présence du dan-

ÉMANCIPATION DE L'AME PENDANT LA VIE CORPORELLE.

« Non, le corps est quelquefois dans un état particulier qui permet à l'esprit de voir ce que vous ne pouvez voir avec les yeux du corps. »

162 — Le sommeil complet est-il nécessaire pour l'émancipation de l'esprit ?

« Non, l'esprit recouvre sa liberté dès que les sens s'engourdissent. »

— Il nous semble quelquefois entendre en nous-mêmes des mots prononcés distinctement et qui n'ont aucun rapport avec ce qui nous préoccupe ; d'où cela vient-il ?

« Oui, et même des phrases tout entières, surtout quand les sens commencent à s'engourdir. Je te le répète sans cesse, c'est quelquefois un faible écho d'un esprit qui veut communiquer avec toi. »

— Que faut-il faire alors ?

« Ecouter. »

163 — D'où vient que la même idée, celle d'une découverte, par exemple, se produit sur plusieurs points à la fois ?

« Nous avons déjà dit que pendant le sommeil les esprits se communiquent entre eux ; eh bien ! quand le corps se réveille, l'esprit se rappelle ce qu'il a appris, et l'homme croit l'avoir inventé. Ainsi plusieurs peuvent trouver la même chose à la fois. Quand vous dites qu'une idée est dans l'air, c'est une figure plus juste que vous ne croyez ; chacun contribue à la propager sans s'en douter. »

164 — Les esprits peuvent-ils se communiquer si le corps est complétement éveillé ?

« Oui, car nous l'avons dit, il n'est pas renfermé dans le corps comme dans une boîte ; il rayonne tout à l'entour. »

— D'où vient que deux personnes, parfaitement éveillées, ont souvent instantanément la même pensée ?

« Ce sont deux esprits sympathiques qui se communiquent et voient réciproquement leur pensée, même quand le corps ne dort pas. »

— Est-ce la cause de nos sympathies et de nos antipathies pour les personnes ger, nous donne le moyen de le conjurer. Toutes les sectes et tous les partis persécutés en offrent de nombreux exemples.

162 — L'esprit profite, pour s'émanciper, de tous les instants de répit que lui laisse le corps ; mais il n'est pas nécessaire pour cela que le repos soit absolu. Dès qu'il y a prostration des forces vitales, l'esprit se dégage, et plus le corps est faible, plus l'esprit est libre. C'est ainsi que le demi-sommeil, ou un simple engourdissement des sens, nous présente les mêmes images que le rêve. Nous entendons souvent en nous-mêmes des mots ou des phrases entières prononcées distinctement. Ce sont des esprits qui veulent se communiquer à nous. Ces paroles n'ont souvent aucun sens apparent ; mais quelquefois aussi, elles sont des avertissements.

163 — Pendant le sommeil notre esprit communique avec d'autres esprits, soit errants, soit incarnés dans d'autres mondes ; mais il communique également avec d'autres esprits incarnés sur la terre, et qui, comme lui, sont en liberté. Ces esprits, au réveil du corps, apportent les connaissances qu'ils ont acquises. Telle est la cause des idées qui paraissent naître sur plusieurs points à la fois. Notre esprit révèle souvent lui-même à d'autres esprits, et à notre insu, ce qui faisait l'objet de nos préoccupations.

164 — L'esprit incarné n'étant point enfermé dans le corps, mais rayonnant tout autour, il en résulte, entre deux esprits qui se rencontrent, une communication de pensées qui fait que deux personnes se voient et se comprennent sans avoir besoin des signes extérieurs du langage.

Deux esprits peuvent ainsi se communiquer, même quand le corps est à l'état de veille, surtout s'ils sont sympathiques ; de là, quelquefois, la simultanéité de la même pensée chez deux personnes différentes. De là, également, l'attraction ou la répulsion instinctive

CHAPITRE VIII.

que nous voyons pour la première fois ? » Oui. »

165 — Quelle différence y a-t-il entre l'extatique et le somnambule ?

« C'est un somnambulisme plus épuré ; l'âme est plus indépendante. »

— L'esprit de l'extatique pénètre-t-il réellement dans les mondes supérieurs ?

« Oui, il les voit et comprend le bonheur de ceux qui y sont ; c'est pourquoi il voudrait y rester. »

— Peut-il pénétrer dans tous les mondes sans exception ?

« Non, car il en est qui sont inaccessibles pour les esprits qui ne sont pas assez épurés. »

— Il est pourtant des choses que l'extatique prétend voir, et qui sont évidemment le produit d'une imagination frappée par les croyances et les préjugés terrestres. Tout ce qu'il voit n'est donc pas réel ?

« Tout ce qu'il voit est vrai ; mais comme son esprit est toujours sous l'influence des idées terrestres, il peut le voir à sa manière, ou, pour mieux dire, l'exprimer dans un langage approprié à ses préjugés et aux idées dont il a été bercé ; ou aux vôtres, afin de mieux se faire comprendre. »

— Lorsque l'extatique exprime le désir de quitter la terre, ce désir est-il sincère, et n'est-il pas retenu par l'instinct de conservation ?

« Cela dépend du degré d'épuration de l'esprit ; s'il voit sa position future meilleure que la vie présente, il fait des efforts pour rompre les liens qui l'attachent à la terre. »

— Si l'on abandonnait l'extatique à lui-même, son âme pourrait-elle définitivement quitter son corps ?

« Oui, il peut mourir ; c'est pourquoi il faut le rappeler par tout ce qui peut le rattacher ici-bas, et surtout en lui faisant entrevoir que s'il brisait la chaîne qui le retient ici, ce serait le vrai moyen de ne pas rester là où il voit qu'il serait heureux. »

166 — Le somnambulisme appelé ma-

que l'on éprouve pour certaines personnes à la première vue.

165 — L'extase est l'état dans lequel l'indépendance de l'âme et du corps se manifeste de la manière la plus sensible et devient en quelque sorte palpable.

Dans le rêve et le somnambulisme l'âme erre dans les mondes terrestres ; dans l'extase, elle pénètre dans un monde inconnu, dans celui des esprits éthérés avec lesquels elle entre en communication, sans toutefois pouvoir dépasser certaines limites qu'elle ne saurait franchir sans briser totalement les liens qui l'attachent au corps. Un éclat resplendissant tout nouveau l'environne, des harmonies inconnues sur la terre la ravissent, un bien-être indéfinissable la pénètre : elle jouit par anticipation de la béatitude céleste, *et l'on peut dire qu'elle pose un pied sur le seuil de l'Éternité.*

Dans l'état d'extase l'anéantissement du corps est presque complet ; il n'a plus pour ainsi dire que la vie organique, et l'on sent que l'âme n'y tient plus que par un fil qu'un effort de plus ferait rompre sans retour.

Dans cet état, toutes les pensées terrestres disparaissent pour faire place au sentiment épuré qui est l'essence même de notre être immatériel. Tout entier à cette contemplation sublime, l'extatique n'envisage la vie que comme une halte momentanée ; pour lui les biens et les maux, les joies grossières et les misères d'ici-bas ne sont que les incidents futiles d'un voyage dont il est heureux de voir le terme.

L'extase n'est point toujours sans danger pour la vie ; dans son aspiration vers un monde meilleur, l'âme pourrait rompre les liens qui l'unissent au corps, si elle n'était retenue par la pensée qu'en les brisant elle-même, elle s'éloigne de ce monde qu'elle entrevoit. »

166 — Les phénomènes de l'extase et

gnétique a-t-il du rapport avec le somnambulisme naturel ?

« Ce n'est qu'une même chose. »

— Quelle est la nature de l'agent appelé fluide magnétique ?

« Fluide universel, fluide vital. »

— Le fluide magnétique a-t-il des rapports avec l'électricité ?

« Un peu ; on pourrait dire que c'est l'électricité animalisée. »

167 — Quelle est la cause de la clairvoyance somnambulique ?

« La même que dans la seconde vue ; c'est l'âme qui voit. »

— Comment le somnambule peut-il voir à travers les corps opaques ?

« Il n'y a de corps opaques que pour vos organes grossiers ; n'avons-nous pas dit que, pour l'esprit, la matière n'est point un obstacle, puisqu'il la traverse librement. Et souvent il vous dit qu'il voit par le front, par le genou, etc., parce que vous, entièrement dans la matière, vous ne comprenez pas qu'il peut voir sans le secours des organes ; lui-même, par le désir que vous avez, croit avoir besoin de ces organes ; mais si vous le laissiez libre, il comprendrait qu'il voit par toutes les parties de son corps, ou, pour mieux dire, c'est en dehors de son corps qu'il voit. »

168 — Puisque la clairvoyance du somnambule est celle de son âme ou de son esprit, pourquoi ne voit-il pas tout, et pourquoi se trompe-t-il souvent ?

« D'abord il n'est pas donné aux esprits imparfaits de tout voir et de tout connaître ; tu sais bien qu'ils participent encore de vos erreurs et de vos préjugés ; et puis quand ils sont attachés à la matière, ils ne jouissent pas de toutes leurs facultés d'esprit. »

« Dieu a donné à l'homme cette faculté dans un but utile et sérieux, et non pour lui apprendre ce qu'il ne doit pas savoir ; voilà pourquoi les somnambules ne peuvent pas tout dire. »

169 — L'exaltation de la clairvoyance somnambulique tient-elle à l'organisa-

du somnambulisme naturels se produisent spontanément et sont indépendants de toute cause extérieure connue ; mais chez certaines personnes douées d'une organisation spéciale, ils peuvent être provoqués artificiellement par l'action de l'agent magnétique.

L'état désigné sous le nom de *somnambulisme magnétique* ne diffère du somnambulisme naturel que parce que l'un est provoqué, tandis que l'autre est spontané.

167 — La cause de la clairvoyance du somnambule magnétique et du somnambule naturel est identiquement la même : *c'est un attribut de l'âme*, une faculté inhérente à toutes les parties de l'être incorporel qui est en nous, et qui n'a de limites que celles qui sont assignées à l'âme elle-même. Il voit partout où son âme peut se transporter, quelle que soit la distance.

Dans la vue à distance, le somnambule ne voit pas les choses du point où est son corps, et comme par un effet télescopique. Il les voit présentes, et comme s'il était sur le lieu où elles existent, parce que son âme y est en réalité ; c'est pourquoi son corps est comme anéanti et semble privé de sentiment, jusqu'au moment où l'âme vient en reprendre possession.

168 — La puissance de la lucidité somnambulique n'est point indéfinie. L'esprit, même complètement libre, est borné dans ses facultés et dans ses connaissances selon le degré de perfection auquel il est parvenu ; il l'est plus encore quand il est lié à la matière dont il subit l'influence. Telle est la cause pour laquelle la clairvoyance somnambulique n'est ni universelle, ni infaillible. On peut d'autant moins compter sur son infaillibilité qu'on la détourne du but que s'est proposé la nature en douant l'homme de cette faculté, et qu'on en fait un objet de curiosité *et d'expérimentation*.

169 — L'exaltation de la clairvoyance somnambulique dépend d'une disposi-

CHAPITRE VIII.

tion physique, ou à la nature de l'esprit incarné ?

« A l'un et à l'autre. »

— Quelle est la source des idées innées du somnambule, et comment peut-il parler avec exactitude de choses qu'il ignore à l'état de veille, et qui sont même au-dessus de sa capacité intellectuelle ?

« Il arrive que le somnambule possède plus de connaissances que tu ne lui en connais ; seulement elles sommeillent, parce que son enveloppe est trop imparfaite pour qu'il puisse s'en souvenir. Mais en définitive, qu'est-il ? Comme nous, esprit qui est incarné dans la matière pour accomplir sa mission, et l'état dans lequel il entre le réveille de cette léthargie. Nous t'avons dit bien souvent que nous revivons plusieurs fois ; c'est ce changement qui lui fait perdre matériellement ce qu'il a pu apprendre dans une existence précédente ; en entrant dans l'état que tu appelles *crise*, il se rappelle ; mais pas toujours d'une manière complète ; il sait ; mais ne pourrait pas dire d'où il sait, ni comment il possède ces connaissances. La crise passée tout souvenir s'efface, et il rentre dans l'obscurité. »

170 — Les sibylles et les oracles de l'antiquité étaient-ils doués de la seconde vue?

« Quelquefois ; c'était ce que vous appelez des crisiaques, comme vos sorciers et vos devins exploités par la cupidité, ou des charlatans eux-mêmes. »

— Que doit-on penser des hallucinations ?

« C'est plus réel qu'on ne croit. Quand on ne sait que dire, on dit que c'est une hallucination. »

— Cependant l'hallucination nous fait voir des choses qui n'ont rien de réel. Par exemple, vous nous avez dit qu'il n'y a pas de démons ; eh bien ! quand en rêve ou autrement on voit ce qu'on appelle le diable, ce ne peut être qu'un effet de l'imagination ?

« Oui , quelquefois, quand on est frappé par certaines lectures ou par des histoires de diableries qui impression-

tion physique spéciale qui permet à l'esprit de se dégager plus ou moins facilement de la matière ; les facultés qu'il manifeste sont d'autant plus grandes qu'il appartient lui-même à un ordre plus élevé.

L'esprit acquiert un surcroît de connaissances et d'expérience à chacune de ses existences corporelles. Il les oublie en partie pendant son incarnation dans une matière trop grossière, *mais il s'en souvient comme esprit*. C'est ainsi que certains somnambules révèlent des connaissances supérieures au degré de leur instruction et même de leurs capacités intellectuelles. A l'état de veille ces connaissances laissent quelquefois un vague souvenir, et comme une intuition qui constitue ce qu'on appelle les idées innées.

L'infériorité intellectuelle et scientifique du somnambule à l'état de veille, ne préjuge donc rien sur les connaissances qu'il peut révéler à l'état lucide. Selon les circonstances et le but qu'on se propose, il peut les puiser dans sa propre expérience, ou dans la clairvoyance des choses présentes ; mais comme son esprit peut être plus ou moins avancé, il peut dire des choses plus ou moins justes.

170 — L'espèce de crise que provoque souvent le développement de la seconde vue, du somnambulisme et de l'extase, a fait donner, dans certains cas, le nom de *crisiaques* à ceux qui sont doués de cette faculté.

Il y a eu des crisiaques dans tous les temps et chez toutes les nations. Les crisiaques ont été diversement considérés selon les temps, les mœurs et le degré de civilisation. Aux yeux des sceptiques qui nient ce qu'ils ne comprennent pas, ils passent pour des cerveaux dérangés ; les sectes religieuses en ont fait des prophètes, des sibylles et des oracles ; dans les siècles de superstition, d'ignorance et de fanatisme, c'étaient des sorciers que l'on brûlait. Pour l'homme sensé qui croit à la puissance infinie, et à l'inépuisable bonté du créateur, c'est une faculté inhérente à l'espèce humaine, par laquelle Dieu

ÉMANCIPATION DE L'AME PENDANT LA VIE CORPORELLE.   79

nent, on se souvient et l'on croit voir ce qui n'existe pas. Mais nous t'avons dit aussi que l'esprit, sous son enveloppe semi-matérielle, peut prendre toutes sortes de formes pour se manifester. Un esprit moqueur peut donc t'apparaître avec des cornes et des griffes si cela lui plaît, pour se jouer de ta crédulité, comme un bon esprit peut se montrer avec des ailes et une figure radieuse. Il faut bien qu'il se rende accessible à tes sens, et c'est pourquoi il prend ces formes ou toutes autres. »

171 — Quelles conséquences peut-on tirer des phénomènes du somnambulisme et de l'extase ? Ne seraient-ils pas une sorte d'initiation à la vie future ?

« Ou pour mieux dire, c'est la vie passée et la vie future que l'homme entrevoit. Qu'il étudie ces phénomènes, et il y trouvera la solution de plus d'un mystère que sa raison cherche inutilement à pénétrer. »

— Les phénomènes du somnambulisme et de l'extase pourraient-ils s'accorder avec le matérialisme ?

« Celui qui les étudie de bonne foi et sans prévention ne peut être ni matérialiste, ni athée. »

nous révèle l'existence de notre essence incorporelle.

La science humaine, dans l'impuissance d'expliquer ce phénomène par les lois physiques de la matière, et par cela seul qu'ils n'obéissent pas au caprice et à la volonté des expérimentateurs, trouve plus simple de les attribuer aux dérangements du cerveau, et les désigne sous le nom d'*hallucinations*.

171 — Par les phénomènes du somnambulisme et de l'extase, soit naturels, soit magnétiques, la Providence nous donne la preuve irrécusable de l'existence et de l'indépendance de l'âme, et nous fait assister au spectacle sublime de son émancipation ; par là elle nous ouvre le livre de notre destinée.

Tandis que l'homme s'égare dans les subtilités d'une métaphysique abstraite et inintelligible pour courir à la recherche des causes de notre existence morale, Dieu met journellement sous ses yeux et sous sa main les moyens les plus simples et les plus patents pour l'étude de la psychologie expérimentale (*note* 7).

CHAPITRE IX.

INTERVENTION DES ESPRITS DANS LE MONDE CORPOREL.

Pénétration de notre pensée par les esprits. — Influence des esprits sur nos pensées et nos actions. — Sujétion de l'homme aux esprits. — Des pactes. — Influence des esprits sur les biens et les maux de la vie corporelle. — Affection des esprits pour certaines personnes. — Croyance aux localités fatalement propices ou funestes par la fréquentation des esprits. — Génies familiers. — Personnes fatales ou propices à d'autres personnes. — Malédiction. — Possédés.

172 — Les esprits voient-ils tout ce que nous faisons ?

172 — Les esprits étant partout, nous en avons sans cesse autour de nous qui

CHAPITRE IX.

« Oui, puisque vous en êtes sans cesse entourés ; mais chacun ne voit que les choses sur lesquelles il porte son attention ; car pour celles qui lui sont indifférentes, il ne s'en occupe pas. »

— Les esprits peuvent-ils connaître nos plus secrètes pensées ?

« Oui, même celles que tu voudrais te cacher à toi-même. »

— Que pensent de nous les esprits qui sont autour de nous et nous voient?

«Cela dépend. Les esprits follets se rient des petites tracasseries qu'ils vous suscitent et se moquent de vos impatiences. Les esprits sérieux vous plaignent de vos travers et tâchent de vous aider. »

173 — Les esprits influent-ils sur nos pensées et sur nos actions ?

« Oui. »

— Comment les esprits influent-ils sur nos actions ?

« En dirigeant la pensée. »

— Exercent-ils une influence sur les événements de la vie ?

« Oui, puisqu'ils te conseillent. »

174 — Avons-nous des pensées qui nous sont propres et d'autres qui nous sont suggérées ?

« Oui, et c'est ce qui vous met dans l'incertitude, parce que vous avez en vous deux idées qui se combattent. »

175 — Comment distinguer les pensées qui nous sont propres de celles qui nous sont suggérées ?

« Lorsqu'une pensée est suggérée, elle vient à l'improviste ; c'est comme une voix qui te parle. Les pensées propres sont en général celles du premier mouvement. »

176 — Comment reconnaître si une pensée nous est suggérée par un bon ou un mauvais esprit ?

« Etudier la chose. Les bons esprits ne conseillent que le bien ; c'est à toi de distinguer. »

— D'après cela il ne serait pas exact de dire que le premier mouvement est toujours bon ?

voient et entendent tout ce que nous faisons et tout ce que nous disons.

La pénétration de pensée, qui est un des attributs de leur essence, leur permet de lire dans les plus profonds replis de nos cœurs ; rien ne peut leur être dissimulé ; ils connaissent tout ce que nous voudrions nous cacher à nous-mêmes.

Les esprits qui nous entourent et nous observent, jugent nos actes au point de vue de leur propre nature. Les esprits légers, comme des enfants espiègles, s'amusent à nos dépens ; les esprits sérieux prennent en pitié nos turpitudes et nos faiblesses.

173 — Les esprits influent sur nos pensées, et par suite sur nos actions qui sont la conséquence de nos pensées; c'est ainsi qu'ils peuvent exercer une influence sur les événements de la vie matérielle.

L'influence des esprits est une mission qu'ils ont reçue pour l'accomplissement des vues de la Providence.

174 — Notre âme étant un esprit incarné, il en résulte que nous avons des pensées qui nous sont propres, et d'autres qui nous sont suggérées par des esprits étrangers ; de là souvent les pensées contraires qui nous arrivent à la fois sur le même sujet.

175 — Les pensées qui nous sont suggérées ne sont point en général le produit de la réflexion ; elles sont en quelque sorte spontanées, surgissent à l'improviste et font naître en nous des idées nouvelles; il nous semble entendre une voix intérieure qui nous dit d'aller ou d'agir dans un sens ou dans un autre.

176 — Les pensées qui nous sont étrangères, comme celles qui nous sont propres, peuvent être bonnes ou mauvaises selon l'esprit qui nous les suggère. La pensée du bien nous vient toujours des bons esprits, et celle du mal des esprits imparfaits. Dieu nous a donné la raison et le discernement ; c'est à nous de choisir.

INTERVENTION DES ESPRITS DANS LE MONDE CORPOREL.

— Il peut être bon ou mauvais, selon la nature de l'esprit qui est incarné en toi.

177 — Dans quel but les esprits imparfaits nous poussent-ils au mal?
« Pour vous faire souffrir comme eux. »
— Cela diminue-t-il leurs souffrances?
« Non, mais par jalousie de voir des êtres plus heureux. »
— Quelle nature de souffrance veulent-ils faire éprouver?
« D'être d'un ordre inférieur et éloigné de Dieu. »
— Pourquoi Dieu permet-il que des esprits nous excitent au mal !
« Toi étant esprit, tu dois progresser dans la science de l'infini ; notre mission est plutôt pour te mettre dans le bon chemin ; et quand de mauvaises influences agissent sur toi, c'est que tu les appelles par le désir du mal. »
« Je te dis que les esprits inférieurs viennent à ton secours dans le mal quand tu as la volonté de le commettre. »
« Je réponds encore une fois à ta question : des esprits dits mauvais ne peuvent t'aider dans le mal que quand tu veux le mal. »
« Si tu as le goût du meurtre, eh bien ! tu auras une nuée d'esprits qui tâcheront de t'y maintenir ; mais aussi tu en as d'autres qui tâcheront de t'influencer en bien, ce qui fait que cela rétablit la balance et te laisse le maître. »

178 — Peut-on s'affranchir de l'influence des esprits qui sollicitent au mal ?
« Oui, car ils ne s'attachent qu'à ceux qui les sollicitent par leurs désirs. »
— Les esprits dont l'influence est repoussée par la volonté renoncent-ils à leurs tentatives ?
« Que veux-tu qu'ils fassent ? quand il n'y a rien à faire, ils cèdent la place ; cependant ils guettent le moment favorable, comme le chat guette la souris. »

177 — L'esprit doit progresser sans cesse dans la science de l'infini, et pour cela doit passer par les épreuves du mal pour arriver au bien. Il a le choix de ces épreuves, et c'est pendant son incarnation qu'il doit les subir. C'est alors que les autres esprits lui viennent en aide selon son désir pour le mal comme pour le bien.

Si la nature encore imparfaite de notre esprit fait prédominer en nous l'instinct du mal, une nuée d'esprits aussi imparfaits s'abattent sur nous comme sur une proie facile, et tâchent de l'aiguillonner par les mauvaises pensées qu'ils suscitent en nous. Leur but, en nous éloignant de Dieu, est de nous faire souffrir comme eux en nous laissant croupir dans les rangs inférieurs. Cela ne diminue point leurs souffrances, mais la jalousie qu'ils ressentent du bonheur des autres les excite à retarder notre amélioration autant qu'il est en eux.

Mais en même temps d'autres esprits tâchent de nous influencer dans un sens contraire et de nous remettre dans le bon chemin ; c'est ainsi que la balance est rétablie, et que Dieu laisse à notre conscience le choix de la route que nous devons suivre, et la liberté de céder à l'une ou à l'autre des influences contraires qui s'exercent sur nous.

178 — Les esprits impurs n'exercent ainsi leur domination sur l'homme qu'autant qu'ils sont sollicités par ses désirs, car ils s'attachent à ceux qui les écoutent, et fuient ceux qui les repoussent.

Quand ils ne voient aucune prise, ils laissent le champ libre aux bons esprits, mais ils épient sans cesse l'instant propice à leurs desseins.

En faisant le bien et en mettant toute notre confiance en Dieu, nous repoussons l'influence des esprits inférieurs, et nous détruisons l'empire qu'ils voulaient prendre sur nous.

6

CHAPITRE IX.

179 — N'y a-t-il pas des hommes qui n'ont que l'instinct du mal ?
« Je t'ai dit que l'on doit progresser sans cesse. Celui qui dans cette vie n'a que l'instinct du mal, aura celui du bien dans une autre, *et c'est pour cela qu'il renait plusieurs fois;* car il faut que tous avancent et atteignent le but, seulement les uns dans un temps plus court, les autres dans un temps plus long, selon leur désir. »

180 — Pour les faveurs que les esprits nous accordent, ne nous tiennent-ils pas sous leur dépendance, et n'aurons-nous pas plus tard un compte à régler avec eux ?
« Non, vous n'en devrez compte qu'à Dieu. »
— Y a-t-il quelque chose de vrai dans les pactes avec les mauvais esprits ?
« Non, il n'y a pas de pactes, mais une mauvaise nature sympathisant avec de mauvais esprits. Par exemple :
» Tu veux tourmenter ton voisin, et tu ne sais comment t'y prendre ; alors tu appelles à toi des esprits inférieurs qui, comme toi, ne veulent que le mal, et pour t'aider veulent que tu les serves dans leurs mauvais desseins ; mais il ne s'ensuit pas que ton voisin ne puisse se débarrasser d'eux par une conjuration contraire et par sa volonté. Celui qui veut commettre une mauvaise action appelle par cela même de mauvais esprits à son aide ; il est alors obligé de les servir comme eux le font pour lui, car eux aussi ont besoin de lui pour le mal qu'ils veulent faire. C'est seulement en cela que consiste le pacte. »

181 — Les esprits s'intéressent-ils à nos malheurs et à notre prospérité ?
« Oui ; les bons esprits font autant de bien que possible, et sont heureux de toutes vos joies. »
— De quelle nature de mal les esprits s'affligent-ils le plus pour nous; est-ce le mal physique ou le mal moral ?
« Votre égoïsme et votre dureté de cœur : de là dérive tout ; ils se rient de tous ces maux imaginaires qui naissent

179 — Chaque existence est une des phases de la vie spirituelle; nous avons tous les mêmes degrés à parcourir, et ce qui ne s'accomplit pas un jour s'accomplira dans une autre vie. Si un homme paraît n'avoir que l'instinct du mal, c'est qu'il aura celui du bien dans une autre existence, et c'est pour cela qu'il renait plusieurs fois. Celui qui n'a que l'instinct du bien est déjà épuré, car il a eu celui du mal dans une existence antérieure.

180 — La dépendance où l'homme se trouve quelquefois des esprits inférieurs provient de son abandon aux mauvaises pensées qu'ils lui suggèrent, et non de pactes ou stipulations quelconques entre eux et lui. Le pacte, dans le sens vulgaire attaché à ce mot, est une allégorie qui peint une mauvaise nature sympathisant avec des esprits malfaisants.
L'homme qui veut faire le mal appelle à lui des esprits inférieurs qui, comme lui, ne veulent que le mal, et pour l'aider veulent aussi qu'il serve leurs mauvais desseins. Mais il ne s'ensuit pas que celui qui doit être victime d'une méchanceté ne puisse s'en préserver par une conjuration contraire et par sa volonté en appelant les bons esprits à son aide. C'est en cela seul que consiste le pacte, et c'est à Dieu seul que nous devrons compte des faveurs que nous aurons obtenues, car les esprits ne sont que les ministres et les instruments de sa providence.

181 — Les esprits s'intéressent à nos malheurs et à notre prospérité ; mais sachant que la vie corporelle n'est que transitoire, et que les tribulations qui l'accompagnent sont des moyens d'arriver à un état meilleur, ils s'affligent plus pour nous des causes morales qui nous conduisent à notre perte, que des maux physiques qui ne sont que passagers.
Les esprits prennent peu de souci de ces malheurs qui n'affectent que notre

INTERVENTION DES ESPRITS DANS LE MONDE CORPOREL.

de l'orgueil et de l'ambition ; ils se réjouissent de ceux qui ont pour effet d'abréger votre temps d'épreuve, car c'est la crise salutaire du malade. »

182 — Les esprits ont-ils le pouvoir de détourner les maux de dessus certaines personnes et d'attirer sur elles la prospérité?

« Pas entièrement, car il est des maux qui sont dans les décrets de la Providence ; mais ils amoindrissent vos douleurs. Ce qui vous paraît un mal n'est pas toujours un mal ; souvent un bien doit en sortir qui sera plus grand ; et c'est ce que vous ne comprenez pas, parce que vous ne pensez qu'au moment présent. »

183 — Lorsque des obstacles semblent venir fatalement s'opposer à nos projets, serait-ce par l'influence de quelque esprit ?

« Oui et non ; quelquefois les esprits, d'autres fois c'est que vous vous y prenez mal. La position et le caractère influent beaucoup. »

— Il y a des gens qu'une fatalité semble poursuivre indépendamment de leur manière d'agir ; le malheur n'est-il pas dans leur destinée ?

« Ce peut être des épreuves qu'ils doivent subir et qu'ils ont choisies ; mais encore une fois vous mettez sur le compte de la destinée ce qui n'est le plus souvent que la conséquence de votre propre faute. Dans les maux qui t'affligent tâche que ta conscience soit pure, et tu seras à moitié consolé. »

184 — Les esprits affectionnent-ils de préférence certaines personnes ?

« Oui. »

— Quels sont les motifs de cette préférence ?

« Tout et rien ; sympathie ; ressemblance de sensation. »

— Cette affection des esprits pour certaines personnes est-elle exclusivement morale ?

« Oui. »

185 — Nos parents et nos amis qui nous ont précédés dans l'autre vie ont-ils pour nous plus de sympathie que

ambition ou froissent nos idées mondaines. Ils se rient de ces perplexités futiles, comme nous faisons des chagrins puérils de l'enfance.

182 — Les maux qui nous affligent ici-bas étant dans les vues de la Providence, il n'est pas toujours au pouvoir des esprits de les détourner entièrement de nous ; mais ils peuvent amoindrir nos douleurs, en nous donnant la force de les supporter avec patience, et nous suggérer des pensées propices pour les détourner autant que possible par notre manière d'agir ; ils n'assistent que ceux qui savent s'assister eux-mêmes.

183 — Lorsque des obstacles semblent venir fatalement s'opposer à nos projets, nous ne devons le plus souvent nous en prendre qu'à nous, car c'est presque toujours nous qui nous y prenons mal. Les idées justes ou fausses que nous nous faisons des choses nous font réussir ou échouer selon notre caractère et notre position sociale. Nous trouvons plus simple et moins humiliant pour notre amour-propre d'attribuer nos échecs au sort ou à la destinée qu'à notre propre faute. Si l'influence des esprits y contribue quelquefois, nous pouvons toujours nous soustraire à cette influence en repoussant les idées qu'ils nous suggèrent, quand elles sont mauvaises.

184 — Les esprits affectionnent de préférence certaines personnes. Les motifs de cette préférence sont exclusivement moraux et sont fondés sur la similitude des sentiments. De là, la sympathie des bons esprits pour les hommes de bien ou susceptibles de s'améliorer, et celle des esprits impurs pour les hommes pervers ou susceptibles de se pervertir.

185 — Nos parents et nos amis qui nous ont précédés dans l'autre vie, s'attachent à nous en raison de l'affection

CHAPITRE IX.

les esprits qui nous sont étrangers ?
« Oui ; souvent ils vous protégent comme esprits. »
— Sont-ils sensibles à l'affection que nous leur conservons ?
« Oui ; ils oublient ceux qui les oublient. »
— Puisque nous avons eu plusieurs existences, la parenté remonte-t-elle au delà de notre existence actuelle ?
« Cela ne peut être autrement. »

186 — Y a-t-il des lieux propices ou funestes par la nature des esprits qui les fréquentent ?
« Superstition ; c'est vous qui attirez les esprits : soyez toujours bons, et vous n'aurez que de bons esprits à vos côtés. »

187 — Y a-t-il des esprits qui s'attachent à un individu en particulier ?
« Oui, et c'est ce que vous appelez le *génie familier*. »
— Avons-nous chacun notre esprit familier ?
« Oui. »
— L'esprit familier est-il attaché à l'individu depuis sa naissance ?
« Oui, et jusqu'à sa mort. »
— Y a-t-il des esprits qui s'attachent à toute une famille ?
« Oui. »

188 — La mission de l'esprit familier est-elle volontaire ou obligatoire ?
« L'esprit est obligé de veiller sur vous, mais il a le choix des êtres qui lui sont sympathiques. »
— En s'attachant à une personne ou à une famille, l'esprit renonce-t-il à protéger d'autres individus ?
« Non ; mais il le fait moins exclusivement. »

189 — N'avons-nous qu'un esprit familier ?
« On peut en avoir deux, un bon et un mauvais. »
— Quel est celui des deux qui a le plus d'influence ?
« Celui auquel l'homme laisse prendre l'empire sur lui. »

que nous leur conservons, et souvent nous protégent comme esprits.
La parenté directe, provenant de notre existence actuelle, n'est pas la seule qui subsiste entre les hommes et les esprits. La succession des existences corporelles établit entre eux et nous des liens qui remontent à nos existences antérieures ; de là souvent des causes de sympathie entre nous et certains esprits qui nous paraissent étrangers.

186 — Les esprits s'attachent aux personnes plus qu'aux choses. C'est une erreur de croire que certaines localités sont fatalement propices ou funestes par la nature des esprits qui les fréquentent. Nous rendons nous-mêmes les lieux favorables ou défavorables par les esprits que nous y attirons.

187 — Outre l'influence générale des esprits, tout homme est plus ou moins sous la dépendance d'un esprit particulier qui s'attache à lui depuis sa naissance jusqu'à sa mort. C'est ce qu'on appelle son esprit ou son *génie familier*.
Il en est qui s'attachent à une famille entière ; c'est-à-dire aux membres d'une même famille qui vivent ensemble, et sont unis par l'affection.

188 — La mission de l'esprit familier est de veiller sur la personne ou la famille dont la garde lui est confiée. Cette mission n'est point volontaire ; il est obligé de veiller sur nous, mais il a le choix des êtres qui lui sont sympathiques.
L'esprit qui s'attache à une personne ou à une famille ne renonce pas pour cela à s'occuper d'autres individus, mais il le fait moins exclusivement.

189 — L'esprit familier n'est pas toujours seul, souvent il y en a deux : l'un qui pousse l'homme à sa perte, l'autre qui le protége contre les tentations. L'homme est plus ou moins sous l'influence de l'un ou de l'autre, selon celui des deux auquel il laisse prendre l'empire.

INTERVENTION DES ESPRITS DANS LE MONDE CORPOREL.

— Qu'entend-on par Ange-Gardien ou bon génie?

« L'esprit familier lorsqu'il est bon. »

190 — Le génie protecteur abandonne-t-il quelquefois son protégé, et pour quel motif?

« Il s'éloigne quand il voit en lui une mauvaise nature et la volonté de se livrer à son mauvais génie; mais il ne l'abandonne point complétement et se fait toujours entendre; c'est alors l'homme qui ferme les oreilles. Il revient dès qu'on l'appelle. »

— Le mauvais esprit se retire-t-il aussi quelquefois?

« Oui, lorsqu'il n'a rien à faire; mais il épie toujours les occasions de t'induire au mal. »

191 — L'esprit familier est-il fatalement attaché à l'être confié à sa garde?

« Non; souvent il le quitte pour un autre, et alors l'échange se fait. »

192 — Tous les hommes ont-ils leur génie familier?

« Oui. »

— L'homme dans l'état sauvage ou de dégradation a-t-il également son génie familier?

« Oui , mais alors le mauvais a le dessus, »

— Après cette vie reconnaîtrons-nous notre bon et notre mauvais génie?

« Oui, vous les connaissiez avant d'être incarnés. »

193 — Recevons-nous des avertissements des esprits protecteurs?

« Oui, de vos esprits familiers. »

— Par quels moyens nous donnent-ils ces avertissements?

« Par les pressentiments et par les pensées qu'ils vous suggèrent. »

— Ces avertissements ont-ils pour objet unique la conduite morale, ou bien aussi la conduite à tenir dans les affaires de la vie privée?

« Tout; il essaie de te faire vivre le mieux possible. »

Ce qu'on appelle vulgairement Ange-Gardien ou bon génie, est l'esprit familier lorsqu'il est bon.

190 — Le bon esprit s'éloigne quelquefois de son protégé lorsqu'il voit en lui une irrésistible volonté de se livrer à son ennemi. Il ne l'abandonne point pour cela complétement et se fait toujours entendre : c'est la voix de la conscience qui parle en nous, mais à laquelle nous fermons trop souvent l'oreille.

Par la même raison le mauvais esprit renonce à ses tentatives lorsqu'il en reconnaît l'inutilité par l'ascendant que la volonté de l'homme donne à l'esprit bienfaisant; mais il n'en épie pas moins les occasions de nous induire au mal. C'est ainsi que l'homme de bien est souvent assailli par de mauvaises pensées.

191 — L'esprit familier n'est pas invariablement et fatalement attaché à l'être qu'il a choisi; souvent il le quitte pour un autre sans cause prépondérante; mais alors un autre esprit le remplace.

192 — Tous les êtres humains ont leur génie familier, à quelque degré de l'échelle sociale qu'ils appartiennent; mais chez les hommes encore arriérés dans leur développement moral et intellectuel, ce sont les esprits imparfaits qui dominent.

Tous en quittant la vie corporelle pour rentrer dans le monde des esprits reconnaîtront leurs bons et mauvais génies.

193 — Les esprits protecteurs nous guident dans la bonne voie par les avertissements qu'ils nous donnent. Ils nous les transmettent par les pressentiments et par les pensées qu'ils nous suggèrent, soit qu'elles aient pour objet la conduite morale, soit qu'elles concernent la conduite à tenir dans les affaires de la vie privée, ou les moyens d'éviter les maux qui nous menacent.

D'un autre côté, notre mauvais génie nous suscite des entraves et provoque nos malheurs ici-bas en nous suggérant

CHAPITRE IX.

— A quel signe pouvons-nous reconnaître que l'avertissement nous vient d'un bon ou d'un mauvais esprit ?

« J'ai dit pressentiment ; consultez votre conscience et la nature de vos pensées. »

194 — Que devons-nous penser du premier mouvement qui nous sollicite dans nos actions ?

« Le premier mouvement est toujours bon chez l'homme qui écoute l'inspiration de son bon génie. »

— Que devons-nous faire dans l'incertitude ?

« Quand tu es dans le vague invoque ton bon esprit. »

— Qui doit-on prier quand on ne connaît pas son esprit familier ?

« *Priez notre maître à tous, Dieu, qu'il vous envoie un de ses messagers, l'un de nous.* »

195 — Que doit-on penser de ces personnes qui semblent s'attacher à certains individus pour les pousser fatalement à leur perte, ou pour les guider dans la bonne voie ?

« Dieu les envoie pour les tenter. »

— Notre bon et notre mauvais génie ne pourraient-ils pas s'incarner pour nous accompagner dans la vie d'une manière plus directe ?

« Oui, cela a lieu quelquefois ; mais souvent aussi ils chargent de cette mission d'autres esprits incarnés qui leur sont sympathiques ? »

196 — La malveillance des êtres qui nous ont fait du mal sur terre s'éteint-elle avec leur vie corporelle ?

« Souvent ils reconnaissent leur injustice et le mal qu'ils ont fait ; mais souvent aussi ils vous poursuivent de leur animosité si Dieu le veut ainsi pour continuer de vous éprouver. »

— Quel sentiment éprouvent après la mort ceux à qui nous avons fait du mal ici-bas ?

« S'ils sont bons, ils pardonnent selon votre repentir. »

197 — La bénédiction et la malédiction peuvent-elles attirer le bien et le mal sur ceux qui en sont l'objet ?

des pensées pernicieuses. Dieu nous a donné la conscience et la raison pour guides ; c'est à nous de choisir. Quiconque étudie la nature de ses pensées peut aisément en connaître la source.

194 — Chez l'homme qui suit l'impulsion de son bon génie le premier mouvement est toujours bon ; en le suivant il sera toujours juste.

Dans l'incertitude, qu'il invoque avec sincérité son Ange-Gardien, et il en recevra toujours un avis salutaire, ou qu'il prie Dieu de lui envoyer un de ses messagers, c'est-à-dire un bon esprit, et sa prière sera toujours exaucée.

195 — Il y a des êtres fatals à certaines personnes, et qui semblent nés pour les pousser vers leur ruine ; d'autres au contraire semblent prédestinés à les guider dans la bonne voie. Ce sont des êtres animés par des esprits plus ou moins purs que Dieu place sur notre route pour nous tenter ou pour nous secourir. C'est à nous de choisir entre le bon et le mauvais chemin. C'est aussi quelquefois notre bon, ou notre mauvais génie, qui s'est incarné pour nous escorter dans la vie.

196 — L'action malveillante des êtres pervers qui nous ont fait du mal ici-bas ne s'éteint pas avec leur vie corporelle. Souvent à leur rentrée dans le monde des esprits ils reconnaissent leur injustice ; mais quelquefois aussi ils nous poursuivent de leur animosité, jusque dans une autre existence, si Dieu le veut ainsi pour achever de nous éprouver.

Ceux à qui nous avons fait du mal nous pardonnent après leur mort s'ils sont bons, et selon notre repentir.

197—La bénédiction et la malédiction sont des invocations qui ont pour objet d'attirer le bien et le mal sur ceux qui

INTERVENTION DES ESPRITS DANS LE MONDE CORPOREL. 87

« Oui, parce que le plus souvent on maudit les méchants et l'on bénit les bons. »

« Dieu n'écoute point une malédiction injuste, et celui qui la prononce est coupable à ses yeux. Mais, comme nous disions très bien tout à l'heure, nous avons les deux génies opposés : le bien et le mal ; il peut donc y avoir une influence momentanée, surtout sur la matière. Mais cette influence n'a toujours lieu que par la volonté de Dieu, et comme surcroît d'épreuve pour celui qui en est l'objet. »

198 — Un esprit peut-il momentanément revêtir l'enveloppe d'une personne vivante, c'est-à-dire s'introduire dans un corps animé et agir au lieu et place de celui qui s'y trouve incarné ?

« Non, l'esprit n'entre pas dans un corps comme tu entres dans une maison ; il s'assimile avec un esprit incarné qui a les mêmes défauts et les mêmes qualités pour agir conjointement ; mais c'est toujours l'esprit incarné qui agit comme il veut sur la matière dont il est revêtu. »

199 — Y a-t-il des possédés dans le sens vulgaire attaché à ce mot ?

« Non, puisque deux esprits ne peuvent habiter ensemble le même corps. Ceux que l'on appelait ainsi étaient des épileptiques ou des fous, qui avaient plus besoin du médecin que d'exorcisme. »

en sont l'objet, mais elles ne peuvent jamais détourner la Providence de la voie de la justice. Elle ne frappe le maudit que s'il est méchant, et sa protection ne couvre que celui qui la mérite. Dieu n'écoute pas une malédiction injuste, et la fait retomber sur celui qui l'a prononcée.

Toutefois, comme nous avons deux génies opposés, le bien et le mal, la volonté de l'homme peut avoir une influence momentanée, surtout sur la matière ; mais cette influence, qu'elle soit bonne ou mauvaise, est toujours dans les vues de la Providence.

198 — L'action des esprits sur l'homme ne se borne pas à une influence morale sur la pensée. Cette action est quelquefois plus directe. Souvent ils s'unissent à l'esprit d'une personne vivante dont ils empruntent ainsi le concours afin d'agir conjointement avec lui pour le bien comme pour le mal, mais ils ne peuvent se substituer à lui dans le corps qu'il anime, car l'esprit et le corps doivent rester liés jusqu'au temps marqué pour le terme de l'existence matérielle.

199 — L'esprit ne pouvant se substituer à un autre esprit incarné, ni cohabiter le même corps, il n'y a pas de *possédés* dans le sens vulgaire attaché à ce mot. Ceux que l'on a pris pour tels dans des temps de superstition et d'ignorance étaient des épileptiques, des fous ou des *extatiques*.

CHAPITRE X.

MANIFESTATION DES ESPRITS.

Différentes natures de manifestations. — Médiums. — Diverses catégories de médiums. — Rôle et influence du médium et du milieu dans les manifestations. — Signes de supériorité ou d'infériorité des esprits. — Nature des communications spirites. — Les esprits peuvent-ils révéler l'avenir, les existences antérieures, les trésors cachés? — Le spiritisme n'est pas un moyen de divination. — But que l'on doit se proposer dans les manifestations spirites. — Évocations. — Conditions les plus favorables à l'évocation. — Manifestations spontanées. — Esprits que l'on peut évoquer. — Évocation de personnes vivantes. — Télégraphie humaine, ou communications spirites entre personnes vivantes.

200 — Les esprits peuvent-ils attester leur présence d'une manière quelconque?
« Oui, de bien des manières. »

201 — Est-il donné à tous les hommes de ressentir les effets de la présence des esprits?
« Oui, suivant les aptitudes de chacun; mais il y en a pour qui elles sont plus apparentes. »

202 — Les esprits peuvent-ils se manifester d'une manière sensible?
« Oui; par toutes sortes de moyens. »
— Peuvent-ils faire impression sur le toucher?
« Oui, et aussi sur l'ouïe, la vue et l'odorat. »
— Peuvent-ils apparaître sous une forme humaine non matérielle?
« Oui, dans ce que vous appelez visions. »
— Tous les esprits apparaissent-ils sous les mêmes formes?
« Non. »
— Peut-on provoquer l'apparition des esprits?
« Oui; mais rarement; le plus souvent elle est spontanée. »

200 — Les esprits peuvent attester leur présence de diverses manières. Leurs manifestations peuvent être occultes ou ostensibles, spontanées ou sur évocation.

201 — Tous les hommes étant sous l'influence des esprits, il est donné à chacun de ressentir les effets de leur présence soit moralement, soit matériellement, suivant les aptitudes particulières.

202 — Les manifestations matérielles des esprits ont lieu sous des formes très variées. Elles peuvent affecter nos sens de plusieurs manières : le toucher par l'impression d'un corps invisible, l'ouïe par des bruits, l'odorat par des odeurs sans causes connues, et la vue par des visions.
Ils attestent souvent leur présence par le mouvement et le déplacement des corps solides sans intermédiaires tangibles.
Ils se manifestent encore sous l'apparence de flammes ou lueurs, ou bien en revêtant des formes humaines ou autres sans avoir rien des propriétés connues de la matière. C'est à l'aide de leur enveloppe semi-matérielle, ou pé-

MANIFESTATION DES ESPRITS.

— Que penser de la flamme bleue qui parut, dit-on, sur la tête de Servius Tullius enfant ?

« C'était réel ; esprit familier. »

— Quel est le but des esprits dans leurs manifestations ostensibles ?

« Appeler l'attention sur quelque chose et attester leur présence. »

— Comment des esprits peuvent-ils agir sur la matière ?

« Ils agissent par l'intermédiaire du lien qui les unit à la matière. »

203 — Y a-t-il des choses que l'on puisse qualifier de surnaturelles ?

« Non, car du moment qu'une chose arrive, c'est qu'elle est possible. »

— Pourquoi donc les appelle-t-on surnaturelles ?

« Parce que vous ne les comprenez pas, et que par orgueil et amour-propre vous trouvez plus simple de les nier. »

— Parmi les phénomènes que l'on cite comme preuves de l'action d'une puissance occulte, il y en a qui sont évidemment contraires à toutes les lois connues de la nature ; le doute alors ne semble-t-il pas permis ?

« C'est que l'homme est loin de connaître toutes les lois de la nature ; s'il les connaissait toutes, il serait esprit supérieur. »

204 — Tout le monde peut-il éprouver des manifestations spirites ?

« Oui, vous en éprouvez souvent auxquelles vous ne faites pas attention, ou que vous attribuez à d'autres causes. »

— Y a-t-il des personnes plus accessibles que d'autres à ces manifestations ?

« Oui, ceux que vous appelez médiums. »

205 — La faculté dont jouissent les médiums tient-elle à des causes physiques ou morales ?

« L'un et l'autre. Leur esprit communique plus facilement avec les autres esprits. »

— Pourquoi leur esprit entre-t-il plus facilement en communication avec les autres esprits ?

« Parce que leur corps est plus imrisprit, qu'ils agissent sur la matière et sur nos sens.

Ces manifestations sont souvent aussi de simples effets naturels provoqués par les esprits pour appeler notre attention sur un point ou un fait quelconque. D'autres fois ce sont des phénomènes dont la cause nous est inconnue, que nous expliquons selon nos idées ou nos préjugés, ou bien que nous qualifions de surnaturels quand la cause nous paraît sortir des lois ordinaires de la nature.

203 — Il n'y a rien de surnaturel en ce monde, car rien ne peut arriver qui ne soit dans la possibilité et dans les lois de la nature; mais l'homme est bien loin de connaître encore tous les ressorts de l'univers, et dans son orgueil il trouve plus simple de nier ce qu'il ne comprend pas, parce que son amour-propre souffre d'avouer son ignorance.

Chaque jour pourtant donne un démenti à ceux qui, croyant tout savoir, prétendent imposer des bornes à la nature, et ils n'en restent pas moins orgueilleux. En dévoilant sans cesse de nouveaux mystères, Dieu avertit l'homme de se défier de ses propres lumières, car un jour viendra où *la science du plus savant sera confondue.*

204 — Quoique les manifestations ostensibles aient souvent lieu spontanément, et que chacun puisse en recevoir, il est des personnes douées d'une puissance fluidique et de dispositions spéciales par suite desquelles elles obtiennent plus aisément des manifestations d'un certain ordre. On les désigne sous le nom de *médiums.*

205 — La faculté dont jouissent les médiums tient à des causes à la fois physiques et morales. Elle dépend d'abord d'une certaine impressionnabilité, et en même temps de la nature de l'esprit incarné qui, se dégageant plus facilement de la matière, entre plus aisément en communication avec les autres esprits.

La cause de ces aptitudes spéciales

CHAPITRE X.

pressionnable, l'esprit se dégage plus facilement. »

206 — La faculté dont jouissent les médiums est-elle circonscrite par l'âge ou le sexe ?
« Non. »
— Dans quel but la Providence a-t-elle doué certains individus de cette faculté d'une manière plus spéciale ?
« C'est une mission dont ils sont chargés et dont ils sont heureux ; ils sont les interprètes entre les esprits et les hommes. »
— Cette faculté peut-elle leur être retirée ?
« Oui, s'ils en abusent. »

207 — Le médium, au moment où il exerce sa faculté, est-il dans un état parfaitement normal ?
« Jamais complétement, puisqu'il faut que son esprit recouvre une partie de son indépendance. Il est toujours plus ou moins dans un état de crise ; c'est ce qui le fatigue, et c'est pourquoi il a besoin de repos. »

208 — Quelles sont les personnes auxquelles on peut appliquer la qualification de médium ?
« Toutes celles qui ressentent d'une manière quelconque la présence des esprits. »
— Comme les médiums ne ressentent point et ne produisent pas tous les mêmes effets, il y en a de plusieurs sortes ; comment peut-on les classer ?
« Comme vous voudrez, car il y en a qui n'ont qu'une aptitude et d'autres qui les ont toutes. »
— Approuvez-vous la classification que nous donnons ici des médiums ?
« Une classification est utile ; celle-ci est bonne ; autant celle-là qu'une autre. »
« Nous vous le répétons sans cesse, ne faites pas le fond de ce qui n'est que la forme. »

209 — Quelle est la cause du mouvement des corps solides sous l'influence des médiums moteurs ?

est le plus souvent inappréciable à nos sens ; elle tient à la nature intime de ceux qui en sont doués.

206 — Il y a des médiums de tout sexe et de tout âge. La faculté qui leur est accordée est un don précieux de la Providence, puisqu'elle leur accorde ainsi le pouvoir d'être les interprètes directs des esprits et de l'enseignement qu'ils transmettent aux hommes. C'est une mission qui leur est confiée et dont ils ne doivent point tirer vanité, car Dieu peut la leur retirer s'ils abusent d'une faculté qui ne leur a été donnée que pour le bien.

207 — Les médiums en exercice sont en général dans un état de crise ou de surexcitation pendant lequel ils font une dépense anormale de fluide vital. Cette perte leur cause une fatigue que quelques-uns ne peuvent supporter longtemps sans avoir besoin de réparer leurs forces par le repos.

208 — On peut classer les médiums en plusieurs catégories principales selon le genre de manifestations qu'il leur est spécialement donné d'obtenir. Ce sont :
Les médiums moteurs ;
Les médiums écrivains ;
Les médiums parlants ;
Les médiums voyants ;
Les médiums somnambules ;
Les médiums extatiques ;
Les médiums impressibles ;
Les médiums inspirés.
Certains médiums réunissent toutes ou plusieurs de ces facultés. Cette classification n'a, du reste, rien d'absolu ; chacune de ces catégories présentant une infinité de nuances et de degrés, on peut en multiplier ou en restreindre le nombre à volonté.

209 — Les médiums moteurs sont ceux qui ont la puissance d'imprimer un mouvement à certains objets mobi-

MANIFESTATION DES ESPRITS.

« Action de l'esprit ; c'est la cause première. »

— L'esprit agit-il directement sur l'objet ou par un intermédiaire quelconque ?

« Par un intermédiaire ; car vous êtes dans un monde trop grossier pour que les esprits puissent se manifester à vous sans intermédiaire. »

— Cet intermédiaire est-il matériel ?

« Il tient le milieu entre la matière et l'esprit ; mais il est plus ou moins matériel selon la nature des globes. »

— Est-ce l'esprit du médium qui est la cause impulsive du mouvement, ou un esprit étranger ?

« Quelquefois l'esprit du médium, d'autres fois un ou plusieurs esprits étrangers. »

les, sans impulsion matérielle, souvent même sans aucune participation de la volonté, d'autres fois par le seul acte de la pensée.

Pour la production de ce phénomène, le concours de plusieurs personnes est quelquefois nécessaire selon la nature et le volume des objets ; mais il n'est pas toujours indispensable, car le médium seul peut souvent agir sur les volumes les plus considérables.

Cette catégorie de médiums est très nombreuse ; il est peu de personnes qui ne soient douées de cette faculté à un degré quelconque.

Le mouvement est quelquefois imprimé par l'action directe de l'esprit du médium, d'autres fois par celle d'un ou de plusieurs esprits étrangers auxquels le médium sert d'instrument.

210 — Le mouvement imprimé aux objets comporte-t-il toujours un sens ?

« Non. »

— Quel est alors le but de ces manifestations ?

« Convaincre de la présence d'une puissance supérieure à l'homme ; confondre son orgueil, et l'amener à connaître la vérité. »

— Comment prouver que la cause première est un esprit et non l'action purement physique d'un agent quelconque ?

« L'intelligence n'est pas dans la matière. Eh bien ! quand ce mouvement donne des preuves d'intelligence, peux-tu croire que c'est la matière ? Quand une personne te parle en te faisant signe avec son bras ou en frappant des coups avec un bâton, crois-tu que ce soit le bras ou le bâton qui pense ? »

210 — Le mouvement imprimé aux objets ne comporte le plus souvent aucun sens, si ce n'est de convaincre de la présence d'un pouvoir occulte et impalpable. Il pourrait dès lors s'expliquer par le seul effet d'un courant fluidique ou électrique, s'il eût toujours été purement mécanique ; mais l'intervention d'une intelligence surhumaine est devenue patente, lorsque des communications intelligentes ont été faites par ce moyen.

Des manifestations intelligentes doivent avoir une cause intelligente. Or, la matière n'étant point intelligente par elle-même, on ne peut en trouver la cause que dans l'esprit. Lorsqu'une girouette est agitée par le vent, son mouvement est purement physique ; mais si elle transmet des signaux, c'est qu'une intelligence la fait mouvoir.

211 — La faculté d'écrire sous l'influence des esprits est-elle donnée à tout le monde ?

« Non, pas à présent ; mais plus tard tout le monde aura cette faculté. »

— Quelle condition devra remplir l'humanité pour que cette faculté devienne générale ?

« Lorsque les hommes seront transformés et meilleurs, ils auront cette fa-

211 — Les médiums écrivains sont ceux qui sont doués de la faculté d'écrire sous l'influence de la puissance occulte qui les dirige. Leur main est agitée d'un mouvement convulsif involontaire ; ils cèdent à l'impulsion d'un pouvoir évidemment en dehors de leur contrôle, car ils ne peuvent ni s'arrêter ni poursuivre à volonté. Ils saisissent le crayon malgré eux et le quittent de

culté, et bien d'autres dont ils sont privés par leur infériorité morale. »

— Cette transformation aura-t-elle lieu sur la terre, ou n'existe-t-elle que dans les mondes meilleurs ?

« Nous l'avons dit, elle commencera ici-bas. »

— La faculté d'écrire est-elle spontanée, ou bien est-elle susceptible de se développer par l'exercice ?

« L'un et l'autre ; il faut souvent de la patience et de la persévérance ; c'est le désir constant que vous avez qui aide les esprits à venir se mettre en communication avec vous. »

— La foi est-elle nécessaire pour acquérir la faculté de médium écrivain ?

« Pas toujours ; souvent avec la foi on n'écrit pas, et sans la foi on écrit ; mais la foi vient ensuite ; cela dépend des vues de la Providence. »

— Le médium écrivain n'a-t-il jamais conscience de ce qu'il écrit ?

« Jamais, n'est pas le mot ; car il arrive souvent qu'il le voit, l'entend et le comprend au moment où il écrit. »

— Lorsque l'écriture est indéchiffrable comment le médium peut-il se lire lui-même ?

« Espèce de seconde vue ; ou bien c'est l'esprit qui lui parle. »

— Une personne qui ne saurait pas écrire pourrait-elle être médium écrivain ?

« Oui. »

— Quelle conséquence peut-on tirer du changement de caractère dans l'écriture du médium ?

« Esprit différent qui se communique. »

212 — Le médium parlant a-t-il conscience de ce qu'il dit ?

« Quelquefois il le sait très bien, et il est surpris lui-même de sa facilité à s'exprimer ; le plus souvent il est dans un état somnambulique ou extatique ; alors il en a conscience comme esprit, mais non comme homme, et il en perd le souvenir au réveil. »

— Le médium parlant peut-il s'exprimer dans une langue qui lui est étrangère ?

même ; ni la volonté, ni le désir ne peuvent le faire marcher s'il ne doit pas le faire.

L'écriture s'obtient aussi quelquefois par la seule imposition des mains sur un objet convenablement disposé et muni d'un instrument propre à écrire. La puissance occulte imprime à cet objet le mouvement nécessaire pour tracer des caractères, sans qu'il soit besoin de le guider à cet effet.

Suivant la puissance du médium les réponses sont plus ou moins étendues et formulées avec plus ou moins de précision. Quelques-uns n'obtiennent que des mots ; chez d'autres la faculté se développe par l'exercice, et l'on obtient des phrases complètes et souvent des dissertations développées sur des sujets proposés, ou transmises spontanément sans être provoquées par aucune question.

Le plus ordinairement le médium n'a aucune conscience de ce qu'il écrit, et n'en a connaissance qu'après l'avoir lu ; mais il arrive souvent aussi qu'il le voit, l'entend et le comprend en même temps qu'il écrit.

L'écriture est quelquefois nette et lisible ; d'autres fois elle est indéchiffrable pour tout autre que le médium qui l'interprète par une sorte d'intuition.

Sous la main du même médium l'écriture change en général d'une manière complète avec l'intelligence occulte qui se manifeste, et le même caractère d'écriture se reproduit chaque fois que la même intelligence se manifeste de nouveau.

212 — Les médiums *parlants* subissent dans les organes de la parole l'influence de la puissance occulte qui se fait sentir dans la main du médium écrivain. Dans l'état de surexcitation momentanée où ils se trouvent, ils parlent spontanément et d'abondance, ou répondent aux questions qui sont le plus étrangères à leurs connaissances, souvent sans avoir la conscience de ce qu'ils disent, et sans en garder le souvenir. Ils transmettent par la parole tout ce que

MANIFESTATION DES ESPRITS.

« Oui, cela peut arriver. »
— Une personne privée de la parole pourrait-elle la recouvrer comme médium?
« Oui, momentanément, et l'ouïe aussi. »

213 — Le médium voyant voit-il par les organes ordinaires de la vue?
« Oui, quelquefois ; mais comme en définitive c'est son âme qui perçoit, il peut aussi bien voir les yeux fermés que les yeux ouverts. »
— D'après cela un aveugle pourrait-il être médium voyant?
« Oui. »
— Les apparitions que prétendent voir certaines personnes, sont-elles l'effet de la réalité ou d'une illusion ?
« Quelquefois l'imagination surexcitée ; alors c'est une illusion ; mais nous avons déjà dit que les esprits peuvent apparaître tantôt sous la forme humaine, tantôt sous celle d'une flamme, etc. »

214 — Les somnambules et les extatiques peuvent-ils être considérés comme des médiums ?
« Oui, ce sont ceux dont l'esprit est le plus dégagé de la matière et jouit de plus de liberté ; c'est pourquoi ils réunissent plus ou moins toutes les autres facultés. »

215 — Quelle est la faculté qui caractérise les médiums impressibles ?
« On peut donner ce nom à toutes les personnes qui sont, comme la sensitive, très impressionnables, et qui reçoivent des communications mentales sans s'en douter. »
— L'impressionnabilité n'est-elle pas plutôt le résultat d'une irritabilité nerveuse ?
« Oui, quand elle n'est que physique ; mais il y a des personnes qui n'ont pas les nerfs délicats et qui ressentent plus ou moins les impressions morales. »
— Pourrait-on rattacher à cette catégorie de médiums les personnes qu'on appelle inspirées?
« Oui, et il y en a bien peu qui ne le soient plus ou moins dans certains moments. »

le médium écrivain transmet par l'écriture.

213 — Les médiums *voyants* sont doués de la faculté de voir les esprits lorsqu'ils se manifestent d'une manière ostensible sous une forme quelconque. Il en est qui jouissent de cette faculté dans l'état normal et en conservent un souvenir exact ; d'autres ne l'ont que dans un état somnambulique, ou voisin du somnambulisme.
Cette faculté n'est point permanente ; elle est toujours l'effet d'une crise momentanée et passagère.
On peut placer dans la catégorie des médiums voyants toutes les personnes douées de la seconde vue.

214 — Les médiums *somnambules* et les médiums *extatiques* sont les personnes susceptibles d'entrer dans l'état connu sous le nom de somnambulisme et d'extase, soit naturellement et spontanément, soit à l'aide de la puissance magnétique.

215 — Les médiums *impressibles* sont affectés mentalement d'impressions dont ils ne peuvent se rendre compte, et qui sont pour eux comme des révélations des choses passées ou futures.
A cette catégorie peuvent se rattacher les personnes auxquelles sont suggérées des pensées en opposition avec leurs idées préconçues, souvent incompatibles avec le défaut de culture ou la simplicité de leur intelligence. On peut encore rattacher à cette catégorie les personnes qui, sans être douées d'une puissance spéciale, et sans sortir de l'état normal, ont des éclairs d'une lucidité intellectuelle qui leur donne momentanément une facilité inaccoutumée de conception et d'élocution. Dans ces moments, qu'on appelle justement d'inspiration, les idées abondent, se suivent,

CHAPITRE X.

— Un auteur, un peintre, un musicien, par exemple, dans les moments qu'on appelle d'inspiration, pourraient-ils être considérés comme médiums impressibles ?

« Oui, car dans ces moments leur âme est plus libre et comme dégagée de la matière ; elle recouvre une partie de ses facultés d'esprit, et reçoit plus facilement les communications des autres esprits qui l'inspirent. »

216 — Des différents modes de communication, quels sont ceux que l'on doit préférer ?

« Vous n'êtes pas libres de choisir, car les esprits se communiquent par les moyens qu'ils jugent à propos d'employer ; cela dépend des aptitudes. »

— Les esprits préfèrent-ils un mode plutôt qu'un autre ?

« Pour l'enseignement ils préfèrent les plus prompts : la parole et l'écriture. »

217 — L'esprit qui se manifeste dans les différentes communications est-il toujours errant ?

« Non ; il peut être incarné dans ce monde ou dans un autre. »

— Dans quel état est le corps au moment où l'esprit se manifeste ?

« Il dort ou sommeille. C'est quand le corps repose et que les sens sont engourdis, que l'esprit est plus libre. »

— Les esprits incarnés se manifestent-ils aussi facilement que les esprits errants ?

« Cela dépend des mondes qu'ils habitent. Moins le corps est matériel, plus l'esprit se dégage facilement : c'est à peu près comme s'il n'était pas incarné. »

218 — Les communications écrites ou autres sont-elles toujours celles d'un esprit étranger, ou bien peuvent-elles aussi provenir de l'esprit même incarné dans le médium ?

« L'âme du médium peut se communiquer comme celle de tout autre ; si elle jouit d'un certain degré de liberté, elle recouvre ses qualités d'esprit. Vous en avez la preuve dans l'âme des personnes vivantes qui viennent vous vi-

s'enchaînent pour ainsi dire d'elles-mêmes et par une impulsion involontaire et presque fébrile ; il leur semble qu'une intelligence supérieure vienne aider la leur, et que leur esprit soit débarrassé d'un fardeau.

Tous les médiums sont nécessairement impressibles ; l'impressionnabilité est la faculté rudimentaire indispensable au développement de toutes les autres.

216 — L'écriture et la parole sont les moyens les plus complets et les plus prompts pour la transmission de la pensée des esprits, soit par la précision des réponses, soit par l'étendue des développements qu'elles comportent. L'écriture a l'avantage de laisser des traces matérielles, et d'être un des moyens les plus propres à combattre le doute.

217 — Dans les communications écrites, verbales ou autres, l'esprit qui se manifeste peut être errant, ou bien incarné dans ce monde ou dans un autre.

L'incarnation n'est point un obstacle absolu à la manifestation des esprits ; mais dans les mondes où les corps sont moins matériels, l'esprit se dégageant plus aisément, peut se communiquer presque aussi facilement que s'il n'était pas incarné.

L'esprit incarné se manifeste dans les moments où le corps repose et où les sens sont inactifs. Au reveil l'esprit retourne dans le corps. C'est ainsi que notre propre esprit peut se manifester en d'autres lieux soit directement, soit par l'intermédiaire d'un médium.

218 — Dans les communications écrites ou autres, l'esprit qui se manifeste est le plus souvent un esprit étranger ; mais il peut arriver aussi que ce soit celui-même qui est incarné dans le médium, lorsqu'il est dans un état de liberté suffisante pour agir comme esprit. On reconnaît l'intervention d'un esprit étranger à la nature des communications. Lorsqu'elles sont en dehors des idées, du caractère et de l'opinion du

siter, et se communiquent à vous par l'écriture souvent sans que vous les appeliez. Car sachez bien que parmi les esprits que vous évoquez il y en a qui sont incarnés sur la terre ; *alors ils vous parlent comme esprits et non pas comme hommes*. Pourquoi voudriez-vous qu'il n'en fût pas de même du médium ? »

— Comment distinguer si l'esprit qui répond est celui du médium ou un esprit étranger ?

« A la nature des communications. Etudiez les circonstances et le langage, et vous distinguerez. »

— L'esprit du médium ne pourrait-il pas, par un effet somnambulique, pénétrer la pensée de la personne qui interroge et y puiser ses idées ? Dès lors qui prouvera que c'est un esprit étranger ?

« Oui ; mais encore une fois étudiez les circonstances, et vous le reconnaîtrez facilement. »

— Puisque l'esprit du médium a pu acquérir dans des existences antérieures des connaissances qu'il a oubliées sous son enveloppe corporelle et dont il se rappelle comme esprit, qu'est-ce qui peut établir que tout ne vient pas de lui ?

« Je viens de répondre. Il est des circonstances qui ne permettent pas le doute. Étudiez *longtemps* et méditez. »

219 — Les communications provenant de l'esprit du médium sont-elles toujours inférieures à celles qui sont faites par des esprits étrangers ?

« Toujours, non ; car l'esprit étranger peut être lui-même d'un ordre inférieur à celui du médium, et pour lors te parler moins sensément. Tu le vois dans le somnambulisme ; car là c'est le plus souvent l'esprit du somnambule qui se manifeste et qui te dit pourtant quelquefois de très bonnes choses. »

220 — L'esprit qui se communique par un médium transmet-il directement sa pensée, ou bien cette pensée a-t-elle pour intermédiaire l'esprit incarné dans le médium ?

« C'est l'esprit du médium qui est l'interprète, parce qu'il est lié au corps médium, il demeure évident qu'elles doivent avoir une source étrangère.

L'esprit du médium peut, il est vrai, pénétrer la pensée de celui qui interroge et la refléter alors même qu'elle ne serait pas formulée par la parole ; mais il ne peut en être ainsi lorsqu'il exprime des idées contraires à celles de l'interrogateur, ou quand il répond à une question *qui n'a de solution dans la pensée de personne*.

L'esprit du médium le plus ignorant peut, il est vrai aussi, posséder des connaissances acquises dans les existences antérieures et dont il se souvient comme esprit ; mais ce serait également une erreur de croire qu'il puise en lui-même tout ce qu'il dit. S'il en était ainsi, pourquoi attribuerait-il à une intervention étrangère ce qui serait en lui ? Une observation attentive des faits en démontre l'impossibilité dans une foule de circonstances.

Les communications transmises par le médium peuvent donc provenir soit d'esprits étrangers, soit de l'esprit du médium ; c'est à l'observateur attentif d'en faire la distinction.

Lorsqu'un homme nous parle, nous reconnaissons aisément les idées qui lui sont propres de celles qui lui sont étrangères ; il en est de même lorsque nous conversons avec les esprits.

219 — La valeur des communications dépend de l'élévation de l'esprit qui les fait. Celles qui proviennent de l'esprit du médium ne sont point, à cause de leur origine même, entachées d'erreurs ; car l'esprit étranger qui se manifeste peut être d'un ordre inférieur à celui du médium, et par conséquent mériter moins de confiance que ce dernier. C'est principalement dans l'état somnambulique que l'âme du médium agit par elle-même.

220 — Les esprits dégagés de la matière peuvent communiquer entre eux sans intermédiaire ; mais pour arriver à nos sens il leur faut un intermédiaire matériel. Pour les communications verbales ou écrites, l'intermédiaire est le médium.

CHAPITRE X.

qui sert à parler, et qu'il faut bien une chaîne entre vous et les esprits étrangers qui se communiquent, comme il te faut un fil électrique pour transmettre une nouvelle au loin, et au bout du fil une personne intelligente qui la reçoit et la transmet. »

— L'esprit incarné dans le médium exerce-t-il une influence sur les communications qu'il doit transmettre et qui proviennent d'esprits étrangers ?

« Oui, car s'il ne leur est pas sympathique, il peut altérer leurs réponses, et les assimiler à ses propres idées et à ses penchants ; *mais il n'influence pas les esprits eux-mêmes;* ce n'est qu'un mauvais interprète ; et puis l'esprit du médium peut être plus ou moins bien disposé à cause de son enveloppe, et les manifestations se font plus ou moins bien. Souvent le médium veut tout dire et tout faire, c'est ce qui le perd, car alors nous le laissons à ses propres forces; et s'il est vicieux, ce ne sont que des esprits de sa catégorie qui se communiquent à lui. »

221 — Outre l'influence directe de l'esprit du médium sur la sincérité des manifestations, d'autres esprits peuvent-ils contribuer à les altérer ?

« Oui, car l'esprit du médium attire à lui des esprits sympathiques qui l'aident et l'excitent dans tout ce qu'il peut faire de mal si sa nature est mauvaise. »

222 — Le milieu dans lequel se trouve le médium exerce-t-il une influence sur les manifestations ?

« Tous les esprits qui entourent le médium l'aident dans le bien comme dans le mal. »

— Les esprits supérieurs ne peuvent-ils triompher du mauvais vouloir de l'esprit qui leur sert d'interprète, et de ceux qui l'entourent ?

« Oui, quand ils le jugent utile, et selon l'intention de la personne qui s'adresse à eux. Les esprits les plus élevés peuvent quelquefois se communiquer par une faveur spéciale, malgré l'imperfection du médium et du milieu;

Le médium lui-même est animé par son propre esprit, celui qui est incarné en lui, et cet esprit est l'interprète de l'esprit étranger qui se communique. S'il n'y a pas entre eux sympathie, l'esprit du médium est un antagoniste qui apporte une certaine résistance, et devient un interprète de mauvais vouloir et souvent infidèle. S'il est vicieux, la pensée qu'il doit transmettre peut donc être dénaturée ou refléter son caractère et ses penchants. Il en est souvent ainsi dans le monde quand l'avis d'un sage est transmis par la voix d'un étourdi ou d'un homme de mauvaise foi.

Outre les qualités morales, il est des dispositions spéciales qui rendent le médium plus ou moins apte à transmettre les communications ; c'est un instrument plus ou moins bon, ou commode, dont les esprits supérieurs ne se servent volontiers que lorsqu'ils y rencontrent *le moins d'obstacles possible* à la libre transmission de leur pensée. Les esprits inférieurs y attachent peu d'importance.

221 — L'esprit incarné attire à lui les esprits qui lui sont sympathiques et forment autour de lui comme une *colonne d'esprits.* Si donc celui du médium est imparfait, il sera secondé par une foule d'acolytes de même nature qui l'exciteront à repousser ou à travestir la pensée qu'il doit communiquer.

222 — Chaque homme étant l'incarnation d'un esprit, ceux des personnes qui entourent le médium agissent sur ses manifestations en raison de leur sympathie ou de leur antipathie pour l'esprit évoqué. Selon leur imperfection ils opposent leur mauvais vouloir, corroboré par celui des esprits également imparfaits qu'ils attirent à eux.

Ainsi s'explique l'influence du milieu sur la nature des communications spirites ; toutefois, lorsque les esprits le jugent utile, et selon l'intention de la personne à laquelle ils se communiquent, le médium et le milieu peuvent y rester étrangers, et n'être point un

mais alors ceux-ci y demeurent complétement étrangers. »

223 — Le même esprit se communiquant à deux centres différents, peut-il leur transmettre sur le même sujet des réponses contradictoires ?

« Si les deux centres diffèrent entre eux d'opinions et de pensées, la réponse pourra leur arriver travestie, parce qu'ils sont sous l'influence de différentes colonnes d'esprits : ce n'est pas la réponse qui est contradictoire, c'est la manière dont elle est rendue. »

« Pour discerner l'erreur de la vérité, il faut approfondir ces réponses et les méditer longtemps sérieusement; c'est toute une étude à faire. Il faut le temps pour cela comme pour étudier toutes choses. »

224 — On conçoit qu'une réponse puisse être altérée ; mais lorsque les qualités du médium excluent toute idée de mauvaise influence, comment se fait-il que des esprits supérieurs tiennent un langage différent et contradictoire sur le même sujet à des personnes parfaitement sérieuses ?

« Les esprits réellement supérieurs ne se contredisent jamais, et leur langage est toujours le même *avec les mêmes personnes*. Il peut être différent selon les personnes et les lieux ; mais il faut y faire attention, la contradiction n'est souvent qu'apparente ; elle est plus dans les mots que dans la pensée ; car en réfléchissant on trouve que l'idée fondamentale est la même. Et puis le même esprit peut répondre différemment sur la même question, suivant le degré de perfection de ceux qui l'évoquent, car il n'est pas toujours bon que tous aient la même réponse, puisqu'ils ne sont pas aussi avancés. C'est exactement comme si un enfant et un savant te faisaient la même question ; certes tu répondrais à l'un et à l'autre de manière à être compris et à les satisfaire ; la réponse quoique différente aurait d'ailleurs le même fond. Il faut que nous nous rendions compréhensibles. Si tu as une conviction bien arrêtée sur un point ou une doctrine, obstacle à la sincérité des manifestations.

223 — Deux centres différant entre eux d'opinions et de pensées peuvent recevoir des réponses contradictoires sur un même sujet, quoique provenant de la même source. parce qu'ils sont sous l'influence de différentes colonnes d'esprits qui leur sont sympathiques, et concourent à dénaturer la pensée première.

Tels seraient deux hommes recevant le jour l'un par un carreau rouge, l'autre par un carreau bleu ; prenant l'effet pour la cause, le premier dira que la lumière est rouge, et l'autre qu'elle est bleue, et pourtant ce sera toujours la lumière blanche, mais altérée par le milieu qu'elle aura traversé.

224 — La contradiction que l'on remarque dans les réponses des esprits selon les personnes auxquelles ils se communiquent n'est quelquefois qu'apparente ; ils approprient leur langage à ceux qui les écoutent, et peuvent dire la même chose avec des mots différents.

Pour les esprits supérieurs la forme n'est rien, la pensée est tout. Ils jugent les choses à un point de vue tout autre que nous ; *ce qui nous paraît le plus important n'est souvent que très secondaire à leurs yeux.* Ils peuvent donc se mettre à l'unisson de certaines opinions, et emprunter même le langage de certains préjugés, afin d'être mieux compris, sans être pour cela en contradiction avec eux-mêmes. Peu importe la route, pourvu qu'ils arrivent au but ; *car la vérité est au-dessus de toutes les mesquines distinctions dont les sectes et les partis font leurs actes de foi.* Que l'Être suprême s'appelle Dieu, Allah, Brahmah, Visnou ou grand Esprit, il n'en est pas moins le souverain maître.

Sur les questions de métaphysique, les hommes eux-mêmes ne sont pas toujours d'accord quant à la valeur des mots. Les esprits peuvent donc employer les mots selon l'idée de chacun afin d'être mieux compris, car ils ne sont pas chargés de réformer la langue.

7

CHAPITRE X

trine, même fausse, il faut que nous te détournions de cette conviction, mais peu à peu; c'est pourquoi nous nous servons souvent de *tes termes*, et que nous avons l'air d'abonder dans tes idées, afin que tu ne t'offusques pas tout à coup, et que tu ne cesses pas de t'instruire près de nous. »

225 — Quelles sont les conditions nécessaires pour que la parole des esprits supérieurs nous arrive pure de toute altération ?

« Vouloir le bien; chasser l'égoïsme et l'orgueil; l'un et l'autre sont nécessaires. »

— Pourquoi les esprits supérieurs permettent-ils à des personnes douées d'une grande puissance comme médiums, et qui pourraient faire beaucoup de bien, d'être les instruments de l'erreur ?

« Ils tâchent de les influencer; mais quand elles se laissent entraîner dans une mauvaise voie, ils les laissent aller. C'est pourquoi ils s'en servent avec répugnance, car *la vérité ne peut être interprétée par le mensonge.* »

226 — Puisque les qualités morales du médium éloignent les esprits imparfaits, comment se fait-il qu'un médium doué de bonnes qualités transmette des réponses fausses ou grossières ?

« Connais-tu tous les replis de son âme ? D'ailleurs sans être vicieux il peut être léger et frivole; et puis quelquefois aussi il a besoin d'une leçon, afin qu'il se tienne en garde. »

227 — Pourquoi certaines personnes ne transmettent-elles, ou ne reçoivent-elles d'habitude que des communications absurdes ou triviales malgré leur désir d'en avoir de sérieuses ?

« C'est la conséquence de l'infériorité de leur esprit qui sympathise avec des esprits imparfaits. Mais au milieu même de communications insignifiantes, *il y a souvent quelque bon enseignement.* Un esprit supérieur qui sera venu à votre appel, ne restera pas longtemps

Le tort est aux hommes de prendre l'accessoire pour le principal.

La langue humaine est toujours subordonnée à l'étendue des idées; elle est donc insuffisante pour exprimer toutes les nuances de la pensée des esprits, comme celle du sauvage serait impuissante à rendre toutes les idées de l'homme civilisé.

225 — La vérité se distingue de l'erreur quand la lumière arrive sans obstacle; cette condition se trouve dans la pureté des sentiments, l'amour du bien et le désir de s'instruire, soit du médium, soit des personnes qui l'entourent.

Pour avoir des communications des esprits supérieurs pures de toute altération, il ne suffit donc pas d'avoir un médium quelque puissant qu'il soit; il faut avant tout, et de condition expresse, un médium pur lui-même, c'est-à-dire dont l'âme ne soit souillée par aucune des passions qui sont les attributs des esprits inférieurs; car l'eau la plus pure s'altère en passant sur un sol fangeux.

226 — Un médium, doué de bonnes qualités morales, transmet cependant quelquefois des communications inconséquentes, fausses ou même de la plus révoltante grossièreté. C'est que, sans être vicieux, le médium peut être privé des qualités *solides* qui font le véritable homme de bien. À côté de quelques qualités peuvent se trouver des vices cachés, ou tout au moins la futilité et la légèreté.

227 — Tout médium qui ne transmet d'habitude, et toute personne qui ne reçoit le plus souvent que des communications absurdes, grossières ou simplement frivoles, doit le déplorer comme un indice de l'infériorité de son esprit. En provoquant de telles communications dans un but de curiosité on attire à soi les esprits inférieurs toujours à l'affût des occasions de plaisanter ou de faire le mal. Heureux, au contraire, ceux qui n'entendent que des paroles

MANIFESTATION DES ESPRITS.

si vous êtes trop léger ; mais en passant il vous dira quelque bonne vérité, afin de vous engager à être moins frivoles. »

228 — Si la parole des esprits supérieurs ne nous arrive pure que dans des conditions difficiles à rencontrer, n'est-ce pas un obstacle à la propagation de la vérité ?

« Non, car la lumière arrive toujours à celui qui veut la recevoir. Quiconque veut s'éclairer doit fuir les ténèbres, et les ténèbres sont dans l'impureté du cœur. »

229 — A quels signes peut-on reconnaître la supériorité ou l'infériorité des esprits ?

« A leur langage, comme tu distingues un étourdi d'un homme sensé. Nous l'avons déjà dit, les esprits supérieurs ne se contredisent jamais et ne disent que de bonnes choses ; ils ne veulent que le bien ; c'est leur préoccupation. »

» Les esprits inférieurs sont encore sous l'empire des idées matérielles ; leurs discours se ressentent de leur ignorance et de leur imperfection. Il n'est donné qu'aux esprits supérieurs de connaître toutes choses et de les juger sans passions et sans préjugés. »

230 — Suffit-il qu'une question soit sérieuse pour obtenir une réponse sérieuse ?

« Non, car cela dépend de l'esprit qui répond. »

— Mais une question sérieuse n'éloigne-t-elle pas les esprits légers ?

« Ce n'est pas la question qui éloigne les esprits légers, *c'est le caractère de celui qui la fait*. Les esprits légers répondent à tout ; mais comme des étourdis. »

231 — La science, chez un esprit, est-elle toujours un signe certain de son élévation ?

« Non, car s'il est encore sous l'influence de la matière il peut avoir vos vices et vos préjugés. Tu as des gens qui sont dans ce monde excessivement jaloux et orgueilleux ; crois-tu que dès qu'ils le quittent ils perdent ces défauts ? Il reste, après le départ d'ici, surtout à

empreintes de sagesse, car ils sont les élus des bons esprits.

228 — Si les esprits supérieurs ne se communiquent qu'avec un concours de circonstances exceptionnelles, ce n'est point un obstacle à la propagation de la lumière. Que ceux-là donc qui veulent la recevoir dépouillent l'orgueil et humilient leur raison devant la puissance infinie du créateur, ce sera la meilleure preuve de leur sincérité ; et cette condition, chacun peut la remplir.

229 — On reconnaît le caractère de l'homme à son langage, à ses maximes et à ses actes. Il en est ainsi des esprits. En étudiant avec soin le caractère de ceux qui se présentent, surtout au point de vue moral, on reconnaîtra leur nature et le degré de confiance qu'on peut leur accorder. Le bon sens ne saurait tromper.

Un langage toujours sérieux, sans trivialités ni contradictions, la sagesse des réponses, l'élévation des pensées, la pureté de la doctrine morale, joints aux marques de bienveillance et de bonté, sont les signes qui caractérisent les esprits supérieurs.

230 — Il ne suffit pas d'interroger un esprit pour connaître la vérité. Il faut avant tout savoir à qui l'on s'adresse ; car les esprits inférieurs, ignorants eux-mêmes, traitent avec frivolité les questions les plus sérieuses.

Il ne suffit pas non plus qu'un esprit ait été un grand homme sur la terre pour avoir dans le monde spirite la souveraine science. La vertu seule peut, en le purifiant, le rapprocher de Dieu et étendre ses connaissances (*note 8*).

231 — Chez les esprits qui ne sont point encore complètement dématérialisés, la moralité n'est pas toujours en rapport avec la science. Les connaissances dont ils se parent souvent avec une sorte d'ostentation ne sont pas un signe irrécusable de leur supériorité. L'inaltérable pureté des sentiments moraux est à cet égard la véritable pierre de touche.

CHAPITRE X.

ceux qui ont eu des passions bien tranchées, une sorte d'atmosphère qui les enveloppe et leur laisse toutes ces mauvaises choses. »

232 — Les esprits imparfaits peuvent-ils semer la discorde entre amis, exciter à de fausses démarches, etc. ?

« Oui, ils sont satisfaits de vous mettre dans l'embarras et ne sont pas scrupuleux sur les moyens. »

« Les esprits supérieurs sont toujours conséquents avec eux-mêmes. Tenez-vous donc en garde quand un de nous vous aura dit du bien de quelqu'un, et que dans un autre cercle où vous nous évoquerez on vous en dira du mal; vous croyez que c'est nous, et vous avez tort. »

« Les esprits qui ne sont pas parfaits, quoique assez élevés, ont aussi dans certains moments leurs antipathies. Crois toujours le bien, défie-toi du mal, et cherche à approfondir l'état vrai. Ce n'est qu'à force de converser avec les uns et avec les autres que vous acquerrez cette connaissance. Le bon sens doit vous guider. »

233 — Lorsqu'un esprit inférieur se manifeste peut-on l'obliger à se retirer?

« Oui. »

— De quelle manière?

« En ne l'écoutant pas. Mais comment voulez-vous qu'il se retire quand vous vous amusez de ses turpitudes? Ceux qui veulent sérieusement s'en délivrer le peuvent toujours avec le secours des bons esprits, lorsqu'on les en prie avec ferveur au nom de Dieu. Les esprits inférieurs s'attachent à ceux qui les écoutent avec complaisance, comme les sots parmi vous. »

L'esprit le plus savant trahit ses imperfections morales par son langage, mais ces imperfections peuvent être aussi le reflet de celles du médium.

232 — Les esprits imparfaits ne se bornent pas à semer le trouble dans notre âme; ils profitent souvent des moyens de communication dont ils disposent pour donner de perfides conseils; ils excitent la défiance et l'animosité contre ceux qui leur sont antipathiques, suscitent d'injustes préventions, et sont satisfaits du mal qu'ils peuvent faire commettre.

Les hommes faibles sont leur point de mire pour les induire au mal; ceux qui peuvent démasquer leurs impostures sont l'objet de leur animadversion. Employant tour à tour les sophismes, les sarcasmes, les injures et jusqu'aux signes matériels de leur puissance occulte pour mieux convaincre, ils tâchent de les détourner du sentier de la vérité. Sans être mauvais, les esprits qui ne sont pas assez élevés, ont aussi, par moments, des antipathies non motivées qui tiennent à leur perfection incomplète.

233 — Les esprits inférieurs finissent toujours par se retirer si l'on met de la persistance et de la fermeté à ne point les écouter. Quiconque en a la volonté peut les y contraindre en les sommant au nom de Dieu de le faire, et en appelant à soi les bons esprits avec ferveur et confiance, et toujours au nom de Dieu.

Qu'on se garde de croire que le nom de Dieu soit ici une vaine formule d'exorcisme; s'il n'est qu'un mot banal dans la bouche de celui qui le prononce, mieux vaudrait ne rien dire.

Nature des communications spirites.

234 — Les esprits répondent-ils volontiers aux questions qui leur sont adressées?

« C'est suivant les questions. »

— Quelles sont celles auxquelles ils répondent le plus volontiers?

234 — Les esprits supérieurs répondent plus ou moins volontiers aux questions qui leur sont adressées, selon la nature de ces questions. Celles qui ont pour but le bien, et de rechercher avec bonne foi la vérité, sont toujours favorablement

MANIFESTATION DES ESPRITS.

« Les esprits supérieurs répondent toujours avec plaisir aux questions qui ont pour but le bien et les moyens de vous faire avancer. Ils n'écoutent pas les questions futiles, et ne s'attachent qu'aux personnes sérieuses. »
— Y a-t-il des questions qui soient antipathiques aux esprits imparfaits ?
« Non, parce qu'ils répondent à tout, sans se soucier de la vérité. »

235 — Que penser des personnes qui ne voient dans les communications spirites qu'une distraction et un passe-temps, ou un moyen d'obtenir des révélations sur ce qui les intéresse ? o
» Ces personnes plaisent beaucoup aux esprits inférieurs qui, comme elles, veulent s'amuser, et sont contents quand ils les ont mystifiées. »

236 — Les esprits supérieurs sont-ils absolument ennemis de toute gaîté ?
« Non ; ils veulent bien quelquefois condescendre à vos faiblesses et se prêter à vos puérilités, quand ils y voient surtout un moyen d'atteindre un but plus sérieux. »
— Se prêtent-ils quelquefois à la plaisanterie ?
« Oui, ils la provoquent même souvent ; mais quand ils parlent sérieusement ils veulent qu'on soit sérieux, autrement ils se retirent ; c'est alors que les esprits légers prennent leur place. »

237 — Peut-on demander aux esprits des signes matériels comme preuve de leur existence et de leur puissance ?
« Non, ils ne sont pas au caprice des hommes. »
— Mais lorsqu'une personne demande ces signes pour se convaincre, n'y aurait-il pas utilité à la satisfaire, puisque ce serait un adepte de plus ?
« Les esprits ne font que ce qu'ils veulent et ce qui leur est permis. En vous parlant et en répondant à vos questions, ils attestent leur présence ; cela doit suffire à l'homme sérieux qui cherche la vérité dans la parole. »

238 — Y a-t-il utilité à provoquer les

accueillies par eux, et leur sont particulièrement agréables.
Les questions oiseuses et frivoles, celles qui ont pour objet *de mettre les esprits à l'épreuve* ou le désir de faire le mal, sont surtout antipathiques aux bons esprits qui ne daignent pas y répondre et s'éloignent.
Les esprits légers répondent à tout sans se soucier de la vérité.

235 — Ceux qui ne cherchent dans les communications spirites que l'occasion de satisfaire une vaine curiosité, ou n'y voient qu'un moyen d'obtenir des révélations, sont dans l'erreur. Ces idées même dénotent l'infériorité de leur propre esprit ; ils doivent s'attendre à être le jouet d'esprits moqueurs (*note* 9).

236 — Les esprits supérieurs ne sont point ennemis de la gaîté ; ils se prêtent à la plaisanterie dans une certaine mesure et savent condescendre à nos faiblesses. Ils le font toutefois sans s'écarter des convenances, et c'est en cela qu'on peut apprécier leur nature. La plaisanterie chez eux n'est jamais triviale ; elle est souvent fine et piquante, et l'épigramme mordante frappe toujours juste. Mais comme leur mission est d'enseigner, ils se retirent s'ils voient qu'on ne veut pas les écouter. Chez les esprits railleurs qui ne sont pas grossiers, la satire est souvent pleine d'à-propos.

237 — C'est en vain que le sceptique demande aux esprits des phénomènes sensibles comme témoignage de leur existence et de leur puissance, soi-disant pour se convaincre, et qu'il veut les soumettre à des épreuves.
Les esprits ont des conditions d'être qui nous sont inconnues ; ce qui est en dehors de la matière ne peut être soumis au creuset de la matière. C'est donc s'égarer que de les juger à notre point de vue. S'ils croient utile de se révéler par des signes particuliers, ils le font ; mais ce n'est jamais à notre volonté, car ils ne sont point soumis à notre caprice.

238 — Les effets ostensibles et extra-

CHAPITRE X.

phénomènes ostensibles de la manifestation des esprits ?

« Les hommes sont de grands enfants, il faut bien les amuser ; mais la sagesse est dans la parole du sage et non dans la puissance matérielle qui peut appartenir *aux mauvais comme aux bons*, et plus encore aux mauvais, car ce ne sont que les esprits inférieurs qui s'occupent de ces choses ; les esprits supérieurs s'en servent quelquefois comme tu ferais d'un portefaix, afin d'amener à les écouter. Dans ce moment, il y a des esprits de toutes sortes qui ont pour mission de vous frapper d'étonnement, afin de vous faire comprendre que la vie ne finit pas avec cette enveloppe. »

239 — Lorsque les esprits ne répondent pas à certaines questions, est-ce par un effet de leur volonté, ou bien parce qu'une puissance supérieure s'oppose à certaines révélations ?

« Puissance supérieure ; il est des choses qui ne peuvent être révélées. »

—Pourrait-on, par une forte volonté, contraindre un esprit à dire ce qu'il ne veut pas ?

« Non. Nous avons dit qu'il est difficile aux esprits de préciser certains faits ; il est assez important de s'entendre là-dessus : c'est parce que l'esprit n'est pas lui-même dans un état convenable, le médium trop léger, ou le milieu peu sympathique. C'est pourquoi il est toujours bon d'attendre quand on vous dit de le faire, et surtout ne pas vous opiniâtrer à vouloir nous faire répondre. »

240. – Les esprits peuvent-ils nous faire connaître l'avenir dans certains cas ?

«Dans certain cas, oui; toujours, non; car cela ne leur est pas permis. Si l'homme connaissait l'avenir, il négligerait le présent. »

» Et c'est encore là un point sur lequel vous insistez toujours pour avoir une réponse précise ; c'est un grand tort, car la manifestation des esprits n'est pas un moyen de divination. Vous ordinaires par lesquels les esprits peuvent attester leur présence, ne sont pas le but essentiel de leurs manifestations. Ce but est l'amélioration morale de l'homme par les enseignements qu'ils lui transmettent, soit sur la nature des choses, soit sur la conduite qu'il doit tenir pour atteindre à la perfection qui doit assurer son bonheur futur. S'attacher aux phénomènes plus qu'à l'enseignement, c'est agir comme *des écoliers qui ont plus de curiosité que d'envie de s'instruire*. Les esprits supérieurs nous instruisent par la parole, les esprits inférieurs en frappant nos sens; mais l'homme déjà élevé et plein de foi n'a pas besoin de ces choses; il les attend, sans les provoquer.

239 — La Providence a posé des bornes aux révélations qui peuvent être faites à l'homme. Les esprits sérieux gardent le silence sur tout ce qu'il leur est interdit de faire connaître. En insistant pour avoir une réponse on s'expose aux fourberies des esprits inférieurs, toujours prêts à saisir les occasions de tendre des pièges à notre crédulité.

Celui qui s'occupe plus d'approfondir les mystères impénétrables de l'essence et de l'origine des choses que des moyens d'arriver à l'amélioration, s'écarte des vues de la Providence. Il peut cependant être révélé de grandes vérités touchant les connaissances extra-humaines, mais cela dépend de la pureté d'intention de celui qui interroge et de son aptitude à recevoir certains enseignements, ainsi que de l'élévation de l'esprit qui veut bien se communiquer à lui.

240 — La Providence, dans sa sagesse, a jugé utile de nous cacher l'avenir. Ce n'est que dans certaines limites qu'il peut nous être révélé, et ce serait en vain qu'on tenterait de pénétrer au delà des bornes tracées à ce qu'il nous est permis de connaître ici-bas. Dieu a voulu par là que nous appliquassions toute notre intelligence à l'accomplissement de la mission que nous avons à remplir comme êtres corporels. Si l'homme connaissait son avenir avec

voulez absolument une réponse ; elle sera donnée par un esprit follet : nous vous le disons à chaque instant. »

« Souvent c'est nous qui ne voulons pas vous avertir, afin que vous compreniez par vous-même qu'il y a danger, et que vous vous rendiez plus tard à nos conseils. »

241. — Quel moyen de contrôle avons-nous pour reconnaître le degré de probabilité de ce qui nous est annoncé par les esprits ?

« Cela dépend des circonstances : la nature de l'esprit, le but que vous vous proposez, puis le caractère des personnes. »

— Certains événements sont annoncés spontanément et sans être provoqués par des questions ; quel est le caractère de ces prévisions ?

« Ce sont les plus positives ; l'esprit voit les choses et il juge utile de les faire connaître. »

— Pourquoi les esprits se trompent-ils généralement sur les dates ?

« C'est qu'ils n'apprécient pas le temps de la même manière que vous, et c'est souvent vous qui faites l'erreur en interprétant à votre idée ce que nous disons ; et puis ce sont les termes de votre langage matériel qui souvent nous manquent. Nous voyons les choses, mais nous ne pouvons pas toujours vous en fixer l'époque, *ou nous ne le devons pas* ; nous vous avertissons, voilà tout.

« Encore une fois, notre mission est de vous faire progresser ; nous vous aidons autant que nous pouvons. Celui qui demande aux esprits supérieurs les conseils de la sagesse ne sera jamais trompé ; mais ne croyez pas que nous perdions notre temps à écouter toutes vos niaiseries et à vous dire la bonne aventure ; nous laissons cela aux esprits légers qui s'en amusent, comme des enfants espiègles. »

242 — N'y a-t-il pas des hommes doués d'une faculté spéciale qui leur fait entrevoir l'avenir ?

« Oui, ceux dont l'âme se dégage de la matière ; alors c'est l'esprit qui voit ;

certitude, il négligerait le présent au préjudice de l'harmonie générale à laquelle tous ses actes doivent concourir. C'est pourquoi l'avenir ne lui est montré que comme un but qu'il doit atteindre par ses efforts, mais sans connaître la filière par laquelle il doit passer pour y arriver.

241. — Le degré de probabilité des événements futurs annoncés dépend de la supériorité des esprits qui se communiquent, du milieu plus ou moins sympathique dans lequel ils se trouvent, et du but plus ou moins sérieux que l'on se propose. En général, les communications *spontanées*, c'est-à-dire celles qui émanent de l'initiative des esprits, sans être provoquées par des questions, offrent plus de certitude, car alors l'esprit ne les fait que parce qu'il en voit l'utilité.

Les esprits voient, ou pressentent par induction, les événements futurs ; ils les voient s'accomplir dans un temps qu'ils ne mesurent pas comme nous ; pour en préciser l'époque, il leur faudrait s'identifier avec notre manière de supputer la durée, ce qu'ils ne jugent pas toujours nécessaire ; de là souvent une cause d'erreurs apparentes.

Il ne faut pas perdre de vue que c'est se méprendre sur le but des communications spirites que d'y voir un moyen de divination pour nos petits intérêts privés. Ce but est bien autrement sérieux, c'est de nous faire avancer dans la voie du progrès. L'enseignement qu'ils nous donnent à cet effet peut avoir pour objet l'humanité en général, ou chaque individu en particulier. Quiconque s'adresse à des esprits élevés avec sincérité et bonne foi n'en recevra que des conseils salutaires soit pour sa conduite morale, *soit même pour ses intérêts matériels*, et jamais ne sera induit en erreur.

242 — Quelques hommes dont l'âme se dégage par anticipation des liens terrestres et jouit de ses facultés d'esprit, ont reçu de Dieu le don de connaître certaines parties de l'avenir et de le

CHAPITRE X.

et lorsque cela est utile, Dieu leur permet de révéler certaines choses pour le bien ; mais il y a encore plus d'imposteurs et de charlatans. »

243 — Les esprits peuvent-ils nous révéler nos existences passées ?

« En général, non ; Dieu le défend. Cependant quelquefois elles sont révélées avec vérité ; mais encore c'est suivant dans le but ; si c'est pour votre édification et votre instruction elles seront vraies ; *surtout si la révélation est spontanée.* »

— Pourquoi certains esprits ne se refusent-ils jamais à ces sortes de révélations ?

« Ce sont des esprits railleurs qui s'amusent à vos dépens. »

244 — Peut-on demander des conseils aux esprits ?

« Oui ; les bons esprits ne refusent jamais d'aider ceux qui les invoquent avec confiance, principalement en ce qui touche l'âme. »

— Peuvent-ils nous éclairer sur des choses d'intérêt privé ?

« Quelquefois ; suivant le motif. »

— Peuvent-ils guider dans les recherches scientifiques et les découvertes ?

« Oui, si c'est d'une utilité générale ; mais il faut se défier des conseils des esprits moqueurs et ignorants. »

— Peuvent-ils nous donner des renseignements sur nos parents, nos amis et les personnes qui nous ont précédés dans l'autre vie ?

« Oui, quand cela leur est permis. »

245 — Les esprits peuvent-ils donner des conseils sur la santé ?

« Oui, certains esprits particulièrement. La santé est une condition nécessaire pour la mission que l'on doit remplir sur la terre ; c'est pourquoi ils s'en occupent volontiers. »

246 — La science des esprits est-elle universelle ?

« Ils savent tout quand ils sont supérieurs ; les autres, non. »

révéler pour le bien de l'humanité ; mais combien d'ambitieux se sont affublés d'un faux manteau de prophète pour servir leurs passions en abusant de la crédulité.

243 — Dieu jette également un voile sur les existences que nous avons parcourues. Ce voile n'est cependant pas absolument impénétrable. Elles peuvent nous être révélées si les esprits jugent utile de le faire pour notre édification et notre instruction, et selon le but que nous nous proposons en le demandant ; hors cela, c'est en vain que nous chercherions à les connaître : les esprits sérieux se taisent à cet égard, les autres s'amusent ou flattent la vanité par de prétendues origines.

244 — Les esprits peuvent nous aider de leurs conseils, principalement de ceux qui touchent l'âme et la perfection morale. Les esprits supérieurs n'ont jamais refusé leur secours à ceux qui les invoquent avec sincérité et confiance ; ils repoussent les hypocrites, ceux qui *ont l'air de demander la lumière* et se complaisent dans les ténèbres.

Ils peuvent également, dans certaines limites, nous aider en ce qui touche les choses d'ici-bas, mettre sur la voie de recherches utiles à l'humanité, guider dans tout ce qui tient à l'accomplissement du progrès moral et matériel de l'homme, et jeter la lumière sur les points obscurs de l'histoire.

Ils peuvent enfin nous parler de nos parents, de nos amis ou des divers personnages qui nous ont précédés parmi eux.

245 — La connaissance que les esprits supérieurs ont des lois de la nature leur permet de donner d'utiles conseils sur la santé, et de fournir sur la cause des maladies et sur les moyens de guérison des indications qui laissent bien loin en arrière la science humaine *(note* 10).

246 — Les savants de la terre, une fois dans le monde des esprits, ne sont pas plus savants que les autres. S'ils sont esprits vraiment supérieurs, leur

— Les savants de la terre sont-ils également savants dans le monde des esprits?

« Non, ils n'en savent pas plus que d'autres et souvent moins. »

— Le savant, devenu esprit, reconnaît-il ses erreurs scientifiques?

« Oui ; et si tu l'évoques il les avoue sans honte, s'il est arrivé à un degré assez élevé pour être débarrassé de sa vanité, et comprendre que son développement n'est pas complet. »

247 — Les esprits conservent-ils quelque trace du caractère qu'ils avaient sur la terre?

« Oui ; lorsqu'ils ne sont pas complétement dématérialisés, ils ont le même caractère bon ou mauvais ; ils ont encore quelques-uns de leurs préjugés. »

— Ne comprennent-ils pas que ces préjugés étaient des erreurs?

« Ils le comprennent plus tard. »

248 — Les esprits peuvent-ils faire découvrir les trésors cachés ?

« Non, les esprits supérieurs ne s'occupent pas de ces choses ; mais des esprits trompeurs te feront voir un trésor dans tel ou tel endroit quand il est à l'opposé. Ce sont à vrai dire des esprits espiègles, et cela a son utilité en te donnant l'idée qu'il faut travailler, et non courir après toutes ces choses futiles. Si la Providence te destine ces richesses tu les trouveras ; autrement non. »

249 — Que penser de la croyance aux esprits gardiens des trésors cachés ?

« Il y a des esprits qui existent dans l'air ; il y a aussi les esprits de la terre qui sont chargés de diriger les transformations intérieures. Il est vrai que certains esprits ne s'attachent qu'aux personnes, et moi je te dis qu'il peut y avoir une catégorie qui s'attache aux objets ; comme on te le disait l'autre jour, des avares décédés qui ont caché leurs trésors et qui ne sont pas assez dématérialisés peuvent garder ces choses jusqu'à ce qu'ils en comprennent l'inutilité pour eux. »

science est sans limite, et ils reconnaissent les erreurs qu'ils ont prises pour des vérités pendant leur vie corporelle. S'ils sont esprits inférieurs, leur savoir est borné, et ils peuvent se tromper.

Toutefois, ceux qui pendant une ou plusieurs existences ont approfondi un sujet déterminé, s'en occupent avec plus de sollicitude et souvent plus de succès, *parce que c'est le point dans lequel ils ont progressé.*

247 — L'esprit des hommes qui ont eu sur la terre une préoccupation unique, matérielle ou morale, s'ils ne sont pas parfaitement purs et dégagés de l'influence de la matière, sont encore sous l'empire des idées terrestres, et portent avec eux une partie des préjugés, des prédilections *et même des manies* qu'ils avaient ici-bas. C'est ce qu'il est aisé de reconnaître à leur langage.

248 — C'est inutilement qu'on interrogerait les esprits sur l'existence de trésors cachés. Les esprits supérieurs ne révèlent que les choses utiles, et à leurs yeux celle-ci n'est pas de ce nombre. Les esprits inférieurs se font un malin plaisir de donner de fausses indications.

Lorsque des richesses enfouies doivent être découvertes, elles sont révélées à ceux qui sont destinés à en profiter, et c'est souvent pour eux une épreuve à laquelle les soumet la Providence.

249 — Plus l'esprit de l'homme est imparfait, plus il reste attaché aux choses de ce monde. C'est ainsi que l'esprit de l'avare qui a enfoui un trésor, s'attache souvent à ce qui faisait sa joie pendant sa vie ; et quoique ces richesses ne puissent plus lui servir, il oppose son influence à ceux qui tenteraient de les découvrir, jusqu'à ce que le temps lui ait fait comprendre l'inutilité de sa garde. Il peut donc, dans ce but, soit par lui-même, soit avec l'aide d'autres esprits aussi imparfaits que lui, dérouter les recherches par la fascination.

Tel est le véritable sens de la croyance aux esprits gardiens des trésors.

CHAPITRE X.

250 — Les personnes qui n'ont pas la possibilité d'avoir des communications verbales ou écrites, sont-elles pour cela privées du secours des lumières des esprits?

« Non ; l'inspiration vient à leur aide, puis les circonstances que les esprits amènent. »

— Ne peuvent-elles recevoir une inspiration pernicieuse ?

« Oui ; mais quand elles ne veulent que le bien, leur esprit protecteur leur en suggère une bonne à côté. »

250 — Les personnes qui n'ont pas la possibilité d'obtenir des esprits des communications verbales ou écrites, soit par elles-mêmes, soit par l'intermédiaire des médiums, ne sont point pour cela privées des secours de leurs lumières. L'inspiration, suscitée par leurs esprits familiers ou protecteurs, ainsi que les circonstances qu'ils amènent, leur viennent en aide. Heureux pour elles quand elles ont assez de foi et de volonté pour secouer toute influence pernicieuse !

Des évocations.

251 — Comment doit être faite l'évocation des esprits ?

« Il faut les évoquer au nom du Dieu tout-puissant et pour le bien de tous. »

— La foi est-elle nécessaire pour les évocations ?

« La foi en Dieu, oui. »

— La foi aux esprits est-elle aussi nécessaire ?

« Non, si vous voulez le bien et si vous avez le désir de vous instruire ; la foi viendra ensuite. »

252 — Tout le monde peut-il évoquer les esprits ?

« Oui. »

— L'esprit évoqué se rend-il toujours à l'appel qui lui est fait ?

« Oui, s'il en a la permission ? »

253 — L'esprit évoqué manifeste-t-il toujours sa présence d'une manière ostensible ?

« Non, car il n'en a pas toujours la permission ; mais s'il est auprès de la personne qui l'évoque, il l'assiste et lui suscite des pensées utiles. »

254 — Les hommes réunis dans une communauté de pensées et d'intentions, ont-ils plus de puissance pour évoquer les esprits ?

« Oui, quand tous sont réunis par la foi et pour le bien, ils obtiennent de grandes choses. »

— Les évocations à jours et heures fixes sont-elles préférables ?

« Oui, et dans le même lieu : les

251 — Toute évocation doit être faite au nom de Dieu, avec foi, ferveur, recueillement et pour le bien de tous ; mais surtout que le nom de Dieu ne soit pas un vain mot dans la bouche de celui qui le prononce !

La foi en Dieu est nécessaire ; à l'égard des esprits, à défaut d'une conviction acquise par l'expérience, l'amour du bien et le désir sincère de s'instruire suffisent pour obtenir des manifestations sérieuses.

252 — Tout le monde peut évoquer un ou plusieurs esprits déterminés, et l'esprit évoqué se rend à cet appel selon les circonstances où il se trouve, s'il le peut et s'il lui est permis de le faire.

253 — Si l'esprit évoqué ne manifeste pas sa présence d'une manière ostensible, il n'en est pas moins, s'il est pour cela dans les conditions propices, auprès de celui qui l'évoque, et il l'aide autant qu'il est en son pouvoir.

254 — Les hommes réunis dans une communauté de pensées et d'intentions, avec la foi et le désir du bien, sont plus puissants pour évoquer les esprits *supérieurs*. En élevant leur âme par quelques instants de recueillement au moment de l'évocation, ils s'assimilent aux bons esprits qui viennent alors à eux plus facilement.

L'évocation faite à des époques ré-

esprits y viennent plus volontiers et plus facilement ; car c'est le désir constant que vous avez qui aide les esprits à venir se mettre en communication avec vous. »

255 — L'esprit évoqué vient il volontairement, ou bien y est-il contraint?

« Il obéit à la volonté de Dieu, c'est-à-dire à la loi générale qui régit l'univers ; et pourtant contraint n'est pas le mot, car il juge s'il est utile de venir : et là est encore pour lui le libre arbitre. »

256 — L'évocation est-elle pour les esprits une chose agréable ou pénible ?

« C'est selon la demande qu'on leur fait. C'est pour eux une chose agréable et même très attrayante quand le but est louable. »

— Les esprits voient-ils avec plaisir les personnes qui cherchent à s'instruire ?

« Oui, tous ceux-là sont aimés des bons esprits et en obtiennent les moyens d'arriver à la vérité. »

257 — Les esprits, pour se manifester, ont-ils toujours besoin d'être évoqués ?

« Non, ils se présentent souvent sans être appelés, et là est la preuve que c'est par mission et non pour s'attacher au médium. »

— On conçoit qu'il peut en être ainsi de ceux qui viennent dire de bonnes choses; mais ceux qui viennent dire des turpitudes, quel est leur but ?

« C'est encore une mission afin de mettre à l'épreuve votre caractère. »

258 — Les esprits supérieurs cherchent-ils à ramener les réunions futiles à des idées plus sérieuses ?

« Oui, ils tâchent d'influencer et y disent souvent de bonnes choses; mais quand ils voient qu'ils ne sont pas écoutés, ils se retirent et les esprits légers ont toute liberté de s'amuser aux dépens de ceux qui les écoutent. »

— L'accès des réunions sérieuses est-il interdit aux esprits inférieurs ?

« Non, mais *ils se taisent* afin de profiter des enseignements qui vous sont donnés. »

gulières, à jours et heures fixes et dans un même lieu, sont plus favorables aux manifestations sérieuses. Les esprits ont leurs occupations, et ne les quittent pas toujours *à l'improviste.*

255 — En se rendant à l'évocation, les esprits obéissent à une nécessité de l'ordre général des choses, tout en restant juges, selon le degré de leur élévation, de l'utilité des communications qu'on sollicite de leur part ; c'est pourquoi ils restent plus ou moins longtemps, ou ajournent leurs réponses.

256 — Les esprits se rendent à l'évocation plus ou moins volontiers, selon le but qu'on se propose en les appelant.

Pour les esprits supérieurs ce n'est une chose ni pénible, ni désagréable de se rendre à cet appel toutes les fois que le but est sérieux et louable ; loin de là ! ils y viennent avec plaisir, car ils aiment ceux qui cherchent à s'instruire en élevant leur intelligence vers l'infini.

257 — Dans les manifestations écrites ou autres, les esprits se présentent quelquefois spontanément et sans appel direct ; c'est alors une mission qu'ils accomplissent, soit pour nous instruire, soit pour nous mettre à l'épreuve.

Les esprits qui se manifestent sans évocation, se font généralement connaître par un nom quelconque, soit par celui d'une des personnes les plus connues en qui ils ont été incarnés sur la terre, soit par un nom allégorique ou de fantaisie (*note* 11).

258 — Les esprits supérieurs s'éloignent des réunions légères où dominent le caprice, la futilité et les passions terrestres, lorsqu'ils reconnaissent leur présence inutile. Ils laissent alors le champ libre aux esprits légers qui y sont mieux écoutés.

Les esprits imparfaits ne sont pas exclus des réunions sérieuses ; ils y viennent afin de s'instruire, parce que le progrès est la loi commune ; mais ils y sont sans influence, et se taisent en présence des esprits supérieurs, *comme des étourdis dans l'assemblée des sages.*

CHAPITRE X.

259 — Les esprits peuvent-ils quelquefois emprunter un nom révéré ?

« Oui, cela arrive quelquefois ; mais on le découvre facilement ; du reste ils ne le peuvent pas si le bon esprit a le dessus, c'est pourquoi on fait l'évocation au nom de Dieu. Marche droit et tu n'auras rien à craindre. »

— Peut-on contraindre les esprits à se faire connaître ou à se retirer ?

« Oui, tous s'inclinent devant le nom de Dieu. »

— Comment constater l'identité des esprits qui se présentent?

« Etudiez leur langage, et les circonstances vous les feront reconnaître. »

260 — Lorsque l'évocation est faite sans désignation spéciale, quel est l'esprit qui vient?

« Celui qui est le plus près de vous dans le moment, ou qui a le plus de sympathie pour vous. »

261 — L'esprit qui se rend d'habitude auprès de certaines personnes peut-il cesser de venir ?

« Oui. »

— Quelle cause peut l'en empêcher ?

« Sa volonté, s'il voit sa présence inutile ; ou bien il peut être occupé ailleurs, ou bien encore il peut n'en pas avoir la permission pour le moment. »

262 — Peut-on évoquer les purs esprits, ceux qui ont terminé la série de leurs incarnations ?

« Oui, ce sont les esprits supérieurs et bienheureux ; mais ils ne se communiquent qu'aux cœurs purs et sincères, et non *aux orgueilleux et aux égoïstes ;* aussi il faut se défier des esprits inférieurs qui prennent leur nom. »

— Peut-on évoquer l'esprit de ses parents et de ses amis et entrer en communication avec eux ?

« Oui, et quand ils sont heureux ils voudraient vous faire comprendre que vous avez tort de vous affliger de ce qu'ils ne sont plus sur la terre. »

263 — Comment des esprits dispersés dans les différents mondes peuvent-ils entendre de tous les points de l'uni-

259. — Les esprits imparfaits empruntent quelquefois des noms révérés, soit par espièglerie, soit pour tromper la bonne foi et induire plus sûrement en erreur ; mais ils ne peuvent soutenir longtemps leur rôle ; le caractère de leurs réponses fait aisément découvrir la supercherie, et ne laisse aucun doute sur la nature de l'esprit qui se présente.

Du reste, quel qu'il soit, l'esprit ne peut refuser de se faire connaître par son veritable nom et de se retirer s'il est sommé de le faire au nom de Dieu, car tous s'inclinent devant ce nom redoutable quand il est invoqué *avec ferveur.*

260 — Lorsque l'évocation est faite d'une manière générale et sans désignation spéciale, l'esprit qui vient est celui qui est le plus près de vous dans le moment, ou qui a le plus de sympathie pour le centre où est faite l'évocation.

261 — L'esprit qui se rend d'habitude auprès de certaines personnes peut quelquefois cesser de venir d'une manière définitive ou pour un temps plus ou moins long. Cela peut être par l'effet de sa volonté, ou de la nécessité pour lui d'être ailleurs, ou bien encore parce qu'il n'en a pas la permission pour le moment.

262 — La possibilité d'évoquer n'est point circonscrite ; elle s'étend à tous les êtres incorporels, quel que soit leur rang dans la hiérarchie spirite : aux purs esprits comme aux esprits inférieurs ; à l'esprit de nos parents ou de nos amis avec lesquels nous pouvons entrer en communication ; à celui des hommes les plus illustres, comme à celui des plus obscurs, quelle que soit d'ailleurs l'antiquité de l'existence que nous leur connaissons sur la terre, ou le lieu de l'univers qu'ils habitent, car pour les esprits le temps et l'espace s'effacent devant l'infini.

263 — Les esprits évoqués ne viennent pas toujours immédiatement lorsqu'on les appelle, parce qu'ils ne sont

MANIFESTATION DES ESPRITS.

vers les évocations qui sont faites, et être toujours prêts à se rendre instantanément à notre appel ?

« Les esprits familiers qui nous entourent vont chercher ceux que vous évoquez et les amènent *lorsqu'ils peuvent venir*, car *toujours prêts* n'est pas le mot, puisque ceux que vous évoquez n'ont pas toujours la possibilité de venir ; et puis s'ils sont incarnés, les besoins de leur corps peuvent les retenir ; c'est pourquoi ils ne viennent pas toujours immédiatement, et vous quittent plus tôt que vous ne voudriez. »

— Puisque, dans les évocations, les esprits familiers servent en quelque sorte de messagers, ont-ils une influence sur la venue des esprits évoqués ?

« Sans doute ; ils amènent plus facilement ceux qui leur sont sympathiques, et lorsqu'ils sont imparfaits, ils ne peuvent sympathiser avec les esprits supérieurs. »

264 — Comment se fait-il que l'esprit des hommes les plus illustres vienne aussi facilement et aussi familièrement à l'appel des hommes les plus obscurs ?

« Les hommes jugent les esprits d'après eux, et c'est là l'erreur ; après la mort du corps ils ne sont pas plus les uns que les autres ; les bons seuls sont supérieurs, et ceux qui sont bons vont partout où il y a du bien à faire. »

265 — L'esprit évoqué en même temps sur plusieurs points peut-il répondre simultanément à plusieurs questions ?

« Il répond d'abord à celui qui l'évoque le premier ou qui a le plus de force. Il peut très souvent répondre en même temps, si les deux évocations sont aussi sérieuses et aussi ferventes l'une que l'autre ; puis encore un mystère : c'est que, par un effet de la divine Providence, les deux évocations auront presque toujours le même but, et la même réponse peut servir aux deux, et être entendue des deux. »

266 — Peut-on évoquer plusieurs esprits dans un même but ?

« Oui ; s'ils sont sympathiques, ils pas constamment à nos côtés ; mais nos esprits familiers, qui nous accompagnent sans cesse, vont les chercher. Les esprits évoqués peuvent être incarnés ou occupés ; leur venue est souvent ajournée, parce qu'il leur faut quelque temps pour se dégager, et qu'ils ne peuvent pas toujours quitter à l'improviste ce qu'ils font ; c'est la raison pour laquelle les évocations à jours et heures fixes sont préférables, parce que les esprits étant prévenus se tiennent prêts, et c'est aussi pourquoi ils aiment et recommandent l'exactitude.

Les esprits évoqués viennent plus ou moins volontiers selon leur sympathie pour l'esprit qui les appelle. Ils jugent l'évocateur par les qualités de son messager ; c'est pourquoi les personnes dont le caractère attire les esprits imparfaits, entrent plus difficilement en relation avec les esprits supérieurs.

264 — C'est à tort qu'on s'étonnerait de voir l'esprit des plus illustres personnages de la terre se rendre à l'évocation des plus humbles mortels. En quittant la terre ils ont dépouillé toute grandeur mondaine ; celui qui était le plus grand ici-bas est peut-être bien petit dans le monde des esprits, car la vertu seule y donne la supériorité ; s'ils sont bons, ils viennent pour le bien.

265 — L'esprit évoqué en même temps sur plusieurs points différents répond d'abord à la personne qui l'évoque la première ou qui a le plus de force, ou bien encore à celle dont la ferveur est la plus grande et le but le plus utile ; il ajourne l'autre à un temps déterminé ; mais il peut aussi répondre simultanément à plusieurs évocations, si le but est le même. Plus il est pur et élevé, plus sa pensée *rayonne* et s'étend comme la lumière. Telle une étincelle qui projette au loin sa clarté, et peut être aperçue de tous les points de l'horizon.

266 — On peut évoquer simultanément plusieurs esprits pour concourir au même but. Ceux qui se rendent à cet

CHAPITRE X.

agissent de concert et ont plus de force. »
— Lorsque plusieurs esprits sont évoqués simultanément, quel est celui qui répond ?
« L'un d'eux répond pour tous. »
267 — Comment deux esprits évoqués simultanément, et s'exprimant par deux médiums différents, peuvent-ils échanger des paroles acerbes ? Il semble qu'ils devraient être au-dessus de semblables faiblesses.
« Les esprits inférieurs sont sujets à vos passions, et quand ils ne sont pas sympathiques ils peuvent se disputer ; mais souvent tu crois que c'est nous qui nous disputons, tandis que c'est vous qui le faites ; c'est-à-dire que très souvent, quand vous êtes de trop grands entêtés, et que vous ne voulez pas nous laisser parler convenablement, nous nous taisons ; alors ce sont des esprits follets, ou même les vôtres, qui se disputent ; car tout y est. »

268 — Peut-on évoquer l'esprit d'une personne à l'instant de la mort ?
« Oui. »
— Bien que la séparation de l'âme et du corps ait lieu instantanément, l'esprit a-t-il immédiatement une perception claire et nette de sa nouvelle situation ?
« Non ; il lui faut quelque temps pour se reconnaître jusqu'à ce qu'il soit tout à fait dégagé de la matière. »
269 — Peut-on évoquer l'esprit d'un enfant mort en bas âge ?
« Oui. »
— Comment répondra-t-il s'il est mort à un âge où il n'avait pas encore la conscience de lui-même ?
« L'âme de l'enfant est un esprit *encore enveloppé dans les langes de la matière ;* mais dégagé de la matière il jouit de ses facultés d'esprit, car les esprits n'ont pas d'âge. »
270 — Les esprits incarnés dans d'autres mondes peuvent-ils se manifester ?
« Oui, et même ceux qui sont réincarnés sur la terre ; mais moins la ma-

appel collectif sont des esprits sympathiques entre eux. Dans ce cas, c'est ordinairement l'un d'eux qui répond au nom de tous, et comme étant l'expression de la pensée collective.

267 — Deux esprits évoqués simultanément peuvent répondre chacun par un médium différent, et établir entre eux une conversation sur un sujet déterminé. Le caractère de la conversation répond au degré de supériorité des esprits ou à la sympathie qui existe entre eux. Elle est grave et instructive s'ils sont également supérieurs et animés de la même pensée pour le bien. Dans le cas contraire, ou suivant l'influence que peut exercer l'esprit du médium ou des assistants sur les communications, la discussion peut prendre les caractères de la passion par un échange de paroles plus ou moins acerbes. Le champ reste toujours à l'esprit le plus élevé qui contraint l'autre au silence.

268 — L'esprit peut être évoqué à l'instant même de la mort de la personne qu'il animait ; mais quoique la séparation de l'âme et du corps ait lieu instantanément, il lui faut quelque temps pour se dégager complètement de la matière et se reconnaître. C'est pourquoi les premières réponses expriment souvent une certaine confusion d'idées jusqu'à ce qu'il se soit familiarisé avec sa nouvelle situation (*note* 12).

269 — L'esprit d'un enfant mort en bas âge étant évoqué, ses réponses seront aussi positives que celles de l'esprit d'un adulte, attendu qu'il n'est pas d'âge pour les esprits. Débarrassé des liens terrestres, il recouvre ses facultés, quel que soit l'âge de l'être qu'il a animé. Toutefois, jusqu'à ce qu'il soit complètement dématérialisé, il conserve dans son langage quelques traces du caractère de l'enfance.

270 — L'esprit évoqué peut être libre, c'est-à-dire à l'état d'esprit errant. Il peut aussi être réincarné dans un autre globe ou dans le nôtre. Plus sa nouvelle existence corporelle est éle-

MANIFESTATION DES ESPRITS.

tière de leur corps est grossière, plus il leur est facile de s'en dégager. »

271 — Peut-on évoquer l'esprit d'une personne vivante ?

» Oui, puisqu'on peut évoquer un esprit réincarné. Il peut aussi, dans ses moments de liberté, se présenter *sans être évoqué;* cela dépend de sa sympathie pour les personnes auxquelles il se communique.

— Dans quel état est le corps de la personne dont l'esprit est évoqué ?

« Il dort ou sommeille : c'est alors que l'esprit est libre. »

— Que fait l'esprit lorsque le corps se réveille ?

« Il est forcé de *rentrer chez lui;* c'est alors qu'il vous quitte, et souvent il vous en dit le motif (*note* 13). »

272 — Une personne vivante évoquée en a-t-elle conscience ?

« Non, vous l'êtes vous-mêmes plus souvent que vous ne pensez. »

— Qui est-ce qui peut nous évoquer si nous sommes des êtres obscurs ?

« Dans d'autres existences vous pouvez avoir été des personnes connues dans ce monde ou dans d'autres; et puis vos parents et vos amis également dans ce monde ou dans d'autres. Supposons que ton esprit ait animé le corps du père d'une autre personne ; eh bien ! quand cette personne évoquera son père, c'est ton esprit qui sera évoqué et qui répondra. »

— L'esprit évoqué d'une personne vivante répond-il comme esprit ou avec les idées de l'état de veille ?

« Cela dépend de son élévation, mais il juge plus sainement et a moins de préjugés, absolument comme les somnambules ; c'est un état semblable. »

— Pourrait-on modifier les idées de l'état normal en agissant sur l'esprit ?

« Oui, quelquefois. »

273. — L'évocation d'une personne vivante a-t-elle des inconvénients ?

« Oui, elle n'est pas toujours sans danger; cela dépend de la position de la personne, car si elle est malade on peut augmenter ses souffrances. »

vée, moins il est lié à la matière, et plus il se communique facilement.

271 — L'esprit d'une personne vivante, présente ou absente, peut se communiquer soit spontanément, soit par l'évocation, et répondre par l'intermédiaire du médium aux questions qui lui sont adressées. Cette communication n'a lieu que dans les moments de liberté de l'esprit, c'est-à-dire pendant le sommeil du corps. Elle peut avoir lieu spontanément, lorsque l'esprit est déjà presque dégagé, ou bien lorsque Dieu lui accorde cette faculté en vue d'un enseignement à transmettre.

Si l'évocation est faite pendant l'état de veille, elle provoque le sommeil, ou tout au moins la prostration des forces physiques et intellectuelles.

272 — Une personne vivante évoquée répond comme elle le ferait directement elle-même; seulement, dans cet état, son esprit, quoique toujours sous l'influence des passions terrestres, ne tient plus à la matière par des liens aussi intimes ; c'est pourquoi il peut juger les choses plus sainement et avec moins de préjugés, et peut, jusqu'à un certain point, être accessible aux impressions qu'on veut lui faire subir, et ces impressions peuvent influer sur sa manière de voir dans l'état ordinaire.

Une personne vivante évoquée n'en a point conscience dans son état normal ; son esprit seul le sait, et peut lui en laisser une vague impression, comme d'un songe.

L'esprit rayonne quelquefois vers le lieu de l'évocation sans quitter le corps; dans ce cas, la personne évoquée peut conserver tout ou partie de ses facultés de la vie de relation. Si elle est présente, elle peut interroger son propre esprit et se répondre à elle-même.

273 — L'évocation d'une personne vivante n'est pas toujours sans inconvénient. La brusque suspension des facultés intellectuelles pourrait offrir du danger si la personne se trouvait en ce moment avoir besoin de toute sa pré-

CHAPITRE X.

— Puisque nous pouvons être évoqués à notre insu, sommes-nous exposés par ce fait à un danger permanent; et certaines morts subites ne pourraient-elles avoir cette cause ?

« Non, les circonstances ne sont pas les mêmes. »

274 — En évoquant une personne dont le sort est inconnu, peut-on savoir d'elle-même si elle existe encore ?

« Oui. »

— Si elle est morte, peut-elle faire connaître les circonstances de sa mort ?

« Oui, si elle y attache quelque importance ; autrement elle s'en soucie peu. »

275 — L'esprit évoqué d'une personne vivante est-il libre de dire ou de ne pas dire ce qu'il veut ?

« Oui, il a ses facultés d'esprit et par conséquent son libre arbitre. »

— Si la personne sait qu'elle est évoquée, sa volonté peut-elle influer sur les réponses de son esprit ?

« Oui. »

— Si l'évocation est faite à son insu, sa volonté a-t-elle de l'influence ?

« L'esprit ne dit que ce qu'il veut. »

— D'après cela on ne pourrait pas arracher d'une personne en l'évoquant ce qu'elle voudrait taire ?

« Non, moins que de la personne même, *si elle y tient*. »

276 — Deux personnes en s'évoquant réciproquement pourraient-elles se transmettre leurs pensées et correspondre ?

« Oui, *et cette télégraphie humaine sera un jour un moyen universel de correspondance.* »

— Pourquoi ne serait-elle pas praticable dès à présent ?

« Elle l'est pour certaines personnes, mais pas pour tout le monde ; il faut que les hommes *s'épurent* pour que leur esprit se dégage de la matière, et c'est encore une raison pour faire l'évocation au nom de Dieu. »

sence d'esprit. Si elle est affaiblie par l'âge ou les maladies, ses souffrances pourraient être augmentées en relâchant les liens qui unissent l'âme et le corps.

274 — De la possibilité d'évoquer une personne vivante découle celle d'évoquer une personne dont le sort est inconnu, et de savoir ainsi par elle-même si elle est encore de ce monde. Les renseignements que son esprit fournit sont en rapport avec l'importance qu'il attache aux choses.

275 — Lorsqu'une personne vivante a connaissance de l'évocation qui est faite de son esprit au moment où elle a lieu, sa volonté peut dicter les réponses transmises par le médium. Si au contraire l'évocation se fait à son insu, les réponses étant spontanées peuvent exprimer sa pensée réelle *si elle n'a aucun intérêt à la déguiser*.

L'esprit conserve toujours son libre arbitre et ne dit que ce qu'il veut dire, et comme il a plus de perspicacité, il est plus circonspect même que dans l'état de veille. On serait donc dans l'erreur si l'on croyait pouvoir en abuser pour arracher à quelqu'un un secret qu'il voudrait taire (*note 14*).

276 — Deux personnes s'évoquant réciproquement peuvent correspondre ensemble, et se transmettre leurs pensées qu'elles écrivent chacune de son côté, à quelque distance qu'elles soient l'une de l'autre.

Cette télégraphie humaine deviendra un jour universelle et sera le moyen le plus prompt et le plus simple de communication entre les hommes, quand leur esprit en s'épurant pourra s'isoler plus aisément de la matière : jusque-là elle est circonscrite *aux âmes d'élite*.

LIVRE DEUXIÈME.

LOIS MORALES.

CHAPITRE PREMIER.

LOI DIVINE OU NATURELLE.

Caractère et objet de la loi divine ou naturelle. — Le bien et le mal. — Différence entre la loi naturelle et l'état de nature. — Connaissance intuitive de la loi naturelle. — Révélation. — Prophètes. — Caractère de la loi de Jésus. — But de l'enseignement donné par les esprits. — Division de la loi naturelle.

277 — La loi de Dieu est-elle éternelle ?

« Oui, et immuable. »

— Dieu a-t-il pu prescrire aux hommes dans un temps ce qu'il leur aurait défendu dans un autre temps ?

« Dieu ne peut se tromper ; ce sont les hommes qui sont obligés de changer leurs lois, parce qu'elles sont imparfaites. »

L'harmonie qui règle l'univers matériel et l'univers moral est fondée sur les lois que Dieu a établies de toute éternité. Ces lois sont immuables comme Dieu même.

278 — Les lois divines ne concernent-elles que la conduite morale ?

« Toutes les lois de la nature sont des lois divines, puisque Dieu est l'auteur de toutes choses. Le savant étudie les lois de la matière, l'homme de bien étudie et pratique celles de l'âme. »

— Est-il donné à l'homme d'approfondir les unes et les autres ?

« Oui, *mais une seule existence ne suffit pas.* »

Parmi les lois divines, les unes règlent le mouvement et les rapports de la matière brute : ce sont les lois physiques ; leur étude est du domaine de la science.

Les autres concernent spécialement l'homme en lui-même et dans ses rapports avec Dieu et avec ses semblables. Elles comprennent les règles de la vie du corps aussi bien que celles de la

---

(1) Une modification a été apportée dans la disposition matérielle à partir de ce livre. Dorénavant les deux colonnes feront suite l'une à l'autre et ne présenteront pas deux parties distinctes. Comme précédemment, les réponses *textuelles* données par les esprits font suite immédiate aux questions et sont placées entre des guillemets. Ce qui suit les réponses en est un développement émanant de même des esprits, mais plutôt pour le sens que pour la forme, et du reste toujours revu, approuvé et souvent corrigé par eux. Ce sont des pensées qu'ils ont émises partiellement à diverses époques; on les a réunies sous une forme plus courante, en élaguant ce qui faisait double emploi avec le texte de la réponse précédente.

8

CHAPITRE PREMIER.

vie de l'âme : ce sont les lois morales.

279 — Qu'est-ce que la morale ?

« C'est la règle pour se bien conduire; c'est-à-dire la distinction entre le bien et le mal. »

« L'homme se conduit bien quand il fait tout en vue et pour le bien de tous, car alors il observe la loi de Dieu. »

— Sur quoi est fondée la morale ?

« Sur l'observation de la loi de Dieu. » Toute saine morale doit être fondée sur la loi de Dieu ; car le bien est tout ce qui est conforme à cette loi, et le mal tout ce qui s'en écarte. Ainsi faire le bien, c'est se conformer à la loi de Dieu ; faire le mal, c'est enfreindre cette loi.

280—Dieu a-t-il donné à tous les hommes les moyens de connaître sa loi ?

« Tous peuvent la connaître, mais il y en a qui la comprennent mieux que d'autres. »

— Quels sont ceux qui comprennent le mieux la loi de Dieu ?

« Les hommes de bien et ceux qui veulent la chercher ; mais tous la comprendront un jour, car il faut que le progrès s'accomplisse. L'enfant ne peut comprendre aussi bien que l'adulte. »

C'est là qu'est la justice des diverses existences de l'homme, puisqu'à chaque existence nouvelle son intelligence est plus développée, et qu'il comprend mieux ce qui est bien et ce qui est mal.

281 — La loi de Dieu est-elle ce qu'on appelle *loi naturelle ?*

« Oui, et c'est la seule vraie pour le bonheur de l'homme ; elle lui indique ce qu'il doit faire ou ne pas faire, et il n'est malheureux que parce qu'il s'en écarte. »

282 — L'état de nature et la loi naturelle sont-ils la même chose ?

« Non, l'état de nature est l'état primitif. La civilisation est incompatible avec l'état de nature, tandis que la loi naturelle contribue au progrès de l'humanité. »

— Que penser de l'opinion d'après laquelle l'état de nature serait l'état de parfaite félicité sur la terre ?

« Que veux-tu! c'est le bonheur de la brute ; il y a des gens qui n'en comprennent pas d'autre. »

L'état de nature est l'enfance de l'humanité et le point de départ de son développement intellectuel et moral. L'homme étant perfectible, et portant en lui le germe de son amélioration, il n'est point destiné à vivre perpétuellement dans l'état de nature : il en sort par le progrès et la civilisation. La loi naturelle, au contraire, régit l'humanité entière, et l'homme s'améliore à mesure qu'il comprend mieux et pratique mieux cette loi.

283 — Où est écrite la loi de Dieu ?

« Dans la conscience. »

— L'homme a donc ainsi par lui-même les moyens de distinguer ce qui est bien de ce qui est mal ?

« Oui, quand il croit en Dieu et qu'il veut le savoir. Dieu lui a donné l'intelligence pour discerner l'un de l'autre. »

284 — L'homme, qui est sujet à erreur, ne peut-il se tromper dans l'appréciation du bien et du mal, et croire qu'il fait bien quand en réalité il fait mal ?

« Jésus vous l'a dit ; voyez ce que vous voudriez qu'on fît ou ne fît pas pour vous. Tout est là. Vous ne vous tromperez pas. »

285 — La règle du bien et du mal, qu'on pourrait appeler de *réciprocité* ou de *solidarité*, ne peut s'appliquer à la conduite personnelle de l'homme envers lui-même. Trouve-t-il, dans la loi naturelle, la règle de cette conduite et un guide sûr ?

« Quand vous mangez trop cela vous fait mal. Eh bien ! c'est Dieu qui vous donne la mesure de ce qu'il vous faut. Quand vous la dépassez vous êtes puni. Il en est de même de tout. »

La loi naturelle trace à l'homme la limite de ses besoins ; quand il la dépasse il en est puni par la souffrance. Si l'homme écoutait en toutes choses cette voix qui lui dit *assez,* il éviterait la plupart des maux dont il accuse la nature.

286 — Les différentes positions sociales créent des besoins nouveaux qui

LOI DIVINE OU NATURELLE.

ne sont pas les mêmes pour tous les hommes. La loi naturelle paraîtrait ainsi n'être pas une règle uniforme ?

« Ces différentes positions sont dans la nature et selon la loi du progrès. Cela n'empêche pas l'unité de la loi naturelle qui s'applique à tout. »

Les conditions d'existence de l'homme changent selon les temps et les lieux ; il en résulte pour lui des besoins différents et des positions sociales appropriées à ces besoins. Puisque cette diversité est dans l'ordre des choses, elle est conforme à la loi de Dieu, et cette loi n'en est pas moins une dans son principe. C'est à la raison de distinguer les besoins réels des besoins factices ou de convention.

287 — Le bien et le mal sont-ils absolus pour tous les hommes ?

« Oui, car la loi de Dieu est la même pour tous. »

— Ce qui est mal pour les uns, l'est-il également et au même degré pour tous ?

« Non ; le mal dépend de la volonté qu'on a de le faire. »

— D'après ce principe, le bien serait toujours bien et le mal toujours mal, quelle que soit la position de l'homme ; la différence serait dans le degré de responsabilité ?

« C'est bien cela. »

— Le sauvage qui cède à son instinct en se nourrissant de chair humaine, est-il coupable ?

« J'ai déjà dit que le mal dépend de la volonté ; eh bien ! l'homme est plus coupable à mesure qu'il sait mieux ce qu'il fait. »

Les conditions d'existence où l'homme se trouve placé par la nature donnent au bien et au mal une gravité relative. L'homme commet souvent des fautes qui, pour être la suite de la position où l'a placé la société, n'en sont pas moins répréhensibles ; mais la responsabilité est en raison des moyens qu'il a de comprendre le bien et le mal. C'est ainsi que l'homme éclairé qui commet une simple injustice est plus coupable aux yeux de Dieu que le sauvage ignorant qui s'abandonne à ses instincts.

288 — Le mal semble quelquefois être une conséquence de la force des choses. Telle est, par exemple, dans certains cas, la nécessité de destruction, même sur son semblable. Peut-on dire alors qu'il y ait prévarication à la loi de Dieu ?

« Ce n'en est pas moins le mal, quoique nécessaire ; mais cette nécessité disparaît à mesure que l'âme s'épure en passant d'une existence à l'autre ; et alors l'homme n'en est que plus coupable lorsqu'il le commet, parce qu'il le comprend mieux. »

— Pourquoi le mal est-il dans la nature des choses ? Dieu ne pouvait-il créer l'humanité dans des conditions meilleures ?

« Nous te l'avons déjà dit : les esprits ont été créés simples et ignorants. L'homme est fait de matière et d'esprit. Le corps est un vêtement dont l'esprit se revêt afin de pouvoir s'instruire. S'il n'y avait pas de montagnes, l'homme ne pourrait pas comprendre que l'on peut monter et descendre, et s'il n'y avait pas de rochers, il ne comprendrait pas qu'il y a des corps durs. Il faut que l'esprit acquière de l'expérience, et pour cela il faut qu'il connaisse le bien et le mal ; c'est pourquoi il y a union de l'esprit et du corps. »

289 — Le mal que l'on commet n'est-il pas souvent le résultat de la position que nous ont faite les autres hommes ; et dans ce cas quels sont les plus coupables ?

« Le mal retombe sur celui qui en est cause. »

Ainsi l'homme qui est conduit au mal par la position qui lui est faite par ses semblables est moins coupable que ceux qui en sont cause ; car chacun portera la peine, non-seulement du mal qu'il aura fait, mais de celui qu'il aura provoqué.

290 — Celui qui ne fait pas le mal, mais qui profite du mal fait par un autre, est-il coupable au même degré ?

CHAPITRE PREMIER.

« C'est comme s'il le commettait; en profiter c'est y participer. »

291 — Le désir du mal est-il aussi répréhensible que le mal même ?

« C'est selon; il y a vertu à résister volontairement au mal dont on éprouve le désir; si ce n'est que l'occasion qui manque, on est coupable. »

292 — Le bien et le mal sont-ils éternels ?

« Le bien seul est éternel, car c'est le but final de toutes choses: le mal aura une fin. »

— Quand aura lieu la fin du mal ?

« Dans la vie éternelle. »

— Le mal est-il une condition permanente de l'humanité sur la terre ?

« Non; le mal aura un commencement de fin en ce monde quand les hommes pratiqueront la loi de Dieu. »

Le bien consistant dans l'observation de la loi de Dieu, la diminution du mal sur la terre sera la conséquence de l'observation de cette loi; il disparaîtra quand cette loi sera sincèrement et universellement pratiquée.

293 — Suffit-il de ne point faire de mal ?

« Non, il faut faire le bien dans la limite de ses forces ; car chacun répondra de tout le mal qui aura été fait *à cause du bien qu'il n'aura pas fait.* »

294 — Y a-t-il des personnes qui, par leur position, n'aient pas la possibilité de faire du bien ?

« Non, il n'y a personne qui ne puisse faire du bien ; l'égoïste seul n'en trouve jamais l'occasion. »

Il suffit d'être en rapport avec d'autres hommes pour trouver l'occasion de faire le bien, et chaque jour de la vie peut la fournir à quiconque n'est pas aveuglé par l'égoïsme; car faire le bien ce n'est pas seulement être charitable, c'est être utile dans la mesure de notre pouvoir toutes les fois que notre secours peut être nécessaire.

295 — Le mérite du bien que l'on fait est-il subordonné à certaines conditions ; autrement dit, y a-t-il différents degrés dans le mérite du bien ?

« Le mérite du bien est dans la difficulté ; il n'y en a point à faire le bien sans peine et quand il ne coûte rien. »

Il n'y a nul mérite à faire le bien sans sacrifices. Dieu tient plus de compte au pauvre qui partage son unique morceau de pain, qu'au riche qui ne donne que son superflu. Jésus l'a dit à propos du denier de la veuve.

296 — L'âme, avant son union avec le corps, comprend-elle la loi de Dieu mieux qu'après son incarnation ?

« Oui ; elle la comprend selon le degré de perfection auquel elle est arrivée, et en conserve le souvenir intuitif après son union avec le corps, mais les mauvais instincts de l'homme la lui font oublier. »

297. — Puisque tout vient de Dieu, les mauvais instincts ne sont-ils pas aussi son œuvre, et l'homme doit-il en être responsable ?

« L'homme n'est pas un animal. Dieu lui laisse le choix de la route ; tant pis pour lui s'il prend la mauvaise: son pèlerinage sera plus long. »

298 — Que doit-on entendre par révélation ?

« C'est le don de savoir et de comprendre les vérités qu'on ne voit pas. »

— Puisque l'homme porte dans sa conscience la loi de Dieu, quelle nécessité y avait-il de la lui révéler ?

« Il l'avait oubliée et méconnue : Dieu a voulu qu'elle lui fût révélée. »

299 — Dieu a-t-il donné à certains hommes la mission de révéler sa loi ?

« Oui, certainement ; dans tous les temps des hommes ont reçu cette mission. Ce sont des esprits supérieurs incarnés dans le but de faire avancer l'humanité. »

— A quels signes peut-on reconnaître les hommes qui ont reçu cette mission ?

« Ce sont des hommes de bien et de génie qui ont mérité une récompense dans une autre vie; leurs actions vous les font connaître. »

300 — Ceux qui ont prétendu instruire les hommes dans la loi de Dieu, ne se sont-ils pas quelquefois trompés,

LOI DIVINE ET NATURELLE.

et ne les ont-ils pas souvent égarés par de faux principes ?

« Oui, ceux qui n'étaient pas inspirés de Dieu, et qui se sont donné, par ambition, une mission qu'ils n'avaient pas. Cependant, comme en définitive c'étaient des hommes de génie, au milieu des erreurs qu'ils ont enseignées, il se trouve souvent de grandes vérités. »

— Quel est le caractère du vrai prophète ?

« J'ai dit que le prophète est un homme de bien inspiré de Dieu. On peut le reconnaître à ses paroles et à ses actions. Dieu ne peut se servir de la bouche du menteur pour enseigner la vérité. »

Si quelques-uns de ceux qui ont prétendu instruire l'homme dans la loi de Dieu, l'ont quelquefois égaré par de faux principes, c'est pour s'être laissé dominer eux-mêmes par des sentiments trop terrestres et pour avoir confondu les lois qui régissent les conditions de la vie de l'âme avec celles qui régissent la vie du corps. Plusieurs ont donné comme des lois divines ce qui n'était que des lois humaines créées pour servir les passions et dominer les hommes.

301 — Quel est le type le plus parfait que Dieu ait offert à l'homme pour lui servir de guide et de modèle ?

« Voyez Jésus. »

Jésus est pour l'homme le type de la perfection morale à laquelle peut prétendre l'humanité sur la terre. Dieu nous l'offre comme le plus parfait modèle, et la doctrine qu'il a enseignée est la plus pure expression de sa loi, parce qu'il était animé de l'esprit divin, et l'être le plus pur qui ait paru sur la terre.

302 — Les lois divines et naturelles n'ont-elles été révélées aux hommes que par Jésus, et avant lui n'en ont-ils eu connaissance que par l'intuition ?

« N'avons-nous pas dit qu'elles sont écrites partout ? Tous les hommes qui ont médité sur la sagesse ont donc pu les comprendre et les enseigner dès les siècles les plus reculés. Par leurs enseignements, même incomplets, ils ont préparé le terrain à recevoir la semence.

Les lois divines étant inscrites dans le livre de la nature, l'homme a pu les connaître quand il a voulu les chercher ; c'est pourquoi les préceptes qu'elles consacrent ont été proclamés de tous temps par les hommes de bien, et c'est aussi pourquoi on en trouve les éléments dans la morale de tous les peuples sortis de la barbarie, mais incomplets ou altérés par les préjugés de l'ignorance, la superstition.

303 — Puisque Jésus a enseigné les véritables lois de Dieu, quelle est l'utilité de l'enseignement donné par les esprits ? Ont-ils à nous apprendre quelque chose de plus ?

« La parole de Jésus était souvent allégorique et en paraboles, parce qu'il parlait selon les temps et les lieux. Il faut maintenant que la vérité soit intelligible pour tout le monde. Notre mission est de frapper les yeux et les oreilles pour confondre les orgueilleux et démasquer les hypocrites : ceux qui affectent les dehors de la vertu pour cacher leurs turpitudes. »

— Pourquoi la vérité n'a-t-elle pas toujours été mise à la portée de tout le monde ?

« Il faut que chaque chose vienne en son temps. La vérité est comme la lumière : il faut s'y habituer peu à peu, autrement elle éblouit. »

304 — Pourquoi les communications avec le monde spirite, qui ont eu lieu dans tous les temps, sont-elles plus générales aujourd'hui ?

« Les temps marqués pour une manifestation universelle sont arrivés. Ces communications deviendront de plus en plus générales ; elles frapperont les yeux des plus incrédules, et le jour n'est pas loin où le doute ne sera plus permis. Alors la face du monde moral changera, et peu à peu les vices et les préjugés qui font le malheur du genre humain disparaîtront. »

La manifestation universelle des esprits est une ère nouvelle qui commence pour l'humanité, et prépare sa régénération en lui ouvrant en quelque sorte les arcanes du monde spirituel sa

8.

véritable patrie; ceux qui ne verront pas, c'est qu'ils voudront rester aveugles.

305 — Toute la loi de Dieu n'est-elle pas renfermée dans la maxime de l'amour du prochain enseignée par Jésus?

« Certainement cette maxime renferme tous les devoirs des hommes entre eux; mais il faut leur en montrer l'application, autrement ils la négligeront comme ils le font aujourd'hui; d'ailleurs la loi naturelle comprend toutes les circonstances de la vie, et cette maxime n'en est qu'une partie. »

— La division de la loi naturelle en dix parties comprenant les lois sur l'*adoration, le travail, la reproduction, la conservation, la destruction, la société, le progrès, l'égalité, la liberté*, enfin celle *de justice, d'amour et de charité*, embrasse-t-elle toutes les phases de la vie individuelle et sociale de l'homme?

« Oui, cette division de la loi de Dieu en dix parties est celle de Moïse. La dernière est la plus importante; c'est par elle que l'homme peut avancer le plus dans la vie spirituelle, car elle les résume toutes. »

CHAPITRE II.

I. LOI D'ADORATION.

But et forme de l'adoration. — Vie contemplative — Effets de la prière.

306 — En quoi consiste l'adoration?
« C'est l'élévation de la pensée vers Dieu. »

307 — L'adoration est-elle le résultat d'un sentiment inné, ou le produit d'un enseignement?

« Sentiment inné, comme celui de la divinité. La conscience de sa faiblesse porte l'homme à se courber devant celui qui peut le protéger. »

— Y a-t-il eu des peuples dépourvus de tout sentiment d'adoration?

« Non, car il n'y a jamais eu de peuples d'athées. Tous comprennent qu'il y a au-dessus d'eux un être suprême. »

— Quel est le but de l'adoration?

« Plaire à Dieu en rapprochant notre âme de lui. »

L'adoration de la divinité est un acte spontané de l'homme, et le résultat de sa croyance intuitive à l'existence de l'être suprême. On la trouve sous diverses formes à toutes les époques et chez tous les peuples, parce que c'est un sentiment naturel, autrement dit une loi de *nature*.

308 — L'adoration a-t-elle besoin de manifestations extérieures?

« Non; la véritable adoration est dans le cœur. Dans toutes vos actions songez toujours qu'un maître vous regarde. »

— L'adoration extérieure est-elle utile?

« Oui, si elle n'est pas une grimace. Il est toujours utile de donner un bon exemple; mais ceux qui ne le font que par affectation et amour-propre, et dont la conduite dément leur piété apparente, donnent un exemple plus mauvais que bon, et font plus de mal qu'ils ne pensent. »

— Dieu accorde-t-il une préférence à ceux qui l'adorent de telle ou telle façon?

« Dieu préfère ceux qui l'adorent du fond du cœur, avec sincérité, en faisant le bien et en évitant le mal, à ceux qui croient l'honorer par des cérémonies qui ne les rendent pas meilleurs pour leurs semblables. »

— Je demande s'il y a une forme extérieure plus convenable l'une que l'autre?

« C'est comme si tu demandais s'il est plus agréable à Dieu d'être adoré dans une langue plutôt que dans une autre. »

« Tous les hommes sont frères et enfants de Dieu ; il appelle à lui tous ceux qui suivent ses lois. »

L'adoration est indépendante de la forme ; elle est toujours agréable à Dieu si elle procède d'un cœur sincère et fidèle observateur de la justice.

L'adoration qui n'est que dans la forme est un acte d'hypocrisie par lequel on peut abuser les hommes, mais qui ne saurait abuser Dieu, car il voit le fond de nos cœurs. Que de gens ont l'air de s'humilier devant Dieu pour s'attirer l'approbation des hommes !

309 — L'adoration en commun est-elle préférable à l'adoration individuelle ?

« Nous avons dit que les hommes réunis par une communion de pensées et de sentiments ont plus de force pour appeler à eux les bons esprits. Eh bien! il en est de même quand ils se réunissent pour adorer Dieu. Mais ne crois pas pour cela que l'adoration particulière soit moins bonne, car chacun peut adorer Dieu en pensant à lui. »

310 — Quel est le but de la prière ?

« Attirer sur soi des grâces particulières. »

— Ne pouvons-nous mériter ces grâces que par la prière ?

« Non, Dieu sait ce qu'il vous faut ; mais par la prière vous attirez plus particulièrement son attention, car prier Dieu c'est penser à lui et l'adorer. »

311 — Peut-on prier les esprits ?

« Oui, les bons ; les prier c'est les évoquer ; et quand la prière est sincère ils ne manquent pas de venir à vous et de vous assister autant que cela leur est permis : c'est leur mission ; ils sont vos interprètes auprès de Dieu. »

312 — La prière est-elle agréable à Dieu ?

« Oui, quand elle part d'un cœur pur. L'intention est tout pour lui, et la prière du cœur est préférable à celle que tu peux lire, quelque belle qu'elle soit. »

La prière à laquelle l'intelligence et la pensée n'ont aucune part n'est pas une prière : ce sont des mots qui n'ont aucun mérite aux yeux de Dieu.

313 — La prière rend-elle l'homme meilleur ?

« Oui, celle du cœur ; mais celle des lèvres en fait des hypocrites. »

— Comment la prière peut-elle rendre l'homme meilleur ?

« Dieu lui envoie de bons esprits pour lui suggérer de bonnes pensées et le rendre plus fort pour supporter *sans murmure* les souffrances de la vie. »

314 — Peut-on prier utilement de nous pardonner nos fautes ?

« Dieu sait discerner le bien et le mal ; la prière ne cache pas les fautes.

« Celui qui demande à Dieu le pardon de ses fautes ne l'obtient qu'en changeant de conduite. Les bonnes actions sont la meilleure des prières, car les actes valent mieux que les paroles. »

315 — Les hommes qui s'adonnent à la vie contemplative, tout en ne faisant aucun mal et ne pensant qu'à Dieu, ont-ils un mérite à ses yeux ?

« Non, car s'ils ne font pas de mal, ils ne font pas de bien et sont inutiles ; d'ailleurs ne pas faire de bien est déjà un mal. »

Dieu veut bien qu'on pense à lui, mais il ne veut pas qu'on ne pense qu'à lui, puisqu'il a donné à l'homme des devoirs à remplir sur la terre. Celui qui se consume dans la méditation et dans la contemplation ne fait rien de méritoire aux yeux de Dieu, parce que sa vie est inutile à l'humanité, et Dieu lui demandera compte du bien qu'il n'aura pas fait.

316 — Peut-on prier utilement pour autrui ?

« L'esprit de celui qui prie agit par sa volonté de faire le bien. Par la prière il attire à lui les bons esprits qui s'associent au bien qu'il veut faire. »

Nous possédons en nous-mêmes, par

CHAPITRE III.

la pensée et la volonté, une puissance d'action qui s'étend bien au delà des limites de notre sphère corporelle. La prière pour autrui est un acte de cette volonté. Si elle est ardente et sincère, elle peut appeler à son aide les bons esprits, afin de lui suggérer de bonnes pensées et lui donner la force du corps et de l'âme dont il a besoin. Mais là encore la prière du cœur est tout, celle des lèvres n'est rien.

317 — Les prières d'autrui peuvent-elles nous faire obtenir le pardon de nos fautes ?

« Jésus a dit : A chacun selon ses œuvres. Nul que vous ne peut réparer le mal que vous avez fait. La prière d'autrui peut vous donner la force, mais elle ne peut vous faire obtenir un pardon que vous n'aurez mérité par aucun effort. »

318 — Y a-t-il du mérite à consacrer sa vie à la prière ?

« Demandez à ceux-là les sacrifices qu'ils s'imposent pour leur prochain, et vous jugerez de leur mérite. »

Consacrer sa vie à la prière pour soi-même, c'est de l'égoïsme ; le faire pour les autres est une paresse déguisée. Il y a plus de mérite à secourir le prochain par les privations effectives et les sacrifices volontaires que l'on s'impose, qu'à l'assister de prières qui ne coûtent que la peine de les dire.

319 — Peut-on prier utilement Dieu de détourner les maux qui nous affligent ?

« Nous l'avons dit, la prière n'est jamais inutile quand elle est bien faite, parce qu'elle donne la force, et c'est déjà un grand résultat. Aide-toi, le Ciel t'aidera, tu sais cela. D'ailleurs Dieu ne peut changer l'ordre de la nature au gré de chacun ; et puis combien n'y a-t-il pas de maux dont l'homme est le propre auteur par son imprévoyance ou par ses fautes ! Il est puni par où il a péché. »

Ces maux sont souvent dans les décrets de la Providence et pour un bien que nous ne pouvons comprendre ; mais souvent aussi Dieu nous suggère, par l'intermédiaire des esprits, les pensées par lesquelles nous pouvons les détourner nous-mêmes ou en atténuer les effets.

CHAPITRE III.

II. LOI DU TRAVAIL.

But et obligation du travail. — Limite du travail. — Repos.

320 — La nécessité du travail est-elle une loi de nature ?

« Oui, et la civilisation t'oblige à plus de travail. »

— Pourquoi la nature pourvoit-elle d'elle-même à tous les besoins des animaux ?

« Tout travaille dans la nature ; les animaux travaillent comme toi. »

L'homme ne doit sa nourriture, sa sécurité et son bien-être qu'à son travail et à son activité. A celui qui est trop faible de corps, Dieu a donné l'intelligence pour y suppléer.

321 — Pourquoi le travail est-il imposé à l'homme ?

« C'est une conséquence de la grossièreté de sa nature corporelle. C'est une expiation, et en même temps un moyen de perfectionner son intelligence. Sans le travail l'homme resterait dans l'enfance de l'intelligence. »

LOI DU TRAVAIL.

— Dans les mondes plus perfectionnés, l'homme est-il soumis à la même nécessité du travail?

« Non, parce qu'il n'a pas les mêmes besoins ; mais ne crois pas pour cela qu'il soit inactif et inutile. »

322 — Ne doit-on entendre par le travail que les occupations matérielles ?

« Non ; l'esprit travaille comme le corps. Toute occupation utile est un travail. »

323 — N'y a-t-il pas des hommes qui sont dans l'impuissance de travailler et dont l'existence est inutile ?

« Dieu est juste ; il ne condamne que celui dont l'existence est volontairement inutile ; car celui-là vit aux dépens du travail des autres. Il veut que chacun se rende utile selon ses facultés. »

324 — L'homme qui possède des biens suffisants pour assurer son existence est-il affranchi de la loi du travail ?

« Non, car il a plus de moyens de se rendre utile. »

— Pourquoi Dieu favorise-t-il des dons de la fortune certains hommes qui ne semblent pas l'avoir mérité?

« C'est une faveur aux yeux de ceux qui ne voient que le présent ; mais sache-le bien, la fortune est une épreuve aussi grande que la misère, et souvent plus dangereuse. »

Si l'homme à qui Dieu a départi des biens suffisants pour assurer son existence, n'est pas contraint de se nourrir à la sueur de son front, l'obligation d'être utile à ses semblables est d'autant plus grande pour lui que la part qui lui est faite d'avance lui donne plus de loisirs pour faire le bien.

325 — Le repos étant un besoin après le travail, n'est-il pas une loi de nature ?

« Oui, et il est aussi nécessaire afin de laisser un peu plus de liberté à l'intelligence pour s'élever au-dessus de la matière. »

— Quelle est la limite du travail ?

« La limite des forces ; du reste Dieu laisse l'homme libre. »

326 — Que penser de ceux qui abusent de leur autorité pour imposer à leurs inférieurs un excès de travail ?

« C'est une des plus mauvaises actions. »

Tout homme qui a le pouvoir de commander est responsable de l'excès de travail qu'il impose à ses inférieurs, car il transgresse la loi de Dieu.

327 — L'homme a-t-il droit au repos dans sa vieillesse?

« Oui, il n'est obligé que selon ses forces. »

— Mais quelle ressource a le vieillard qui a besoin de travailler pour vivre, et qui ne le peut pas ?

« Le fort doit travailler pour le faible : c'est la loi de charité. »

— La loi de nature impose-t-elle aux enfants l'obligation de travailler pour leurs parents?

« Oui, comme les parents pour leurs enfants, et c'est ce qui est méconnu dans votre société actuelle. »

Ce n'est pas sans motif que Dieu a fait de l'amour filial et de l'amour paternel un sentiment de nature ; c'est afin que, par cette affection réciproque, les membres d'une même famille fussent portés à s'entr'aider mutuellement.

CHAPITRE IV.

III. LOI DE REPRODUCTION.

Obstacles à la reproduction. — Perfectionnement des races. — Célibat. — Mariage. — Polygamie.

328 — La reproduction des êtres vivants est-elle une loi de nature ?

« Oui, cela est évident ; sans la reproduction le monde corporel périrait. »

329 — Si la population suit toujours la progression croissante que nous voyons, arrivera-t-il un moment où elle sera exubérante sur la terre ?

« Non ; Dieu y pourvoit et maintient toujours l'équilibre. »

330 — Il y a en ce moment des races humaines qui diminuent évidemment ; arrivera-t-il un moment où elles auront disparu de dessus la terre ?

« Oui, c'est vrai ; mais c'est que d'autres ont pris leur place, comme d'autres prendront la vôtre un jour. »

— Les hommes actuels sont-ils une nouvelle création, ou les descendants perfectionnés des êtres primitifs ?

« Ce sont les mêmes qui sont *revenus* se perfectionner, mais qui sont encore loin de la perfection. »

Ainsi la race humaine qui, par son augmentation, tend à envahir toute la terre et à remplacer les races qui s'éteignent, aura sa période de décroissance et de disparition. D'autres races plus perfectionnées la remplaceront, qui descendront de la race actuelle, comme les hommes civilisés de nos jours descendent des êtres bruts et sauvages des temps primitifs.

331 — Les lois et les coutumes qui ont pour but d'apporter des obstacles à la reproduction sont-elles contraires à la loi de nature ?

« Oui. »

— Cependant il y a des espèces d'êtres vivants, animaux et plantes, dont la reproduction indéfinie serait nuisible à d'autres espèces, et dont l'homme lui-même serait bientôt la victime ; commet-il un acte répréhensible en arrêtant cette reproduction ?

« Non ; Dieu a donné à l'homme sur tous les êtres vivants un pouvoir dont il doit user pour le bien, mais non abuser. Il peut régler la reproduction selon les besoins ; il ne doit pas l'entraver sans nécessité. »

332 — Que faut-il penser des usages, qui ont pour effet d'arrêter la reproduction en vue de satisfaire la sensualité ?

« Cela prouve combien l'homme est dans la matière et la prédominance du corps sur l'âme. »

333. — Le perfectionnement des races par la science est-il contraire à la loi de nature ?

« Non, on doit tout faire pour arriver à la perfection, et l'homme lui-même est un instrument dont Dieu se sert pour arriver à ses fins. »

La perfection étant le but auquel tend la nature, c'est répondre à ses vues que de favoriser cette perfection. L'homme se conforme donc à la loi de Dieu quand il demande à l'art ou à la science le perfectionnement des races.

334 — Le célibat volontaire est-il un état de perfection méritoire aux yeux de Dieu ?

« Non, et ceux qui vivent ainsi par égoïsme déplaisent à Dieu et trompent tout le monde. »

— Le célibat n'est-il pas de la part

LOI DE REPRODUCTION.

de certaines personnes un sacrifice dans le but de se vouer plus entièrement au service de l'humanité ?

« Cela est bien différent ! Tout sacrifice personnel est méritoire quand c'est pour le bien ; plus le sacrifice est grand, plus le mérite est grand. »

Dieu ne peut pas se contredire, ni trouver mauvais ce qu'il a fait ; il ne peut donc voir un mérite dans la violation de sa loi ; mais si le célibat par lui-même n'est pas un état méritoire, il n'en est pas de même lorsqu'il constitue, par la renonciation aux joies de la famille, un sacrifice accompli au profit de l'humanité. Tout sacrifice personnel en vue du bien, *et sans arrière-pensée d'égoïsme,* élève l'homme au-dessus de sa condition matérielle.

335 — Le mariage, c'est-à-dire l'union permanente de deux êtres, est-il conforme ou contraire à la loi de nature ?

« C'est un progrès dans la marche de l'humanité. »

— Quel serait l'effet de l'abolition du mariage sur la société humaine ?

« Le retour à la vie des bêtes. »

Le mariage est un des premiers actes de progrès dans les sociétés humaines, et se retrouve chez tous les peuples, quoique dans des conditions diverses, car l'union libre et fortuite des sexes est l'état de nature. L'abolition du mariage serait donc le retour à l'enfance de l'humanité, et placerait l'homme au-dessous même de certains animaux qui lui donnent l'exemple d'unions constantes.

336 — L'indissolubilité absolue du mariage est-elle dans la loi de nature ou seulement dans la loi humaine ?

« C'est une loi humaine très contraire à la loi de nature. Mais les hommes peuvent changer leurs lois ; celles de la nature sont immuables. »

237 — L'égalité numérique qui existe à peu de chose près entre les sexes, est-elle un indice de la proportion selon laquelle ils doivent être unis ?

« Oui. »

— Laquelle des deux, de la polygamie ou de la monogamie est la plus conforme à la loi de nature ?

« La polygamie est une loi humaine dont l'abolition marque un progrès social. »

— En quoi l'abolition de la polygamie marque-t-elle un progrès social ?

« Le mariage, selon les vues de Dieu, doit être fondé sur l'affection des êtres qui s'unissent. Avec la polygamie, il n'y a pas d'affection réelle ; il n'y a que sensualité. »

Si la polygamie était selon la loi de nature, elle devrait pouvoir être universelle, ce qui serait matériellement impossible vu l'égalité numérique des sexes.

La polygamie doit être considérée comme un usage, ou une législation particulière appropriée à certaines mœurs, et que le perfectionnement social fait peu à peu disparaître.

CHAPITRE V.

IV. LOI DE CONSERVATION.

Instinct de conservation. — Jouissance des biens terrestres. — Nécessaire et superflu. — Limite des besoins et des jouissances de l'homme. — Excès et abus. — Privations volontaires. — Mortifications ascétiques. — Mutilations. — Suicide.

338 — L'instinct de conservation est-il une loi de nature ?

« Sans doute ; il est donné à tous les êtres vivants. »

CHAPITRE V.

— Dans quel but Dieu a-t-il donné à tous les êtres vivants l'instinct de leur conservation ?

« Parce que tous doivent concourir aux vues de la Providence ; c'est pour cela que Dieu leur a donné le besoin de vivre. »

Jusqu'au moment fixé par la nature pour le terme de la vie corporelle, l'homme appréhende la mort, et fait tout pour se rattacher à l'existence. Dieu veut que l'homme vive pour accomplir sa mission sur la terre.

339 — Dieu en donnant à l'homme le besoin de vivre, lui en a-t-il toujours fourni les moyens ?

« Oui, et s'il ne les trouve pas, c'est qu'il ne les comprend pas. »

Dieu n'a pu donner à l'homme le besoin de vivre sans lui en donner les moyens. C'est pourquoi il fait produire à la terre de quoi fournir le nécessaire à tous ses habitants, car le nécessaire seul est utile : le superflu ne l'est jamais.

340 — Pourquoi la terre ne produit-elle pas toujours assez pour fournir le nécessaire à l'homme ?

« C'est que l'homme la néglige, l'ingrat ! c'est pourtant une excellente mère. »

La terre produirait toujours le nécessaire si l'homme savait s'en contenter. Si elle ne suffit pas toujours aux besoins, c'est que l'homme la néglige et qu'il emploie au superflu ce qui pourrait être donné au nécessaire.

341 — L'usage des biens de la terre est-il un droit pour tous les hommes ?

« Oui, puisque sans cela ils ne pourraient vivre. »

— Que penser de ceux qui accaparent les biens de la terre pour se procurer le superflu au préjudice de ceux qui manquent du nécessaire ?

« Ils méconnaissent la loi de Dieu. »

Dieu a donné à l'homme la faculté de jouir des biens de la terre dans la mesure de ses besoins. L'usage de ces biens est donc une loi de nature dépendante de la loi de conservation ; mais quiconque les accapare pour avoir le superflu et priver ses semblables du nécessaire, aura à répondre des privations qu'il aura fait endurer.

342 — Les biens de la terre ne doivent-ils s'entendre que des produits du sol ?

« Non, de tout ce dont l'homme peut jouir ici-bas. »

343 — Comment l'homme peut-il connaître la limite du nécessaire ?

« Le sage seul la connaît. »

— La nature n'a-t-elle pas tracé la limite de nos besoins par notre organisation ?

« Oui, mais l'homme est insatiable et il se crée des besoins factices. »

La nature a tracé la limite de nos besoins par notre organisation ; mais les vices de l'homme ont altéré sa constitution et créé pour lui des besoins qui ne sont pas les besoins réels.

344 — Dans quel but Dieu a-t-il attaché un attrait à la jouissance des biens de la terre ?

« C'est pour exciter l'homme à l'accomplissement de sa mission, et aussi pour l'éprouver par la tentation. »

— Quel est le but de cette tentation ?

« Développer sa raison qui doit le préserver des excès. »

Si l'homme n'eût été excité à l'usage des biens de la terre qu'en vue de l'utilité, son indifférence eût pu compromettre l'harmonie de l'univers : Dieu lui a donné l'attrait du plaisir qui le sollicite à l'accomplissement des vues de la Providence. Mais par cet attrait même Dieu a voulu en outre l'éprouver par la tentation qui l'entraîne vers l'abus dont sa raison doit le défendre.

345 — Les jouissances ont-elles des bornes tracées par la nature ?

« Oui. »

— Pourquoi Dieu a-t-il mis des bornes aux jouissances ?

« Pour vous indiquer la limite du nécessaire ; mais par vos excès vous arrivez à la satiété et vous vous en punissez vous-mêmes. »

Les maladies, les infirmités, la mort même qui sont la conséquence de l'abus sont en même temps la punition de la transgression de la loi de Dieu.

346 — Que penser de l'homme qui cherche dans les excès de tous genres un raffinement de jouissances ?

« Pauvre nature qu'il faut plaindre et non envier, car il est bien près de la mort ! »

— Est-ce de la mort physique ou de la mort morale dont il s'approche ?

« L'une et l'autre. »

L'homme qui cherche dans les excès de tous genres un raffinement de jouissances, se met au-dessous de la brute, car la brute sait s'arrêter à la satisfaction du besoin. Il abdique la raison que Dieu lui a donnée pour guide, et plus les excès sont grands, plus il donne à sa nature animale d'empire sur sa nature spirituelle. »

347 — La loi de conservation oblige-t-elle à pourvoir aux besoins du corps ?

« Oui, sans la force et la santé le travail est impossible. »

— L'homme est-il blâmable de rechercher le bien-être ?

« Non, le bien-être est un désir naturel ; Dieu ne défend que l'abus, parce que l'abus est contraire à la conservation. »

348 — Les privations volontaires en vue d'une expiation également volontaire ont-elles un mérite aux yeux de Dieu ?

« Faites le bien aux autres et vous mériterez davantage. »

— Y a-t-il des privations volontaires qui soient méritoires ?

« Oui, la privation des jouissances inutiles, parce qu'elle détache l'homme de la matière et élève son âme. »

Les privations méritoires sont celles qui consistent, soit à résister à la tentation qui nous sollicite aux excès ou à la jouissance des choses inutiles, soit à retrancher de son nécessaire pour donner à ceux qui n'ont pas assez. Si la privation n'est qu'un vain simulacre, c'est une dérision. »

349 — La vie de mortifications ascétiques est-elle méritoire ?

« Demandez-vous à qui elle sert et vous aurez la réponse. Si elle ne sert qu'à vous et vous empêche de faire le bien, c'est de l'égoïsme. Se priver et travailler pour les autres, c'est la vraie mortification. »

350 — Que penser des mutilations opérées sur le corps de l'homme ou des animaux ?

« A quoi bon une pareille question ? Demandez-vous donc encore une fois si une chose est utile. Ce qui est inutile ne peut être agréable à Dieu, et ce qui est nuisible lui est toujours désagréable ; car sachez-le bien, Dieu n'est sensible qu'aux sentiments qui élèvent l'âme vers lui, et c'est en pratiquant sa loi que vous pourrez secouer votre matière terrestre. »

351 — L'homme a-t-il le droit de disposer de sa propre vie ?

« Non, Dieu seul a ce droit. Le suicide volontaire est une transgression de cette loi. »

— Le suicide n'est-il pas toujours volontaire ?

« Non, le fou qui se tue ne sait ce qu'il fait.

352 — Que penser du suicide qui a pour cause le dégoût de la vie ?

« Insensés ! pourquoi ne travaillaient-ils pas ; l'existence ne leur aurait pas été à charge ! »

353. — Que penser du suicide qui a pour but d'échapper aux misères et aux déceptions de ce monde ?

« Pas le courage de supporter les misères de l'existence ; pauvres esprits ! Dieu aide ceux qui souffrent, et non pas ceux qui n'ont ni force, ni courage. Les tribulations de la vie sont des épreuves ou des expiations ; heureux ceux qui les supportent sans murmurer, car ils en seront récompensés ! »

— Que penser de ceux qui ont conduit le malheureux à cet acte de désespoir ?

« Oh ! ceux-là, ils seront punis de Dieu, et malheur à eux ! *ils en répondront comme d'un meurtre.* »

354 — Que penser du suicide qui a pour but d'échapper à la honte d'une mauvaise action ?

« Je ne l'absous pas, car le suicide

n'efface pas la faute, au contraire, il y en a deux au lieu d'une. Quand on a eu le courage de faire le mal, il faut avoir celui d'en subir les conséquences. Dieu juge, et selon la cause peut quelquefois diminuer ses rigueurs. »

— Le suicide est-il excusable lorsqu'il a pour but d'empêcher la honte de rejaillir sur les enfants ou la famille ?

« Celui qui agit ainsi ne fait pas bien, mais il le croit, et Dieu lui en tient compte, car c'est une expiation qu'il s'impose lui-même. Il atténue sa faute par l'intention, mais il n'en commet pas moins une faute. Du reste, abolissez les abus de votre société et vos préjugés, et vous n'aurez plus de ces suicides. »

Celui qui s'ôte la vie pour échapper à la honte d'une mauvaise action, prouve qu'il tient plus à l'estime des hommes qu'à celle de Dieu, car il va rentrer dans la vie spirituelle chargé de ses iniquités, et il s'est ôté les moyens de réparer ses fautes. Dieu est souvent moins inexorable que les hommes; il pardonne au repentir sincère et nous tient compte de la réparation.

355 — Que penser de celui qui s'ôte la vie dans l'espoir d'arriver plus tôt à une meilleure ?

« Autre folie! qu'il fasse le bien et il sera plus sûr d'y arriver ; car il retarde son entrée dans un monde meilleur, et lui-même demandera à venir *finir cette vie* qu'il a tranchée par une fausse idée. Une faute, quelle qu'elle soit, n'ouvre jamais le sanctuaire des élus. »

356 — Le sacrifice de sa vie n'est-il pas quelquefois méritoire quand il a pour but de sauver celle d'autrui ou d'être utile à ses semblables ?

« Cela est sublime, selon l'intention ; mais Dieu s'oppose à un sacrifice inutile et ne peut le voir avec plaisir s'il est terni par l'orgueil. Un sacrifice n'est méritoire que par le désintéressement, et celui qui l'accomplit a souvent une arrière-pensée qui en diminue la valeur aux yeux de Dieu. »

Tout sacrifice fait aux dépens de son propre bonheur est un acte souverainement méritoire aux yeux de Dieu, car c'est la pratique de la loi de charité. Or, la vie étant le bien terrestre auquel l'homme attache le plus de prix, celui qui y renonce pour le bien de ses semblables, ne commet point un attentat : c'est un sacrifice qu'il accomplit. Mais avant de l'accomplir, il doit réfléchir si sa vie ne peut pas être plus utile que sa mort.

CHAPITRE VI.

V. LOI DE DESTRUCTION.

Destruction nécessaire et destruction abusive. — Alimentation. — Meurtre. — Duel. — Peine de mort. — Fléaux destructeurs. — Guerres.

357 — Comment se fait-il qu'à côté de tous les moyens de préservation et de conservation dont la nature a entouré les êtres organiques, elle ait également placé à côté d'eux leurs agents destructeurs ?

« Le remède à côté du mal. »

— Le principe de destruction est-il une loi de nature ?

« Oui, il faut que tout se détruise pour renaître et se régénérer. »

Le principe de destruction est ainsi

LOI DE DESTRUCTION.

une loi de nature dont le but est le renouvellement et l'amélioration des êtres vivants de la création.

358 — La destruction des êtres vivants les uns par les autres est-elle une loi de nature ?

« Oui, pour se nourrir les hommes et les animaux se détruisent entre eux ; mais quand c'est par vengeance ou méchanceté, c'est la loi humaine, ou bien leurs mauvais instincts qui les dominent. »

359 — La nécessité de destruction existera-t-elle toujours chez les hommes ?

« Non, elle cessera avec un état physique et moral plus épuré. »

— Dans les mondes où l'organisation est plus épurée, les êtres vivants ont-ils besoin d'alimentation ?

« Oui, mais leurs aliments sont en rapport avec leur nature. Ces aliments ne seraient point assez substantiels pour vos estomacs grossiers ; de même ils ne pourraient digérer les vôtres. »

Le besoin de destruction s'affaiblit chez l'homme à mesure que l'esprit l'emporte sur la matière. Dès ici-bas nous voyons l'horreur de la destruction suivre le développement intellectuel et moral.

360 — L'abstention volontaire de nourriture animale est-elle contraire à la loi de nature ?

« Dans votre état matériel, la chair nourrit la chair ; autrement l'homme dépérit. La loi de conservation fait à l'homme un devoir d'entretenir ses forces et sa santé pour accomplir la loi du travail. »

— L'abstention de certains aliments, prescrite chez divers peuples, est-elle fondée en raison ?

« Tout ce dont l'homme peut se nourrir sans préjudice pour sa santé est permis ; mais des législateurs ont pu interdire certains aliments dans un but utile, et pour donner plus de crédit à leurs lois, ils les ont présentées comme venant de Dieu. »

361 — En vertu de la loi de conservation, Dieu a-t-il donné à l'homme le droit de destruction sur les animaux ?

« Oui, sur ceux qui peuvent servir à sa nourriture ou nuire à sa sécurité ; là se borne le droit de destruction donné à l'homme. Quand il vivra au moins autant par l'esprit que par la matière, il n'aura plus besoin de détruire, surtout son semblable. »

— Que penser de la destruction qui dépasse les limites des besoins et de la sécurité ; de la chasse, par exemple, quand elle n'a pour but que le plaisir de détruire sans utilité ?

« Prédominance de la bestialité sur la nature spirituelle. Toute destruction qui dépasse les limites du besoin est une violation de la loi de Dieu. »

362 — L'instinct de destruction a-t-il été donné à l'homme dans des vues providentielles ?

« Tout doit être détruit pour être régénéré, et les créatures de Dieu sont les instruments dont il se sert. Les animaux ne détruisent que pour leurs besoins ; mais l'homme, qui a le libre arbitre, détruit sans nécessité ; il devra compte de l'abus de la liberté qui lui a été accordée. »

363 — Le droit de destruction donne-t-il à l'homme celui de disposer de la vie de son semblable ?

« Non, Dieu seul a ce droit. »

— Le meurtre est-il un crime aux yeux de Dieu ?

« Oui, un grand crime ; car comme l'homme a son libre arbitre, il est maître de tuer son semblable ; mais en le faisant, il tranche *une vie d'expiation ou de mission*, et là est le crime ? »

364 — Le meurtre a-t-il toujours le même degré de culpabilité ?

« Non, nous l'avons déjà dit, Dieu est juste ; il juge l'intention plus que le fait ? »

— Dieu excuse-t-il le meurtre en cas de légitime défense ?

« Oui, mais on doit l'éviter si on le peut ; la nécessité seule peut l'excuser ; car si l'on peut préserver sa vie sans porter atteinte à celle de son agresseur, on doit le faire. »

365 — Le duel peut-il être considéré

8..

CHAPITRE VI.

comme un cas de légitime défense ?

« Non, c'est un meurtre et une habitude absurde digne des barbares. Avec une civilisation plus avancée *et plus morale*, l'homme comprendra que le duel est aussi ridicule que les combats que l'on regardait jadis comme le jugement de Dieu. »

— Le duel peut-il être considéré comme un meurtre de la part de celui qui, connaissant sa propre faiblesse, est à peu près sûr de succomber ?

« C'est un suicide. »

— Le duel peut-il être considéré comme un meurtre ou un suicide quand les chances sont égales ?

« C'est l'un et l'autre. »

Dans tous les cas, même celui où les chances sont égales, le duelliste est coupable, d'abord parce qu'il attente froidement et de propos délibéré à la vie de son semblable ; secondement, parce qu'il expose sa propre vie inutilement et sans profit pour personne.

366 — Quelle est la valeur de ce qu'on appelle *le point d'honneur* en matière de duel ?

« L'orgueil et la vanité : deux plaies de l'humanité. »

— Mais n'est-il pas des cas où l'honneur se trouve véritablement engagé, et où un refus serait une lâcheté ?

« Cela dépend des mœurs et des usages ; chaque pays et chaque siècle a là-dessus une manière de voir différente ; lorsque les hommes seront meilleurs et plus avancés en morale, ils comprendront que le véritable point d'honneur est au-dessus des passions terrestres, et que ce n'est point en se tuant qu'on répare un tort. »

Il y a plus de grandeur et de véritable honneur à s'avouer coupable si l'on a tort, ou à pardonner si l'on a raison ; et dans tous les cas à mépriser les insultes qui ne peuvent nous atteindre.

367 — Que pensez-vous de la peine de mort ? Pourra-t-elle un jour disparaître de la législation humaine ?

« Oui, la peine de mort pourra disparaître. Sa suppression marquera un progrès dans l'humanité. »

Le progrès social laisse sans doute encore beaucoup à désirer, mais on serait injuste envers la société moderne, si l'on ne voyait un progrès dans les restrictions apportées à la peine de mort chez les peuples les plus avancés, et dans la nature des crimes auxquels on en borne l'application. Si l'on compare les garanties dont la justice, chez ces mêmes peuples, s'efforce d'entourer l'accusé, l'humanité dont elle use envers lui, alors même qu'il est reconnu coupable, avec ce qui se pratiquait dans des temps qui ne sont pas encore très éloignés, on ne peut méconnaître la voie progressive dans laquelle marche l'humanité.

368 — D'où vient que la cruauté est le caractère dominant des peuples primitifs ?

« Chez les peuples primitifs, comme tu les appelles, la matière l'emporte sur l'esprit ; ils s'abandonnent aux instincts de la brute, et, comme ils n'ont pas d'autres besoins que ceux de la vie du corps, ils ne songent qu'à leur conservation personnelle, c'est ce qui les rend généralement cruels. Et puis, les peuples dont le développement est imparfait sont sous l'empire d'Esprits également imparfaits qui leur sont sympathiques, jusqu'à ce que des peuples plus avancés viennent détruire ou affaiblir cette influence. »

369 — La cruauté ne tient-elle pas à l'absence du sens moral ?

« Dis que le sens moral n'est pas développé, mais ne dis pas qu'il est absent, car il existe en principe chez tous les hommes ; c'est ce sens moral qui en fait plus tard des êtres bons et humains. Il existe donc chez le sauvage, mais il y est comme le principe du parfum est dans le germe de la fleur avant qu'elle ne soit épanouie. »

Toutes les facultés existent chez l'homme à l'état rudimentaire ou latent ; elles se développent selon que les circonstances leur sont plus ou moins favorables.

370 — Comment se fait-il qu'au sein de la civilisation la plus avancée, il se

LOI DE DESTRUCTION.

trouve des êtres quelquefois aussi cruels que des sauvages?

« Comme sur un arbre chargé de bons fruits, il se trouve des avortons. Ce sont, si tu veux, des sauvages qui n'ont de la civilisation que l'habit; des loups égarés au milieu des moutons. »

371 — La société des hommes de bien sera-t-elle un jour purgée des êtres malfaisants?

« L'humanité progresse; ces hommes dominés par l'instinct du mal, et qui sont déplacés parmi les gens de bien, disparaîtront peu à peu, comme le mauvais grain se sépare du bon après que celui-ci a été vanné; mais pour renaître sous une autre enveloppe; et, comme ils auront plus d'expérience, ils comprendront mieux le bien et le mal. Tu en as un exemple dans les plantes et les animaux que l'homme a trouvé l'art de perfectionner, et chez lesquels il développe des qualités nouvelles. Eh bien! ce n'est qu'après plusieurs générations que le perfectionnement devient complet. C'est l'image des différentes existences de l'homme. »

372 — Dans quel but Dieu frappe-t-il l'humanité par des fléaux destructeurs?

« Pour la faire avancer plus vite. »

« La destruction est nécessaire à la régénération morale des esprits qui puisent dans chaque nouvelle existence un nouveau degré de perfection. »

373 — Dieu ne pouvait-il employer pour l'amélioration de l'humanité d'autres moyens que les fléaux destructeurs?

« Oui, et il les emploie tous les jours, puisqu'il a donné à chacun les moyens de progresser par la connaissance du bien et du mal. C'est l'homme qui n'en profite pas; il faut bien le châtier dans son orgueil et lui faire sentir sa faiblesse. »

— Mais dans ces fléaux l'homme de bien succombe comme le pervers; cela est-il juste?

« Pendant la vie l'homme rapporte tout à son corps; mais après la mort il pense autrement, et comme nous l'avons dit : la vie du corps est peu de chose; un siècle de votre monde est *un éclair dans l'éternité;* donc les souffrances de ce que vous appelez de quelques mois ou de quelques jours, ne sont rien : c'est un enseignement pour vous, et qui vous sert dans l'avenir. »

Les fléaux ne nous semblent de si grands malheurs que parce que nous jugeons tout au point de vue restreint de la vie matérielle. Ces fléaux ne frappent que le corps, et aux yeux de Dieu les esprits sont tout, *les corps sont peu de chose.*

Que la mort arrive par un fléau ou par une cause ordinaire, il n'en faut pas moins mourir quand l'heure du départ a sonné : la seule différence est qu'il en part un plus grand nombre à la fois.

Si nous pouvions nous élever par la pensée de manière à dominer l'humanité et à l'embrasser tout entière, ces fléaux si terribles ne nous paraîtraient plus que des orages passagers dans la destinée du monde.

374 — Les fléaux destructeurs ont-ils une utilité au point de vue physique, malgré les maux qu'ils occasionnent?

« Oui, ils changent quelquefois l'état d'une contrée; mais le bien qui en résulte n'est souvent ressenti que par les générations futures. »

375 — Les fléaux ne seraient-ils pas également pour l'homme une épreuve morale en le mettant aux prises avec les plus dures nécessités?

« Oui, et qui lui fournissent l'occasion de développer toutes les facultés de son âme; heureux pour lui s'il sait en profiter. »

Les fléaux sont des épreuves qui fournissent à l'homme l'occasion de montrer sa patience et sa résignation à la volonté de Dieu, et le mettent à même de déployer ses sentiments d'abnégation, de désintéressement et d'amour du prochain, s'il n'est dominé par l'égoïsme.

376 — Est-il donné à l'homme de conjurer les fléaux dont il est affligé?

« Oui, d'une partie; mais pas comme

9.

CHAPITRE VII.

on l'entend généralement. Beaucoup de fléaux sont la suite de son imprévoyance; à mesure qu'il acquiert des connaissances et de l'expérience il peut les conjurer, c'est-à-dire les prévenir s'il sait en rechercher les causes. »

377 — Quelle est la cause qui porte l'homme à la guerre ?

« Prédominance de la nature animale sur la nature spirituelle, et assouvissement des passions. »

378 — L'homme est-il coupable des meurtres qu'il commet pendant la guerre ?

« Non, lorsqu'il y est contraint par la force; mais il est coupable des cruautés qu'il commet, et il lui sera tenu compte de son humanité. »

379 — Quel est le but providentiel de la guerre ?

« La liberté et le progrès. »

— Si la guerre doit avoir pour effet d'arriver à la liberté, comment se fait-il qu'elle ait souvent pour but et pour résultat l'asservissement ?

« Asservissement momentané pour *lasser* les peuples, afin de les faire arriver plus vite. »

Dans l'état de barbarie, les peuples ne connaissent que le droit du plus fort; c'est pourquoi la guerre est pour eux un état normal. A mesure que l'homme progresse elle devient moins fréquente, parce qu'il en évite les causes; et quand elle est nécessaire, il sait y allier l'humanité.

— La guerre disparaîtra-t-elle un jour de dessus la terre ?

« Oui, quand les hommes comprendront la justice et pratiqueront la loi de Dieu; alors tous les peuples seront frères. »

CHAPITRE VII.

VI. LOI DE SOCIÉTÉ.

Nécessité de la vie sociale. — Vie d'isolement. — Vœu de silence. — Conditions d'amélioration sociale. — Caractère des lois humaines.

380 — La vie sociale est-elle dans la nature ?

« Certainement; Dieu a fait l'homme pour vivre en société. »

Dieu n'a pas donné inutilement à l'homme la parole et toutes les autres facultés nécessaires à la vie de relation. La vie sociale est ainsi une loi de nature.

381 — L'isolement absolu est-il contraire à la loi de nature ?

« Oui, puisque les hommes cherchent la société par instinct, et qu'ils doivent tous concourir au progrès en s'aidant mutuellement. »

— L'homme, en recherchant la société, ne fait-il qu'obéir à un sentiment personnel, ou bien y a-t-il dans ce sentiment un but providentiel plus général ?

« L'homme doit progresser; seul il ne le peut pas, parce qu'il n'a pas toutes les facultés; il lui faut le contact des autres hommes. »

« Dans l'isolement il s'abrutit et s'étiole. »

Nul homme n'a des facultés complètes; par l'union sociale ils se complètent les uns par les autres pour assurer leur bien-être et progresser : c'est pourquoi, ayant besoin les uns des autres, ils sont faits pour vivre en société et non isolés.

LOI DE SOCIÉTÉ.

382 — On conçoit que, comme principe général, la vie sociale soit dans la nature ; mais comme tous les goûts sont aussi dans la nature, pourquoi celui de l'isolement absolu serait-il condamnable, si l'homme y trouve sa satisfaction ?

« Satisfaction d'égoïste. Il y a aussi des hommes qui trouvent une satisfaction à s'enivrer ; les approuves-tu ? »

« Dieu ne peut avoir pour agréable une vie par laquelle on se condamne à n'être utile à personne. »

383 — Que penser des hommes qui vivent dans la reclusion absolue pour fuir le contact pernicieux du monde ?

« Double égoïsme. »

— Mais si cette retraite a pour but une expiation en s'imposant une privation pénible, n'est-elle pas méritoire ?

« Faire plus de bien qu'on n'a fait de mal, c'est la meilleure expiation. »

« En évitant un mal il tombe dans un autre, puisqu'il oublie la loi d'amour et de charité. »

384 — Que penser de ceux qui fuient le monde pour se vouer au soulagement des malheureux ?

« Ceux-là s'élèvent en s'abaissant. Ils ont le double mérite de se placer au-dessus des jouissances matérielles, et de faire le bien par l'accomplissement de la loi du travail. »

— Et ceux qui cherchent dans la retraite la tranquillité que réclament certains travaux ?

« Ce n'est point là la retraite absolue de l'égoïste ; ils ne s'isolent pas de la société, puisqu'ils travaillent pour elle. »

385 — Que penser du vœu de silence prescrit par certaines sectes dès la plus haute antiquité ?

« Demandez-vous plutôt si la parole est dans la nature, et pourquoi Dieu l'a donnée. Dieu condamne l'abus et non l'usage des facultés qu'il a accordées. »

« Cependant le silence est utile ; car dans le silence tu te recueilles ; ton esprit devient plus libre, et peut alors entrer en communication avec nous ; mais vœu de silence est une sottise. »

« Sans doute ceux qui regardent ces privations volontaires comme des actes de vertu ont une bonne intention ; mais ils se trompent, parce qu'ils ne comprennent pas suffisamment les véritables lois de Dieu. »

Le vœu de silence absolu, de même que le vœu d'isolement, prive l'homme des relations sociales qui peuvent lui fournir les occasions de faire le bien et d'accomplir la loi du progrès.

386 — La société pourrait-elle être régie par les seules lois naturelles sans le secours des lois humaines ?

« Oui ; si on les comprenait bien et si l'on avait la volonté de les pratiquer, elles suffiraient ; mais la société a ses exigences, et il lui faut des lois particulières. »

— Quelle est la cause de l'imperfection des lois humaines ?

« L'égoïsme et l'orgueil. Dans les temps de barbarie, ce sont les plus forts qui ont fait les lois, et ils les ont faites pour eux. Il a bien fallu les modifier à mesure que les hommes ont mieux compris la justice. »

La civilisation a créé pour l'homme de nouveaux besoins, et ces besoins sont relatifs à la position sociale qu'il s'est faite. Il a dû régler les droits et les devoirs de cette position par les lois humaines ; mais sous l'influence de ses passions, il a souvent créé des droits et des devoirs imaginaires que condamne la loi naturelle, et que les peuples effacent de leurs codes à mesure qu'ils progressent.

387 — L'instabilité des lois humaines tient assurément à leur imperfection ; arrivera-t-il un moment où elles seront moins variables ?

« Oui, ce moment n'est pas si éloigné que tu le penses ; *on y marche à pas de géant* par le progrès qui s'accomplit tous les jours dans les idées. Les lois humaines sont plus stables à mesure qu'elles se rapprochent de la véritable justice, c'est-à-dire à mesure qu'elles sont faites pour tous, sans distinction de sectes, de classes, ni de nations. »

— Vous dites qu'on marche à pas de géant vers un état plus parfait ; la per-

CHAPITRE VIII.

versité de l'homme est pourtant bien grande, et ne semble-t-il pas marcher à reculons au lieu d'avancer, du moins au point de vue moral?

« Tu te trompes ; observe bien l'ensemble et tu verras qu'il avance, puisqu'il comprend mieux ce qui est mal, et que chaque jour il réforme des abus. Il faut l'excès du mal pour faire comprendre la nécessité du bien et des réformes. »

388 — La sévérité des lois pénales n'est-elle pas une nécessité dans l'état actuel de la société ?

« Oui, dans une société dépravée il faut des lois sévères ; malheureusement ces lois n'attaquent pas les passions qui sont la source du mal. Il n'y a que l'éducation qui puisse réformer les hommes ; alors ils n'auront plus besoin de lois aussi rigoureuses. »

389 — Le malheur, en aigrissant le caractère ne développe-t-il pas les mauvais instincts ?

« Il développe certains mauvais instincts, comme l'excès des jouissances en développe d'autres ; mais quand l'homme est heureux il songe moins au mal, c'est incontestable. »

— Alors pourquoi voit-on des hommes qui ne manquent de rien, et qui ont toutes les satisfactions de la vie matérielle, commettre des crimes ?

« Effet d'une mauvaise éducation qui développe et entretient de mauvais instincts, surtout l'orgueil et l'égoïsme. Du reste nous parlons de l'humanité en général : c'est la règle ; les individus sont les exceptions. »

390 — Le milieu dans lequel certains hommes se trouvent placés n'est-il pas pour eux la source première de beaucoup de vices et de crimes ?

« Oui, mais c'est encore là une épreuve choisie par l'esprit à l'état de liberté ; il a voulu s'exposer à la tentation pour avoir le mérite de la résistance. »

— Quand l'homme est en quelque sorte plongé dans l'atmosphère du vice, le mal ne devient-il pas pour lui un entraînement presque irrésistible ?

« Entraînement, oui ; irrésistible, non ; car au milieu de cette atmosphère du vice tu trouves quelquefois de grandes vertus. Ce sont des esprits qui ont eu la force de résister, et qui ont eu en même temps pour mission d'exercer une bonne influence sur leurs semblables. »

CHAPITRE VIII.

VII. LOI DU PROGRÈS.

État de nature. — Caractère du progrès. — Peuples dégénérés. — Civilisation. — Races rebelles au progrès.

391 — L'homme puise-t-il en lui la force progressive, ou bien le progrès n'est-il que le produit d'un enseignement ?

« L'homme se développe lui-même naturellement ; mais tous ne progressent pas en même temps et de la même manière ; c'est alors que les plus avancés aident au progrès des autres. »

L'intelligence de l'homme se développe spontanément par l'exercice et l'observation. Ce développement, *favorisé et augmenté par le contact social*, constitue le progrès qui est ainsi une

LOI DU PROGRÈS.

condition inhérente à l'esprit humain et une loi de nature.

392 — Le progrès moral suit-il toujours le progrès intellectuel ?

« Il en est la conséquence, mais il ne le suit pas toujours *immédiatement*. »

— Comment le progrès intellectuel peut-il conduire au progrès moral ?

« En faisant comprendre le bien et le mal ; l'homme alors peut choisir. »

C'est ainsi que le développement du libre arbitre suit le développement de l'intelligence et augmente la responsabilité des actes.

393 — L'état de nature n'est-il pas l'état le plus heureux pour l'homme, parce qu'ayant moins de besoins, il n'a pas toutes les tribulations qu'il se crée dans un état plus avancé ?

« Oui, s'il devait vivre comme les bêtes. Les enfants aussi sont plus heureux que les hommes faits. »

394 — L'homme peut-il rétrograder vers l'état de nature ?

« Non, l'homme doit progresser sans cesse. »

L'état de nature est l'enfance de l'humanité, et l'homme n'est point destiné à vivre perpétuellement dans l'enfance. S'il progresse, c'est que Dieu le veut ainsi ; vouloir le faire rétrograder vers sa condition première serait une négation de la loi du progrès.

395 — Est-il donné à l'homme de pouvoir arrêter la marche du progrès ?

« Non, mais de l'entraver quelquefois. »

— Que penser des hommes qui tentent d'arrêter la marche du progrès et de faire rétrograder l'humanité ?

« Pauvres êtres que Dieu châtiera ; ils seront renversés par le torrent qu'ils veulent arrêter. »

Le progrès étant une condition de la nature humaine, il n'est au pouvoir de personne de s'y opposer. C'est une *force vive* que de mauvaises lois peuvent retarder, mais non étouffer. Lorsque ces lois lui deviennent incompatibles, il les brise avec tous ceux qui tentent de les maintenir, et il en sera ainsi jusqu'à ce que l'homme ait mis ses lois en rapport avec la justice divine qui veut le bien pour tous, et non des lois faites pour le fort au préjudice du faible.

396 — N'y a-t-il pas des hommes, qui entravent le progrès de bonne foi en croyant le favoriser, parce qu'ils le voient à leur point de vue, et souvent là où il n'est pas ?

« Petite pierre mise sous la roue d'une grosse voiture et qui ne l'empêche pas d'avancer. »

397 — Le perfectionnement de l'humanité suit-il toujours une marche progressive et lente ?

« Il y a le progrès régulier et lent qui résulte de la force des choses ; mais quand un peuple n'avance pas assez vite, Dieu lui suscite de temps à autre une secousse physique ou morale qui le transforme. »

398 — L'histoire nous montre une foule de peuples qui, après les secousses qui les ont bouleversés, sont retombés dans la barbarie ; où est le progrès dans ce cas ?

« Quand ta maison menace ruine, tu l'abats pour en reconstruire une plus solide et plus commode ; mais jusqu'à ce qu'elle soit reconstruite, il y a trouble et confusion. »

« Comprends encore cela : tu étais pauvre et tu habitais une masure ; tu deviens riche et tu la quittes pour habiter un palais. Puis un pauvre diable comme tu étais vient prendre ta place dans ta masure, et il est encore très content, car avant il n'avait pas d'abri. Eh bien ! apprends donc que les esprits qui sont incarnés dans ce peuple dégénéré ne sont pas ceux qui le composaient au temps de sa splendeur ; ceux d'alors qui étaient avancés sont allés dans des habitations plus parfaites et ont progressé, tandis que d'autres moins avancés ont pris leur place qu'ils quitteront à leur tour. »

L'homme n'aperçoit souvent dans ces commotions que le désordre et la confusion momentanés qui le frappent dans ses intérêts matériels ; celui qui élève sa pensée au-dessus de la person-

CHAPITRE IX.

nalité admire les desseins de la Providence qui du mal fait sortir le bien. C'est la tempête et l'orage qui assainissent l'atmosphère après l'avoir bouleversée.

399 — Pourquoi la civilisation ne réalise-t-elle pas immédiatement tout le bien qu'elle pourrait produire ?

« Parce que les hommes ne sont pas encore prêts ni disposés à obtenir ce bien. »

— Ne serait-ce pas aussi parce qu'en créant de nouveaux besoins elle surexcite des passions nouvelles ?

« Oui, et parce que toutes les facultés de l'esprit ne progressent pas en même temps ; il faut le temps pour tout. »

400 — La civilisation est-elle un progrès, ou, selon quelques philosophes, une décadence de l'humanité ?

« Progrès incomplet ; l'homme ne passe pas subitement de l'enfance à l'âge mur. »

— Est-il rationnel de condamner la civilisation ?

« Condamnez plutôt ceux qui en abusent, et non pas l'œuvre de Dieu. »

— La civilisation s'épurera-t-elle un jour de manière à faire disparaître les maux qu'elle aura produits ?

« Oui, quand le moral sera aussi développé que l'intelligence. Le fruit ne peut venir avant la fleur. »

La civilisation a ses degrés comme toutes choses. Une civilisation incomplète est un état de transition qui engendre des maux spéciaux, inconnus à l'état primitif ; mais elle n'en constitue pas moins un progrès naturel, nécessaire, qui porte avec soi le remède au mal qu'il fait.

A mesure que la civilisation se perfectionne, elle fait cesser quelques-uns des maux qu'elle a engendrés, et ces maux disparaîtront avec le progrès moral.

401 — Outre le progrès social, la civilisation constitue-t-elle un progrès moral ?

« Oui, et c'est le préférable. L'homme civilisé comprend mieux, et c'est en cela qu'il est plus coupable de commettre le mal ; nous l'avons déjà dit. »

402 — N'y a-t-il pas des races rebelles au progrès par leur nature ?

« Oui, mais celles-là s'anéantissent chaque jour *corporellement*. »

— Quel sera le sort à venir des âmes qui animent ces races ?

« Elles arriveront comme toutes les autres à la perfection en passant par d'autres existences ; Dieu ne déshérite personne. »

— Ainsi, les hommes les plus civilisés ont pu être sauvages et anthropophages ?

« Toi-même tu l'as été plus d'une fois avant d'être ce que tu es. »

CHAPITRE IX.

VIII. LOI D'ÉGALITÉ.

Égalité naturelle. — Inégalité des aptitudes. — Inégalités sociales. — Inégalité des richesses. — Épreuves de la richesse et de la misère. — Pompe des funérailles. — Condition sociale de la femme.

403 — Tous les hommes sont-ils égaux devant Dieu ?

« Oui, tous tendent au même but, et Dieu a fait ses lois pour tout le monde. Vous dites souvent : Le soleil luit pour tout le monde, et vous dites là une vé-

LOI D'ÉGALITÉ.

rité plus grande et plus générale que vous ne pensez. »

Tous les hommes sont soumis aux mêmes lois de la nature, tous naissent avec la même faiblesse, sont sujets aux mêmes douleurs, et le corps du riche se pourrit comme celui du pauvre.

Dieu n'a donc donné à aucun homme de supériorité naturelle, ni par la naissance, ni par la mort : tous sont égaux devant lui.

404 — La diversité des aptitudes chez l'homme tient-elle au corps ou à l'esprit ?

« A l'un et à l'autre ; souvent le défaut d'aptitude tient à l'imperfection des organes ; ce peut être aussi un esprit inférieur, ignorant, et qui n'est pas encore épuré.

C'est par la diversité des aptitudes que chacun concourt aux vues de la Providence, dans la limite des forces physiques et intellectuelles qui lui ont été départies.

405 — Pourquoi Dieu n'a-t-il pas donné les mêmes aptitudes à tous les hommes ?

« Dieu nous a tous créés égaux ; la différence qui existe est en nous, par notre mauvais vouloir ou notre volonté qui est le libre arbitre : de là les uns se sont perfectionnés plus rapidement. Puis tous les mondes étant *solidaires les uns des autres*, il faut bien que les habitants des mondes supérieurs, et qui, pour la plupart, sont créés avant le vôtre, viennent y habiter pour vous donner l'exemple. »

— En passant d'un monde supérieur dans un monde inférieur, l'esprit conserve-t-il l'intégralité des facultés acquises ?

« Oui, nous l'avons déjà dit, l'esprit qui a progressé ne rechute point ; il peut choisir, dans son état d'esprit, une enveloppe plus engourdie, ou une position plus précaire que celle qu'il a eue, mais tout cela toujours pour lui servir d'enseignement et l'aider à progresser. »

Ainsi la diversité des aptitudes de l'homme ne tient pas à la nature intime de sa création, mais au degré de perfectionnement auquel sont arrivés les esprits incarnés en lui. Dieu n'a donc pas créé l'inégalité des facultés, mais il a permis que les différents degrés de développement fussent en contact, afin que les plus avancés pussent aider au progrès des plus arriérés, et aussi afin que les hommes, ayant besoin les uns des autres, comprissent la loi de charité qui doit les unir.

406 — L'inégalité des conditions sociales est-elle une loi de nature ?

« Non, elle est l'œuvre de l'homme et non celle de Dieu. »

— Cette inégalité disparaîtra-t-elle un jour ?

« Oui, il n'y a d'éternel que les lois de Dieu. Ne la vois-tu pas s'effacer peu à peu chaque jour ? Cette inégalité disparaîtra avec la prédominance de l'orgueil et de l'égoïsme ; il ne restera que l'inégalité du mérite. »

407 — Que penser de ceux qui abusent de leur supériorité pour opprimer le faible à leur profit ?

« Ceux-là méritent l'anathème ; malheur à eux ! ils seront opprimés à leur tour, et ils *renaîtront* dans une existence où ils endureront tout ce qu'ils ont fait endurer. »

408 — L'inégalité des richesses n'a-t-elle pas sa source dans l'inégalité des facultés qui donne aux uns plus de moyens d'acquérir qu'aux autres ?

« Oui et non ; et la ruse et le vol, qu'en dis-tu ? »

— La richesse héréditaire n'est pourtant pas le fruit des mauvaises passions ?

« Qu'en sais-tu ? remonte à la source et tu verras. »

409. — L'égalité absolue des richesses est-elle possible, et a-t-elle jamais existé ?

« Non, elle n'est pas possible. »

— Qu'est-ce qui s'y oppose ?

« La diversité des facultés. »

— Il y a pourtant des hommes qui croient que là est le remède aux maux de la société ; qu'en pensez-vous ?

« Ce sont des systématiques ou des ambitieux jaloux ; ils ne comprennent pas que l'égalité qu'ils rêvent serait

CHAPITRE IX.

bientôt rompue par la force des choses. Combattez l'égoïsme, c'est là votre plaie sociale, et ne cherchez pas des chimères. »

410 — Si l'égalité des richesses n'est pas possible, en est-il de même du bien-être ?

« Non, mais le bien-être est relatif, et chacun pourrait en jouir si l'on s'entendait bien.., car le véritable bien-être consiste dans l'emploi de son temps à sa guise, et non à des travaux pour lesquels on ne se sent aucun goût; et comme chacun a des aptitudes différentes, aucun travail utile ne resterait à faire. L'équilibre existe en tout, c'est l'homme qui veut le déranger. »

— Est-il possible de s'entendre ?

« Oui. »

— Comment cela ?

« En pratiquant la loi de justice. »

— Pourquoi y a-t-il des gens qui manquent du nécessaire ?

« Parce que l'homme a toujours été égoïste, et le paresseux ne pouvant vivre dans une oisiveté complète, cherche et emploie tous les moyens qu'il trouve bons pour dépouiller celui qui travaille, et qui certes ne lui refuserait pas le nécessaire, mais se révolte contre celui qui, ne faisant rien, lui enlève tout son travail et le laisse mourir de faim lui et les siens. »

— Il y a des gens qui tombent dans le dénûment et la misère par leur faute; la société ne peut en être responsable ?

« Si; nous l'avons déjà dit, elle est souvent la première cause de ces fautes; et d'ailleurs ne doit-elle pas veiller à leur éducation morale ? C'est souvent la mauvaise éducation qui a faussé leur jugement au lieu d'étouffer chez eux les tendances pernicieuses. »

411 — Pourquoi Dieu a-t-il donné aux uns les richesses et la puissance, aux autres la misère ?

« Pour les éprouver chacun d'une manière différente. D'ailleurs, nous l'avons dit, ces épreuves, ce sont les esprits eux-mêmes qui les ont choisies, et souvent ils y succombent. »

— Laquelle des deux épreuves est la plus redoutable pour l'homme, celle du malheur ou celle de la fortune ?

« Elles le sont autant l'une que l'autre. La misère provoque le *murmure* contre la Providence, la richesse excite à tous les excès. »

— Si le riche a plus de tentations, n'a-t-il pas aussi plus de moyens de faire le bien ?

« Oui, et c'est justement ce qu'il ne fait pas; il devient égoïste, orgueilleux et insatiable ; ses besoins augmentent avec sa fortune, et il croit n'en avoir jamais assez pour lui seul. »

L'élévation dans ce monde et l'autorité sur ses semblables sont des épreuves tout aussi grandes et tout aussi glissantes que le malheur; car plus on est riche et puissant, *plus on a d'obligations à remplir*, et plus sont grands les moyens de faire le bien et le mal.

Dieu éprouve le pauvre par la résignation, et le riche par l'usage qu'il fait de ses biens et de sa puissance.

La richesse et le pouvoir font naître toutes les passions qui nous attachent à la matière et nous éloignent de la perfection spirituelle ; c'est pourquoi Jésus a dit : Je vous le dis, en vérité, il est plus facile à un chameau de passer par le trou d'un aiguille, qu'à un riche d'entrer dans le royaume des cieux.

412 — D'où vient le désir de perpétuer sa mémoire par des monuments funèbres ?

« Dernier acte d'orgueil. »

— Mais la somptuosité des monuments funèbres n'est-elle pas plus souvent le fait des parents qui veulent honorer la mémoire du défunt, que celui du défunt lui-même ?

« Orgueil des parents qui veulent se glorifier eux-mêmes. Oh ! oui, ce n'est pas pour le mort que l'on fait toutes ces grimaces : c'est par amour-propre et pour le monde ! »

— Blâmez-vous d'une manière absolue la pompe des funérailles?

« Non ; quand elle honore la mémoire d'un homme de bien, elle est juste et d'un bon exemple. »

La tombe est le rendez-vous de tous

les hommes ; là finissent impitoyablement toutes distinctions humaines. C'est en vain que le riche veut perpétuer sa mémoire par de fastueux monuments : le temps les détruira comme le corps ; ainsi le veut la nature. Le souvenir de ses bonnes et de ses mauvaises actions sera moins périssable que son tombeau, et la pompe des funérailles ne le lavera pas de ses turpitudes, et ne le fera pas monter d'un échelon dans la hiérarchie spirituelle.

413 — L'homme et la femme sont-ils égaux devant Dieu et ont-ils les mêmes droits ?

« Oui, ils sont faits pour s'aimer ; mais ce sont les hommes qui ont fait les lois. Dieu n'a-t-il pas donné à tous les deux l'intelligence du bien et du mal et la faculté de progresser ? »

— D'où vient l'infériorité morale de la femme en certaines contrées ?

« C'est par l'empire injuste et cruel que l'homme a pris sur elle. C'est un résultat des institutions sociales, et de l'abus de la force sur la faiblesse. »

414 — Dans quel but la femme a-t-elle plus de faiblesse physique que l'homme ?

« Pour lui assigner des fonctions particulières. L'homme est pour les travaux rudes, comme étant le plus fort ; la femme pour les travaux doux, et tous deux pour s'entr'aider à passer les épreuves d'une vie pleine d'amertume. »

— La faiblesse physique de la femme ne la place-t-elle pas naturellement sous la dépendance de l'homme ?

« Nous l'avons dit : Dieu a donné aux uns la force pour protéger le faible, et non pour l'asservir. »

Dieu a approprié l'organisation de chaque être aux fonctions qu'il doit accomplir. S'il a donné à la femme une moins grande force physique, il l'a douée en même temps d'une plus grande sensibilité en rapport avec la délicatesse des fonctions maternelles, et la faiblesse des êtres confiés à ses soins.

415 — Les fonctions auxquelles la femme est destinée par la nature, ont-elles une importance aussi grande que celles qui sont dévolues à l'homme ?

« Oui, et plus grande ; c'est elle qui lui donne les premières notions de la vie. »

— D'où vient que, même à l'état sauvage, la femme est considérée comme inférieure à l'homme ?

« A cause de sa faiblesse physique. »

416 — Les hommes étant égaux devant la loi de Dieu, doivent-ils l'être également devant la loi des hommes ?

« C'est le premier principe de justice : Ne faites pas aux autres ce que vous ne voudriez pas qu'on vous fît. »

— D'après cela une législation, pour être parfaitement juste, doit-elle consacrer l'égalité des droits entre l'homme et la femme ?

« Des droits, oui ; des fonctions, non ; il faut que chacun ait une place attitrée ; que l'homme s'occupe du dehors et la femme du dedans, chacun selon son aptitude. »

La loi humaine, pour être équitable, doit consacrer l'égalité des droits entre l'homme et la femme ; tout privilége accordé à l'un ou à l'autre est contraire à la justice. *L'émancipation de la femme suit le progrès de la civilisation* ; son asservissement marche avec la barbarie.

417 — Quelle est la source des priviléges consacrés par la loi des hommes ?

« L'égoïsme et l'orgueil. »

— Comment l'homme pourrait-il être amené à réformer les lois ?

« Cela vient naturellement par la force des choses et l'influence des gens de bien qui le conduisent dans la voie du progrès. Il en a déjà beaucoup réformé, et il en réformera bien d'autres. Attends ! »

CHAPITRE X.

IX. LOI DE LIBERTÉ.

Liberté naturelle. — Esclavage. — Liberté de penser. — Liberté de conscience. — Libre arbitre. — Fatalité.

418 — Est-il des positions dans le monde où l'homme puisse se flatter de jouir d'une liberté absolue ?
« Non. »
— Pourquoi cela ?
« Parce que tous vous avez besoin les uns des autres, les petits comme les grands. »
— Quelle serait la condition dans laquelle l'homme pourrait jouir d'une liberté absolue ?
« L'ermite dans un désert. »
La liberté absolue n'existerait que pour l'homme vivant seul dans un pays qui n'appartiendrait à personne. *Dès qu'il y a deux hommes ensemble, ils ont des droits à respecter, et n'ont, par conséquent, plus de liberté absolue.*

419 — L'obligation de respecter les droits d'autrui ôte-t-elle à l'homme le droit de s'appartenir à lui-même ?
« Non. »
— Y a-t-il des hommes qui soient, par la nature, voués à être la propriété d'autres hommes ?
« Non, l'esclavage est un abus de la force ; il disparaîtra avec le progrès, comme disparaîtront peu à peu tous les abus. »
Nul n'est par droit de nature la propriété d'un autre homme ; toute sujétion absolue d'un homme à un autre homme est contraire à la loi de Dieu.
La loi humaine qui consacre l'esclavage est une loi contre nature, puisqu'elle assimile l'homme à la brute, et le dégrade moralement et physiquement.

420 — Lorsque l'esclavage est dans les mœurs d'un peuple, ceux qui en profitent sont-ils répréhensibles, puisqu'ils ne font que se conformer à un usage qui leur paraît naturel ?
« Nous l'avons dit plusieurs fois : le mal est toujours le mal, et tous vos sophismes ne feront pas qu'une mauvaise action devienne bonne ; mais la responsabilité du mal est relative aux moyens qu'on a de le comprendre. »
Celui qui tire profit de la loi de l'esclavage est toujours coupable d'une violation de la loi de nature ; mais en cela, comme en toutes choses, la culpabilité est relative. L'esclavage étant passé dans les mœurs de certains peuples, l'homme a pu en profiter de bonne foi et comme d'une chose qui lui semblait naturelle ; mais dès que sa raison plus développée lui a montré dans l'esclave son égal devant Dieu, il n'a plus d'excuse.

421 — L'inégalité naturelle des aptitudes ne place-t-elle pas certaines races humaines sous la dépendance des races les plus intelligentes ?
« Oui, pour les relever, et non pour les abrutir encore davantage par la servitude. »

422 — Il y a des hommes qui traitent leurs esclaves avec humanité ; qui ne leur laissent manquer de rien, et qui pensent que la liberté les exposerait

LOI DE LIBERTÉ.

à plus de privations ; qu'en dites-vous ?

« Je dis que ceux-là comprennent mieux leurs intérêts ; ils ont aussi grand soin de leurs bœufs et de leurs chevaux, afin d'en tirer plus de profit au marché. »

Ils ne sont pas aussi coupables que ceux qui les traitent avec inhumanité, mais ils n'en disposent pas moins comme d'une marchandise, en les privant du droit de s'appartenir.

423 — Y a-t-il en l'homme quelque chose qui échappe à toute contrainte, et pour laquelle il jouisse d'une liberté absolue ?

« Oui, la liberté de penser. »

— Peut-on entraver la manifestation de la pensée ?

« Oui ; mais la pensée, non. C'est dans la pensée que l'homme jouit d'une liberté sans limite. »

424 — L'homme est-il responsable de sa pensée ?

« Oui, devant Dieu. Dieu seul pouvant la connaître, il la condamne ou l'absout selon sa justice. »

425 — La liberté de conscience est-elle une conséquence de la liberté de penser ?

« Oui, puisque la conscience est une pensée intime. »

— L'homme a-t-il le droit de mettre des entraves à la liberté de conscience ?

« Pas plus qu'à la liberté de penser. »

— Quel est le résultat des entraves mises à la liberté de conscience ?

« Faire des hypocrites. »

A Dieu seul appartient le droit de juger le bien et le mal absolu. Si l'homme règle par ses lois les rapports d'homme à homme, Dieu, par les lois de la nature, règle les rapports de l'homme avec Dieu.

426 — L'homme est-il valablement lié dans sa croyance par l'engagement que l'on a pris pour lui, alors qu'il n'avait pas la connaissance de lui-même ?

« Le bons sens répond à cette question ; pourquoi en faire d'inutiles ? »

427 — Toutes les croyances sont-elles respectables ?

« Oui, quand elles sont sincères et qu'elles conduisent à la pratique du bien. »

— Y a-t-il des croyances blâmables ?

« Celles qui conduisent à faire le mal. »

428 — Est-on répréhensible de scandaliser dans sa croyance celui qui ne pense pas comme nous ?

« C'est manquer de charité et porter atteinte à la liberté de penser. »

429 — Est-ce porter atteinte à la liberté de conscience que d'apporter des entraves à des croyances de nature à troubler la société ?

« *On peut réprimer les actes, mais la croyance intime est inaccessible.* »

Réprimer les actes extérieurs d'une croyance quand ces actes portent un préjudice quelconque à autrui, ce n'est point porter atteinte à la liberté de conscience, car cette répression laisse à la croyance son entière liberté.

430 — Doit-on, par respect pour la liberté de conscience, laisser se propager des doctrines pernicieuses, ou bien peut-on, sans porter atteinte à cette liberté, chercher à ramener dans la voie de la vérité ceux qui sont égarés par de faux principes ?

« Certainement on le peut et même on le doit ; mais enseignez, à l'exemple de Jésus, *par la douceur et la persuasion*, et non par la force, ce qui serait pis que la croyance de celui que l'on voudrait convaincre. S'il y a quelque chose qu'il soit permis d'imposer, c'est le bien et la fraternité ; mais nous ne croyons pas que le moyen de les faire admettre, soit d'agir avec violence. Par la contrainte et la persécution on ne fait que des hypocrites : la conviction ne s'impose pas. »

431 — Toutes les doctrines ayant la prétention d'être l'unique expression de la vérité, à quels signes peut-on reconnaître celle qui a le droit de se poser comme telle ?

« Ce sera celle qui fait plus d'hommes de bien et le moins d'hypocrites ; c'est-à-dire pratiquant la loi de Dieu *envers leurs semblables* dans sa plus grande pureté. »

CHAPITRE X.

432 — L'homme a-t-il le libre arbitre de ses actes ?

« Oui, puisqu'il a la liberté de penser. »

Nier à l'homme le libre arbitre serait nier en lui l'existence d'une âme intelligente, et l'assimiler à la brute, au moral comme au physique.

433 — L'homme apporte-t-il en naissant, par son organisation, une prédisposition à tels ou tels actes ?

« Oui. »

— La prédisposition naturelle qui porte l'homme à certains actes lui ôte-t-elle son libre arbitre ?

« Non, puisque c'est lui qui a demandé à avoir telle ou telle prédisposition. Si tu as demandé à avoir les dispositions du meurtre, c'est afin d'avoir à combattre contre cette propension. »

— L'homme peut-il surmonter tous ses penchants, quelque véhéments qu'ils soient ?

« Oui, vouloir c'est pouvoir. »

L'organisation physique de l'homme le prédispose à tels ou tels actes auxquels il est poussé par une force pour ainsi dire instinctive. Cette propension naturelle, si elle le porte au mal, peut lui rendre le bien plus difficile, mais ne lui ôte pas la liberté de faire ou de ne pas faire. Avec une ferme volonté et l'aide de Dieu, s'il le prie avec ferveur et sincérité, il n'est point de penchant qu'il ne puisse surmonter, quelque véhéments qu'ils soient. L'homme ne saurait donc chercher une excuse dans son organisation sans abdiquer sa raison et sa condition d'être humain, pour s'assimiler à la brute.

434 — L'aberration des facultés ôte-t-elle à l'homme la responsabilité de ses actes ?

« Oui ; mais comme nous te l'avons dit, cette aberration est souvent une punition pour l'esprit qui, dans une autre existence, a peut-être été vain et orgueilleux et a fait un mauvais usage de ses facultés. Il peut renaître dans le corps d'un idiot, comme le despote dans le corps d'un esclave, et le mauvais riche dans celui d'un mendiant. »

435 — L'aberration des facultés intellectuelles par l'ivresse excuse-t-elle les actes répréhensibles ?

« Non, car l'ivrogne s'est volontairement privé de sa raison pour satisfaire des passions brutales : au lieu d'une faute il en commet deux. »

436 — Les animaux ont-ils le libre arbitre de leurs actes ?

« Ce ne sont pas de simples machines comme vous le croyez ; mais leur liberté d'action est bornée à leurs besoins, et ne peut se comparer à celle de l'homme. Etant de beaucoup inférieurs à lui, ils n'ont pas les mêmes devoirs. »

Les animaux suivent plus aveuglément l'impulsion de l'instinct que la nature leur a donné pour leur conservation. Il ne suit pas de là qu'ils soient totalement privés de la liberté d'agir ; mais cette liberté est restreinte aux actes de la vie matérielle.

437 — Puisque les animaux ont une intelligence qui leur donne une certaine liberté d'action, y a-t-il en eux un principe indépendant de la matière ?

« Oui, et qui survit au corps. »

— Ce principe conserve-t-il son individualité ?

« Oui. »

— Ce principe est-il une âme semblable à celle de l'homme ?

« Non ; l'âme de l'homme est un esprit incarné ; pour les animaux c'est aussi une âme, si vous voulez, *cela dépend du sens que l'on attache à ce mot ;* mais elle est toujours inférieure à celle de l'homme. Il y a entre l'âme des animaux et celle de l'homme autant de distance qu'entre l'âme de l'homme et Dieu. »

— Les animaux suivent-ils une loi progressive comme les hommes ?

« Oui, c'est pourquoi dans les mondes supérieurs où les hommes sont plus perfectionnés, les animaux le sont aussi, mais toujours inférieurs et soumis à l'homme. »

— Dans les mondes supérieurs les animaux connaissent-ils Dieu ?

« Non, l'homme est un Dieu pour eux. »

LOI DE LIBERTÉ.

— Les animaux seraient-ils l'incarnation d'un ordre d'esprits inférieurs formant dans le monde spirite une catégorie à part ?

« Oui, et qui ne peuvent dépasser un certain degré de perfection. »

— Les animaux progressent-ils comme l'homme, par le fait de leur volonté, ou par la force des choses ?

« Par la force des choses ; c'est pourquoi il n'y a point pour eux d'expiation. »

438 — Quel est, chez l'homme à l'état sauvage, la faculté dominante : l'instinct, ou le libre arbitre ?

« L'instinct. »

— Le développement de l'intelligence augmente-t-il la liberté des actes ?

« Certainement, et par conséquent toi qui es plus éclairé qu'un sauvage, tu es aussi plus responsable de ce que tu fais qu'un sauvage. »

439 — La position sociale n'est-elle pas quelquefois un obstacle à l'entière liberté des actes ?

« Oui, quelquefois ; le monde a ses exigences. »

— La responsabilité, dans ce cas, est-elle aussi grande ?

« Dieu est juste ; il tient compte de tout, mais il vous laisse la responsabilité du peu d'efforts que vous faites pour surmonter les obstacles. »

440 — Le libre arbitre n'est-il pas aussi subordonné à l'organisation physique, et ne peut-il être entravé dans certains cas par la prédominance de la matière ?

« Le libre arbitre peut être entravé, mais non pas annulé ; celui qui annihile sa pensée pour ne s'occuper que de la matière devient semblable à la brute et pire encore, car il ne songe plus à se prémunir contre le mal, et c'est en cela qu'il est fautif. »

L'esprit dégagé de la matière fait choix de ses existences corporelles futures selon le degré de perfection auquel il est arrivé, et c'est en cela, comme nous l'avons dit, que consiste surtout son libre arbitre. Cette liberté n'est point annulée par l'incarnation ; s'il cède à l'influence de la matière, c'est qu'il succombe sous les épreuves mêmes qu'il a choisies, et c'est pour l'aider à les surmonter qu'il peut invoquer l'assistance des bons esprits.

441 — Y a-t-il une fatalité dans les événements de la vie, selon le sens attaché à ce mot ; c'est-à-dire, tous ces événements sont-ils arrêtés d'avance, et dans ce cas que devient le libre arbitre ?

« La fatalité n'existe que par le choix que tu as fait de subir telle ou telle épreuve ; puis à ce choix d'épreuves se joignent les connaissances que tu dois acquérir, et l'un est tellement lié à l'autre que c'est ce qui constitue ce que tu appelles la fatalité. Et comme nous le disions tout à l'heure, l'homme étant libre de ses actions se laisse aller trop à la matière, et attire sur ceux qui l'entourent une foule de désagréments ; cela diminuera à mesure que les vices de ton monde seront extirpés. »

— L'instant de la mort est-il invariablement fixé ?

« Oui, l'heure est comptée. »

— Ainsi quel que soit le danger qui nous menace, nous ne mourrons pas si cette heure n'est pas arrivée ?

« Non, tu ne périras pas, et tu en as des milliers d'exemples ; mais quand ton heure est venue de partir, rien ne peut t'y soustraire. Dieu a écrit à l'avance de quel genre de mort tu partiras d'ici, et souvent ton esprit le sait, car cela lui est révélé quand il fait choix de telle ou telle existence. »

— Si la mort ne peut être évitée quand elle doit avoir lieu, en est-il de même de tous les accidents qui nous arrivent dans le cours de la vie ?

« Non, ce sont souvent d'assez petites choses pour que nous puissions vous en prévenir, et quelquefois vous les faire éviter en dirigeant votre pensée, car nous n'aimons pas la souffrance matérielle ; mais cela est peu important à la vie que vous avez choisie. La fatalité, véritablement, ne consiste que dans l'heure où vous devez apparaître et

CHAPITRE XI.

disparaître ici-bas. Comme vous devez revêtir votre enveloppe afin de pouvoir subir vos épreuves et recevoir nos enseignements, c'est pourquoi vous tenez à la vie; vous regardez cela comme une fatalité, tandis que c'est un bonheur. »

La fatalité, telle qu'on l'entend vulgairement, suppose la décision préalable et irrévocable de tous les événements de la vie, quelle qu'en soit l'importance. Si tel était l'ordre des choses, l'homme serait une machine sans volonté. A quoi lui servirait son intelligence, puisqu'il serait invariablement dominé dans tous ses actes par la puissance du destin? Une telle doctrine, si elle était vraie, serait la destruction de toute liberté morale; il n'y aurait plus pour l'homme de responsabilité, et par conséquent ni bien, ni mal, ni crimes, ni vertus. Dieu, souverainement juste, ne pourrait châtier sa créature pour des fautes qu'il n'aurait pas dépendu d'elle de ne pas commettre, ni la récompenser pour des vertus dont elle n'aurait pas le mérite.

Une pareille loi serait en outre la négation de la loi du progrès, car l'homme qui attendrait tout du sort ne tenterait rien pour améliorer sa position, puisqu'il n'en serait ni plus, ni moins.

La fatalité n'est pourtant pas un vain mot; elle existe dans la position que l'homme occupe sur la terre, et dans les fonctions qu'il y remplit, par suite du genre d'existence dont son esprit a fait choix, comme *épreuve*, *expiation* ou *mission;* il subit fatalement toutes les vicissitudes de cette existence, et toutes les *tendances* bonnes ou mauvaises qui y sont inhérentes; mais là s'arrête la fatalité, car il dépend de sa volonté de céder ou non à ces tendances. *Le détail des événements est subordonné aux circonstances qu'il provoque lui-même par ses actes*, et sur lesquelles peuvent influer les esprits par les pensées qu'ils lui suggèrent.

La fatalité est donc dans les événements qui se présentent, puisqu'ils sont la conséquence du choix de l'existence fait par l'esprit; elle peut ne pas être dans le résultat de ces événements, puisqu'il peut dépendre de l'homme d'en modifier le cours par sa prudence.

C'est dans la mort que l'homme est soumis d'une manière absolue à l'inexorable loi de la fatalité; car il ne peut échapper à l'arrêt qui fixe le terme de son existence, ni au genre de mort qui doit en interrompre le cours (*note* 15).

CHAPITRE XI.

X. LOI DE JUSTICE, D'AMOUR ET DE CHARITÉ.

Justice et droits naturels. — Amour du prochain. — Droit de propriété.

442 — La nécessité pour l'homme de vivre en société, entraîne-t-elle pour lui des obligations particulières ?

« Oui, et la première de toutes est de respecter les droits de ses semblables; celui qui respectera ces droits sera toujours juste. Dans votre monde où tant d'hommes ne pratiquent pas la loi de justice, chacun use de représailles, et c'est là ce qui fait le trouble et la confusion de votre société. »

— En quoi consiste la justice?

« La justice consiste dans le respect des droits de chacun. La vie sociale

LOI DE JUSTICE, D'AMOUR ET DE CHARITÉ.

donne des droits et impose des devoirs réciproques. »

443 — L'homme pouvant se faire illusion sur l'étendue de son droit, qui est-ce qui peut lui en faire connaître la limite ?

« La limite du droit qu'il reconnaît à son semblable dans la même circonstance et réciproquement. »

— Mais si chacun s'attribue les droits de son semblable, que devient la subordination envers les supérieurs ? N'est-ce pas l'anarchie de tous les pouvoirs ?

« Les droits naturels sont les mêmes pour tous les hommes depuis le plus petit jusqu'au plus grand ; Dieu n'a pas fait les uns d'un limon plus pur que les autres, et tous sont égaux devant lui. Ces droits sont éternels ; ceux que l'homme a établis périssent avec ses institutions. Du reste, chacun sent bien sa force ou sa faiblesse, et saura toujours avoir de la déférence pour celui qui mérite l'estime par sa vertu et sa sagesse. C'est important de mettre cela, afin que ceux qui se croient supérieurs connaissent leurs devoirs pour mériter ces déférences. La subordination ne sera point compromise, quand l'autorité sera donnée à la sagesse. »

Dieu a mis dans le cœur de l'homme la règle de toute véritable justice, par le désir de chacun de voir respecter ses droits. Jésus a donné cette règle : *Agir envers les autres, comme nous voudrions que les autres agissent envers nous-mêmes.*

Dans l'incertitude de ce qu'il doit faire à l'égard de son semblable dans une circonstance donnée, que l'homme se demande comment il voudrait qu'on en usât envers lui en pareille circonstance : Dieu ne pouvait lui donner un guide plus sûr que sa propre conscience.

444 — Quel serait le caractère de l'homme qui pratiquerait la justice dans toute sa pureté ?

« Le vrai juste, à l'exemple de Jésus ; car il pratiquerait aussi l'amour du prochain et la charité sans lesquels il n'y a pas de véritable justice. »

— Quel est le véritable sens du mot *charité* tel que l'entendait Jésus ?

« Bienveillance pour tout le monde, indulgence pour les imperfections d'autrui, pardon des offenses. »

L'amour et la charité sont le complément de la loi de justice ; car aimer son prochain, c'est lui faire tout le bien qui est en notre pouvoir et que nous voudrions qui nous fût fait à nous-mêmes. Tel est le sens des paroles de Jésus : *Aimez-vous les uns les autres comme des frères.*

445 — Jésus a dit aussi : *Aimez même vos ennemis.* Or, l'amour pour nos ennemis n'est-il pas contraire à nos tendances naturelles, et l'inimitié ne provient-elle pas du défaut de sympathie entre les esprits ?

« Sans doute on ne peut pas avoir pour ses ennemis un amour tendre et passionné ; ce n'est pas ce qu'il a voulu dire ; aimer ses ennemis, c'est leur pardonner et leur rendre le bien pour le mal ; par là on leur devient supérieur ; par la vengeance on se met au-dessous d'eux. »

446 — Quel est le premier de tous les droits naturels de l'homme ?

« C'est de vivre ; c'est pourquoi nul n'a le droit d'attenter à la vie de son semblable, ni de rien faire qui puisse compromettre son existence. »

447 — Que penser de l'aumône ?

« L'homme réduit à demander l'aumône se dégrade au moral et au physique ; il s'abrutit. »

— Est-ce que vous blâmez l'aumône ?

« Non ; ce n'est pas l'aumône qui est blâmable, c'est souvent la manière dont elle est faite. L'homme de bien qui comprend la charité selon Jésus, va au-devant du malheur sans attendre qu'il lui tende la main. »

— N'y a-t-il pas des hommes réduits à la mendicité par leur faute ?

« Oui ; si une bonne éducation morale leur eût appris à pratiquer la loi de Dieu, ils ne tomberaient pas dans les excès qui causent leur perte ; c'est de là surtout que dépend l'amélioration de votre globe. »

CHAPITRE XI. — LOI DE JUSTICE, D'AMOUR ET DE CHARITÉ.

Il faut distinguer l'aumône proprement dite de la bienfaisance. Le plus nécessiteux n'est pas toujours celui qui demande ; la crainte d'une humiliation le retient, et souvent il souffre sans se plaindre ; c'est celui-là que l'homme vraiment humain sait aller chercher sans ostentation.

448 — Le droit de vivre donne-t-il à l'homme le droit d'amasser de quoi vivre pour se reposer quand il ne pourra plus travailler ?

« Oui, mais il doit le faire en famille, comme l'abeille, par un travail honnête, et ne pas amasser comme un égoïste. Certains animaux même lui donnent l'exemple de la prévoyance. »

449 — L'homme a-t-il le droit de défendre ce qu'il a amassé par le travail ?

« Dieu n'a-t-il pas dit : Tu ne déroberas point ; et Jésus : Il faut rendre à César ce qui appartient à César ? »

Ce que l'homme amasse par un travail *honnête* est une propriété légitime qu'il a le droit de défendre, car la propriété qui est le fruit du travail est un droit naturel aussi sacré que celui de travailler et de vivre.

450 — Le désir de posséder n'est-il pas dans la nature ?

Oui ; mais quand c'est pour soi seul et pour sa satisfaction personnelle, c'est de l'égoïsme. »

— Cependant le désir de posséder n'est-il pas légitime, puisque celui qui a de quoi vivre n'est à charge à personne ?

« Oui, pour celui qui met des bornes à ses désirs ; mais il y a des hommes insatiables et qui accumulent sans profit pour personne, ou pour assouvir leurs passions, et cela parce qu'ils ont reçu une fausse éducation, et qu'ils se laissent entraîner par l'exemple. Crois-tu que cela soit bien vu de Dieu ? »

« Celui au contraire qui amasse par son travail en vue de venir en aide à ses semblables, pratique la loi d'amour et de charité, et son travail est béni de Dieu. »

451 — Quel est le caractère de la propriété légitime ?

« Il n'y a de propriété légitime que celle qui a été acquise sans préjudice pour autrui. »

La loi d'amour et de justice défendant de faire à autrui ce que nous ne voudrions pas qu'on nous fit, condamne par cela même tout moyen d'acquérir qui serait contraire à cette loi.

452 — Le droit de propriété est-il indéfini ?

« Sans doute tout ce qui est acquis légitimement est une propriété ; mais la législation des hommes étant imparfaite consacre souvent des droits de convention que la justice naturelle réprouve. C'est pourquoi ils réforment leurs lois à mesure que le progrès s'accomplit et qu'ils comprennent mieux la justice. Ce qui semblait parfait dans un siècle, semble barbare dans le siècle suivant. »

LIVRE TROISIÈME.

ESPÉRANCES ET CONSOLATIONS.

CHAPITRE PREMIER.

PERFECTION MORALE DE L'HOMME.

453 — Puisque le principe des passions est dans la nature, est-il mauvais en lui-même ?

« Non ; la passion est dans l'excès joint à la volonté ; car le principe en a été donné à l'homme pour le bien ; c'est l'abus qu'il en fait qui cause le mal. »

Toutes les passions ont leur principe dans un sentiment ou besoin de nature. Le principe des passions n'est donc point un mal, puisqu'il repose sur une des conditions providentielles de notre existence. La passion, proprement dite, est l'exagération d'un besoin ou d'un sentiment ; elle est dans l'excès et non dans la cause ; et cet excès devient un mal quand il a pour conséquence un mal quelconque.

Toute passion qui rapproche l'homme de la nature animale l'éloigne de la nature spirituelle.

Tout sentiment qui élève l'homme au-dessus de la nature animale, annonce la prédominance de l'esprit sur la matière et le rapproche de la perfection.

454 — L'homme pourrait-il toujours vaincre ses mauvais penchants par ses efforts ?

« Oui, et quelquefois de faibles efforts ; c'est la volonté qui lui manque. Hélas ! combien peu de vous en font des efforts ! Vous êtes trop du siècle : c'est assez dire, je pense. »

— L'homme peut-il trouver dans les esprits une assistance efficace pour surmonter ses passions ?

« Oui, s'il prie Dieu et son bon génie avec sincérité, les bons esprits lui viendront certainement en aide, car c'est leur mission. »

— Mais n'y a-t-il pas des passions tellement vives et irrésistibles que la volonté est impuissante pour les surmonter ?

« Il y a beaucoup de personnes qui disent : *Je veux*, mais la volonté n'est que sur les lèvres ; ils veulent, et ils sont bien aises que cela ne soit pas. Quand on croit ne pas pouvoir vaincre ses passions, c'est que l'esprit s'y complaît par suite de son infériorité. Celui qui cherche à les réprimer comprend sa nature spirituelle ; les vaincre est pour lui un triomphe de l'esprit sur la matière. »

455 — Quelle est la source première des vices de l'homme ?

« Nous l'avons dit bien des fois, c'est l'égoïsme : de là dérive tout le mal, et l'égoïsme lui-même a sa source dans la prédominance de la nature animale sur la nature spirituelle. »

L'égoïsme engendre l'orgueil, l'ambition, la cupidité, la jalousie, la haine, la sensualité et toutes les passions qui dégradent l'homme et l'éloignent de la perfection morale.

456 — L'égoïsme étant fondé sur le

CHAPITRE PREMIER.

sentiment de l'intérêt personnel, il paraît bien difficile de l'extirper complétement du cœur de l'homme; y parviendra-t-on jamais?

« Plus tôt que vous ne croyez; nous y travaillons. »

— Mais l'égoïsme, loin de diminuer, croît avec la civilisation qui semble l'exciter et l'entretenir; comment la cause pourra-t-elle détruire l'effet?

« Plus le mal est grand, plus il devient hideux; il fallait que l'égoïsme fît beaucoup de mal, pour faire comprendre la nécessité de l'extirper. »

— Comment parviendra-t-on à l'extirper?

« A mesure que les hommes s'éclairent sur les choses spirituelles, ils attachent moins de prix aux choses matérielles; cela dépend de l'éducation; et puis il faut réformer les institutions humaines qui l'entretiennent et l'excitent. »

— Quelles sont, dans ce but, les réformes les plus importantes qu'il serait utile d'apporter dans les institutions humaines?

« C'est tout un enseignement *que nous te donnerons;* mais, nous le répétons, l'humanité marche au progrès moral malgré les apparences, et le bien naîtra de l'excès du mal; Dieu a l'œil sur vous. »

Lorsque les hommes auront dépouillé l'égoïsme qui les domine, ils vivront comme des frères, ne se faisant point de mal, s'entr'aidant réciproquement par le sentiment mutuel de la *solidarité;* alors le fort sera l'appui et non l'oppresseur du faible, et l'on ne verra plus d'hommes manquer du nécessaire, parce que tous pratiqueront la loi de justice. C'est le règne du bien que sont chargés de préparer les esprits.

— Que devons-nous faire en attendant?

« Chacun doit y concourir dans la mesure de ses forces. Celui qui veut approcher dès cette vie de la perfection morale doit extirper de son cœur tout sentiment d'égoïsme, car l'égoïsme est incompatible avec la justice, l'amour et la charité.»

457 — A quels signes peut-on reconnaître chez un homme le progrès réel qui doit élever son esprit dans la hiérarchie spirite?

« L'esprit prouve son élévation lorsque tous les actes de sa vie corporelle sont la pratique de la loi de Dieu; et lorsqu'il sort de la sphère des choses matérielles pour pénétrer dans la vie spirituelle qu'il comprend par anticipation. »

Le véritable homme de bien est celui qui pratique la loi de justice, d'amour et de charité dans sa plus grande pureté. S'il interroge sa conscience sur les actes accomplis, il se demandera s'il n'a point violé cette loi; s'il n'a point fait de mal; s'il a fait tout le bien *qu'il a pu;* si nul n'a eu à se plaindre de son égoïsme et de son orgueil, enfin s'il a fait à autrui tout ce qu'il eût voulu qu'on fît pour lui.

L'homme pénétré du sentiment de charité et d'amour du prochain fait le bien pour le bien, sans espoir de retour, et sacrifie son intérêt à la justice.

Il est bon, humain et bienveillant pour tout le monde, parce qu'il voit des frères dans tous les hommes, sans acception de races ni de croyances.

Si Dieu lui a donné la puissance et la richesse, il regarde ces choses comme un DÉPÔT dont il doit faire usage pour le bien; il n'en tire pas vanité, car il sait que Dieu qui les lui a données peut les lui retirer.

Si l'ordre social a placé des hommes sous sa dépendance, il les traite avec bonté et bienveillance, parce qu'ils sont ses égaux devant Dieu; il use de son autorité pour relever leur moral, et non pour les écraser par son orgueil.

Il est indulgent pour les faiblesses d'autrui, parce qu'il sait que lui-même a besoin d'indulgence et se rappelle cette parole du Christ : *Que celui qui est sans péché lui jette la première pierre.*

Il n'est point vindicatif : à l'exemple de Jésus il pardonne les offenses pour ne se souvenir que des bienfaits; car il sait qu'*il lui sera pardonné comme il aura pardonné lui-même.*

Il respecte enfin dans ses semblables tous les droits que donnent les lois de la nature, comme il voudrait qu'on les respectât envers lui.

458 — Pouvons-nous toujours racheter nos fautes ?

« Oui, en les réparant ; mais ne croyez pas les racheter par quelques privations puériles, ou en donnant après votre mort quand vous n'aurez plus besoin de rien. »

— N'y a-t-il aucun mérite à assurer, après sa mort, un emploi utile des biens que nous possédons ?

« Aucun mérite n'est pas le mot ; cela vaut toujours mieux que rien ; mais le malheur est que celui qui ne donne qu'après sa mort est souvent plus égoïste que généreux ; il veut avoir l'honneur du bien sans en avoir la peine. »

Le mal n'est réparé que par le bien, et la réparation n'a aucun mérite si elle ne nous atteint *ni dans notre orgueil, ni dans nos intérêts matériels.*

Que sert, pour notre justification, de restituer après la mort le bien mal acquis, alors qu'il nous devient inutile et que nous en avons profité ?

Que sert la privation de quelques jouissances futiles ou de quelques superfluités, si le tort que nous avons fait à autrui reste le même ?

Que sert enfin de s'humilier devant Dieu, si nous conservons notre orgueil devant les hommes ?

CHAPITRE II.

BONHEUR ET MALHEUR SUR TERRE.

459 — L'homme peut-il jouir sur la terre d'un bonheur complet ?

« Non, puisque la vie lui a été donnée comme épreuve ou expiation ; mais il dépend de lui d'adoucir ses maux et d'être aussi heureux qu'on le peut sur la terre. »

460 — On conçoit que l'homme sera heureux sur la terre lorsque l'humanité aura été transformée ; mais, en attendant, chacun peut-il s'assurer un bonheur relatif ?

« Oui, l'homme est le plus souvent l'artisan de son propre malheur. En pratiquant la loi de Dieu il s'épargne bien des maux et se procure une félicité aussi grande que le comporte votre existence grossière. »

L'homme qui est bien pénétré de sa destinée future, ne voit dans la vie corporelle qu'une station temporaire. C'est pour lui une halte momentanée dans une mauvaise hôtellerie ; il se console aisément de quelques désagréments passagers d'un voyage qui doit le conduire à une position d'autant meilleure qu'il aura mieux fait d'avance ses préparatifs.

Nous sommes punis dès cette vie de l'infraction aux lois de l'existence corporelle par les maux qui sont la suite de cette infraction et de nos propres excès. Si nous remontons de proche en proche à l'origine de ce que nous appelons nos malheurs terrestres, nous les verrons, pour la plupart, être la suite d'une première déviation du droit chemin. Par cette déviation nous sommes entrés dans une mauvaise voie, et de conséquence en conséquence nous tombons dans le malheur.

461 — Le bonheur terrestre est relatif à la position de chacun ; ce qui suffit au bonheur de l'un fait le malheur de

CHAPITRE II.

l'autre. Y a-t-il cependant une mesure de bonheur commune à tous les hommes ?

« Oui, pour la vie matérielle : la possession du nécessaire ; pour la vie morale . la bonne conscience et la foi en l'avenir. »

— Mais ce qui serait du superflu pour l'un ne devient-il pas le nécessaire pour d'autres suivant la position ?

« Oui, selon vos idées matérielles, vos préjugés, votre ambition et tous vos travers ridicules dont l'avenir fera justice quand vous comprendrez la vérité. Sans doute celui qui a cinquante mille livres de revenu et qui se trouve réduit à dix se croit bien malheureux, parce qu'il ne peut plus faire une aussi grande figure, tenir ce qu'il appelle son rang, avoir des chevaux, des laquais, faire des orgies, etc., etc. Il croit manquer du nécessaire, mais franchement le croit-tu bien à plaindre quand à côté de lui il y en a qui meurent de faim et de froid, et n'ont pas un abri pour reposer leur tête ? Le sage, pour être heureux, regarde au-dessous de lui, et jamais au-dessus, si ce n'est pour élever son âme vers l'infini. »

462 — Il est des maux qui sont indépendants de la manière d'agir et qui frappent l'homme le plus juste ; n'a-t-il aucun moyen de s'en préserver ?

« Non ; il doit se résigner et les subir *sans murmure*, s'il veut progresser ; mais il puise toujours une consolation dans sa conscience qui lui donne l'espoir d'un meilleur avenir, s'il fait ce qu'il faut. »

463 — Les vicissitudes de la vie sont-elles toujours la punition des fautes actuelles ?

« Non ; nous l'avons déjà dit : ce sont des épreuves de Dieu, ou choisies par vous-mêmes à l'état d'esprit et avant votre réincarnation pour expier les fautes commises dans une autre existence ; car jamais l'infraction aux lois de Dieu, et surtout à la loi de justice, ne reste impunie ; si ce n'est dans cette vie ce sera nécessairement dans une autre ; c'est pourquoi celui qui est juste à vos yeux est souvent frappé pour son passé. »

464 — La civilisation, en créant de nouveaux besoins, n'est-elle pas la source d'afflictions nouvelles ?

« Oui, les maux de ce monde sont en raison des besoins *factices* que vous vous créez. Celui qui sait borner ses désirs, et voit sans envie ce qui est au-dessus de lui, s'épargne bien des mécomptes dans cette vie. »

L'homme n'est souvent malheureux que par l'importance qu'il attache aux choses d'ici-bas ; c'est la vanité, l'ambition et la cupidité déçues qui font son malheur. S'il se place au-dessus du cercle étroit de la vie matérielle, s'il élève ses pensées vers l'infini qui est sa destinée, les vicissitudes de l'humanité lui semblent alors mesquines et puériles, comme les chagrins de l'enfant qui s'afflige de la perte d'un jouet dont il faisait son bonheur suprême.

Celui qui ne voit de félicité que dans la satisfaction de l'orgueil, de la vanité et des appétits grossiers, est malheureux quand il ne peut les satisfaire, tandis que celui qui ne demande rien au superflu est heureux de ce que d'autres regardent comme des calamités.

465 — Sans doute le superflu n'est pas indispensable au bonheur ; mais il n'en est pas ainsi du nécessaire ; or le malheur de ceux qui sont privés de ce nécessaire n'est-il pas réel ?

« Oui, l'homme n'est véritablement malheureux que lorsqu'il souffre du manque de ce qui est nécessaire à la vie et à la santé du corps. Cette privation peut être sa faute, alors il ne doit s'en prendre qu'à lui-même ; si elle est la faute d'autrui, la responsabilité retombe sur celui qui en est la cause. »

Avec une organisation sociale sage et prévoyante, l'homme ne peut manquer du nécessaire que par sa faute ; mais ses fautes mêmes sont souvent le résultat du milieu où il se trouve placé. Lorsque l'homme pratiquera la loi de Dieu, il aura un ordre social fondé sur la justice et la solidarité, et lui-même aussi sera meilleur, car « la terre sera le paradis terrestre lorsque les hommes seront bons. »

466 — Par la spécialité des aptitudes naturelles, Dieu indique évidemment notre vocation en ce monde. Beaucoup de maux ne viennent-ils pas de ce que nous ne suivons pas cette vocation ?

« Oui, et ce sont souvent les parents qui, par orgueil ou par avarice, font sortir leurs enfants de la voie tracée par la nature, et par ce déplacement compromettent leur bonheur ; ils en seront responsables. »

— Ainsi vous trouveriez juste que le fils d'un homme haut placé dans le monde fît des sabots, par exemple, s'il avait de l'aptitude pour cet état ?

« Il ne faut pas tomber dans l'absurde, ni rien exagérer : la civilisation a ses nécessités. Pourquoi le fils d'un homme haut placé, comme tu le dis, ferait-il des sabots s'il n'a pas besoin de cela pour vivre ? Mais cela ne l'empêche pas de se rendre utile dans la mesure de ses facultés si elles ne sont pas appliquées à contre-sens. Ainsi, par exemple, au lieu d'un mauvais avocat, il pourrait faire un très-bon mécanicien, etc. »

Le déplacement des hommes hors de leur sphère intellectuelle est assurément une des causes les plus fréquentes de déception. L'inaptitude pour la carrière embrassée est une source intarissable de revers ; puis l'amour-propre venant s'y joindre empêche l'homme tombé de chercher une ressource dans une profession plus humble, et lui montre le suicide comme le remède suprême pour échapper à ce qu'il croit une humiliation. *Si une éducation morale l'avait élevé au-dessus des sots préjugés de l'orgueil, il ne serait jamais pris au dépourvu.*

467 — D'où vient le dégoût de la vie qui s'empare de certains individus, sans motifs plausibles ?

« Effet de l'oisiveté, du manque de foi et souvent de la satiété. »

Pour celui qui exerce ses facultés dans un but utile et *selon ses aptitudes naturelles*, le travail n'a rien d'aride, et la vie s'écoule plus rapidement ; il en supporte les vicissitudes avec d'autant plus de patience et de résignation, qu'il agit en vue du bonheur plus solide et plus durable qui l'attend.

468 — Outre les peines matérielles de la vie, l'homme est en butte à des peines morales qui ne sont pas moins vives. La perte des personnes qui nous sont chères, par exemple, n'est-elle pas une de celles qui nous causent un chagrin d'autant plus légitime, que cette perte est irréparable ?

« Oui, et elle atteint le riche comme le pauvre ; c'est une épreuve ou expiation, et la loi commune ; mais il est doux de pouvoir entrer en communication avec vos amis par les moyens que vous avez et qui se propagent chaque jour davantage, *en attendant que vous en ayez d'autres plus directs et plus accessibles à vos sens.* »

La possibilité d'entrer en communication avec les esprits est une bien douce consolation, puisqu'elle nous procure le moyen de nous entretenir avec nos parents et nos amis qui ont quitté la terre avant nous. Par l'évocation nous les rapprochons de nous ; ils sont à nos côtés, nous entendent et nous répondent ; il n'y a pour ainsi dire plus de séparation entre eux et nous. Ils nous aident de leurs conseils, nous témoignent leur affection et le contentement qu'ils éprouvent de notre souvenir. C'est pour nous une satisfaction de les savoir heureux, d'apprendre *par eux-mêmes* les détails de leur nouvelle existence, et d'acquérir la certitude de les rejoindre à notre tour.

— Que penser de l'opinion des personnes qui regardent ces sortes d'évocations comme une profanation ?

« Il ne peut y avoir profanation quand il y a recueillement, et quand l'évocation est faite avec respect et convenance ; ce qui le prouve c'est que les esprits qui vous affectionnent viennent avec plaisir ; ils sont heureux de votre souvenir et de s'entretenir avec vous. »

469 — Les déceptions que nous font éprouver l'ingratitude et la fragilité des liens de l'amitié, ne sont-elles pas aussi

CHAPITRE II.

pour l'homme de cœur une source d'amertume?

« Oui; mais nous vous apprenons à plaindre les ingrats et les amis infidèles : ils seront plus malheureux que vous. L'ingratitude est fille de l'égoïsme, et l'égoïste trouvera plus tard des cœurs insensibles comme il l'a été lui-même. »

— Ces déceptions ne sont-elles pas faites pour endurcir le cœur et le fermer à la sensibilité?

« Ce serait un tort; car l'homme de cœur, comme tu dis, est toujours heureux du bien qu'il fait. Il sait que si l'on ne s'en souvient pas en cette vie on s'en souviendra dans une autre, et que l'ingrat en aura de la honte et des remords. »

— Cette pensée n'empêche pas son cœur d'être ulcéré; et cela ne peut-il faire naître en lui l'idée qu'il serait plus heureux s'il était moins sensible?

« Oui, s'il préfère le bonheur de l'égoïste; c'est un triste bonheur que celui-là! Qu'il sache donc que les amis ingrats qui l'abandonnent ne sont pas dignes de son amitié, et qu'il s'est trompé sur leur compte; dès lors il ne doit pas les regretter. Plus tard il en trouvera qui sauront mieux le comprendre. »

La nature a donné à l'homme le besoin d'aimer et d'être aimé. Une des plus grandes jouissances qui lui soit accordée sur la terre, c'est de rencontrer des cœurs qui sympathisent avec le sien; elle lui donne ainsi les prémices du bonheur qui lui est réservé dans le monde des esprits parfaits où tout est amour et bienveillance : c'est une jouissance inconnue à l'égoïste.

470 — Puisque les esprits sympathiques sont portés à s'unir, comment se fait-il que, parmi les esprits incarnés, l'affection ne soit souvent que d'un côté, et que l'amour le plus sincère soit accueilli avec indifférence et même répulsion; comment en outre l'affection la plus vive de deux êtres peut-elle se changer en antipathie et quelquefois en haine?

« Tu ne comprends donc pas que c'est une punition, mais qui n'est que passagère? Puis, combien n'y en a-t-il pas qui croient aimer éperdument, parce qu'ils ne jugent que sur les apparences, et quand ils sont obligés de vivre avec ces personnes, ils ne tardent pas à reconnaître que ce n'est qu'un engoûment matériel! Il ne suffit pas de se croire enflammé pour une personne belle et à qui vous croyez de belles qualités; c'est en vivant réellement avec elle que vous pourrez l'apprécier. Combien aussi n'y a-t-il pas de ces unions qui tout d'abord paraissent ne devoir jamais être sympathiques, et quand l'un et l'autre se sont bien connus et bien étudiés finissent par s'aimer d'un amour tendre et durable, parce qu'il repose sur l'estime! Il ne faut pas oublier que c'est l'esprit qui aime et non le corps, et quand l'illusion matérielle est dissipée, l'esprit voit la réalité. »

471 — Le défaut de sympathie entre les êtres destinés à vivre ensemble n'est-il pas également une source de chagrins d'autant plus amers qu'ils empoisonnent toute l'existence?

« Très amers en effet; mais c'est un de ces malheurs dont vous êtes le plus souvent la première cause; d'abord ce sont vos lois qui ont tort, car crois-tu que Dieu t'astreint à rester avec ceux qui te déplaisent? et puis parce que, dans ces unions, vous cherchez plus la satisfaction de votre orgueil et de votre ambition que le bonheur d'une affection mutuelle; vous subissez la conséquence de vos préjugés? »

— Mais dans ce cas n'y a-t-il pas presque toujours une victime innocente?

« Oui, et c'est pour elle une dure expiation; mais la responsabilité de son malheur retombera sur ceux qui en auront été la cause. Si la lumière de la vérité a pénétré son âme, elle puisera sa consolation dans sa foi en l'avenir; du reste, à mesure que les préjugés s'affaibliront, les causes de ces malheurs privés disparaîtront aussi. »

472 — L'appréhension de la mort est pour beaucoup de gens une cause de

perplexités; d'où vient cette appréhension, puisqu'ils ont devant eux l'avenir ?

« Oui, et c'est à tort qu'ils ont cette appréhension ; mais que veux-tu ! on cherche à leur persuader dans leur jeunesse qu'il y a un enfer et un paradis, mais qu'il est certain qu'ils iront en enfer, parce qu'on leur dit que ce qui est dans la nature est un péché mortel pour l'âme : alors quand ils deviennent grands, s'ils ont un peu de jugement ils ne peuvent admettre cela, et ils deviennent athées ou matérialistes ; c'est ainsi qu'on les amène à croire qu'en dehors de la vie présente il n'y a plus rien. Quant à ceux qui ont persisté dans leurs croyances d'enfance, ils redoutent ce feu éternel qui doit les brûler sans les consumer. »

« La mort n'inspire au juste aucune crainte, parce qu'avec *la foi*, il a la certitude de l'avenir ; *l'espérance* lui fait attendre une vie meilleure, et *la charité* dont il a pratiqué la loi lui donne l'assurance qu'il ne rencontrera dans le monde où il va entrer aucun être dont il ait à redouter le regard. »

L'homme charnel, plus attaché à la vie corporelle qu'à la vie spirituelle, a, sur la terre, des peines et des jouissances matérielles ; son bonheur est dans la satisfaction fugitive de tous ses désirs. Son âme, constamment préoccupée et affectée des vicissitudes de la vie, est dans une anxiété et une torture perpétuelles. La mort l'effraie, parce qu'il doute de son avenir et qu'il laisse sur la terre toutes ses affections et toutes ses espérances.

L'homme moral, qui s'est élevé au-dessus des besoins factices créés par les passions, a, dès ici-bas, des jouissances inconnues à l'homme matériel. La modération de ses désirs donne à son esprit le calme et la sérénité. Heureux du bien qu'il fait, il n'est point pour lui de déceptions, et les vicissitudes de la vie glissent sur son âme sans y laisser d'empreinte douloureuse.

473 — Certaines personnes ne trouveront-elles pas ces conseils pour être heureux sur la terre un peu banals ; et n'y verront-elles pas ce qu'elles appellent des lieux communs, des vérités rebattues ; et ne diront-elles pas qu'en définitive le secret pour être heureux c'est de savoir supporter son malheur ?

« Oui, il y en a qui diront cela, et beaucoup. Que veux-tu ! Il en est d'eux comme de certains malades à qui le médecin prescrit la diète ; ils voudraient être guéris sans remèdes et en continuant à se donner des indigestions. »

CHAPITRE III.

PEINES ET RÉCOMPENSES FUTURES.

474 — Pourquoi l'homme a-t-il instinctivement horreur du néant ?

« Parce que le néant n'existe pas. »

L'idée du néant a quelque chose qui répugne à la raison. L'homme le plus insouciant pendant sa vie, arrivé au moment suprême, se demande ce qu'il va devenir, et involontairement il espère.

475 — D'où vient à l'homme le sentiment instinctif de la vie future ?

« Nous l'avons déjà dit : avant son incarnation l'esprit connaissait toutes ces choses, et l'âme garde un vague souvenir de ce qu'elle sait et de ce qu'elle a vu dans son état spirituel. »

Croire en Dieu sans admettre la vie future serait un non-sens. Le senti-

CHAPITRE III.

ment d'une existence meilleure est dans le for intérieur de tous les hommes ; Dieu n'a pu l'y placer en vain.

La vie future implique la conservation de notre individualité après la mort. Si tout est fini avec nous sur la terre, ou s'il ne s'opère en nous qu'une transformation qui ne nous laisse aucune conscience de nos actes passés, il n'y a plus de bien ni de mal réels, plus de nécessité de mettre un frein à nos passions, la morale est un vain mot ; l'homme n'a plus pour mobile que la satisfaction de ses désirs, sans scrupule du tort qu'il peut faire à ses semblables.

La conséquence de la vie future est la responsabilité de nos actes. La raison et la justice nous disent que dans la répartition du bonheur auquel tout homme aspire, les bons et les méchants ne sauraient être confondus. Dieu ne peut vouloir que les uns jouissent sans peine de biens auxquels d'autres n'atteignent qu'avec effort et persévérance.

476 — D'où vient la croyance que l'on retrouve chez tous les peuples de peines et de récompenses à venir ?

« C'est toujours la même chose : Pressentiment de la réalité apporté à l'homme par l'esprit incarné en lui ; car, sachez-le bien, ce n'est pas en vain qu'une voix intérieure vous parle ; votre tort est de ne pas assez l'écouter. Si vous y pensiez bien et souvent, vous deviendriez meilleurs. »

477 — Au moment de la mort quel est le sentiment qui domine le plus grand nombre des hommes, est-ce le doute, la crainte ou l'espérance ?

« Le doute pour les sceptiques endurcis, la crainte pour les coupables, l'espérance pour les hommes de bien. »

— Pourquoi y a-t-il des sceptiques, puisque l'âme apporte à l'homme le sentiment des choses spirituelles ?

« Il y en a moins qu'on ne croit ; beaucoup font les esprits forts pendant leur vie par orgueil, mais au moment de mourir ils ne sont pas si fanfarons. »

L'idée que Dieu nous donne de sa justice et de sa bonté par la sagesse de ses lois, ne nous permet pas de croire que le juste et le méchant soient au même rang à ses yeux, ni de douter qu'ils ne reçoivent un jour, l'un la récompense, l'autre le châtiment, du bien ou du mal qu'ils auront fait.

478 — Dieu s'occupe-t-il personnellement de chaque homme ? N'est-il pas trop grand et nous trop petits pour que chaque individu en particulier ait quelque importance à ses yeux ?

« Dieu s'occupe de tous les êtres qu'il a créés quelque petits qu'ils soient ; rien n'est trop peu pour sa bonté. »

— Dieu a-t-il besoin de s'occuper de chacun de nos actes pour nous récompenser ou nous punir, et la plupart de ces actes ne sont-ils pas insignifiants pour lui ?

« Dieu a ses lois qui règlent toutes vos actions : si vous les violez, c'est votre faute. Sans doute quand un homme commet un excès, Dieu ne rend pas un jugement contre lui pour lui dire, par exemple : Tu as été gourmand, je vais te punir ; mais il a tracé une limite ; les maladies et souvent la mort sont la conséquence des excès ; voilà la punition : elle est le résultat de l'infraction à la loi. Il en est ainsi en tout. »

Toutes nos actions sont soumises aux lois de Dieu ; il n'en est aucune, *quelque insignifiante qu'elle nous paraisse*, qui ne puisse en être la violation. Si nous subissons les conséquences de cette violation, nous ne devons nous en prendre qu'à nous-mêmes qui nous faisons ainsi les propres artisans de notre bonheur ou de notre malheur à venir (*note*   ).

479 — Les peines et les jouissances de l'âme après la mort, ont-elles quelque chose de matériel, ou bien sont-elles purement spirituelles ?

« Elles ne peuvent-être matérielles, puisque l'âme n'est pas matière ; le bon sens le dit. »

— Pourquoi l'homme se fait-il des peines et des jouissances de la vie future une idée souvent si grossière et si absurde ?

PEINES ET RÉCOMPENSES FUTURES.

« Intelligence qui n'est point encore assez développée. L'enfant comprend-il comme l'adulte ? D'ailleurs cela dépend aussi de ce qu'on lui a enseigné : c'est là qu'il y a besoin d'une réforme. »

« Votre langage est trop incomplet pour exprimer ce qui est en dehors de vous ; alors il a bien fallu des comparaisons, et ce sont ces images et ces figures que vous avez prises pour la réalité ; mais à mesure que l'homme s'éclaire, sa pensée comprend les choses que son langage ne peut rendre. »

L'homme se fait des peines et des jouissances de l'âme après la mort une idée plus ou moins élevée selon l'état de son intelligence. Plus il se développe, plus cette idée s'épure et se dégage de la matière ; il comprend les choses sous un point de vue plus rationnel, il cesse de prendre à la lettre les images d'un langage figuré. La raison plus éclairée nous apprenant que l'âme est un être tout spirituel, nous dit, par cela même, qu'elle ne peut être affectée par les impressions qui n'agissent que sur la matière ; mais il ne s'ensuit pas pour cela qu'elle soit exempte de souffrances, ni qu'elle ne reçoive pas la punition de ses fautes.

480 — Les esprits ne font-ils que comprendre le bonheur infini, ou commencent-ils à l'éprouver ?

« Ils éprouvent le bonheur ou le malheur, selon le rang qu'ils occupent. »

Les peines et les jouissances des esprits sont inhérentes à l'état de perfection auquel ils sont parvenus. Ils sont plus ou moins heureux, selon le degré d'épuration qu'ils ont subi dans les épreuves de la vie corporelle, et l'âme s'épure par la pratique de la loi de Dieu.

L'homme pouvant hâter ou retarder cette perfection selon sa volonté, ces peines et ces jouissances sont la punition de sa négligence ou la récompense de ses efforts pour y arriver ; c'est pourquoi Jésus a dit que chacun serait récompensé selon ses œuvres.

481 — L'homme, devenu esprit après sa mort, reconnaît-il toujours ses fautes ?

« Oui, l'esprit errant n'a plus de voile ; *il est comme sorti du brouillard* et voit ce qui l'éloigne du bonheur ; alors il souffre davantage, car il comprend combien il a été coupable. Pour lui *il n'y a plus d'illusion* ; il voit la réalité des choses. »

L'esprit à l'état errant embrasse d'un côté toutes ses existences passées, de l'autre il voit l'avenir promis et comprend ce qui lui manque pour l'atteindre. Tel un voyageur parvenu au faîte d'une montagne, voit la route parcourue et celle qui lui reste à parcourir pour arriver à son but.

482 — La vue des esprits qui souffrent n'est-elle pas pour les bons une cause d'affliction, et alors que devient leur bonheur si ce bonheur est troublé ?

« Leur souffrance est légère, puisqu'ils savent que le mal aura une fin ; ils aident les autres à s'améliorer et leur tendent la main : c'est là leur occupation, et une jouissance quand ils réussissent. »

483 — Tous les esprits voient-ils Dieu ?

« Tous voient l'infini, mais les esprits parfaits peuvent seuls approcher Dieu. »

— Qu'est-ce qui empêche les esprits imparfaits d'approcher Dieu ?

« Leur impureté. »

484 — Les esprits inférieurs comprennent-ils le bonheur du juste ?

« Oui, et c'est ce qui fait leur supplice ; car ils comprennent qu'ils en sont privés par leur faute : c'est pourquoi l'esprit dégagé de matière aspire après une nouvelle existence corporelle, parce que chaque existence peut abréger la durée de ce supplice *si elle est bien employée*. C'est alors qu'il fait choix des épreuves par lesquelles il pourra expier ses fautes ; car sachez-le bien, l'esprit souffre de tout le mal qu'il a fait, ou dont il a été la cause volontaire, de tout le bien qu'il aurait pu faire et qu'il n'a pas fait, *et de tout le mal qui résulte du bien qu'il n'a pas fait.* »

485 — Les esprits ne pouvant se cacher réciproquement leurs pensées, et tous les actes de la vie étant connus, il

CHAPITRE III.

s'ensuivrait que le coupable est en présence perpétuelle de sa victime?

« Cela ne peut être autrement, le bon sens le dit. »

— Cette divulgation de tous nos actes répréhensibles, et la présence perpétuelle de ceux qui en ont été les victimes sont-elles un châtiment pour le coupable?

« Plus grand qu'on ne pense, mais seulement jusqu'à ce qu'il ait expié ses fautes. Si l'on savait ce qu'il en coûte de faire le mal! »

Lorsque nous sommes nous-mêmes dans le monde des esprits, tout notre passé étant à découvert, le bien et le mal que nous aurons faits seront également connus. C'est en vain que le méchant voudra échapper à la vue constante de ses victimes : leur présence inévitable sera pour lui un châtiment et un remords incessant jusqu'à ce qu'il ait expié ses torts, tandis que l'homme de bien, au contraire, ne rencontrera partout que des regards amis et bienveillants.

Pour le méchant il n'est pas de plus grand tourment sur terre que la présence de ses victimes; c'est pourquoi il les évite sans cesse. Que sera-ce quand l'illusion des passions étant dissipée, il comprendra le mal qu'il a fait, verra ses actes les plus secrets dévoilés, son hypocrisie démasquée, et qu'il ne pourra se soustraire à leur vue? Tandis que l'âme de l'homme pervers est en proie à la honte, au regret et au remords, celle du juste jouit d'une sérénité parfaite.

486 — L'âme, en quittant sa dépouille mortelle, voit-elle immédiatement ses parents et ses amis qui l'ont précédée dans le monde des esprits?

« Immédiatement n'est pas toujours le mot; car, comme nous l'avons dit, il lui faut quelque temps pour se reconnaître et secouer le voile matériel; mais souvent aussi les parents et les amis viennent à sa rencontre et la félicitent: c'est pour elle une récompense. »

— La durée de ce premier moment de trouble qui suit la mort est-elle la même pour tous les esprits ?

« Non, cela dépend de leur élévation. Celui qui est déjà purifié se reconnaît presque immédiatement, parce qu'il s'est déjà dégagé de la matière pendant la vie du corps, tandis que l'homme charnel, et dont la conscience n'est pas pure, conserve bien plus longtemps l'impression de cette matière. »

487 — Le souvenir des fautes que l'âme a pu commettre, alors qu'elle était imparfaite, ne trouble-t-il pas son bonheur, même après qu'elle s'est épurée ?

« Non, parce qu'elle a racheté ses fautes et qu'elle est sortie victorieuse des épreuves auxquelles elle s'était soumise *dans ce but*. »

— Les épreuves qui restent à subir pour achever la purification, ne sont-elles pas pour l'âme une appréhension pénible qui trouble son bonheur ?

« Pour l'âme qui est encore souillée, oui; c'est pourquoi elle ne peut jouir d'un bonheur parfait que lorsqu'elle sera tout à fait pure; mais pour celle qui est déjà élevée, la pensée des épreuves qui lui restent à subir n'a rien de pénible. »

L'âme qui est arrivée à un certain degré de pureté goûte déjà le bonheur; un sentiment de douce satisfaction la pénètre; elle est heureuse de tout ce qu'elle voit, de tout ce qui l'entoure; le voile se lève pour elle sur les mystères et les merveilles de la création, et les perfections divines lui apparaissent dans toute leur splendeur.

488 — Le lien sympathique qui unit les esprits du même ordre, n'est-il pas pour eux une source de félicité ?

« Oui, l'union des esprits qui sympathisent *pour le bien*, est pour eux une des plus grandes jouissances; car ils ne craignent pas de voir cette union troublée par l'égoïsme. »

L'homme goûte les prémices de ce bonheur sur la terre quand il rencontre des âmes avec lesquelles il peut se confondre dans une union pure et sainte. Dans une vie plus épurée, cette jouissance sera ineffable et sans bornes, parce qu'il ne rencontrera que des âmes

PEINES ET RÉCOMPENSES FUTURES.

sympathiques *que l'égoïsme ne refroidira pas ;* car tout est amour dans la nature : c'est l'égoïsme qui le tue.

489 — L'esprit qui expie ses fautes dans une nouvelle existence, n'a-t-il pas des souffrances matérielles, et dès lors est-il exact de dire qu'après la mort l'âme n'a que des souffrances morales ?

« Il est bien vrai que lorsque l'âme est réincarnée les tribulations de la vie sont pour elle une souffrance ; mais il n'y a que le corps qui souffre matériellement. »

« Vous dites souvent de celui qui est mort qu'il n'a plus à souffrir ; cela n'est pas toujours vrai. Comme esprit, il n'a plus de douleurs physiques : mais, selon les fautes qu'il a commises, il peut avoir des douleurs morales plus cuisantes, et dans une nouvelle existence il peut être encore plus malheureux. Le mauvais riche y demandera l'aumône, et sera en proie à toutes les privations de la misère, l'orgueilleux à toutes les humiliations ; celui qui abuse de son autorité et traite ses subordonnés avec mépris et dureté, y sera forcé d'obéir à un maître plus dur qu'il ne l'a été. Toutes les peines et les tribulations de la vie sont l'expiation des fautes d'une autre existence, lorsqu'elles ne sont pas la conséquence des fautes de la vie actuelle. Quand vous serez sortis d'ici, vous le comprendrez. »

L'homme qui se croit heureux sur la terre, parce qu'il peut satisfaire ses passions, est celui qui fait le moins d'efforts pour s'améliorer. Il expie souvent dès cette vie ce bonheur éphémère, mais il l'expiera certainement dans une autre existence tout aussi matérielle.

490 — La réincarnation de l'âme dans un monde moins grossier, est-elle une récompense ?

« Oui, c'est la conséquence de son épuration ; car à mesure que les esprits s'épurent, ils s'incarnent dans des mondes de plus en plus parfaits, jusqu'à ce qu'ils aient dépouillé toute matière et se soient lavés de toutes leurs souillures pour jouir éternellement de la félicité des purs esprits dans le sein de Dieu. »

Dans les mondes où l'existence est moins matérielle qu'ici-bas, les besoins sont moins grossiers et toutes les souffrances physiques moins vives. Les hommes ne connaissent plus les mauvaises passions qui, dans les mondes inférieurs, les font ennemis les uns des autres. N'ayant aucun sujet de haine ni de jalousie, ils vivent entre eux en paix, parce qu'ils pratiquent la loi de justice, d'amour et de charité ; ils ne connaissent point les ennuis et les soucis qui naissent de l'envie, de l'orgueil et de l'égoïsme, et font le tourment de notre existence terrestre.

491 — L'esprit qui a progressé dans son existence terrestre, peut-il quelquefois être réincarné dans le même monde ?

« Oui, s'il n'a pu accomplir sa mission, et lui-même peut demander à la compléter dans une nouvelle existence ; mais alors ce n'est plus pour lui une expiation. »

— Dans ce cas aura-t-il à subir les mêmes vicissitudes ?

« Non ; moins il a à se reprocher, moins il a à expier. »

492 — Que devient l'homme qui, sans faire de mal, ne fait rien pour secouer l'influence de la matière ?

« Puisqu'il ne fait aucun pas vers la perfection, il doit recommencer une existence de la nature de celle qu'il quitte ; il reste là où il est, et c'est ainsi qu'il peut prolonger les souffrances de l'expiation. »

493 — Il y a des gens dont la vie s'écoule dans un calme parfait ; qui, n'ayant besoin de rien faire pour eux-mêmes, sont exempts de soucis. Cette existence heureuse est-elle une preuve qu'ils n'ont rien à expier d'une existence antérieure ?

« En connais-tu beaucoup ? Tu le crois ; tu te trompes ; souvent le calme n'est qu'apparent. Ils peuvent avoir choisi cette existence, mais quand ils la quittent, ils s'aperçoivent qu'elle ne leur a point servi à progresser : et alors, comme le paresseux, ils regrettent le temps perdu. Sachez bien que l'esprit

CHAPITRE III.

ne peut acquérir des connaissances et s'élever que par l'activité ; s'il s'endort dans l'insouciance il n'avance pas. Il est semblable à celui qui a besoin (d'après vos usages) de travailler, et qui va se promener ou se coucher, et cela dans l'intention de ne rien faire. »

494 — Un lieu circonscrit dans l'univers est-il affecté aux peines et aux jouissances des esprits selon leurs mérites ?

« Nous avons déjà répondu à cette question. Les peines et les jouissances sont inhérentes au degré de perfection des esprits ; chacun puise en lui-même le principe de son propre bonheur ou malheur ; et comme ils sont partout, aucun lieu circonscrit ni fermé n'est affecté à l'un plutôt qu'à l'autre. Quant aux esprits incarnés, ils sont plus ou moins heureux ou malheureux, selon que le monde qu'ils habitent est plus ou moins avancé. »

495 — D'après cela l'enfer et le paradis n'existeraient pas tels que l'homme se les représente ?

« Ce ne sont que des figures : il y a partout des esprits heureux et malheureux. Cependant, comme nous l'avons dit aussi, les esprits du même ordre se réunissent par sympathie ; mais ils peuvent se réunir où ils veulent quands ils sont parfaits. »

La localisation absolue des lieux de peines et de récompenses n'existe que dans l'imagination de l'homme ; elle provient de sa tendance à *matérialiser et à circonscrire* les choses dont il ne peut comprendre l'essence infinie.

496 — D'où vient la doctrine du feu éternel ?

« Image, comme tant d'autres choses, prise pour la réalité. C'est absolument comme quand on fait peur de Croquemitaine aux petits enfants. »

— Mais cette crainte ne peut-elle avoir un bon résultat ?

« Vois donc si elle en retient beaucoup, même parmi ceux qui l'enseignent. Si vous enseignez des choses que la raison ne rejette pas plus tard, vous ferez une impression durable et salutaire. »

— Est-ce que le remords des fautes et le plaisir des bonnes actions ne nous donnent pas une idée des peines et des jouissances de la vie spirituelle ?

« Oui, mais les peines et les joies que vous éprouvez sont toujours mêlées à votre vie terrestre. »

L'homme impuissant à rendre, par son langage, la nature de ces souffrances n'a pas trouvé de comparaison plus énergique que celle du feu, car pour lui le feu est le type du plus cruel supplice et le symbole de l'action la plus énergique ; c'est pourquoi la croyance au feu éternel remonte à la plus haute antiquité, et les peuples modernes en ont hérité des peuples anciens ; c'est pourquoi aussi, dans son langage figuré, il dit : Le feu des passions ; brûler d'amour, de jalousie, etc., etc.

497 — Que doit-on entendre par le *purgatoire ?*

« Douleurs physiques et morales ; c'est le temps de l'expiation. C'est presque toujours sur terre que vous faites votre purgatoire et que Dieu vous fait expier vos fautes. »

Ce que l'homme appelle *purgatoire* est de même une figure par laquelle on doit entendre, non pas un lieu déterminé quelconque, mais l'état des esprits imparfaits qui sont en expiation jusqu'à la purification complète qui doit les élever au rang des esprits bienheureux. Cette purification s'opérant dans les diverses incarnations, le purgatoire consiste dans les épreuves de la vie corporelle.

498 — Les prières adressées à Dieu pour les âmes en expiation sont-elles utiles ?

« Cela dépend de l'intention. Nous l'avons déjà dit, les prières banales sont des mots vides de sens. *Pour qu'une prière soit écoutée, il faut qu'elle parte d'un cœur profondément pénétré de ce qu'il dit ;* alors c'est une communication de votre esprit avec les autres esprits. Vous vous unissez à eux en vue de seconder leurs efforts pour soutenir les esprits incarnés dans les épreuves qu'ils ont à subir. »

— Puisque ce sont les esprits qui agissent directement, qui doit-on prier de préférence, Dieu ou les esprits?

« Les esprits entendent les prières adressées à Dieu et exécutent ses ordres ; nous sommes ses ministres. »

— Pourquoi, lorsqu'on prie avec ferveur, se sent-on soulagé ?

« Parce que l'esprit vient en aide à celui qui prie avec ferveur, et c'est cette assistance qui lui donne la force et la confiance. »

499 — Tous les esprits devant atteindre à la perfection, s'ensuit-il qu'il n'y a pas de peines éternelles ?

« Nous l'avons dit, le bien seul est éternel, le mal aura une fin ; mais avant que l'esprit ait acquis toutes les connaissances qu'il doit posséder, et subi toutes les épreuves nécessaires, sur la terre ou autres lieux semblables, pour être complétement purifié, c'est quelquefois bien long, et pour vous c'est comme l'éternité. »

500 — Comment se fait-il que des esprits qui, par leur langage, révèlent leur supériorité, aient répondu à des personnes très sérieuses, au sujet de l'enfer et du purgatoire, selon l'idée que l'on s'en fait vulgairement ?

« Il faut, comme nous te l'avons dit, que nous nous rendions compréhensibles, et pour cela nous nous servons de vos termes, ce qui peut vous faire croire quelquefois que nous abondons dans vos préjugés. D'ailleurs il n'est pas bon de heurter trop brusquement les préjugés ; ce serait le moyen de n'être pas écouté ; voilà pourquoi les esprits parlent souvent dans le sens de l'opinion de ceux qui les écoutent, afin de les amener peu à peu à la vérité. Ils approprient leur langage aux personnes, comme tu le fais toi-même si tu es un orateur un peu habile ; c'est pourquoi ils ne parleront pas à un Chinois ou à un mahométan comme ils parleront à un Français ou à un chrétien, car ils seraient bien sûrs de n'être pas écoutés. Des esprits ont donc pu se servir des mots *enfer* et *purgatoire* ou autres semblables quand ils parlent à des personnes trop imbues de ces idées, sans être en contradiction. Et puis souvent on emploie pour avoir nos réponses des moyens incommodes et trop longs, comme des tables qui frappent, etc., et cela nous ennuie ; alors, ne pouvant pas développer notre pensée, nous répondons par oui et par non, quand cela n'a pas une importance assez grande et quand cela ne dénature pas le sens de nos enseignements vrais. »

— On conçoit qu'il puisse en être ainsi de la part des esprits qui veulent nous instruire ; mais comment se fait-il que des esprits interrogés sur leur situation aient répondu qu'ils souffraient les tortures de l'enfer ou du purgatoire ?

« Quand ils sont inférieurs, et pas complétement dématérialisés, ils conservent une partie de leurs idées terrestres et ils rendent leurs impressions par les termes qui leur sont familiers. *Enfer* peut se traduire par une vie d'épreuve extrêmement pénible, avec l'incertitude d'une meilleure ; *purgatoire*, une vie aussi d'épreuve, mais avec conscience d'un avenir meilleur. Lorsque tu éprouves une grande douleur, ne dis-tu pas toi-même que tu souffres comme un damné ? Ce ne sont que des mots, et toujours au figuré. »

501 — Des esprits ont dit habiter le 4e, le 5e ciel, etc.; qu'entendaient-ils par là ?

« Vous leur demandez quel ciel ils habitent, parce que vous avez l'idée de plusieurs cieux placés comme les étages d'une maison ; alors ils vous répondent selon votre langage ; mais pour eux ces mots 4e, 5e ciel expriment différents degrés d'épuration, et par conséquent de bonheur. C'est absolument comme quand on demande à un esprit s'il est dans l'enfer ; s'il est malheureux, il dira oui, parce que pour lui *enfer* est synonyme de souffrance ; mais il sait très bien que ce n'est pas une fournaise. Un païen aurait dit qu'il était dans *le Tartare* ou dans *les Champs-Elysées*. »

FIN.

ÉPILOGUE.

Le scepticisme, touchant la doctrine spirite, lorsqu'il n'est pas le résultat d'une opposition systématique intéressée, a presque toujours sa source dans une connaissance incomplète des faits, ce qui n'empêche pas certaines gens de trancher la question comme s'ils la connaissaient parfaitement. On peut avoir beaucoup d'esprit, de l'instruction même, et manquer de jugement ; or, le premier indice d'un défaut dans le jugement, c'est de croire le sien infaillible. Beaucoup de personnes aussi ne voient dans les manifestations spirites qu'un objet de curiosité ; nous espérons que, par la lecture de ce livre, elles trouveront dans ces phénomènes étranges autre chose qu'un simple passe-temps.

La science spirite comprend deux parties : l'une expérimentale sur les manifestations matérielles, l'autre philosophique sur les manifestations intelligentes. Quiconque n'a observé que la première est dans la position de celui qui ne connaîtrait la physique que par des expériences récréatives, sans avoir pénétré dans la philosophie de la science. La véritable doctrine spirite est dans l'enseignement donné par les esprits, et les connaissances que cet enseignement comporte sont trop graves pour pouvoir être acquises autrement que par une étude sérieuse et suivie, faite dans le silence et le recueillement ; car dans cette condition seule on peut observer un nombre infini de faits de détail et de nuances qui permettent de formuler une opinion, et qui échappent à l'observateur superficiel. Ce livre n'aurait-il pour résultat que de montrer le côté sérieux de la question, et de provoquer des études dans ce sens, ce serait déjà beaucoup, et nous nous applaudirions d'avoir été choisi pour accomplir une œuvre dont nous ne prétendons, du reste, nous faire aucun mérite personnel. Nous espérons qu'il aura un autre résultat, c'est de guider les hommes désireux de s'éclairer, en leur montrant, dans ces études, un but grand et sublime: celui du progrès individuel et social, et de leur indiquer la route à suivre pour l'atteindre. Nous nous associerons de tout cœur à leurs travaux, et nous serons heureux de toutes les communications qu'ils voudront bien nous adresser à ce sujet.

L'enseignement donné par les esprits se poursuit en ce moment sur diverses parties dont ils ont ajourné la publication pour avoir le temps de les élaborer et de les compléter. La prochaine publication qui fera suite aux trois livres contenus dans ce premier ouvrage, comprendra, entre autres choses, les moyens pratiques par lesquels l'homme peut arriver à neutraliser l'égoïsme, source de la plupart des maux qui affligent la société. Ce sujet touche à toutes les questions de sa position dans le monde, et de son avenir terrestre.

Nota. — Cette seconde partie sera publiée par voie de souscription, et adressée aux personnes qui se seront inscrites à cet effet en en faisant la demande par écrit (franco, sans rien payer d'avance).

NOTES.

Note I. — (N° 20).

La chimie nous montre les molécules des corps inorganiques s'unissant pour former des cristaux d'une régularité constante, selon chaque espèce, dès qu'ils sont dans les conditions voulues. Le moindre trouble dans ces conditions suffit pour empêcher la réunion des éléments, ou tout au moins la disposition régulière qui constitue le cristal. Pourquoi n'en serait-il pas de même des éléments organiques? Nous conservons pendant des années des semences de plantes et d'animaux qui ne se développent qu'à une température donnée et dans un milieu propice ; on a vu des grains de blé germer après plusieurs siècles. Il y a donc dans ces semences un principe latent de vitalité qui n'attend qu'une circonstance favorable pour se développer. Ce qui se passe journellement sous nos yeux ne peut-il avoir existé dès l'origine du globe? Cette formation des êtres vivants sortant du chaos par la force même de la nature, ôte-t-elle quelque chose à la grandeur de Dieu? Loin de là, elle répond mieux à l'idée que nous nous faisons de sa puissance s'exerçant sur des mondes infinis par des lois éternelles. Cette théorie ne résout pas, il est vrai, la question de l'origine des éléments vitaux ; mais Dieu a ses mystères, et a posé des bornes à nos investigations.

NOTE II. — (N° 23).

Plusieurs questions sur les propriétés de la matière ont été résolues de la manière la plus logique et la plus précise ; mais comme elles ne seraient point à leur place dans cet ouvrage, elles feront partie, ainsi que la série méthodique des questions scientifiques, d'un recueil spécial.

NOTE III. — (N° 134).

Selon les esprits, de tous les globes qui composent notre système planétaire, la terre est un de ceux dont les habitants sont le moins avancés physiquement et moralement. Mars lui serait encore inférieur. Ils pourraient être classés dans l'ordre suivant, en commençant par le dernier degré : *Mars* et plusieurs autres petits globes, la *Terre*, (*Mercure, Saturne*), (*la Lune, Vénus*), (*Junon, Uranus*), *Jupiter* ; sans compter, bien entendu, les milliers de mondes inconnus qui composent les autres tourbillons, et parmi lesquels il en est encore de bien supérieurs.

Plusieurs esprits qui ont animé des personnes connues sur la terre, ont dit être réincarnés dans Jupiter, l'un des mondes les plus voisins de la perfection, et l'on a pu s'étonner de voir, dans ce globe si avancé, des hommes que l'opinion ne plaçait pas ici-bas sur la même ligne. Cela n'a rien qui doive surprendre, si l'on considère que certains esprits habitant cette planète, ont pu être envoyés sur la terre pour y remplir une mission qui, à nos yeux, ne les plaçait pas au premier rang ; secondement qu'entre leur existence terrestre et celle dans Jupiter, ils ont pu en avoir d'intermédiaires dans les-

NOTES.

quelles ils se sont améliorés; troisièmement, enfin, que dans ce monde, comme dans le nôtre, il y a différents degrés de développement, et qu'entre ces degrés il peut y avoir la distance qui sépare chez nous le sauvage de l'homme civilisé. Ainsi, de ce que l'on habite Jupiter, il ne s'ensuit pas que l'on soit au niveau des êtres les plus avancés, pas plus qu'on n'est au niveau d'un savant de l'institut, parce qu'on habite Paris.

Les conditions de longévité ne sont pas non plus partout les mêmes que sur la terre, et l'âge ne peut se comparer. Une personne décédée depuis quelques années étant évoquée, dit être incarnée depuis six mois dans un monde dont le nom nous est inconnu. Interrogée sur l'âge qu'elle avait dans ce monde, elle répondit : « Je ne puis l'apprécier, parce que nous ne comptons pas comme vous; ensuite le mode d'existence n'est plus le même; on se développe ici bien plus promptement; pourtant quoiqu'il n'y ait que six de vos mois que j'y sois, je puis dire que, pour l'intelligence, j'ai trente ans de l'âge que j'avais sur la terre. »

Beaucoup de réponses analogues ont été faites par d'autres esprits, et cela n'a rien d'invraisemblable. Ne voyons-nous pas sur la terre une foule d'animaux acquérir en quelques mois leur développement normal? Pourquoi n'en serait-il pas de même de l'homme dans d'autres sphères? Remarquons, en outre, que le développement acquis par l'homme sur la terre à l'âge de 30 ans, n'est peut-être qu'une sorte d'enfance, comparé à celui qu'il doit atteindre. C'est avoir la vue bien courte que de nous prendre en tout pour les types de la création, et c'est bien rabaisser la divinité de croire qu'en dehors de nous il n'y ait rien qui lui soit possible.

Les croyances mythologiques étaient fondées sur l'existence d'êtres supérieurs à l'humanité, mais ayant encore quelques-unes de ses passions. On se les figurait doués de la prescience et de la pénétration de la pensée, avec des corps moins denses que les nôtres, se transportant à travers l'espace, et se nourrissant de nectar et d'ambroisie, c'est-à-dire, d'aliments moins substantiels et moins grossiers que ceux des mortels. Ces êtres surnaturels, qui avaient vécu parmi les hommes, et s'occupaient encore de leur bonheur et de leur malheur, étaient-ils un simple produit de l'imagination? Non : nous les retrouvons dans les habitants des mondes supérieurs; seulement les anciens en faisaient des divinités qu'ils adoraient, comme le sauvage adore tout ce qui est au-dessus de lui ; les esprits nous les montrent comme de simples créatures arrivées à un certain degré de perfection physique, morale et intellectuelle. Ils se manifestaient sur la terre, comme les esprits se manifestent parmi nous : les oracles et les sybiles étaient les médiums qui leur servaient d'interprètes. L'idée intuitive de ces êtres supérieurs à notre humanité ne s'est point éteinte avec le paganisme; nous les retrouvons plus tard sous les noms de fées, génies, sylphes, willis, houris, gnomes, esprits familiers.

NOTE IV. — (N° 139).

Certaines personnes voient, dans la nécessité de subir de nouveau les tribulations de la vie, quelque chose de pénible, et pensent que Dieu, dans sa justice, a dû en combler la mesure ici-bas. Elles croient ainsi que notre sort est irrévocablement fixé après notre départ de la terre. Il nous semble plus rationnel, au contraire, que Dieu, dans sa justice, ait laissé aux hommes les moyens d'accomplir dans une autre vie ce qu'il n'a pas toujours dépendu d'eux de faire dans celle-ci. Nous invitons ceux qui ne partageraient pas cette opinion, à vouloir bien, dans leur âme et conscience, répondre aux questions suivantes :

NOTES.

Supposons qu'un homme ait trois ouvriers, le premier faisant bien et beaucoup, parce qu'il est laborieux et a de l'expérience dans son métier; le second peu et médiocrement, parce qu'il n'est pas encore assez habile; le troisième rien ou mal, parce qu'il n'est qu'apprenti. Cet homme doit-il rémunérer ses trois ouvriers de la même manière ? — Supposons que vous soyez l'un de ces ouvriers, et qu'ayant été empêché de faire votre tâche, par maladie ou autre cause majeure indépendante de votre volonté, trouveriez-vous juste que le patron vous mît à la porte ? — Que penseriez-vous de ce patron s'il vous disait au contraire : Mon ami, ce que vous n'avez pu faire aujourd'hui, vous le ferez demain et vous réparerez le temps perdu : Je ne vous chasse pas parce que vous ne faites pas aussi bien que votre camarade qui a plus d'expérience que vous : travaillez, instruisez-vous, recommencez ce que vous avez mal fait, et quand vous serez aussi habile que lui, je vous paierai comme lui ?

Croyez-vous avoir atteint toute la perfection morale dont l'homme soit susceptible sur la terre; autrement dit, croyez-vous qu'il y ait des gens qui valent mieux que vous ? — Croyez-vous qu'il y en ait qui valent moins que vous ? — Parmi tous les hommes qui ont vécu sur la terre depuis qu'elle est habitée y en a-t-il beaucoup qui aient atteint la perfection ? — Y en a-t-il beaucoup qui n'ont pu atteindre à cette perfection par des causes indépendantes de leur volonté, c'est-à-dire qui ne se sont pas trouvés en position d'être éclairés sur le bien et le mal ? — Si la condition des hommes après la mort est la même pour tous, y a-t-il nécessité de faire le bien plutôt que le mal ? — Si, au contraire, cette condition est relative au mérite acquis, trouveriez-vous juste que ceux de qui il n'a pas dépendu de devenir parfaits soient privés du bonheur pour l'éternité ? — Si vous reconnaissez qu'il y a des gens meilleurs que vous, trouveriez-vous juste d'être récompensé comme eux sans avoir fait autant de bien ? — Si Dieu vous proposait cette alternative, ou de voir votre sort irrévocablement fixé après cette existence et d'être ainsi privé pour l'éternité du bonheur de ceux qui valent mieux que vous, ou de pouvoir jouir de ce bonheur en vous permettant de vous améliorer dans de nouvelles existences, lequel choisiriez-vous ? — Si, une fois en présence de l'éternité, voyant devant vous des êtres mieux partagés, ne seriez-vous pas le premier à demander à Dieu de vouloir bien vous permettre de recommencer afin de mieux faire ?

C'est ainsi que, par une déduction logique, nous arrivons à reconnaître que le dogme de la réincarnation est à la fois le plus juste et le plus consolant, puisqu'il laisse à l'homme l'espérance. Il se trouve d'ailleurs explicitement exprimé dans l'Évangile :

« Lorsqu'ils descendaient de la montagne (après la transfiguration), Jésus fit ce commandement et leur dit : Ne parlez à personne de ce que vous venez de voir, jusqu'à ce que le fils de l'homme soit ressuscité d'entre les morts. Ses disciples l'interrogèrent alors, et lui dirent : Pourquoi donc les Scribes disent-ils qu'il faut qu'Élie vienne auparavant ? Mais Jésus leur répondit : Il est vrai qu'Élie doit venir et qu'il rétablira toutes choses. Mais je vous déclare qu'Élie est déjà venu, et ils ne l'ont point connu, mais l'ont fait souffrir comme ils ont voulu. C'est ainsi qu'ils feront mourir le fils de l'homme. Alors ses disciples comprirent que c'était de Jean-Baptiste qu'il leur avait parlé. » (Saint Mathieu, chap. 17)

Puisque Jean-Baptiste était Élie, il y a donc eu réincarnation de l'esprit ou de l'âme d'Élie dans le corps de Jean-Baptiste.

Le progrès que nous devons accomplir comprend le développement de toutes les facultés. Chaque existence nouvelle, soit dans ce monde, soit dans un autre, nous avance d'un pas dans le perfectionnement de quelques-unes de ces facultés. Il faut que nous

162   NOTES.

ayons toutes les connaissances et toutes les vertus morales pour atteindre à la perfection, c'est pourquoi nous devons parcourir successivement toutes les phases de la vie pour acquérir l'expérience en toutes choses. La vie corporelle est un instant dans la vie spirituelle qui est la vie normale; or pendant cet instant on peut faire bien peu pour s'améliorer, voilà pourquoi Dieu a permis que ces instants se répétassent comme les jours dans la vie terrestre. Les différents globes sont pour les esprits comme les différentes contrées pour l'homme sur la terre; ils les parcourent tous et fixent leur résidence dans tel ou tel selon que leur état le leur permet, afin de s'instruire en tout.

Un homme dont l'existence serait assez longue pour pouvoir passer par tous les degrés de l'échelle sociale, exercer toutes les professions, vivre parmi tous les peuples de la terre, approfondir tous les arts et toutes les sciences, aurait sans contredit des connaissances et une expérience sans égales. Eh bien! ce que l'homme ne peut pas faire dans une seule existence, il l'accomplit dans autant d'existences que cela est nécessaire ; c'est dans ces existences qu'il apprend ce qu'il ignore, qu'il se perfectionne peu à peu et s'épure, et quand il en a parcouru le cercle entier il jouit de la vie éternelle et du souverain bonheur dans le sein de Dieu.

NOTE V. — (N° 145.)

La doctrine de la liberté dans le choix de nos existences et des épreuves que nous devons subir, cesse de paraître extraordinaire si l'on considère que les esprits, dégagés de la matière, apprécient les choses d'une manière différente que nous ne le faisons nous-mêmes. Ils aperçoivent le but, but bien autrement sérieux pour eux que les jouissances fugitives du monde ; après chaque existence ils voient le pas qu'ils ont fait, et comprennent ce qui leur manque encore en pureté pour l'atteindre : voilà pourquoi ils se soumettent volontairement à toutes les vicissitudes de la vie corporelle en demandant eux-mêmes celles qui peuvent les faire arriver le plus promptement. C'est donc à tort que l'on s'étonne de ne pas voir l'esprit donner la préférence à l'existence la plus douce. Cette vie exempte d'amertume, il ne peut en jouir dans son état d'imperfection : il l'entrevoit, et c'est pour y arriver qu'il cherche à s'améliorer.

N'avons-nous pas, d'ailleurs, tous les jours sous les yeux l'exemple de choix pareils? L'homme qui travaille une partie de sa vie sans trêve ni relâche pour amasser de quoi se procurer le bien-être, qu'est-ce que c'est, sinon une tâche qu'il s'impose en vue d'un avenir meilleur ? Le militaire qui s'offre pour une mission périlleuse, le voyageur qui brave des dangers non moins grands dans l'intérêt de la science ou de sa fortune, qu'est-ce que c'est encore, sinon des épreuves volontaires qui doivent leur procurer honneur et profit s'ils en reviennent? A quoi l'homme ne se soumet-il pas et ne s'expose-t-il pas pour son intérêt ou pour sa gloire? Tous les concours ne sont-ils pas aussi des épreuves volontaires auxquelles on se soumet en vue de s'élever dans la carrière que l'on a choisie ? On n'arrive à une position sociale transcendante quelconque dans les sciences, les arts, l'industrie, qu'en passant par la filière des positions inférieures qui sont autant d'épreuves. La vie humaine est ainsi le calque de la vie spirituelle ; nous y retrouvons en petit toutes les mêmes péripéties. Si donc, dans la vie, nous choisissons souvent les épreuves les plus rudes en vue d'un but plus élevé, pourquoi l'esprit qui voit plus loin que le corps, et pour qui la vie du corps n'est qu'un incident fugitif, ne ferait-il pas choix d'une existence pénible et laborieuse, si elle doit le conduire à une éternelle félicité ? Ceux qui disent que si l'homme a le choix de son existence, ils demanderont à être princes ou millionnaires, sont comme les myopes qui ne voient que ce qu'ils touchent, ou comme ces enfants gourmands à qui l'on demande l'état qu'ils préfèrent, et qui répondent : Pâtissier ou confiseur.

NOTE VI. — (No 156.)

N'est-il pas étrange que les savants qui sondent la matière jusque dans ses éléments moléculaires et en étudient toutes les transformations, aient regardé comme au-dessous d'eux l'étude de ces phénomènes si vulgaires, et pourtant si dignes d'attention ? Les rêves, dit-on, ne sont qu'un produit de l'imagination et de la mémoire, et dès lors à quoi bon s'en préoccuper ! Mais en admettant même cette explication, qui n'en est pas une, il resterait encore à savoir où et comment se forment ces images, souvent si claires et si précises qui nous apparaissent en songe ; le tableau de ces choses dont la mémoire n'a gardé aucun souvenir, souvent même de localités que l'on n'a jamais vues et que l'on retrouve plus tard dans la vie ? Quant au somnambulisme naturel, dont personne ne peut contester l'existence, il offre des phénomènes bien autrement remarquables, et pourtant il n'a jamais fait partie des investigations sérieuses de la science officielle.

NOTE VII. — (No 171.)

La doctrine spirite jette un nouveau jour sur le magnétisme et le somnambulisme. Le phénomène si singulier de la clairvoyance, que, par une contradiction non moins singulière, certaines personnes contestent aux somnambules magnétiques, alors qu'elles ne peuvent s'empêcher de l'admettre chez les somnambules naturels, se trouve clairement défini. Mais à la question de la cause, il s'en rattache une foule d'autres de la plus haute importance au point de vue philosophique, psychologique, moral et même social, qui n'ont point encore été élucidées d'une manière complète et qui, par cela même, sont la source de beaucoup d'erreurs et de préjugés. L'examen de ces questions ne pouvant trouver place ici, l'auteur les a traitées dans un ouvrage spécial qui paraîtra prochainement.

NOTE VIII. — (No 230.)

Si des émigrés nombreux se rendent dans un pays étranger, il y en aura de toutes les classes, de toutes les capacités, de tous les caractères, de tous les degrés d'instruction et de moralité. Si on leur demande des renseignements sur les lois et les mœurs de leur pays, ils les donneront plus ou moins exacts, selon leurs connaissances et leur position sociale. Assurément on se ferait de l'état physique et moral de ce pays une idée bien fausse si l'on s'en rapportait au premier venu, par cela seul qu'il en vient. Il en est de même du monde spirite ; les esprits nous en parlent selon ce qu'ils savent, et c'est à leur langage que nous pouvons juger de leur aptitude à nous le faire connaître.

NOTE IX. — (No 235.)

On ne saurait trop insister sur l'importance de la manière de poser les questions, et plus encore peut-être sur la nature des questions. Il en est sur lesquelles les esprits ne peuvent pas ou ne doivent pas répondre par des motifs qui nous sont inconnus : il est donc inutile d'insister ; mais ce que l'on doit éviter par-dessus tout, ce sont les questions faites dans le but de mettre leur perspicacité à l'épreuve. Quand une chose existe, dit-on, ils doivent la savoir ; or, c'est précisément parce que la chose est connue de vous, ou que vous avez les moyens de la vérifier vous-mêmes, qu'ils ne se donnent pas la peine de répondre ; cette suspicion les irrite et l'on n'obtient rien de satisfaisant : elle éloigne toujours les esprits *sérieux* qui ne parlent volontiers qu'aux personnes qui s'adressent à eux avec confiance et sans arrière-pensée. Sur la terre on ne leur aurait parlé qu'avec déférence, à plus forte raison doit-on le faire, alors qu'ils sont bien au-dessus de ce qu'ils étaient ici-bas. N'en avons-nous pas tous les jours l'exemple parmi nous ? Des hommes supérieurs, et qui ont conscience dans leur valeur, s'amuseraient-ils à répondre à toutes les sottes questions qui tendraient à les soumettre à un examen comme des écoliers ? Le désir de faire un adepte de telle ou telle personne, n'est point pour les esprits un motif de satisfaire une vaine curiosité ; ils savent que la conviction arrivera tôt ou tard, et les moyens qu'ils emploient pour l'amener ne sont pas toujours ceux que nous pensons.

L'ordre et la tenue des séances d'évocation doivent répondre à la gravité de l'intention des personnes réunies. Les esprits d'un ordre élevé ne peuvent voir des réunions sérieuses dans celles où il n'y a ni silence ni recueillement ; où les questions personnelles les plus futiles et souvent les plus ridicules, croisent incessamment les questions les plus graves ; où chacun vient jeter dans la corbeille son petit secret sous pli cacheté, comme dans l'urne du destin. Autant vaudrait se faire dire la bonne aventure par le devin de la place publique.

Supposez un homme grave occupé de choses utiles et sérieuses, incessamment harcelé par les puériles demandes d'un enfant, et vous aurez une idée de ce que doivent penser les esprits supérieurs de toutes les niaiseries qu'on leur débite. Il ne s'ensuit point de là qu'on ne puisse obtenir de la part des esprits d'utiles renseignements et surtout de bons conseils touchant les intérêts privés, mais ils répondent plus ou moins bien, selon les connaissances qu'ils possèdent eux-mêmes, l'intérêt que nous méritons de leur part et l'affection qu'ils nous portent, et enfin selon le but qu'on se propose et l'utilité qu'ils voient à la chose ; mais si toute notre pensée se borne à les croire sorciers, ils ne peuvent avoir pour nous une profonde sympathie ; dès lors ils ne font que des apparitions très courtes et souvent témoignent leur mauvaise humeur d'avoir été dérangés inutilement.

NOTE X. — (N° 245.)

Parmi les esprits qui s'occupent avec une sorte de prédilection du soulagement de l'humanité, de préférence à toutes autres questions, plusieurs ont animé sur terre d'illustres médecins de l'antiquité ou des temps modernes, et parmi ces derniers nous citerons entre autres Hanemann et Dupuytren qui, bien que peu d'accord de leur vivant ici-bas, s'entendent à merveille dans le monde des esprits, et s'unissent volontiers quand il y a du bien à faire. La bonté, qui était l'essence du caractère d'Hanemann, ne se dément pas dans sa nouvelle situation ; c'est toujours la même bienveillance et la même sollicitude pour ceux qu'il a entrepris de soigner, et les résultats qu'il obtient tiennent souvent du prodige.

NOTE XI. — (N° 257.)

Les esprits empruntent quelquefois des noms mythologiques, tels que ceux de : Jupiter, Saturne, Flore, Zéphyr, Borée, Bacchus, le dieu Mars, et l'on tomberait dans une étrange erreur si l'on prenait ces noms au sérieux ; il en est de même de ceux de

NOTES. 165

Belzébut, Satan, Ange Gabriel. Ce sont des qualifications emblématiques qui spécifient leur nature ou leurs inclinations ; tels sont encore les noms suivants : la Vérité, la Discorde, la Prudence, la Folie, la Tempête, Tourmentine, Brillant Soleil, Zoricoco, etc. Certains noms disent suffisamment à qui l'on a à faire, et l'attention que méritent les communications de ceux qui les portent. Toutefois, sous les noms les plus grotesques, et à côté d'une facétie, ils disent souvent des choses d'un grand sens et d'une profonde vérité. Lorsqu'ils lancent leurs traits satiriques contre quelqu'un, ils le piquent au vif, et manquent rarement le défaut de la cuirasse ; les travers connus ou cachés et les ridicules sont saisis avec finesse, et celui qui excite leur verve n'a pas toujours le dernier mot pour rire. Ce sont, en un mot, les pasquins du monde spirite. Les esprits plus élevés s'en servent quelquefois selon les circonstances.

NOTE XII. — (N° 268.)

A l'appui de ce qui a été dit sur la confusion des pensées qui suivent le premier moment de la mort, et comme confirmation de plusieurs points essentiels de la doctrine spirite, nous croyons devoir citer l'évocation d'un assassin par vengeance et jalousie, faite quelques heures après son exécution, et qui jusqu'au dernier moment n'avait témoigné ni repentir ni sensibilité ; les sentiments qu'il exprime seront un enseignement utile pour ceux qui doutent de l'avenir de l'âme.

(Le supplicié, étant évoqué, répond) : Je suis encore retenu dans mon corps.

Est-ce que ton âme n'est pas entièrement dégagée de ton corps ? — Non... j'ai peur... je ne sais... attends que je me reconnaisse... Je ne suis pas mort, n'est-ce pas ?

Te repens-tu de ce que tu as fait ? — J'ai eu tort de tuer ; mais j'y ai été poussé par mon caractère qui ne pouvait souffrir les humiliations..... Tu m'évoqueras une autre fois.

Pourquoi veux-tu déjà t'en aller ? — J'aurais trop peur si je le voyais ; je craindrais qu'il ne m'en fasse autant (sa victime).

Mais tu n'as rien à craindre de lui, puisque ton âme est dégagée de ton corps ; bannis toute inquiétude ; elle n'est pas raisonnable. — Que veux-tu ! es-tu toujours maître de tes impressions ?... Je ne sais pourquoi je ne puis chasser mes impressions ;... je ne sais où je suis ;... je suis fou.

Tâche de te remettre. — Je ne puis, puisque je suis fou... Attends ! je vais rappeler toute ma lucidité.

Si tu priais, cela pourrait t'aider à recueillir tes idées. — Je crains... je n'ose prier.

Prie ; la miséricorde de Dieu est grande ; nous allons prier avec toi. — Oui, la miséricorde de Dieu est infinie ; je l'ai toujours cru.

Maintenant, te rends-tu mieux compte de ta position ? — C'est si extraordinaire que je ne peux encore me rendre compte !

Vois-tu ta victime ? — Il me semble entendre une voix qui ressemble à la sienne et qui me dit : Je ne t'en veux pas... mais c'est un effet de mon imagination !... Je suis fou, te dis-je, car je vois mon corps d'un côté et ma tête de l'autre, et il me semble que je vis, mais dans l'espace qui est entre la terre et ce que tu appelles le ciel... Je sens même le froid d'un couteau tombant sur mon cou... mais c'est la peur que j'ai de mourir... Il me semble que je vois quantité d'esprits autour de moi, me regardant avec compassion ; ils me *causent*, mais je ne les comprends pas.

Parmi ces esprits y en a-t-il un dont la présence t'humilie à cause de ton crime ? — Je te dirai qu'il n'y en a qu'un que je redoute : c'est celui que j'ai frappé.

Te rappelles-tu tes existences antérieures ? — Non ; je suis dans le vague... je crois rêver... Une autre fois ; il faut que je me reconnaisse.

(Trois jours plus tard) : *Te reconnais-tu mieux maintenant ?* — Je sais maintenant que je ne suis plus de ce monde, et je ne le regrette pas. J'ai regret de ce que j'ai fait, mais mon esprit est plus libre, et sait mieux qu'il y a une série d'existences qui nous donnent les connaissances utiles pour devenir parfaits autant que la créature le peut.

Es-tu puni du crime que tu as commis ? — Oui ; j'ai regret de ce que j'ai fait et j'en souffre.

De quelle manière ? — J'en suis puni, car je reconnais ma faute et j'en demande pardon à Dieu ; j'en suis puni par la conscience de mon manque de foi en Dieu, et parce que je sais maintenant que nous ne devons point trancher les jours de nos frères ; j'en suis puni par le remords d'avoir retardé mon avancement en faisant fausse route, et n'ayant point écouté le cri de ma conscience qui me disait que ce n'était point en tuant que j'arriverais à mon but ; mais je me suis laissé dominer par l'orgueil et la jalousie ; je me suis trompé et je m'en repens, car l'homme doit toujours faire des efforts pour maîtriser ses mauvaises passions et je ne l'ai point fait.

Quel sentiment éprouves-tu quand nous t'évoquons ? — Un plaisir et une crainte ; car je ne suis pas méchant.

En quoi consistent ce plaisir et cette crainte ? — Un plaisir de m'entretenir avec les hommes, et de pouvoir en partie réparer ma faute en l'avouant. Une crainte que je ne saurais définir, une sorte de honte d'avoir été meurtrier.

Voudrais-tu être réincarné sur cette terre ? — Oui, je le demande, et je désire me trouver constamment en butte d'être tué et en avoir la peur.

NOTE XIII. — (No 271.)

Une personne évoquée par un de ses parents répondit qu'elle habitait la planète de Junon. Après quelques instants d'entretien, dont les détails sur des choses privées ne permettaient pas de douter de son identité, elle lui dit adieu, ajoutant : Il faut que je te quitte ; j'ai quatre enfants et ils ont besoin de mes soins.

Un autre esprit étant évoqué répondit qu'il était réincarné sur la terre, mais que pour le moment son corps était malade et couché, et probablement ne vivrait pas longtemps. Adieu, dit-il, mon corps se réveille, il faut qu'il prenne de la tisane.

NOTE XIV. — (No 275.)

La crainte de la révélation des secrets intimes est pour beaucoup de gens une cause d'appréhension et de répulsion contre le somnambulisme et le spiritisme. Selon eux il y a dans cette révélation un danger social, et dès lors c'est une nécessité de proscrire ce que les uns appellent des pratiques superstitieuses et d'autres des pratiques diaboliques. Ils ne font pas attention que reconnaître le danger d'une chose c'est reconnaître la chose ; ou le fait existe ou il n'existe pas ; s'il n'existe pas, à quoi bon s'en préoccuper ? il tombera de lui-même ; s'il existe, fût-il mille fois plus dangereux, et dût-il même bouleverser le monde, il n'est pas de proscription qui puisse l'anéantir. Si jamais la nature fournit à l'homme un moyen de mettre à nu ses pensées les plus intimes, ce sera un nouvel ordre de chose et une transformation dans les mœurs, les habitudes et le caractère ; il faudra bien s'en accommoder comme on s'est accommodé de la transformation sociale produite par la presse, les nouvelles doctrines politiques, la vapeur, les chemins de fer, etc. Ce serait, il faut en convenir, l'anéantissement de l'hypocrisie, et il n'y a que ceux qui ont intérêt à rester dans l'ombre qui pourraient s'en plaindre, mais non ceux qui peuvent dire comme le sage : Je voudrais que ma maison fût de verre, afin que tout le monde sût ce que je fais.

NOTE XV. — (N° 441.)

Comme développement de la doctrine du libre arbitre et de plusieurs autres questions traitées dans ce livre, nous rapportons textuellement l'évocation d'un homme éminent par son savoir, mort dans ces derniers temps ; l'élévation des pensées qu'il exprime est un indice de la supériorité de son esprit.

Au nom du Dieu tout-puissant, esprit de Théophile Z...... nous te prions de venir parmi nous et de vouloir bien, avec la permission de Dieu, répondre à nos questions. — Je suis là, que me veux-tu ?

Voudrais-tu nous faire part de tes impressions depuis que tu as quitté ton corps ? — Je te dirai que je ne m'y attendais nullement, et que l'étonnement a été plus grand chez moi que chez beaucoup d'autres ; car, je l'avoue, j'étais loin de penser à ces impressions que l'on ressent à ce moment, et je croyais que cette parcelle de vie qui nous anime retournait au grand tout.

Tu ne croyais donc pas à l'immortalité de l'âme ? — Tu comprends qu'il est pénible à un homme qui a un peu de jugement de croire à cet enfer pour tant d'êtres si peu avancés ; j'aimais mieux croire que ce n'était (la vie) qu'une étincelle électrique qui retournait à son foyer.

Ta manière de voir, sur l'âme, est-elle la même qu'avant la mort ? — Non ; j'avais bien des doutes : maintenant je n'en ai plus. Je sais que tout ne finit pas quand l'enveloppe matérielle tombe ; au contraire, ce n'est qu'alors qu'on est véritablement *soi*.

Où es-tu maintenant ? — Errant sur ce globe pour contribuer au bonheur des hommes.

En quoi peux-tu contribuer au bonheur des hommes ? — En aidant aux réformes qui sont nécessaires.

Resteras-tu longtemps errant ? — Ma mission comme errant ne fait, en quelque sorte, que commencer ; je vais tâcher d'influencer les hommes sur diverses questions graves.

Réussiras-tu dans ta mission ? — Pas aussi facilement que je le voudrais ; car, vois-tu, quand on a de vieilles habitudes on a de la peine à s'en défaire, et les hommes sont entêtés.

Es-tu heureux dans l'état où tu te trouves maintenant ? — Je suis très heureux dans mon état actuel ; je sais que ma tâche est belle quoique difficile, et je sais également que je prendrai naissance dans un monde supérieur quand ma mission sera finie.

Tu confirmes donc la doctrine de la réincarnation ? — Oui, et pourquoi voudrais-tu qu'il en fût autrement ? Crois-tu que dans cette existence tu aies acquis toutes les connaissances ? Certes que si tu as mal fait tu en seras puni, mais par une vie d'épreuves dans laquelle tu auras conscience de ce qui est mal.

Avant ta dernière existence étais-tu incarné sur la terre ? — Non, dans Saturne.

NOTES.

Lorsque tu habitais Saturne, tu avais donc reconnu du mal en toi? — Oui, comme toi tu en vois en toi ; car oserais-tu dire que tu es parfait? Maintenant je te dirai que je sentais en moi le mal de l'ignorance, et que m'étant trouvé dans Saturne, où l'on est un peu plus parfait que sur la terre, je me sentais comme déplacé, parce que je savais que je n'avais point acquis, par les épreuves des mondes inférieurs, le bonheur que je goûtais en me trouvant dans un monde si humain et si fraternel. J'étais absolument comme un paysan ignorant et grossier qui se trouve tout à coup au milieu de la cour la plus brillante.

Comment se fait-il que tu aies été dans Saturne avant d'être assez parfait pour y être bien à ta place?—Pour me donner l'envie de m'instruire dans les autres mondes, afin de pouvoir aller dans les mondes supérieurs même à Saturne qui est encore bien imparfait.

Sous quelle forme es-tu au milieu de nous, et comment pouvons-nous nous faire une idée de ta présence ? — Une forme semi-matérielle.

Cette forme semi-matérielle a-t-elle l'apparence que tu avais de ton vivant?—Oui.

C'est donc alors comme les personnes que nous voyons en rêve ? — Oui.

Es-tu content que nous t'évoquions ? — Oui, parce qu'en m'évoquant je puis vous parler des impressions après que l'on a quitté cette vie, et cela est d'un grand enseignement pour vous.

Quelle était de ton vivant ton opinion sur le libre arbitre de l'homme, et quelle est-elle maintenant ? — Je croyais l'homme libre de se bien ou de se mal conduire ; maintenant je le définis mieux ; car alors je croyais à cette liberté, parce que je ne voyais que la vie présente ; maintenant j'y crois plus fermement, parce que je sais que l'homme, à l'état d'esprit, choisit lui-même sa carrière. Ce que je fais maintenant, je l'ai demandé : ce n'est que la continuation de l'existence que j'avais ici-bas. La liberté est relative à l'épreuve que l'on a choisie. Toujours liberté du bien et du mal quand cela dépend de la volonté ; mais encore une fois la liberté est relative à l'épreuve que l'on a choisie.

Oui, le libre arbitre de l'homme existe, et il n'y a point de fatalité comme vous l'entendez. Le libre arbitre consiste à choisir, dans un moment de dégagement de l'esprit, l'existence future, et alors on en accepte toutes les conséquences. Ainsi, que chacun de vous examine sa position passée et sa position présente dans cette vie, et il verra qu'il a eu toujours à lutter contre le mal, et que souvent il a été le plus fort. Conséquence de la position que vous avez acceptée.

Le mal est-il une nécessité ? — Oui, sans le mal nous serions impropres à juger le bien ; c'est parce que j'avais conscience du mal qui était en moi que j'ai choisi cette existence. Fais le bien qui est l'extirpation du mal ; car le progrès se faisant toujours, il faut bien que le mal cesse, et notre libre arbitre consiste principalement à nous améliorer dans chacune des phases de notre existence.

L'homme, par sa volonté et par ses actes, peut-il faire que des événements qui devraient avoir lieu ne soient pas, et réciproquement ? — Il le peut si cette déviation apparente peut entrer dans la vie qu'il a choisie. Puis, pour faire le bien, comme ce doit être, et comme c'est le seul but de la vie, il peut empêcher le mal, surtout celui qui peut contribuer à ce qu'un plus grand s'accomplisse ; car ici, comme dans les autres mondes, c'est un progrès continuel : il n'y a point de rechutes.

Y a-t-il des faits devant forcément arriver ? — Oui, mais que toi, à l'état d'esprit, tu as vus et pressentis quand tu as fait ton choix. Si tu te brûles le doigt, ce n'est rien : c'est la conséquence de la matière. Il n'y a que les grandes douleurs influant sur le moral qui sont prévues par Dieu, parce qu'elles sont utiles à ton épuration et à ton instruction.

Écoute ! quand nous choisissons une existence, l'heure, comme tu l'appelles, ne nous est pas connue. Nous savons qu'en choisissant telle route, nous acquerrons des connaissances qui nous sont nécessaires ; mais, comme on te disait tout à l'heure, nous ne calculons pas le temps comme vous, et surtout à l'état d'esprit, où nous avons parfaitement conscience que ce que tu appelles un siècle n'est qu'un point dans l'éternité ; nous nous préoccupons peu de l'époque. *Celui qui meurt assassiné savait-il d'avance à quel genre de mort il succomberait, et peut-il l'éviter ?* — Quand nous savons que nous mourrons assassiné, nous ne savons pas par qui... Attends ! je dis que nous mourrons assassiné ; mais nous savons que si nous choisissons une vie dans laquelle nous serons assassiné, nous savons également les luttes que nous aurons à subir pour l'éviter, et que, si Dieu le permet, nous ne le serons point.

L'homme qui commet un meurtre sait-il, en choisissant son existence, qu'il deviendra assassin ? — Non ; il sait que, choisissant une vie de lutte, il y a *chance* pour lui de tuer un de ses semblables ; mais il ignore s'il le fera ; car il y a presque toujours eu lutte en lui.

Pourquoi ne devons-nous pas connaître la nature et le temps des événements à venir ? — Afin qu'ils arrivent quand Dieu le voudra, et que toi, l'ignorant, tu y travailles avec zèle ; car tous doivent y concourir, même les adversaires. Si tu savais qu'une chose doit arriver dans six mois, par exemple, tu dirais : Je n'ai rien à faire, puisque cela doit arriver dans six mois ; et il ne doit pas en être ainsi.

La question du libre arbitre et de la fatalité ne saurait être mieux élucidée qu'elle ne l'est par cette communication. Elle peut se résumer ainsi : L'homme n'est point fatalement conduit au mal ; les actes qu'il accomplit ne sont point écrits d'avance ; les crimes qu'il commet ne sont point le fait d'un arrêt du destin. Il peut, comme épreuve et comme expiation, choisir une existence où il aura les entraînements du crime, soit par le milieu où il se trouve placé, soit par les circonstances qui surviennent, soit enfin par l'organisation même du corps qui peut lui donner telle ou telle prédisposition ; mais il est toujours libre de faire ou de ne pas faire. Ainsi le libre arbitre existe à l'état d'esprit dans le choix de l'existence et des épreuves, et à l'état corporel dans la faculté de céder ou de résister aux entraînements auxquels nous nous sommes volontairement soumis. C'est à l'éducation à combattre ces mauvaises tendances ; elle le fera utilement quand elle sera basée sur l'étude approfondie de la nature morale de l'homme. Quand on connaîtra bien les lois qui régissent cette nature morale, on modifiera le caractère, comme on modifie l'intelligence par l'instruction, et le tempérament par l'hygiène.

NOTE XVI. — (N° 478.)

Cette vérité est rendue sensible par l'apologue suivant :

« Un père a donné à son enfant l'éducation et l'instruction, c'est-à-dire les moyens de savoir se conduire. Il lui cède un champ à cultiver et lui dit : Voilà la règle à suivre pour rendre ce champ fertile et assurer ton existence. Je t'ai donné l'instruction pour comprendre cette règle ; si tu la suis, ton champ te produira beaucoup et te procurera le re-

NOTES.

pos sur tes vieux jours; sinon il ne te produira rien et tu mourras de faim. Cela dit, il le laisse agir à son gré. »

N'est-il pas vrai que ce champ produira en raison des soins donnés à la culture, et que toute négligence sera au détriment de la récolte? Le fils sera donc, sur ses vieux jours, heureux ou malheureux selon qu'il aura suivi ou négligé la règle tracée par son père. Dieu est encore plus prévoyant, car il nous avertit à chaque instant si nous faisons bien ou mal : il nous envoie les esprits pour nous inspirer, mais nous ne les écoutons pas. Il y a encore cette différence, que Dieu donne toujours à l'homme une ressource dans ses nouvelles existences pour réparer ses erreurs passées, tandis que le fils dont nous parlons n'en a plus s'il a mal employé son temps.

NOTE XVII. — (N° 500.)

D'après ce que les esprits disent eux-mêmes, soit de leur tendance à proportionner leur langage aux personnes auxquelles ils s'adressent, soit de l'influence du milieu sur la nature des communications, on pourrait se demander si ce livre n'est pas le reflet des idées de celui qui l'a écrit sous leur dictée. Quelques mots répondront à cette question. L'auteur a longtemps été incrédule en ce qui touche les communications spirites; il a dû céder à l'evidence des faits. En second lieu, avant d'écrire ce livre, il avait sur un grand nombre de points importants des opinions diamétralement opposées à celles qui y sont exprimées, et il n'a modifié ses convictions que d'après l'enseignement qui lui a été donné par les esprits. Cet enseignement lui a été donné par l'intermédiaire de plusieurs médiums écrivains et parlants, différant complétement entre eux de caractère, et dont les connaissances sur beaucoup de questions ne leur permettaient pas d'avoir une opinion préconçue; malgré cela il y a toujours eu identité parfaite dans la théorie qu'ils ont transmise, et souvent l'un a complété, à plusieurs mois d'intervalle, la pensée exprimée par l'autre. Mais ce par quoi l'auteur a dû exercer une influence réelle, c'est par le désir et la volonté de s'éclairer, par l'ordre et la suite méthodiques qu'il a mis dans son travail, ce qui a permis aux esprits de lui donner un enseignement complet et régulier, comme le ferait un professeur enseignant une science en suivant l'enchaînement des idées. Ce sont en effet de véritables leçons que les esprits lui ont données pendant près de deux ans, lui assignant eux-mêmes les jours et les heures des entretiens. C'est surtout dans les communications intimes et suivies que se révèlent avec évidence l'intelligence de la puissance occulte qui se manifeste, son individualité, sa supériorité ou son infériorité.

Plusieurs esprits ont concouru simultanément à ces instructions auxquelles tous assistaient, prenant tour à tour la parole, et l'un d'eux parlant au nom de tous. Parmi ceux qui ont animé des personnages connus, nous citerons *Jean l'Evangéliste, Socrate, Fénelon, saint Vincent de Paul, Hannemann, Franklin, Swedenborg, Napoléon Ier*; d'autres habitent les sphères les plus élevées, et n'ont jamais vécu sur la terre, ou n'y ont paru qu'à une époque immémoriale. On conçoit que d'une telle réunion il ne pouvait sortir que des paroles graves et empreintes de sagesse; aussi cette sagesse ne s'est jamais démentie un seul instant, et jamais un mot équivoque et inconvenant n'en a souillé la pureté.

TABLE DES CHAPITRES.

	Pages.
Introduction	1
Prolégomènes	29

LIVRE PREMIER. — DOCTRINE SPIRITE.

Chap. I. Dieu	34
II. Création	36
III. Monde corporel	39
IV. Monde spirite ou des esprits	43
V. Incarnation des esprits	53
VI. Retour de la vie corporelle à la vie spirituelle	59
VII. Différentes incarnations des esprits	64
VIII. Émancipation de l'âme pendant la vie corporelle	72
IX. Intervention des esprits dans le monde corporel	79
X. Manifestation des esprits	88

LIVRE DEUXIÈME. — LOIS MORALES.

Chap. I. Lois divines ou naturelles	113
II. Loi d'adoration	118
III. Loi du travail	120
IV. Loi de reproduction	122
V. Loi de conservation	123
VI. Loi de destruction	126
VII. Loi de société	130
VIII. Loi du progrès	132
IX. Loi d'égalité	134
X. Loi de liberté	138
XI. Loi de justice, d'amour et de charité	142

LIVRE TROISIÈME. — ESPÉRANCES ET CONSOLATIONS.

Chap. I. Perfection morale de l'homme	145
II. Conditions du bonheur sur terre	147
III. Peines et récompenses futures	151
Épilogue	158

TABLE ALPHABÉTIQUE.

NOTA. — Les nos indiqués sans spécification sont ceux des paragraphes.

A

ADAM, 21.
ADORATION (loi d'), 306 et suiv.
AFFECTION des esprits entre eux, 79. — Id. pour les personnes, 184. — Id. pour les parents et amis qu'ils ont laissés sur la terre, 185.
ALIMENTATION. (Voy. *Nourriture*.)
AMBROISIE, note 3.
AME, introduction, page 1. —Ame universelle, 28. — Ame, esprit incarné, 81, 82. — Instant de l'union de l'âme et du corps, 86. (Voy. *Enfant*.) — Indivisibilité de l'âme, 92. — Siége de l'âme, 93. — Ame externe ou interne, 94. — Rapports entre l'âme et le corps, 95 et suiv. — Ame après la mort, 101 et suiv. (Voy. *Individualité*). 122, 123, 124, 196. — L'âme indépendante du principe vital; le corps peut-il vivre sans âme? 104. — Séparation de l'âme et du corps, 105 et suiv. — Sensation de l'âme en rentrant dans le monde des esprits; modification des pensées de l'âme après la mort, 109, 481, 486, notes 12, 15. — Accueil fait à l'âme à son retour dans le monde des esprits, 121. — Les parents et amis viennent à sa rencontre, 486. — Emancipation de l'âme pendant la vie corporelle, 153 et suiv. — Etat de l'âme pendant le sommeil du corps, 154 et suiv.
AMOUR du prochain (loi d'), 442 et suiv. —Id. de la famille, 327.
ANGES, 55. — Anges rebelles; chute des anges, 61. — Ange-gardien, 189 et suiv.
ANIMAUX, 32 et suiv. — Leur langage, 33. — Différence entre l'homme et les animaux, 34 et suiv., 436. — L'homme a-t-il été animal? 127. Deviendra-t-il animal? 128.
ANTAGONISTES, introduction, page 13.
APPARITIONS, 42, 202, 213.
APTITUDES (inégalité des), 404, 405, 421, 466.
ARCHANGES, 55.
ATHÉISME, 171.

AUMÔNE, 447.
AUTORITÉ (abus de l'), 326, 407, 443.
AVENIR (connaissance de l'), 72, 99, 240 et suiv.
AVERTISSEMENT de l'esprit familier, 193.

B

BÉNÉDICTION, 197.
BESOINS (limite des), 343.
BIEN (le) absolu ou relatif, 285, 287 et suiv. — Bien fait après la mort, 458.
BIEN-ÊTRE, 347, 410.
BIENS de la terre (usage des), 341, 342.
BONHEUR sur terre, 459 et suiv.

C

CAUSE première, 4 et suiv.
CÉLIBAT, 334.
CHARITÉ (loi de), 442 et suiv.
CHASSE, 361.
CHOIX. (Voy. *Epreuves, Existences*.)
CHUTE des anges, 61.
CIEL (1er, 2e, 3e ciel), 501.
CIVILISATION, 399 et suiv., 436.
CLAIRVOYANCE. (Voy. *Lucidité*.)
CLAUSTRATION. (Voy. *Isolement*.)
COMMUNICATION des esprits entre eux, 52. — Id. des hommes avec les esprits, 204 et suiv., 250. — Modes préférables de communication, 216. (Voy. *Médiums, Esprits*.) — Conditions pour avoir de bonnes communications, 225 et suiv. — Communications triviales et grossières, 226, 227. — Comment distinguer la nature des esprits qui se communiquent? 229 et suiv., note 8. — Nature des communications que l'on peut obtenir; questions sympathiques ou antipathiques aux esprits, 234 et suiv., note 9. — Pourquoi les communications des esprits sont-elles plus fréquentes aujourd'hui? 304.
CONSEILS que l'on peut demander aux esprits, 244 et suiv.

TABLE ALPHABÉTIQUE.

Conservation (loi de), 338 et suiv.
Consolations, liv. 3.
Contradictions, introd., page 21. — Id. 223 et suiv.
Coups frappés, 202 et suiv.
Création, 11 et suiv.
Crétins, 98.
Crisiaques, 170.
Croyances intuitives, 100.

D

Danger. (Voy. *Folie*.)
Danse des tables, introd., page 4 et suiv.
Dates ; causes d'erreurs, 69, 241.
Démons, 62, 83, 170.
Désir du mal, 291.
Destruction (loi de), 357 et suiv.
Devoirs naturels, 442 et suiv.
Dieu, 1 et suiv. — Dieu s'occupe-t-il de chaque individu et de chacun de nos actes pour nous récompenser et nous punir ? 478, note 16.
Droits naturels, 442 et suiv. — Droit de vivre, 446. — Id. de propriété, 448 et suiv.
Duel, 365 et suiv.
Durée. (Voy. *Dates*.)

E

Ecriture des esprits, introd., page 20. — Id., 211.
Egalité (loi d'), 403 et suiv., 466.
Egoïsme, 455 et suiv.
Emancipation de l'âme, 153 et suiv.
Enfants ; esprits enfants de Dieu, 40. — Avant la naissance, les enfants ont-ils une âme ? 86. — Les parents transmettent-ils une portion de leur âme à leurs enfants ? 87. — Influence de l'esprit des parents sur les enfants, 89. — L'esprit d'un enfant est-il aussi développé que celui d'un adulte ? 97. — L'enfant mort en bas âge devient-il ange après sa mort ? 141. (Voy. *Similitudes*.)
Enfer, 495 et suiv.
Ennemis (aimer ses), 447.
Enseignements donnés par les esprits, 303.
Epreuves (choix des), 145, 411, notes 5, 15.
Errants (esprits), 140, 217.
Esclavage, 419 et suiv.
Espace universel, 16.
Espérances, liv. 3.
Esprits, 38 et suiv. — Création des esprits, 38. Sont-ils immatériels ? 39 et suiv. — Ils sont distincts de la divinité, 40. — Leur forme, 41. — Leur individualité, 43. — Ils sont partout et se transportent partout, 46, 47. — Leur indivisibilité, 48, 90. — Mode de vision chez les esprits, 49. — Peuvent-ils se soustraire à la vue les uns des autres et se dissimuler leurs pensées ? 50, 51. — Ont-ils un langage ? 52. — Les esprits ont été créés simples et ignorants, 53. — Différents ordres d'esprits, 54 et suiv. — Purs esprits, 55, 136, 137. — Esprits neutres, impurs, légers, 57.— Esprits errants, 140, 217. — Les esprits sont-ils bons ou mauvais par leur nature ? 58, 83. — Progression des esprits ; ils ne peuvent dégénérer, 59, 60 et suiv. — Occupation des esprits, 63. — Attributs spéciaux des esprits ; esprits présidant aux phénomènes de l'air, de la terre, 64 et suiv.—Esprits gardiens des trésors, 248, 249. — Perceptions des esprits, 67 et suiv. — Connaissent-ils le passé et l'avenir ? 70 et suiv. — Eprouvent-ils la fatigue et le besoin de repos ? 73. — Peines et jouissances des esprits, 74 et suiv. — Relations entre les esprits de différents ordres, 76 et suiv. — Affection des esprits entre eux, 79. — Comment se reconnaissent les esprits qui ont cohabité la terre, 116 et suiv. —Souvenir des inimitiés terrestres, 118. —Pouvons-nous dissimuler quelque chose aux esprits ? 119, 172. —Conservent-ils quelques-unes des passions humaines ? 120.— — Id. des traces du caractère qu'ils avaient sur la terre, 247—Sont-ils de différents sexes ? 131. — Influence des esprits sur nos pensées et nos actions, 173 et suiv. — Dans quel but certains esprits nous poussent-ils au mal ? On peut s'affranchir de leur influence, 177, 178. — Manifestation des esprits ; esprits frappeurs et autres, 200 et suiv. — Comment ils agissent sur la matière, 202. — Les esprits qui se manifestent sont-ils tous errants ? 217. — Peuvent-ils se manifester dans plusieurs endroits à la fois ? 223, 265. (Voy. *Ame, Manifestations, Communications, Médiums, Enfants, Evocations*.)
Esprits familiers, 187 et suiv.
Etres organiques ; leur formation et leur origine, 20, 21, note 1. — Etres des différents mondes, 132, note 3.
Evocations ; manière d'évoquer ; conditions les plus favorables à l'évocation ; esprits que l'on peut évoquer, 251 et suiv. — Identité des esprits évoqués ; ils peuvent emprunter de faux noms, introd., page 20. — Id., 259. — Causes qui peuvent empêcher un esprit évoqué de venir, 260, 261, note 13. — Evocation des hommes illustres ; pourquoi ils viennent à l'appel des hommes les plus obscurs, 264. — Evocation simultanée de plusieurs esprits, 266. — Evocation à l'instant de la mort, 268, notes 12, 15. — Id. de l'esprit d'un enfant, 269. — Id. des esprits incarnés dans d'autres mondes, 270. — Id. des personnes vivantes, 271 et suiv.

174 TABLE ALPHABÉTIQUE.

EXISTENCES (différentes), 125 et suiv., 230. Notes 4, 5, 12, 15. — Souvenir, oubli, révélation des existences passées, 146, 147, 148, 243. — Dans de nouvelles existences l'homme peut-il déchoir? 149 et suiv.
EXPIATIONS, 125, 141, 144, 489 et suiv.
EXTASE, 165.

F

FACULTÉS; obstacles à la libre manifestation des facultés de l'esprit incarné, 95 et suiv.
FAMILLES d'esprits, 76, 91.
FARFADETS, 57.
FATALITÉ, 183, 441, note 15.—Lieux fatalement propices ou funestes, 186.
FAUTES; rachat des fautes, 458.
FÉES, note 3.
FEMME; sa condition sociale, 413 et suiv.
FLÉAUX destructeurs, 372 et suiv.
FOI; est-elle nécessaire pour être médium ou faire une évocation? 211.
FOLIE, 98, introd., page 23.
FOLLETS (esprits), 57.
FORCE (abus de la), 406 et suiv.
FORME des esprits, 41, 42.
FORTUNE. (Voy. Richesses.)
FRAPPEURS (esprits), 202, 237.
FUNÉRAILLES, 113, 412.

G

GÉNIES, 66, note 3.—Génies familiers, 187 et suiv.
GNÔMES, 66, note 3.
GUERRES, 377 et suiv.

H

HABITANTS des différents mondes, 132 et suiv. note 3. (Voy. Terre.)
HALLUCINATIONS, 170.
HASARD, 5.
HOMICIDE. (Voy. Meurtre.) 363 et suiv.
HOMME; première apparition de l'homme sur la terre, 19. (Voy. Adam, Races.)—Trois parties dans l'homme, 82. — Double nature de l'homme, 84. — L'homme a-t-il parcouru les différents degrés de l'échelle animale? 127.

I

IDÉES innées, 100, 169. — Idées surgissant sur plusieurs points à la fois; idées dans l'air, 163. — Idées semblables et simultanées chez deux personnes, 164.
IDENTITÉ des esprits évoqués, 259 et suiv., introduction, page 20.
IDIOTS, 98.
INCARNATION des esprits; but de l'incarnation, 80 et suiv.—Un esprit peut-il s'incarner dans deux corps différents à la fois? 90. — Différentes incarnations, 125 et suiv. — Toutes les incarnations s'accomplissent-elles sur la terre? 130, 490. — Incarnation d'un monde supérieur dans un monde inférieur, 133, note 15. — Dernière incarnation, 137. — Intervalle entre chaque incarnation, 139 et suiv., note 4. (Voy. Existences.)
INDIVIDUALITÉ des esprits, 43. — Id. de l'âme après la mort, 102, 103, note 15.
INDIVISIBILITÉ des esprits, 48.— Id. de l'âme, 92.
INÉGALITÉ des esprits, 54. — Id. des aptitudes, 404 et suiv., 421. — Id. des positions sociales, 406.
INFINI, 7.
INIMITIÉS après la mort, 118, 196.
INSPIRATIONS, 215, 250.
INSTINCT, 30 à 36. — Instinct du mal, 179. — Mauvais instincts; l'homme en est-il responsable? 297. — Ils sont développés par la société, 389 et suiv. — Instinct de conservation. (Voy. Conservation.)
INTELLIGENCE, 29 à 36. — Alliance de l'intelligence et du vice, 85.
INTERVENTION des esprits dans le monde corporel, 172 et suiv. (Voy. Esprits.)
INTUITION, 100, 169.
ISOLEMENT absolu, 381 et suiv.

J

JOUISSANCES des esprits, 74 et suiv. — Id. des biens de la terre, 344 et suiv.
JUMEAUX, leur ressemblance morale, 90.
JUSTICE (loi de), 442 et suiv.

L

LANGAGE des animaux, 33.—Id. des esprits, 52.
LIBERTÉ (loi de), 418 et suiv. — Liberté de penser, 423 et suiv. — Liberté de conscience, 425 et suiv.
LIBRE ARBITRE, 145, 297, 432, 436 et suiv., note 15.
LIEUX propices ou funestes, 186.
LOIS divines ou naturelles, 277 et suiv. — Elles sont écrites dans la conscience, 280 et suiv. — L'âme les connaissait avant son incarnation 296. — Enseignées par le Christ, 301, 302. — Leur principe fondamental, 305. — Division de la loi naturelle, 305. — Loi d'adoration, 306; — du travail, 320; — de reproduction, 328; — de conservation, 338; — de destruction, 357; — de société, 380; — du progrès, 391; — d'égalité, 403; — de liberté, 418; — de justice, d'amour et de charité, 442.
LOIS humaines; leur caractère, leur instabilité, 386 et suiv., 416, 417.
LUCIDITÉ somnambulique, 167 et suiv.

TABLE ALPHABÉTIQUE.

M

Mal (induction au), 177, 178. — Instinct du mal, 179. — Mal absolu ou relatif, 284 et suiv.
Maladies. (Voy. *Santé*.)
Malédiction, 197.
Malheur; part que les esprits prennent à nos malheurs; peuvent-ils les détourner? 181 et suiv. — Source des malheurs terrestres, 459 et suiv.
Manifestations des esprits; premières manifestations, introduction, pages 5, 7. — Id. 200 et suiv. — Id. matérielles, tengibles, visibles, coups frappés, mouvement d'objets, leur but, 202, 237 et suiv. (Voy. *Médiums, Esprits, Communications*.)
Mariage, 335 et suiv.
Matérialisme, introduction, page 1. — Id. 171,
Matière, 24 et suiv.
Médiums, 204 et suiv. — Différentes natures de médiums, 208. — Médiums moteurs, 209. — Id. écrivains, 211. — Id. parlants, 212. — Id. voyants, 213. — Id. somnambules et extatiques, 214. — Id. inspirés et impressibles, 215. — Influence du médium et du milieu sur les communications, 218 et suiv., 222 et suiv., 230, note 17.
Mendicité, 447.
Messagers (esprits), 263.
Métempsycose, 128 et suiv.
Meurtre, 363 et suiv.
Milieu (influence du), 222 et suiv.
Misère (épreuve de la), 410, 411, 447.
Mondes; leur conformation, 12. — Pluralité des mondes, 17. — Constitution physique des mondes, 18. — État des êtres dans les différents mondes, 132, 490, notes 3, 13. — Transformation de chaque monde, 135, 136.
Monde corporel, 23 et suiv.
Monde spirite, 38 et suiv.
Morale, 279 et suiv.
Mort, cause, définition, 27. — Respect instinctif pour les morts, 115. — Pourquoi la mort frappe-t-elle l'homme dès l'enfance? 141. — Appréhension de la mort, 472.
Mort (peine de), 367 et suiv.
Mortifications ascétiques, 349.
Mouvement; nature du premier mouvement de l'âme, 176, 194. — Mouvement des objets matériels sous l'influence d'un médium, sa cause, sa signification, 209, 210, 237.
Mutilations, 350.
Mythologie, note 3.

N

Nature; double nature de l'homme, 84.
Nature (état de), 282. — Est-ce le plus heureux pour l'homme? 393 et suiv.
Naturelle (loi), 277 et suiv.
Nécessaire et superflu, 339, 340, 410, 465 et suiv.
Nectar, note 3.
Nourriture, 358 et suiv.
Néant (horreur du), 474.

O

Objections à la doctrine spirite; introd., page 13 et suiv.
Oracles, 170, note 3.
Ordres (différents) d'esprits, 55 et suiv.
Orthographe des esprits, introd., page 22.
Oubli des existences passées, 147 et suiv.

P

Pactes, 180.
Panthéisme, introd., page 2.
Paradis, 494 et suiv.
Parents. (Voy. *Enfants, Similitude*.)
Passé (connaissance du), 71, 99, 100.
Passions (source des), 84. — Leur principe est-il bon ou mauvais? 453 et suiv.
Peines des esprits, 74. — Peines et récompenses futures, 474 et suiv.
Peine de mort, 367 et suiv. — Id. du talion, 370.
Pénétration de la matière par les esprits, 47. — Id. de notre pensée, 172.
Pensée. (Voy. *Idées*.) — Pensées suggérées, 172 et suiv. — Liberté de la pensée, 423.
Perfection morale de l'homme, 453 et suiv.
Périsprit, 42, 136, 138.
Perte des personnes qui nous sont chères, 468. — Perte du souvenir. (Voy. *Souvenir*.)
Peuples; caractère moral distinctif de chaque peuple, 91. — Peuples dégénérés, 397, 398.
Point d'honneur, 366.
Polygamie, 337.
Population; sera-t-elle exubérante sur la terre? 329.
Possédés, 198, 199.
Présent (connaissance du), 70.
Pressentiment, 193.
Prière, 310 et suiv., 498.
Principe des choses, 12 et suiv.
Principe vital, 24 et suiv.
Privations volontaires, 348.
Productions de la terre; pourquoi insuffisantes? 340.
Profanation; l'invocation des morts est-elle une profanation? 468.
Progrès (loi du), 391 et suiv. — Races rebelles au progrès, 402.
Prophètes, 300 et suiv.
Propriété (droit de), 448 et suiv.
Puissance terrestre; état des puissants de la

TABLE ALPHABÉTIQUE.

terre dans le monde des esprits ; élévation des petits et abaissement des grands, 124.
PUNITIONS, 470. (Voy. *Peines*.)
PURGATOIRE, 497 et suiv.
PURS esprits, 55, 136.

Q

QUALITÉS morales et intellectuelles ; leur principe, 83, 85.
QUESTIONS. (Voy. *Communications*.)

R

RACES ; différences physiques des races humaines, 22. — Disparition des races, 330. — Perfectionnement des races, 333. — Races rebelles au progrès, 402.
RAISON ; pourquoi est-elle faillible ? 36.
RECLUSION. (Voy. *Isolement*.)
RÉCOMPENSES, 474 et suiv.
RÉINCARNATION, 125 et suiv. (Voy. *Incarnation*.)
REPENTIR, 142 et suiv.
REPOS, 325 et suiv.
REPRODUCTION (loi de), 328 et suiv.
RESSEMBLANCE. (Voy. *Similitudes*.)
RETOUR de la vie corporelle à la vie spirituelle, 101 et suiv.
RÉVÉLATION sur le principe des choses, 15. — Id. des existences passées, 148. — Id. des lois divines ou naturelles, 298 et suiv.
RÊVES, 155 et suiv., note 6.
RICHESSES, 324. — Inégalité des richesses, 408 et suiv. — Épreuves de la richesse et de la misère, 411.

S

SANTÉ (conseils sur la), 245, note 10.
SAVANTS (opposition des corps), introd., page 14. — Savants dans le monde des esprits ; reconnaissent-ils leurs erreurs ? 245, 246.
SAUVAGE (le) qui se nourrit de chair humaine est-il coupable ? 287, 438.
SCEPTICISME, 14, 477.
SECRETS (révélation des), 275, note 14.
SÉRAPHINS, 55.
SERVIUS-TULLIUS (flamme de), 202.
SEXE chez les esprits, 131.
SILENCE, 385.
SIMILITUDES physiques et morales entre les enfants et les parents, 88. — Id. entre frères, 90. — Id. entre les individus d'un même peuple, 91. — Id. de l'homme à ses différentes existences, 151, 152.
SOCIÉTÉ (loi de), 380 et suiv.

SOLIDARITÉ, 456. (Voy. *Justice*.) — Solidarité des mondes, 405.
SOLITUDE. (Voy. *Isolement*.)
SOMMEIL (état de l'âme pendant le sommeil, 154 et suiv., 162.
SOMNAMBULISME naturel, 156 et suiv., 214. — Id. magnétique, 166 et suiv.
SOUFFRANCES des esprits, 74, 75, 143, 479 et suiv.
SOUVENIR du passé, 99. — Id. de l'existence corporelle après la mort, 112, 146.
SPIRITE, définition, introd. page 1. — Doctrine spirite ; on en trouve la trace chez tous les peuples, 100.
SUICIDE, 251 et suiv.
SUPERFLU, 339, 340, 461.
SURNATURELLES (y a-t-il des choses), 203.
SIBYLLE, 170, note 3.
SYLPHES, 66, note 3.
SYMPATHIE ; esprits sympathiques, 88, 90, 91, 164. — Id. de nos parents et amis d'outre-tombe, 185.

T

TABLES tournantes, introd., page 4.
TALION (peine du), 370.
TÉLÉGRAPHIE humaine, 276.
TERRE (la) n'est pas le seul globe habité, 17. — A-t-elle toujours été habitée ? Ses premiers habitants, 19 et suiv. — Différences physiques de ses habitants, 22.
THÉORIES (différentes) pour l'explication des phénomènes spirites, introd., page 24.
TOMBEAUX. Les esprits viennent-ils visiter leurs tombeaux ? 114.
TOUT (le) universel, 103.
TRANSMIGRATION, 125 et suiv.
TRAVAIL (loi du), 320 et suiv.
TRÉSORS cachés, 248, 249.

U

UBIQUITÉ des esprits, 48.

V

VICES ; leur source, 390, 455.
VIE organique ; définition, 27. — Vie future (pressentiment de la), 100, 475. — Vie corporelle, étamine ou épuratoire pour les esprits, 129. — Vie éternelle, 137. — Vie contemplative, 315.
VISIONS, 170, 202.
VUE (faculté de la) chez les esprits, 49. — Seconde vue, 157 et suiv.
WILLIS, note 3.

FIN DE LA TABLE.

Nota explicativa[137]

> *Hoje creem e sua fé é inabalável, porque assentada na evidência e na demonstração, e porque satisfaz à razão. [...]. Tal é a fé dos espíritas, e a prova de sua força é que se esforçam por se tornarem melhores, domarem suas inclinações más e porem em prática as máximas do Cristo, olhando todos os homens como irmãos, sem acepção de raças, de castas, nem de seitas, perdoando aos seus inimigos, retribuindo o mal com o bem, a exemplo do divino Modelo."* (KARDEC, Allan. Revista espírita, jan. 1868, p. 28).

A investigação rigorosamente racional e científica de fatos que revelavam a comunicação dos homens com os Espíritos, realizada por Allan Kardec, resultou na estruturação da Doutrina Espírita, sistematizada sob os aspectos científico, filosófico e religioso.

A partir de 1854, até seu falecimento, em 1869, seu trabalho foi constituído de cinco obras básicas: *O livro dos espíritos* (1857), *O livro dos médiuns* (1861), *O evangelho segundo o espiritismo* (1864), *O céu e o inferno* (1865), *A gênese* (1868), além da obra *O que é o espiritismo* (1859), de uma série de opúsculos e 136 edições da *Revista espírita* (de

---

[137] N.E.: esta nota explicativa, publicada em face de acordo com o Ministério Público Federal, tem por objetivo demonstrar a ausência de qualquer discriminação ou preconceito em alguns trechos das obras de Allan Kardec, caracterizadas, todas, pela sustentação dos princípios de fraternidade e solidariedade cristãs, contidos na Doutrina Espírita.

janeiro de 1858 a abril de 1869). Após sua morte, foi editado o livro *Obras póstumas* (1890).

O estudo meticuloso e isento dessas obras permite-nos extrair conclusões básicas: a) todos os seres humanos são Espíritos imortais criados por Deus em igualdade de condições, sujeitos às mesmas leis naturais de progresso que levam todos, gradativamente, à perfeição; b) o progresso ocorre através de sucessivas experiências, em inúmeras reencarnações, vivenciando necessariamente todos os segmentos sociais, única forma de o Espírito acumular o aprendizado necessário ao seu desenvolvimento; c) no período entre as reencarnações o Espírito permanece no mundo espiritual, podendo comunicar-se com os homens; d) o progresso obedece às leis morais ensinadas e vivenciadas por Jesus, nosso guia e modelo, referência para todos os homens que desejam desenvolver-se de forma consciente e voluntária.

Em diversos pontos de sua obra, o codificador se refere aos Espíritos encarnados em tribos incultas e selvagens, então existentes em algumas regiões do Planeta, e que, em contato com outros pólos de civilização, vinham sofrendo inúmeras transformações, muitas com evidente benefício para os seus membros, decorrentes do progresso geral ao qual estão sujeitas todas as etnias, independentemente da coloração de sua pele.

Na época de Allan Kardec, as ideias frenológicas de Gall, e as da fisiognomonia de Lavater, eram aceitas por eminentes homens de Ciência, assim como provocou enorme agitação nos meios de comunicação e junto à intelectualidade e à população em geral, a publicação, em 1859 – dois anos depois do lançamento de *O livro dos espíritos* – do livro sobre a *Evolução das espécies,* de Charles Darwin, com as naturais incorreções e incompreensões que toda ciência nova apresenta. Ademais, a crença de que os traços da fisionomia revelam o caráter da pessoa é muito antiga, pretendendo-se haver aparentes relações entre o físico e o aspecto moral.

O codificador não concordava com diversos aspectos apresentados por essas assim chamadas ciências. Desse modo, procurou avaliar as conclusões desses eminentes pesquisadores à luz da revelação dos Espíritos, trazendo ao debate o elemento espiritual como fator decisivo no equacionamento das questões da diversidade e desigualdade humanas.

Allan Kardec encontrou, nos princípios da Doutrina Espírita, explicações que apontam para leis sábias e supremas, razão pela qual afirmou que o Espiritismo permite "resolver os milhares de problemas históricos, arqueológicos, antropológicos, teológicos, psicológicos, morais, sociais, etc." (Revista espírita, 1862, p. 401). De fato, as leis universais do amor, da caridade, da imortalidade da alma, da reencarnação, da evolução constituem novos parâmetros para a compreensão do desenvolvimento dos grupos humanos, nas diversas regiões do Orbe.

Essa compreensão das Leis divinas permite a Allan Kardec afirmar que:

> O corpo deriva do corpo, mas o Espírito não procede do Espírito. Entre os descendentes das raças apenas há consanguinidade"(O livro dos espíritos, it. 207, p. 176).

> [...] o Espiritismo, restituindo ao Espírito o seu verdadeiro papel na Criação, constatando a superioridade da inteligência sobre a matéria, faz com que desapareçam, naturalmente, todas as distinções estabelecidas entre os homens, conforme as vantagens corpóreas e mundanas, sobre as quais só o orgulho fundou as castas e os estúpidos preconceitos de cor (Revista espírita, 1861, p. 432).

> Os privilégios de raças têm sua origem na abstração que os homens geralmente fazem do princípio espiritual, para considerar apenas o ser material exterior. Da força ou da fraqueza constitucional de uns, de uma diferença de cor em outros, do nascimento na opulência ou na miséria, da filiação consanguínea nobre ou plebeia, concluíram por uma superioridade ou uma inferioridade natural. Foi sobre este dado que estabeleceram suas leis sociais e os privilégios de raças. Deste ponto de vista circunscrito, são consequentes consigo mesmos, porquanto, não considerando senão a vida material, certas classes parecem pertencer, e realmente pertencem, a raças diferentes. Mas se se tomar seu ponto de vista do ser espiritual, do ser essencial

e progressivo, numa palavra, do Espírito, preexistente e sobrevivente a tudo, cujo corpo não passa de um envoltório temporário, variando, como a roupa, de forma e de cor; se, além disso, do estudo dos seres espirituais ressalta a prova de que esses seres são de natureza e de origem idênticas, que seu destino é o mesmo, que todos partem do mesmo ponto e tendem para o mesmo objetivo; que a vida corpórea não passa de um incidente, uma das fases da vida do Espírito, necessária ao seu adiantamento intelectual e moral; que em vista desse avanço o Espírito pode sucessivamente revestir envoltórios diversos, nascer em posições diferentes, chega-se à consequência capital da igualdade de natureza e, a partir daí, à igualdade dos direitos sociais de todas as criaturas humanas e à abolição dos privilégios de raças. Eis o que ensina o Espiritismo. Vós que negais a existência do Espírito para considerar apenas o homem corpóreo, a perpetuidade do ser inteligente para só encarar a vida presente, repudiais o único princípio sobre o qual é fundada, com razão, a igualdade de direitos que reclamais para vós mesmos e para vossos semelhantes *(Revista espírita,* 1867, p. 231*).*

Com a reencarnação, desaparecem os preconceitos de raças e de castas, pois o mesmo Espírito pode tornar a nascer rico ou pobre, capitalista ou proletário, chefe ou subordinado, livre ou escravo, homem ou mulher. De todos os argumentos invocados contra a injustiça da servidão e da escravidão, contra a sujeição da mulher à lei do mais forte, nenhum há que prime, em lógica, ao fato material da reencarnação. Se, pois, a reencarnação funda numa lei da Natureza o princípio da fraternidade universal, também funda na mesma lei o da igualdade dos direitos sociais e, por conseguinte, o da liberdade *(A gênese,* p. 42,43. Vide também *Revista espírita,* 1867, p. 373*).*

Na época, Allan Kardec sabia apenas o que vários autores contavam a respeito dos selvagens africanos, sempre reduzidos ao embrutecimento quase total, quando não escravizados impiedosamente.

É baseado nesses informes "científicos" da época que o codificador repete, com outras palavras, o que os pesquisadores europeus descreviam quando de volta das viagens que faziam à África negra. Todavia, é peremptório ao abordar a questão do preconceito racial:

> Nós trabalhamos para dar a fé aos que em nada creem; para espalhar uma crença que os torna melhores uns para os outros, que lhes ensina a perdoar aos inimigos, a se olharem como irmãos, sem distinção de raça, casta, seita, cor, opinião política ou religiosa; numa palavra, uma crença que faz nascer o verdadeiro sentimento de caridade, de fraternidade e deveres sociais (KARDEC, Allan. Revista espírita, jan.1863).

> O homem de bem é bom, humano e benevolente para com todos, sem distinção de raças, nem de crenças, porque em todos os homens vê irmãos seus (O evangelho segundo o espiritismo, p. 348).

É importante compreender, também, que os textos publicados por Allan Kardec na *Revista espírita* tinham por finalidade submeter à avaliação geral as comunicações recebidas dos Espíritos, bem como aferir a correspondência desses ensinos com teorias e sistemas de pensamento vigentes à época. Em Nota ao capítulo XI, item 43, do livro *A gênese*, o codificador explica essa metodologia:

> *Quando, na Revista espírita de janeiro de 1862, publicamos um artigo sobre a "interpretação da doutrina dos anjos decaídos", apresentamos essa teoria como simples hipótese, sem outra autoridade afora a de uma opinião pessoal controvertível, porque nos faltavam então elementos bastantes para uma afirmação peremptória. Expusemo-la a título de ensaio, tendo em vista provocar o exame da questão, decidido, porém, a abandoná-la ou modificá-la, se fosse preciso. Presentemente, essa teoria já passou pela prova do controle universal. Não só foi bem aceita pela maioria dos espíritas, como a mais racional e a mais concorde com a soberana justiça de Deus, mas também foi confirmada pela generalidade das instruções que os Espíritos deram sobre o assunto. O mesmo se verificou com a que concerne à origem da raça adâmica (A gênese, p. 292).*

Por fim, urge reconhecer que o escopo principal da Doutrina Espírita reside no aperfeiçoamento moral do ser humano, motivo pelo qual as indagações e perquirições científicas e/ou filosóficas ocupam posição secundária, conquanto importantes, haja vista o seu caráter provisório decorrente do progresso e do aperfeiçoamento geral. Nesse sentido, é justa a advertência do codificador:

> É verdade que esta e outras questões se afastam do ponto de vista moral, que é a meta essencial do Espiritismo. Eis por que seria um equívoco fazê-las objeto de preocupações constantes. Sabemos, ademais, no que respeita ao princípio das coisas, que os Espíritos, por não saberem tudo, só dizem o que sabem ou o que pensam saber. Mas como há pessoas que poderiam tirar da divergência desses sistemas uma indução contra a unidade do Espiritismo, precisamente porque são formulados pelos Espíritos, é útil poder comparar as razões pró e contra, no interesse da própria Doutrina, e apoiar no assentimento da maioria o julgamento que se pode fazer do valor de certas comunicações (Revista espírita, 1862, p. 38).

Feitas essas considerações, é lícito concluir que na Doutrina Espírita vigora o mais absoluto respeito à diversidade humana, cabendo ao espírita o dever de cooperar para o progresso da Humanidade, exercendo a caridade no seu sentido mais abrangente — *"benevolência para com todos, indulgência para as imperfeições dos outros e perdão das ofensas"* — tal como a entendia Jesus, nosso Guia e Modelo, sem preconceitos de nenhuma espécie: de cor, etnia, sexo, crença ou condição econômica, social ou moral.

A Editora

Referências

ABREU, Silvino Canuto. *O livro dos espíritos e sua tradição histórica e lendária.* 2. ed. São Paulo: LFU, 1996.

_____. *O primeiro Livro dos Espíritos.* Edição bilíngue. Reprodução fotomecânica e tradução da 1ª edição de *O livro dos espíritos*, de Allan Kardec. São Paulo: Companhia Editora Ismael, 1957.

BÍBLIA Sagrada. Tradução de João Ferreira de Almeida. São Paulo. Sociedade Bíblica Brasileira, 1993.

CHIBENI, Sílvio Seno. A Nota aos 'Prolegômenos de O livro dos espíritos. *Reformador*, Rio de Janeiro, abr. 2003, p. 22-25.

KARDEC, Allan. *A gênese.* Tradução de Evandro Noleto Bezerra. Rio de Janeiro: FEB, 2009.

_____. *O evangelho segundo o espiritismo.* Tradução de Evandro Noleto Bezerra. Rio de Janeiro: FEB, 2008.

_____. *O livro dos espíritos.* Tradução de Evandro Noleto Bezerra. 2. ed. Rio de Janeiro: FEB, 2010.

_____. *O que é o espiritismo.* Tradução de Evandro Noleto Bezerra. Rio de Janeiro: FEB, 2009.

_____. *Obras póstumas.* Tradução de Evandro Noleto Bezerra. Rio de Janeiro: FEB, 2009.

_____. *Revista espírita*: jornal de estudos psicológicos, v. 1, 1858. Tradução de Evandro Noleto Bezerra. 4. ed. Rio de Janeiro: FEB, 2007.

_____. *Revista espírita*: jornal de estudos psicológicos, v. 2, 1859. Tradução de Evandro Noleto Bezerra. 3. ed. Rio de Janeiro: FEB, 2007.

_____. *Revista espírita*: jornal de estudos psicológicos, v. 3, 1860. Tradução de Evandro Noleto Bezerra. 3. ed. Rio de Janeiro: FEB, 2007.

_____. *Revista espírita*: jornal de estudos psicológicos, v. 4, 1861. Tradução de Evandro Noleto Bezerra. 3. ed. Rio de Janeiro: FEB, 2006.

_____. *Revista espírita*: jornal de estudos psicológicos, v. 6, 1863. Tradução de Evandro Noleto Bezerra. 3. ed. Rio de Janeiro: FEB, 2007.

_____. *Revista espírita*: jornal de estudos psicológicos, v. 11, 1868. Tradução de Evandro Noleto Bezerra. 2. ed. Rio de Janeiro: FEB, 2010.

_____. *Viagem espírita em 1862*. Tradução de Evandro Noleto Bezerra. 2. ed. Rio de Janeiro: FEB, 2007.

MIRANDA, Hermínio C. *Nas fronteiras do além*. 4. ed. Rio de Janeiro: FEB, 2007.

WANTUIL, Zêus (Org.). *Allan Kardec, o educador e o codificador*. 3. ed. Rio de Janeiro: FEB, 2007.

XAVIER, Francisco Cândido. *A caminho da luz*. 37. ed. Rio de Janeiro: FEB, 2009

O LIVRO ESPÍRITA

Cada livro edificante é porta libertadora.

O livro espírita, entretanto, emancipa a alma nos fundamentos da vida.

O livro científico livra da incultura; o livro espírita livra da crueldade, para que os louros intelectuais não se desregrem na delinquência.

O livro filosófico livra do preconceito; o livro espírita livra da divagação delirante, a fim de que a elucidação não se converta em palavras inúteis.

O livro piedoso livra do desespero; o livro espírita livra da superstição, para que a fé não se abastarde em fanatismo.

O livro jurídico livra da injustiça; o livro espírita livra da parcialidade, a fim de que o direito não se faça instrumento da opressão.

O livro técnico livra da insipiência; o livro espírita livra da vaidade, para que a especialização não seja manejada em prejuízo dos outros.

O livro de agricultura livra do primitivismo; o livro espírita livra da ambição desvairada, a fim de que o trabalho da gleba não se envileça.

O livro de regras sociais livra da rudeza de trato; o livro espírita livra da irresponsabilidade que, muitas vezes, transfigura o lar em atormentado reduto de sofrimento.

O livro de consolo livra da aflição; o livro espírita livra do êxtase inerte, para que o reconforto não se acomode em preguiça.

O livro de informações livra do atraso; o livro espírita livra do tempo perdido, a fim de que a hora vazia não nos arraste à queda em dívidas escabrosas.

Amparemos o livro respeitável, que é luz de hoje; no entanto, auxiliemos e divulguemos, quanto nos seja possível, o livro espírita, que é luz de hoje, amanhã e sempre.

O livro nobre livra da ignorância, mas o livro espírita livra da ignorância e livra do mal.

Emmanuel[1]

---

[1] Página recebida pelo médium Francisco Cândido Xavier, em reunião pública da Comunhão Espírita Cristã, na noite de 25 de fevereiro de 1963, em Uberaba (MG), e transcrita em *Reformador*, abr. 1963, p. 9.

FEB editora
Livro espírita para um novo mundo
www.febeditora.com.br
@febeditoraoficial
@febeditora

Conselho Editorial:
Carlos Roberto Campetti
Cirne Ferreira de Araújo
Evandro Noleto Bezerra
Geraldo Campetti Sobrinho – Coord. Editorial
Jorge Godinho Barreto Nery – Presidente
Maria de Lourdes Pereira de Oliveira
Miriam Lúcia Herrera Masotti Dusi

Produção Editorial:
Elizabete de Jesus Moreira

Revisão:
Davi Miranda
Elizabete de Jesus Moreira

Preparação de Originais:
Jorge Brito

Capa e Projeto Gráfico:
Evelyn Yuri Furuta

Diagramação:
João Guilherme Andery Tayer
Evelyn Yuri Furuta

Foto de Capa:
www.istock.com/duncan1890

Normalização Técnica:
Biblioteca de Obras Raras e Documentos Patrimoniais do Livro

Esta edição foi impressa no sistema de Impressão pequenas tiragens, em formato fechado de 155x230 mm e com mancha de 117x182 mm. Os papéis utilizados foram o Off white 80 g/m² para o miolo e o Cartão 250 g/m² para a capa. O texto principal foi composto em fonte Adobe Devanagari 12,5/15,5 e os títulos em Corda 27/32,4. Impresso no Brasil. *Presita en Brazilo.*